广东改革开放30年研究丛书

广东省哲学社会科学“十一五”规划2007年度规划特别委托项目

创新之路

—— 广东科技发展30年

周永章　梁弈鸣　郭艳华
龙云凤　郑　重　王树功　著

廣東省出版集團
广东人民出版社
·广州·

图书在版编目（CIP）数据

创新之路：广东科技发展30年／周永章等著．—广州：广东人民出版社，2008.11

（广东改革开放30年研究丛书）

ISBN 978-7-218-05997-6

Ⅰ．创…　Ⅱ．周…　Ⅲ．科学研究事业—成就—广东省—1978～2008　Ⅳ．G322.765

中国版本图书馆CIP数据核字（2008）第179638号

出版人	金炳亮
责任编辑	柏　峰
装帧设计	张力平　陈小丹
责任技编	周　杰
出版发行	广东人民出版社
印　　刷	佛山市浩文彩色印刷有限公司
开　　本	787毫米×960毫米　1/16
印　　张	30.5
插　　页	1
字　　数	439千
版　　次	2008年11月第1版　2008年11月第1次印刷
书　　号	ISBN 978-7-218-05997-6
定　　价	61.00元

如果发现印装质量问题，影响阅读，请与出版社（020-83795749）联系调换。

【出版社网址：http://www.gdpph.com　　电子邮箱：sales@gdpph.com

图书营销中心：020-37579695　37579604】

编 辑 委 员 会

总　序

汪　洋

中国的改革开放走过了30年的伟大历程。广东是中国改革开放的先行地区，在改革开放和现代化建设中一直走在全国前列，充分发挥了“试验田”、“窗口”和“示范区”作用。在纪念中国改革开放30周年之际，认真研究总结广东改革开放的成就和经验，有助于深化人们对改革开放重要意义的认识，对于全省人民深入贯彻落实科学发展观，继续解放思想，坚持改革开放，促进经济社会又好又快发展，夺取全面建设小康社会的新胜利，加快推进社会主义现代化，具有深远的历史意义和重大的现实意义。

第一，研究广东改革开放，要系统总结广东改革开放30年的伟大成就，进一步坚定深化改革、扩大开放的信心和决心。

30年来，广东历届省委、省政府团结带领全省人民，高举中国特色社会主义伟大旗帜，发扬敢为天下先的精神和“杀出一条血路”的勇气，解放思想，实事求是，与时俱进，开拓创新，推动经济社会发展取得了举世瞩目的巨大成就。

实现了从一个经济比较落后的农业省份向全国第一经济大省的历史性跨越。1978—2007年，全省GDP总量增长41倍，人均生产总值翻了四番，经济总量先后超过了亚洲“四小龙”中的新加坡、香港和台湾地区，已处于世界中等收入国家水平。目前，全省经济总量约占全国的1/8，源于广东的财政总收入约占全国的1/7，进出口总额占全国的近30%。

实现了从计划经济体制向社会主义市场经济体制的历史性转变。30年来，广东人民以改革创新精神推动着改革开放的伟大实践，率先创办经济特区，率先引进“三来一补”、海外的先进技术设备和管理经验及创办“三资”企业，率先进行价格改革，率先改革投资体制，率先进行金融体制改革，率先实行土地有偿转让，率先实行产权制度改革，等等，在建立和完善社会主义市场经济体制方面走在全国前列。同时，政治、文化和社会等领域的改革也取得了重大进展。

实现了从封闭半封闭向全方位开放的历史性转变。积极加强对外往来和友好合作，努力推进与港澳地区和内地省市区的区域经济合作，大力实施“走出去”战略，形成了多层次、多形式、多功能的全方位对外开放新格局。对外贸易不断扩大，1978—2007年，广东进出口总额增长近400倍，约占全国的30%；到2007年底，累计实际利用外资达到1945亿美元，约占全国的1/5；全省经核准的非金融类境外企业已超过1800家，业务遍及90多个国家和地区。

实现了从温饱向宽裕型小康迈进的历史性跨越。改革开放30年是人民群众得到最多实惠的时期。1978—2007

年，全省城镇居民人均可支配收入、农民人均纯收入分别增加了43倍和29倍，居民消费结构优化，公共服务明显增加，人民生活水平总体达到小康，珠三角地区率先达到宽裕型小康。经济快速发展提供了越来越多的就业岗位，大量的外来务工人员在广东安居乐业。社会保障体系加快向城乡居民覆盖，保障能力不断增强。教育、文化、卫生、体育等各项事业迅速发展。

30年来，广东充分利用毗邻港澳的地理优势，大力推进粤港澳合作，对香港、澳门顺利回归祖国并保持繁荣稳定发挥了重要的促进作用，为彰显“一国两制”伟大构想的成功实践作出了积极贡献。作为中国先发展起来的区域之一，广东十分注重推动国家区域发展总体战略的实施，努力帮助和带动中西部地区发展，为促进全国共同发展、共同富裕发挥了重要作用。

广东的实践雄辩地证明，改革开放符合党心民心、顺应历史潮流，方向和道路是完全正确的。只要坚定不移地推进改革开放，广东就一定能继续书写科学发展的奇迹，中国特色社会主义道路就一定会越走越宽广。

第二，研究广东改革开放，要深入概括广东改革开放30年的宝贵经验，进一步开创改革开放和社会主义现代化建设新局面。

广东作为全国改革开放的试验区，每前进一步都离不开党中央的亲切关怀和正确领导，都是坚定不移学习实践中国特色社会主义理论、坚定不移贯彻党的路线方针政策的结果。1992年春，邓小平同志视察南方发表重要谈话，要求广东“力争用二十年的时间赶上亚洲‘四小龙’”。2000年春，江泽民同志视察广东，提出了“三个代表”重要思想，要求广东“增创新优势，更上一层楼，率先基本实现社会主义现代化”。2003年春，胡锦涛总书记视察广东，提出了科学发展观的思想，要求广东抓住机遇，加快发展、率先发展、协调发展，在全面建设小康社会、加快推进社会主义现代化进程中更好地发挥排头兵作用。广东时刻牢记中央的重托，始终坚持以邓小平理论、“三个代表”重要思想为指导，深入贯彻落实科学发展观，坚定不移地用党的创新理论武装头脑、指导实践、推动工作，结合广东实际创造性地贯彻落实中央的路线、方针、政策，努力为全国的改革开放探索道路、积累经验做出贡献。

坚持以解放思想引领改革开放，不断冲破不合时宜的观念束缚。我们深刻认识到解放思想是正确行动的先导，是扫除思想障碍、引领发展的“法宝”，是推动改革开放的强大动力。我们坚持一切从实际出发，求真务实，求新思变，积极将解放思想形成的共识，转化为政策、措施、制度和法规，把解放思想贯穿于改革开放和社会主义现代化建设的全过程。

坚持以经济建设为中心，推动经济社会又好又快发展。我们深刻认识到发展对于全面建设小康社会、加快推进社会主义现代化，具有决定性意义。我们坚持把发展作为党执政兴国的第一要务，牢牢扭住经济建设这个中心，坚持聚精会神搞建设、一心一意谋发展，不断解放和发展社会生产力。着力把握发展规律、创新发展理念、转变发展方式、破解发展难题，不断提高发展质量和效益，推动经济社会又好又快发展，为率先基本实现社会主义现代化打下坚实基础。

坚持以人为本，激发和保护人民群众的积极性和创造

性。我们深刻认识到全心全意为人民服务是党的根本宗旨，党的一切奋斗和工作都是为了造福人民。我们始终把实现好、维护好、发展好最广大人民的根本利益作为党和国家一切工作的出发点和落脚点，尊重人民主体地位，发挥人民首创精神，保障人民各项权益，走共同富裕道路，促进人的全面发展，做到发展为了人民、发展依靠人民、发展成果由人民共享。

坚持全面协调可持续发展，积极构建社会主义和谐社会。我们深刻认识到社会和谐是中国特色社会主义的本质属性，科学发展与社会和谐是内在统一的，没有科学发展就没有社会和谐，没有社会和谐也难以实现科学发展。我们按照民主法治、公平正义、诚信友爱、充满活力、安定有序、人与自然和谐相处的总要求和共同建设、共同享有的原则，着力解决人民最关心、最直接、最现实的利益问题，努力形成全体人民各尽其能、各得其所而又和谐相处的局面，为发展提供良好社会环境。

坚持统筹兼顾，以世界眼光谋划广东的发展。我们深刻认识到统筹兼顾是在新的历史条件下保证中国特色社会主义事业顺利推进的根本方法。我们统筹城乡发展、区域发展、经济社会发展、人与自然和谐发展、国内发展和对外开放，统筹个人利益和集体利益、局部利益和整体利益、当前利益和长远利益，充分调动各方面积极性。着力把握国内国际两个大局，树立世界眼光，加强战略思维，善于从国际形势发展变化中把握发展机遇、应对风险挑战，营造良好国际环境。

坚持加强和改进党的自身建设，充分发挥党的领导核心作用。我们深刻认识到做好各项工作关键在党。我们坚持党要管党、从严治党，以提高执政能力和保持先进性为重点，贯彻为民、务实、清廉的要求，抓理想塑灵魂，抓班子带队伍，抓基层打基础，抓作风反腐败，全面加强党的自身建设，充分发挥领导核心作用，不断提高各级党组织的凝聚力、创造力和战斗力，为促进改革发展稳定提供坚强政治保证。

这些经验，既是广东历届省委、省政府带领全省干部群众锐意进取、开拓创新取得的宝贵精神财富，又是广东继续开创改革开放新局面必须坚持的重要原则。

第三，研究广东改革开放，要继续解放思想、坚持改革开放，努力争当实践科学发展观的排头兵。

改革开放是广东的魂。广东靠改革开放起步，也靠改革开放起飞；广东靠改革开放赢得今天，也必须靠改革开放开创未来。经过30年的快速发展，广东已经站在新的历史起点之上，改革开放面临着新机遇、新挑战和新任务。我们要继承和发扬改革开放初期敢为人先的精神和气魄，继续解放思想，坚持改革开放，努力争当实践科学发展观的排头兵，把广东建设成为提升我国国际竞争力的主力省，探索科学发展模式的试验区，发展中国特色社会主义的先行地。

一是继续解放思想，坚定不移地走在实践科学发展的前列。解放思想永无止境。要按照科学发展观的要求，打破阻碍科学发展的思维定势，加快转变发展方式，着力提高自主创新能力，积极建设现代产业体系，切实增强可持续发展能力，使速度、结构、效益相协调，人口、资源、环境相协调，消费、投资、出口相协调，城乡、区域发展相协调，促进经济社会又好又快发展。

二是不断深化改革，坚定不移地走在构建有利于科学发展体制机制的前列。以行政管理体制改革、财政和投融资改革、要素市场体系建设等为重点，统筹经济和社会事业改革，加快建立完善的市场经济体制机制，形成市场配置资源、企业自主发展、政府科学调控的良好格局。建立健全科学发展的综合考核体制，把贯彻落实科学发展观的目标要求转化为可考核的客观指标。

三是继续扩大开放，坚定不移地走在提高区域国际竞争力的前列。要树立全局和世界眼光，抢抓经济全球化和区域经济一体化的发展新机遇，加快构建粤港澳紧密合作区，加强与美国、日本、欧盟等发达国家和地区以及与东盟等新兴经济体的合作，加快完善内外联动、互利双赢、安全高效的开放型经济体系，不断扩大开放领域，优化开放结构，提高开放水平，增创广东国际竞争新优势。

四是着力改善民生，坚定不移地走在构建社会主义和谐社会的前列。要坚持民生为重，稳步实施城乡居民收入倍增计划，加快完善覆盖城乡惠及全民的社会保障网，切实解决住房、医疗、教育和食品安全等突出民生问题，使全体人民学有所教、劳有所得、病有所医、老有所养、住有所居，努力实现好、维护好、发展好最广大人民群众的根本利益，推进和谐广东建设。

五是以改革创新精神全面推进党的建设新的伟大工程，坚定不移地走在加强和改进党的建设的前列。要把党的执政能力建设和先进性建设作为主线，坚持党要管党、从严治党，以坚定理想信念为重点加强思想建设，以造就高素质党员、干部队伍为重点加强组织建设，以保持党同人民群众的血肉联系为重点加强作风建设，以健全民主集中制为重点加强制度建设，以完善惩治和预防腐败体系为重点加强反腐倡廉建设，使党始终成为领导改革开放和社会主义现代化建设的坚强核心。

广东有辉煌的过去、美好的现在，一定会有灿烂的未来。这次出版的《广东改革开放30年研究丛书》，对广东改革开放30年巨大成就、实践经验和未来前进方向等问题进行了系统总结和深入研究，内容涵盖经济、政治、文化、法律、城市、农村、科技、教育、社会、党建等10个方面，为全面深入研究广东改革开放做了大量有益工作，迈出了重要一步。在隆重纪念改革开放30周年之际，希望全社会高度重视广东改革开放问题的研究，希望有更多的专家学者和实际工作者积极投身到广东改革开放问题研究中去，进一步把广东改革开放的伟大意义、巨大成就、成功经验和前进方向总结好、阐述好、宣传好，为推动广东现代化建设迈上新台阶，开辟广东更加美好的未来作出更大的贡献！

（作者系中共中央政治局委员、广东省委书记）

目　录

盘点广东：2007 年，广东全省生产总值超过 30606 亿元，占全国总量的 1/8，将亚洲“四小龙”中的新加坡、香港、台湾一举抛在了后头；全省人均生产总值达 4000 美元；源于广东的财政收入占全国总收入的 1/7，超出 7750 亿元；外贸进出口总额占全国的 1/3。总体而言，广东已步入工业化中期阶段和城市化快速发展阶段。

毫无疑问，今天的广东是富裕的。然而，30 年前的广东与今天相比，却有着天壤之别。改革开放前的 1977 年，广东的国内生产总值（GDP）仅 185 亿元，占全国的 5.1%，在全国处于第 23 位；财政收入 35.47 亿元，占全国的 4%。

改革开放 30 年来，广东经济一路高奏凯歌，地方生产总值年平均增长达到 12%。广东从一个工业基础薄弱，经济较落后的边陲省份，一跃成为经济发达、人民生活总体上达到小康水平的经济强省，成为中国内地经济最发达、最具市场活力和投资吸引力的省份之一。从全球的角度看，根据世界银行 2006 年的数据，中国经济在世界的排位，已从 2002 年的第六位，上升到 2005 年的第四位，而广东在全国的经济实力位居前列。

人们惊奇，30 年广东何来这般奇迹？科技又在其中扮演了何种角色？

老子说：“合抱之木，生于毫末；九层之台，起于累土。”那么，对广东来说，“毫末”和“累土”是什么呢？

第一章
敢教日月换新天
——科技发展与改革开放同行

1978 年，万众瞩目的改革开放巨轮在南国滚滚碧浪中率先起锚，天生务实重商的广东人一夜醒来，还没来得及消化这个新的时代词汇，就已兴奋得摩拳擦掌——他们与生俱来的市场经济意识被彻底激活了！

随即发端于东莞的“三来一补”企业和“三资”企业，如雨后春笋般涌现，奠定了广东人从引进、消化、吸收再到集成创新的科技发展初始思维方式。然而，改革开放伊始，百业待兴的广东，科研实力却异常薄弱。20 世纪 80 年代初，广东省委果断地为科研成果和专利的买卖松绑，这一开创之举使广东甩去束缚，迈开了技术商品化的大步。而随着“‘七五’科技发展计划”等一系列政策的放开和引导，技术市场第一次站在中国历史的前台，科研机构体制大改革在中国保守的“大锅饭”体系里搅起了第一阵涟漪……广东的技术市场在“摸着石头过河”中越走越稳，走向深入，走向成熟。

改革使广东经济脱缰先行，作为上层建筑的科技体制和教育体制却明显滞后，在民营企业求贤若渴的背景下，“星期六工程师”借着改革开放，跃进了广东经济建设的主战场——它一改过去“纸上谈兵”、“闭门造车”的科研传统，使科研和生产相结合的新

观念得到了强化，从而在广东的产业、企业技术需求与高校的科技和人才优势之间找到了结合点；它用人才柔性引进的方式，铸造了珠三角无数乡镇企业的发展奇迹。“星期六工程师”现象直接催生了国务院“允许科技干部兼职”的追认令，广东成为中国人才市场机制发育最早的地区之一。

求贤若渴的广东犹如一块魔力无边的磁铁石，吸引了数千万的外来员工。一时间，“到广东去、到特区去”成为南下的热潮。“孔雀东南飞”现象由此应运而生，几千万的外来打工族，跟随着市场的牵引来到人生地不熟的珠三角，一砖一瓦筑起了广东的繁荣。走在前列的广州人率先成立了人才交流中心。自此，广东的人才市场、劳动市场越来越红火，优秀人才纷纷“飞”往广东，择“良木”而“栖”。为使科技人员更加踊跃地往东南“飞”，80年代末，广东省独立科研机构普遍引入了竞争机制，从而大大激发了科研机构面向经济建设的活力，大大调动了科技人员的积极性和创造性。同时，政府引导下实施的一项又一项“火炬”、“星火”等科技计划，助推广东科技事业征服了一座又一座的高峰，一步又一步地迈向更高的疆地！

曾令所有国人心潮澎湃的“深圳速度”就是在这种时代帷幕下诞生的，并最终成为深圳乃至中国改革开放的一个鲜明符号，被载入中国经济特区建设的史册。

到了20世纪90年代，广东业已发展起来的“轻型、外向、劳动密集型”产业结构，悄然进入了新一轮的调整、优化升级阶段。这一时期，高新技术产业、镇域经济、非公有制经济和外向型经济成为支撑广东经济的重要支柱。在引才用才方面，珠海重奖“科技富翁”等创举震撼了神州大地。1992年邓小平到南方视察，引发了改革开放以来中国市场经济发展的又一次新高潮。广东人务实重商、勇于开拓、敢为人先的文化，再一次淋漓尽致地在这一片神奇而又幸运的土地上表现出来。“广东是一个奇迹”——广东经济突飞猛进的发展令当时国内外的媒体咋舌惊叹。

然而，在当时，科技进步对经济发展的贡献率严重偏低。科技

体制科技改革因此进入第二个时期。“第一把手要抓第一生产力”的要求，吹响了加速科技进步的进军号角。在这轮新的改革大潮中，科技工作围绕科技转化为生产力的核心，科学技术工作面向经济建设和社会发展。技术市场进一步形成，传统工业产业结构逐渐转型，民营企业的科技进步受到鼓励，高科技产业得到多方位促进。一系列科技催发剂从天而降——科技发展基金、技术研究开发中心、银行信贷优惠政策和引进人才宽松待遇政策……广东科技体制改革更是一举将科研院所“逼”到了市场中去，初步结束了科技游离于经济之外的局面。进入“九五”期间，广东产业结构继续新的调整升级，高新技术产业继续发展，传统优势产品不断改造升级。市场的引导，国际产业的转移，体制机制的推动，使广东高新技术产业在世界之林中舞出了独特的精彩。

跨入21世纪前夕，广东便敏锐地嗅到了经济领域面临的两大新挑战，一个是经济全球化，二是以信息技术为代表的新技术革命正在全球蓬勃发展，科学技术已经成为推动经济增长的主要动力。在省委、省政府相关引导下，广东进入了以克服科技与经济“两张皮”为核心的第三阶段科技体制改革。主要目标是，在政府的大力支持下，建立起以大企业为主体，以科研机构、高等院校为依托，以市场配置资源为基本途径，以提高整体素质和综合竞争力为目的，适应社会主义市场经济，符合科技发展规律的科技创新机制，走一条科技与经济结合的新路子。

进入21世纪，为迎接中国“嫁”入世贸组织，广东整“妆”待发，进一步落实中央关于加强技术创新、发展高科技、实现产业化的决定。中国“入世”后，广东更加“容光焕发”，提出了科技先行、教育为本，以人才资源为第一资源的发展纲领；提出了增强自主科技创新能力和核心竞争力的科教兴粤的战略思想；提出了加快高新技术及其产业发展，增创科技新优势的发展目标。一批批重点实验室建立起来，一所所高校走向了研究开发和产业化的前沿，一次次政府调研给科技创新经济发展注入了强心剂……“科技强省”和“创新广东”被提到了广东日程表的首页，“广东制造”积

极寻求转变成“广东创造”……

30年前，邓小平一句“杀出一条血路”，造就了广东人热血澎湃的30年激情；30年后的今天，摆在广东人面前的新挑战有了新的含义，那就是如何——“闯出一条新路！”

一、从“引进、消化、吸收”，到“集成创新”初露端倪（1978—1990）

镜头画面：东莞太平手袋厂

1978年，太平手袋厂作为全国第一间“三来一补”的工厂落户东莞，随后众多外资、跨国公司陆续进入广东，开广东外向型经济发展的先河。对广东而言，太平手袋厂的引进是一个具有里程碑意义的事件，它与广东人务实重商思想的联姻，催生出了广东人独特的科技发展思维方式：“引进、消化、吸收”，直至“集成创新”。

1.“三来一补”。

1978年，东莞成立了全国第一间“三来一补”的工厂——太平手袋厂，拥有“粤字〔001号〕”批文。这注定是广东经济开放的起点！广东人抓住了机遇，凭借自身的勤劳、朴实和敏锐的市场判断能力，大力发展面向国内外市场的外向型经济。

所谓“三来一补”是来料加工、来样加工、来件装配及补偿贸易的统称。“三来一补”慢慢发展成全国闻名的东莞模式，后来在没有先例可循的情况下，进一步发展为“三资”（合资、合作和外商独资经营）企业，实现外来资金、技术以及管理经验的整体引进。20世纪80年代后的一二十年间，亚洲一些国家和地区（主要是亚洲“四小龙”）进行新一轮产业结构的调整，其中以毗邻珠江三角洲的香港为主。东莞是典型的受惠区，1987—1992年是东莞“三来一补”业务发展最快的一个时期。“三资”、“三来一补”

企业从不到4000家增加到8000多家。[①] 在这一时期，东莞的工农业总产值年均增长26.6%，其中工业总产值年均增长32.7%，全市国内生产总值从1987年的34亿元（1990年，不变价）增加到1993年的109亿元，增长3.2倍。[②] 到90年代，东莞汇聚了1.3万多家“三资”企业、“三来一补”企业。它们吸收了200万外来劳动力，香港、台湾在东莞工作人员也在10万人左右。[③] 在某种程度上来说，“三来一补”的发展，使东莞在积累资金、解决劳动就业问题、出口创汇、学习企业先进管理经验、培养提高劳动者素质和企业管理水平等方面，发挥了巨大作用，也为广东其他地区的发展提供了鲜活的经验。

随着太平手袋厂“破冰”式的发展，外资经济开始大规模涌入珠江三角洲地区，它们给广东带来的是先进的工艺、设备、技术和管理理念，这对改革开放初期的广东是极为重要的。随着改革开放的不断深入和经济的迅速发展，广东逐渐摆脱了“产品短缺型经济”的桎梏，市场经济由“卖方市场”向“买方市场”的转变，客观上要求提升产品的科技含量，要求技术发展和创新，以推动产品上档次和产业升级。这客观上为科技融入经济，为科技作用于经济建设领域创造了先决条件。

可见，东莞太平手袋厂和后来众多的“三来一补”和外资企业，共同奠定了广东人的初始科技发展思维方式：引进、消化、吸收再到集成创新，这与广东人的开放、务实、重商的思想不谋而合。

2.“星期六工程师”。

“三来一补”企业的进入，使得珠三角地区经济迅速繁荣起来，同时催生了众多集体企业和民营企业。这些企业主要模仿建设

① 中共东莞市委办公室：《从农村走向城市》，人民出版社1994年版，第9页、36页。

② 东莞市政府经济研究室：《东莞经济（1988—1993）》，第362页。

③ 东莞市统计局：《关于1998年国民经济和社会发展的统计公报》，1999年4月6日。

引进的生产线，模仿生产外销产品。广东科研技术人才紧缺，且分布极不合理，10万科技大军积压在广州，“星期六工程师”于是应运而生。最初的“星期六工程师”都是地下军团，他们的人数至今仍难以统计。

1985年，《羊城晚报》记者刘婉玲以一篇《从“星期六工程师”引出的》文章，报道了许多工程师周末下乡镇企业“走穴”的情况。这些“星期六工程师”多来自国有科研院所和国有企业。那时，只是少数科技人员通过各种关系与珠江三角洲地区乡镇企业建立联系，利用节假日时间为企业担当技术顾问，并从中获取适量的报酬。渐渐的，这个人群开始壮大起来，广东省科委1987年做的一项调查发现，在广州的一些科研单位，约有8%～10%的科技人员在从事“星期六工程师”活动。

追溯历史，“星期六工程师”其实就是今天“产学研合作”的雏形。但那时的乡镇企业或私营企业还不懂得“产学研合作”的概念，但是他们知道那些戴眼镜、懂洋文、衣着朴素、小心翼翼的大学老师和研究所的科技人员，能够真正帮助企业或农村解决难题发展致富。广东从改革开放之初，民间产学研活动的频繁，当属全国之先、全国之最。项目、人才、资金都格外眷恋着今天才明白的“产学研合作”。

“星期六工程师”对经济发展和科研改革具有很大的促进意义。在广东省科学院系统，至今仍流传着一段由“星期六工程师”创造的佳话。1984年，中科院广州化学所一项“丙纶”技术引起当时的新会县关注，经双方协议，化学所主动派出了八位“星期六工程师”，利用业余时间赶赴新会，帮助当地建立一个利用“丙纶”技术进行纺织生产的车间，这也是广东生产与科研结合的最早模式。丙纶车间的建成对新会影响很大，为其后来成为纤维生产重镇奠定了基础。在这批“星期六工程师”的协助下，新会先后引进了两个纺织大项目，从而形成了当地的支柱产业。当中有3位科研人员打破了“铁饭碗”，到新会当起了企业的技术顾问。

改革开放之初的广东科教资源十分匮乏，万人大学生的比例低

于全国平均水平。广东的大学教师和科研人员也和全国其他地区的高校中的教师和科研人员一样，崇尚在象牙塔里做学问。在过去很长一段时间，在科研人员的观念中，科学技术只是“实验室的东西”，并没有和生产紧密结合，更没有把科技成果“市场化”的概念。而20世纪80年代出现的“星期六工程师”现象，一改过去“纸上谈兵”、“闭门造车”的科研传统，强化了科研和生产相结合的新观念。广东的产业、企业技术需求与高校的科技和人才优势之间找到了结合点。“星期六工程师”，借着改革开放，跃进了广东经济建设的主战场。

对于当初求贤若渴的民营企业而言，“星期六工程师”所起到的作用自不必多言，那个年代，“星期六工程师”在珠江三角洲地区尤其吃香。如今的许多大企业，“创业之初均受过‘星期六工程师’的点拨”。一家民营企业的老板回忆说：“下半夜了，他们在厂房里休息一会儿，天亮了接着干。星期天傍晚，他们又赶夜里的火车回到城市。”

当年任省科委干部的路平教授回忆那颇有诙谐意味的“地下工作”：“当时我们是为‘星期六工程师’做掩护，组织他们去乡镇企业，还不能告诉企业他们是从哪里来的。他们中有大学的、科研单位的、工厂的，特别是工厂里来的根本不敢讲。企业给他们钱，他们给企业技术，广东的乡镇企业就是这样发展起来的。”

直到1988年1月18日，国务院专门下达了文件，称“允许科技干部兼职”，至此，争论才总算尘埃落定。而事实上，在那时，民营企业聘用科技人员已是一个十分普遍和自然的现象。吴晓波认为，这份文件已成一个追认式的“马后炮”。

20年后的今天，“星期六工程师”已经逐渐淡出人们的话题，但他们对社会进步所做出的贡献却会永远被历史铭记。现在看来，不管是“星期六工程师”，还是“辞官下海”，都为民营经济和国有经济的“对接”提供了可能。

改革开放初期出现的“星期六工程师”，使广东成为我国人才市场机制发育最早的地区之一。20世纪80年代的“星期六工程

师”，用人才柔性引进的方式，铸造了珠三角无数乡镇企业的发展奇迹。从某种角度来说，正是人才源源不断的智力支持创造了今日广东的辉煌。

2005年9月22日，广东省正式签署了广东省与教育部和科技部产学研战略合作协议，标志着广东省产学研进程迈向更高的发展阶段。《中国科技报》广东记者站记者左朝胜说："产学研合作"的概念在广东并不陌生，早在改革开放之初，除了"孔雀东南飞"的人才大军之外，还有一支"星期六工程师"或叫"地下工程师"奇兵，借着改革开放硝烟的掩护，跃入广东经济建设的主战场。校企联合技术创新平台和创新中心的建设，有效地推动了高校科技创新进入广东经济建设主战场，逐步形成了创新型广东建设的力量之源。

3．"孔雀东南飞"。

那个生产假发和手袋的第一家外资企业现已不复存在。不过，数千家外资企业已经成为珠江三角洲经济增长的源泉。大规模工业制造使广州、深圳、顺德、东莞等地成为20世纪80年代中国经济最大的亮点。此时的广东犹如一块魔力巨大的吸铁石，吸引了千万的外来人口到此打工挣钱、实践创业的梦想、体验奋斗的辛酸。20世纪80年代流传的话语之一是："东南西北中，发财到广东。"当时，"到广东去、到特区去"成为南下的热潮。许多人丢掉"档案"和干部身份，来到改革开放的最前线。人数最多的，则是民工。当时即有"百万民工下珠江"之说。他们身无分文，风餐露宿，一路兼程。南下的人越来越多，如今在广东的打工族，已经有数千万之众。

"孔雀东南飞"缘于广东经济社会发展对人才尤其是科技人才的大量需求，因为经历了20世纪80年代初中期的原始资本积累和"星期六工程师"阶段，广东产业开始出现升级的内在需求，企业纷纷从国外引进成套的工业设备和技术。一些较大规模的本地企业也陆续诞生。此时，市场的力量以不可阻挡之势爆发出来，一方面是作为中国改革开放前沿地带的广东和特区企业对人才的大量需

求，另一方面是企业给予的可观经济回报和发展机会的巨大吸引力。“孔雀东南飞”是中国当代社会的独特景观：滚滚南下的外来人员满怀希望与梦想，以排山倒海之势蜂拥而来，在广州集中、集结再到珠江三角洲地区。

千万的外来打工族，根据市场的引导来到人生地不熟的广东。后来有人愤愤不平，说劳工的血汗钱造就了珠三角的繁荣。这种说法有失偏颇。但对于大多数人而言，他们挣的钱比在家多，并且有机会接受前所未有的职业训练。

据统计，2004 年教育部直属 76 所高校的应届毕业生，有 8.04% 在广东就业，高居全国第一，外省高校应届毕业生在广东就业的达 4 万人。

根据广东省 2005 年公布的数字，广东户籍人口 7900 万，住居半年以上流动人口 3100 多万，半年以下流动人口 1100 万，总数 1.2 亿，已成为中国第一人口大省。广东以全国经济总量排名第一的形象，承载全国第一人口大省的盛名，人口数量和 GDP 总量趋向统一。

《新粤商》作者指出：“淘金者”最能刻画“孔雀东南飞者”。它用简洁的语言将不同经历背景、社会出身、个性气质、知识水平和人生理想的“孔雀东南飞者”概括起来。这些涌入珠三角的人群，包括许多后来功成名就的企业家。在时代的大潮中，他们开始了改变命运的创业生涯。1984 年，任正非在退伍后南下深圳，先在一个电子公司任职，被骗后无处就业。1987 年，已经 43 岁的任正非开始创办华为公司，这位未来的思科公司的强大竞争对手，当初创业的主要动力是要摆脱贫穷。1989 年，中国人民大学研究生毕业的段永平来到中山市怡华集团下属的一家亏损 200 万元的小厂当厂长，生产家用电视游戏机。三年之后，这家小厂产值已达 10 亿元，并正式命名为中山小霸王电子工业公司。1994 年，段永平向集团公司提出对小霸王进行股份制改造，但没被通过。1995 年他到东莞成立了步步高电子有限公司。经过短短几年的持续发展，他使“步步高”成为中国无绳电话、VCD 等行业中数一数二的企

业名牌。

广州某咨询设计公司总经理柴子文，是改革开放后“孔雀东南飞”、又在广东成功实现自己梦想的一位典型代表。八九年前，柴子文大学毕业后，从兰州老家只身来到广州，刚从广州火车站出来时，身上不足200元钱。找到了一份平面设计工作，但第一个月的薪水没发，只好吃方便面，连吃了一个月，浑身都浮肿了。在那里，他遇到同样来自兰州的一位姑娘，并结下姻缘。考虑到生意机会足够多，2001年时，他们夫妇俩决定出来自己创业。

几年后，这对年轻的夫妇，已从两位普通的打工仔，开起了咨询设计的“夫妻档”，并在广州骏景花园买下了两套房子，一套自住，一套当工作室。

一开始的客户只是几家老主顾，是珠三角几家做饼干和饮料的企业。由于口碑好，慕名而来的客户越来越多，领域也越来越广。开始是食品企业、外资企业，后来民企也多了起来，做IT的、做服装的，都说要设计自己的商标。再后来，他们还固定联系了几个专业镇，这样生意就更旺了。因为一个镇往往有几十家甚至上百家企业要做形象包装。广东那几年实施提升产业层次、搞品牌战略，他们是受益者之一。

湘中邵阳罗艾桦说：只是“人才待到育成后，早作孔雀东南飞”。他早在1988年大学毕业即削尖脑袋来了广州发展。所谓“水往低处流，人往高处走”，家乡父母官没办法，每年眼睁睁看着大批这样的大学毕业生流往京城及沿海发达地区，其中尤以广东为盛，据说每年高达5000之众，且不少是去了中小外资或民营企业。“打工仔”、“打工妹”、“打工叔”、“打工婶”则更多，光是东莞就积聚了近70万。

来到当年名噪一时的人才集散地——广州南方人才市场，看到很多人在大厅前的招工电子广告牌前浏览招聘信息，室外的广告栏前，背着书包、拿着个人简历和毕业证书的年轻人仔细地浏览着一张张招聘启事。

广东的人才市场、劳动市场一直很红火。1988年初，在全国上下还在争论“劳动力是不是商品”的时候，走在改革前列的广州人已成立了人才交流中心；1992年，珠海重奖“科技富翁”。这些创造性的引才用才举措，在全国引起了极大震撼，优秀人才一时纷纷“飞到”广东。当然，广东在人才竞争方面的绝对优势，还得归功于经济上的“领先一步”。“过去，内地经济发展迟缓，而广东的经济发展速度较快、生活环境相对优越，这成为广东引进人才的本钱。”广东人才学会负责人彭文晋说：“因为大家都信奉，广东是一个发展的热土，至少在物质条件、工资待遇上要强于内地。”“孔雀东南飞”是改革开放初期，广东凭借地缘、政策优势，大胆采用灵活多样的方式引进人才的壮举，为全国人才资源开发工作提供了宝贵经验。

- **“时间就是金钱，效率就是生命”**

“时间就是金钱，效率就是生命”，是20世纪80年代深圳人崇尚的信念。在蛇口工业区，袁庚干脆将它做成一块大型标语牌，屹立在微波山下，听说邓小平还曾经看过。

在蛇口工业区，与“时间就是金钱，效率就是生命”在一起，还有许多可圈可点的亮点。20世纪80年代至90年代，“蛇口模式”与“深圳速度”常常被人们相提并论，被誉为深圳特区最靓丽的两道风景。“深圳速度”成为深圳经济高速发展的代名词，而“蛇口模式”则是蛇口工业区深化改革、加快发展的象征。

从1979年10月起，蛇口工业区实行工资制度改革，“4分钱奖金”风波牵动中南海，由此引发了分配制度改革；蛇口率先推行的工程招标，拉开了深圳市基建体制改革的序幕，为中国基建体制改革起到了先锋和探路者的作用；在全国首次实行人才公开招聘，不仅输送了专业人才，还输送了一批政治精英；1981年蛇口工业区第一批职工住宅水湾头B区四栋楼竣工，七八十户职工喜迁新居，由此迈出了全国住房制度改革的第一步……

20世纪80年代初，蛇口工业区创办以来所取得的瞩目成就，开始在国内外产生了巨大而深远的影响，并被各大媒体争相宣传报道。1981年6月6日，新华社播发题为《蛇口工业区建设速度快》的电讯。第二天，《人民日报》全文刊登新华社的电讯稿，并强调指出，蛇口工业区由于“充分发挥企业自

主权，运用经济办法建设”，“不到两年在荒滩上完成了整个工业区的基础工程和公用设施建设，开始了一系列工厂企业建设，‘蛇口模式’已引起人们广泛注意”。

4．伴随主旋律启动科技体制改革。

从1978年启动开放改革后，中央准予广东沿海地区推行特殊政策和灵活措施。1980年5月，中共中央和国务院发出的41号文件，决定将深圳建设成为中国的“经济特区”。广东人似乎与生俱来的市场经济意识因此被激活，市场极大地活跃了起来，进而有效地促进了经济的快速发展。

广东非国有部门的发展和对外开放激发出来的经济活力，使愈来愈多的人认识到，向市场经济转变是历史的必然。中央对广东的发展高度关注。1984年，掀起了以“开放14个沿海城市”为标志的第二次对外开放浪潮。中共中央十二届三中全会（1984）提出了《关于进一步体制改革的决定》，要求国有企业进行总体性的市场取向改革，加大日益壮大的城乡非国有经济。1984年的《决定》对于解放干部的思想，促使各级领导人开拓进取，作用也十分显著。由于有《决定》作依据，各地的市场极大地活跃了起来。

广东科技发展与经济社会发展大致是同步的，都置身于开放改革的大背景和主旋律之中。1978年，广东省科委和广东省科学院恢复。省、地区（市）的一些科研机构也陆续恢复。广东省科技事业因此开始复苏。复苏后的首要任务是拨乱反正，平反冤假错案。1957年反右斗争之后，对科技人员片面强调“政治条件”，加上其他原因，广东有大批专业科技人员从事非专业工作。

改革开放伊始，广东的科研实力异常薄弱。据统计，1978年广东全民所有制单位（含国家各部、委驻粤机构）有自然科学技术人员18万多人，其中3万多人改行。1979年，广东省科技局修订完成《1978—1985年广东省科学技术发展规划纲要》。它对于科技工作的现状做了总结：“工、农业生产技术水平大都处于50年代的水平，新兴技术发展缓慢，科技队伍的数量、水平与需要不相适应，实验装备陈旧，手段严重落后。”

20世纪80年代初，广东科技主管部门的工作重点主要是落实中央的战略思想和政策，科技体制改革作为经济体制改革的配套工程和重要组成部分被提到了议事日程。另一工作重点是加强科委系统的组织建设，建立科研工作正常秩序，应对新技术革命的挑战开展对策研究等。

由于中国长期实行计划经济，技术通过行政手段无偿转移，人们往往忽视技术的商品性。为此，1981年，中共广东省委第一书记任仲夷提出：科研成果和专利可以卖。由此，广东加快了技术商品化的进程。其后，广东省科委、广州市科委通过举办科技成果交流会、技术交易会等多种形式，培育技术市场。1983年3月，广东省人民政府提出要调整科研布局，加强技术开发，改革科研经费管理制度，扩大研究所的自主权，建立健全科技服务体系，提高科研发展能力。1984年，广州地区高等学校同企业签订技术有偿转让合同450项。1985年，广东举行了21次技术交易会。据不完全统计，签订交易合同、协议书2911项，金额2.98亿元。

1984年7月，广东省科技领导小组重新成立，其主要职责是：贯彻执行中共中央和国务院关于科技工作的方针、政策，结合实际研究制定全省科技发展战略、科技政策和措施；审议确定全省科技发展中、长期规划、计划；研究解决全省科技工作中的重大问题，决定重大科技项目和任务；组织、协调省直属科研院所、中央驻粤科研单位、高等院校、产业部门和民营科技等方面的力量，开展科技工作；组织、协调各有关部门，加强对科技进步的宣传；协调省直各部门科技工作的关系；检查督促各地区、各部门贯彻落实加速科技进步、促进科技与经济结合、深化科技体制改革等方面政策和措施；指导各市科技领导小组工作；指导省科普工作联席会议的工作；承担省委、省政府安排交办的工作。由省长担任省科技领导小组组长，副省长担任副组长，省科委、省计委、省经委、省外经贸委、省农委、省人事局、省财政厅、省高教局、省科学院、省科协等单位的负责人为小组成员。省科技领导小组办公室设在省科委。

1985年，广东省科委、广东省计委根据国家计委、国家科委

关于编制“七五”计划的部署，组织编制了《广东省“七五”科技发展计划》。规划目标是：到1995年前，使广东国民经济各部门建立在新的技术基础上，使重点城市、重点行业、重点产品达到世界20世纪80年代初的先进水平。确定的重点任务是：以技术引进作为广东经济发展的战略性措施，作为增强科研实力与技术经济能力的有效途径；以农业、能源、交通、科学、教育作为战略发展重点；有计划地建立若干新兴产业，对于微型电子计算机的研制和应用研究、软件工程研究与开发、生物工程研究与开发，新材料研制等要做好安排；大力组织技术引进和科技成果的推广应用。规划确定的科技发展的重点领域是：大农业技术、生物技术、医药卫生与环保技术、新材料技术、电子信息技术、精细化工、机电一体化、资源开发利用、新能源技术。可见，当时的目标还是比较保守的。

面对商品经济的蓬勃发展，1985年3月，中共中央颁布《关于科学技术体制改革的决定》，提出要改革过去的科技体制，以适应市场经济的要求。1985年9月，中共第十二次全国代表会议提出了“逐步完善市场体系”的建议，强调要发展商品、资金、劳务、技术四大市场，技术市场第一次站到了中国历史的前台。在以经济建设为中心的战略部署中，中央强调科技要发挥“科学技术是第一生产力”的作用，要与经济相结合，要面向经济建设主战场。1986年，广东省人大常委会颁布《广东省技术市场管理规定》。这是全国第一部关于技术市场管理的地方性法规，标志着广东省技术市场开始走向成熟。它有力引导了科技资源进入国民经济主战场，提高科研机构的独立自主性，调动了科研机构的积极性。

经历了前期的破冰之后，广东省委按照中央的要求并根据自身实际，开始了以打破计划经济体制下科研机构吃“大锅饭”、科技人员捧“铁饭碗”为标志的第一次科研机构体制大改革。1986年，广东省科技主管部门启动了科研管理改革试点工作。以6个省属科研单位和12个广州市属科研单位作为改革试点，探索科研单位逐步企业化、社会化的途径和政策。

这次广东省科研机构体制改革主要是要求科研机构打破“铁

饭碗”，广泛推行科技责任制，扩大科研单位的自主权，以逐步形成与商品性生产相适应的技术市场，使科技体制改革与经济体制改革、财政体制改革、人事体制改革相适应。从改革运行机制入手，在开拓技术市场、加速科技成果转化、建立省级工程技术研究开发中心、设立广东省自然科学基金、建设重点实验室，进行以放宽、放活科研机构政策为核心的综合改革试点等方面的探索和实践。通过引入竞争机制，对外实行有偿合同制，推行所长负责制，鼓励和促进科研机构与高等学校、设计单位和企业之间的协作和联合，推进技术经济承包经营责任制等。省属科研机构普遍实行所长负责制，在科研机构内部打破了吃“大锅饭”的局面，实行报酬与绩效挂钩。

改革开放使广东经济发展先行、先试，但作为上层建筑的科技体制和教育体制明显滞后。科研机构和大学的科技人员难以流动，不能适应市场经济快速发展对人才的要求，不能满足广东工业经济飞速发展对技术和技术人才日益增加的需求，因而出现众说纷纭的“星期六工程师”现象。为了更好地推进科技体制改革，解决制约科技体制改革的障碍，1987年2月，中共广东省委、广东省人民政府颁布了《关于当前科技体制改革若干政策的暂行规定》，决定放宽、放活科研机构，鼓励科研机构建立多种形式的联合体，支持广州地区的“星期六工程师”活动，对科研机构实行税收优惠，对有突出贡献的科技人员予以重奖。1987年12月，广东省人民政府颁发《广东省放宽科技人员政策实施办法》，鼓励科技人员以各种形式服务于经济建设。

《关于当前科技体制改革若干政策的暂行规定》解决了科技人员的流动问题，有力推动了科技人员“孔雀东南飞”。该政策颁布后，广东省独立科研机构普遍引入竞争机制，对外实行技术转让有偿合同制，对内实行课题承包制。在以技术开发和推广应用为主的科研单位中，重点开展科研经费改革试点工作，即由原来的财政全额拨款改为经济独立的研究实体。科研机构与高等学校、设计单位和企业之间加强联合协作。省属科研机构普遍实行所长负责制，大

部分建立了经济实体。在科研机构内部，实行报酬与绩效挂钩，少数单位实行技术经济承包制或全承包制。该政策使科研机构增强了面向经济建设的活力，调动了科技人员的积极性和创造性，科研机构和科技人员的收入均有所提高。该政策在当时产生了较大的影响，各地建立了多元化的科技投入体系，开辟了技术市场，促进了“火炬”、“星火”等科技计划的实施，使科技事业有了新的发展。

《关于当前科技体制改革若干政策的暂行规定》还要求各地、市建立各级技术市场管理机构。此后，各县和县级以上科委陆续建立技术市场管理机构或相应的业务部门。同年4月，“指导小组”举办科技成果、技术市场管理干部学习班，对全省县及县以上科委、省直属单位科技管理部门的170名管理干部进行培训，内容是有关技术商品经营机构审批、技术合同登记和技术市场统计等业务知识和工作方法。通过对管理干部的培训，初步组织起一支技术市场管理队伍。

经过上述发展，广东科研实力和服务经济发展的能力有了一定的加强。截至1987年底止，广东拥有国家各部、委驻粤机构33个，省属机构65个，地区（市）属机构144个；拥有全民所有制单位自然科学技术人员数为367913人，是改革开放前（1977年）的2.01倍。在36万多名科技人员中，高级科技人员占1.46%，中级科技人员占16.16%，初级科技人员占61.95%，未定职称的科技人员占20.43%。在独立的研究与开发机构中，国家各部、委驻粤机构及一部分省、地区（市）属机构力量较强，民营机构、县属机构及大部分地区（市）属机构、部分省属机构力量较弱。整体上看，在国内居中上水平的高质素的科研机构少。1986年，广东省科委根据科研机构、科技队伍数量与质量、科技投资、科技情报资料、科技成果、技术转让和科技发明等投入、产出的情况评估，广东的科技综合能力位居全国第9位。

20世纪80年代，出于市场的需求，广东大力研究鱼塘高产综合技术，省水产局、顺德县、珠江水产研究所等开发的“珠江三角洲万亩鱼塘高产综合技术”，在万亩养殖水面获得平均亩产家鱼

696千克的好成绩。1986年，这一技术已在全省22.4万亩水面推广，平均亩产521千克。此外，广东在虾、鳗、蟹、贝海水养殖方面也取得很大的进展，尤其是大珍珠母贝人工育苗、插核、吊养技术研究成功，使中国继日本之后，成为世界上第二个能人工培育大型海水珍珠的国家。

特别是对从国外引进的一批工业设备，进行消化、吸收、创新的研究，取得较显著的成果。1982年，广东粮油工业公司研制成功FM3方便面生产线，替代进口方便面生产线。至1987年，全国已有100多条FM3方便面生产线投入生产。1983年，佛山市组织技术力量改进引进的彩釉砖生产线。佛山制造的湿式球磨机某些技术性能优于意大利产品。佛山陶瓷工业公司对辊道窑的窑体结构作了改进，燃料由煤气改为重油，能耗节约50%～60%。佛山石湾陶瓷研究所开发的陶瓷辊棒替代了进口产品，并有所创新，除国内自用外还出口国外。

但广东的科技体制改革还只是停留在浅层。由于体制原因，不同隶属关系的全民所有制科研机构各自为政，条块分割现象十分严重，科技资源配置不合理，科技攻关能力差。

1989年3月，广东省人民政府颁布了《广东民办科技机构管理规定》，对从20世纪80年代初开始发展起来的，同时也是科技体制改革产物的民营科技企业，纳入政府管理职能范围，为民营科技企业的发展制订了相应的优惠政策和管理办法。这为广东后来科技事业的发展奠定了良好的基础。

- **“两院”恢复**

十年浩劫，广东省科技事业饱受摧残。1978年，全社会迎来了“科学的春天”。

1978年5月，中国科学院恢复建立广州分院。广州分院代表中国科学院管理在广州地区的华南植物研究所、南海海洋研究所、广州化学研究所、广州电子技术研究所、广州能源研究所、广州人造卫星观测站以及筹建中的广州地质新技术研究所共7个单位。在此前的1978年1月，中共广东省委批准

成立广东省科学院。广东省科学院管理省昆虫研究所、省微生物研究所、省测试分析研究所、广州地理所、省土壤研究所、省科技图书馆、省科技学校、省科学院实验工厂共8个单位。根据省委指示，广东省科学院和中国科学院广州分院（简称“两院”）实行“两块牌子，一套机构”的管理模式。在管理体制上，广东省科学院是广东省政府直属事业单位，隶属广东省领导。广州分院为中国科学院在广州地区的派出机构，由中国科学院与广东省双重领导，以中国科学院为主，党的工作由省委负责，业务行政工作由中国科学院负责。1878年底，省科学院职工总数741人，其中科技人员297人。1978年底，分院职工总数2104人，其中科技人员1150人。

- **“深圳速度”**

1984年4月30日上午，持续40多分钟的鞭炮声“唤醒”了整个深圳。这声音来自150米高的深圳国际贸易中心大厦——当时中国第一高楼。“三天一层楼”的“深圳速度”在这里诞生，并最终成为深圳乃至中国改革开放的一个鲜明符号，载入特区建设的史册。

53层的国贸大厦是深圳人的骄傲。历时仅37个月就建成的深圳国际贸易中心大厦，其象征意义早已超出在1984年保持中国大厦群中第一高度的纪录。人们称它是中国建筑史上的新纪录，标志着中国超高层建筑工艺及速度已达到世界先进水平。但“‘深圳速度’绝对不只是速度，这是一种精神，是改革开放的一笔财富”。时任工程总指挥的李传芳一再强调。时至今日，国贸大厦的主要建设者之一、中国建设三局局长张恩沛仍经常到国贸去看看。他说，它是我职业生涯的巅峰之作。“深圳速度”体现了特区精神：敢拼、敢闯、勇于承担责任。

“深圳速度”是深圳人的财富。从这个时候起，速度的观念日渐深入人心，并深刻改变着人们的工作方式和生活节奏，一个市场化的时代不可逆转地到来了。如今，深圳的建设日新月异，在国贸大厦的后面，鸿昌广场、地王大厦、赛格广场、招商银行大厦、荣超大厦等一栋栋摩天大厦拔地而起，不断创造着深圳乃至全国的建设速度。而这一切，源于国贸开始的“深圳速度”和“深圳精神”的有力支撑。

“深圳速度”更代表了一代人的理想与成就。1992年春天，88岁的邓小平来到国贸顶楼的旋转餐厅，发表了著名的南方谈话。

二、第一把手抓第一生产力，让高新技术插上腾飞翅膀（1991—1997）

镜头画面：珠江三角洲地区发展高新技术产业座谈会（1993）

> 1993年初，时任广东省委书记谢非到珠江三角洲地区调研。他没有料到深圳除了股票之外，还有像模像样的高科技产业，于是当即决定在深圳召开“珠江三角洲地区发展高新技术产业座谈会”。从此，广东高科技产业进入持续高速发展的阶段。

到20世纪90年代，广东在80年代“三来一补”模式中率先发展起来“轻型、外向、劳动密集型”的产业结构，悄然进入新的调整、优化升级阶段。这一时期，高新技术产业、镇域经济、非公有制经济和外向型经济成为支撑广东经济的重要支柱。

广东高新技术产业起于80年代中期，主要利用对外开放的优势，抓住中央制定新技术革命对策的时机。1988年，广东省政府批准开展“广东省高技术、新技术产业开发计划”（又称为“火炬计划”）；随后国家批准广东省发展深圳科技工业园、广州天河新技术开发区和中山火炬高技术产业开发区。同时，一批高技术产品已形成规模生产并推向国际市场。

进入20世纪90年代以后，广东农村镇域经济的发展壮大是另一亮点。特别是在珠江三角洲腹地和东翼汕头、揭阳等一些市场经济发育良好，交通、通讯、信息条件优越的市县，在国内外市场的牵动、国际产业转移的推动下，逐步出现了一批产业相对集中，以非公有制经济为主要特征的镇域经济，其中，又以纺织、服装、玩具、陶瓷、食品、家具、灯饰、五金制品、家电产业最为常见。

1992年邓小平视察南方，引发了改革开放以来中国市场经济发展的又一次新高潮。邓小平视察南方重要讲话，反映了来自我国

改革实践的呼声，得到了广大干部群众的热烈响应。1992 年 3 月，中共中央政治局会议，在计划和市场的问题上作出了明确的决定："计划和市场，都是经济手段。要善于运用这些手段，加快发展社会主义商品经济。"1992 年 10 月，党的十四次全国代表大会正式宣布"我国经济体制改革的目标是建立社会主义市场经济体制"，并且明确地指出，社会主义市场经济体制，就是要使市场在社会主义国家宏观调控下，对资源配置起基础性作用，使经济活动遵循价值规律的要求，适应供求关系的变化；通过价格杠杆和竞争机制的功能，把资源配置到效益较好的环节中去，并给企业以压力和动力，实现优胜劣汰；运用市场对各种经济信号反应比较灵敏的优点，促进生产和需求的及时协调。建立社会主义市场经济体制的目标终于确立。

在这时，广东人务实重商、勇于开拓、敢为人先的文化，又一次淋漓尽致地在这一片神奇而又幸运的土地上表现出来。"广东是一个奇迹"，这是当时国内外媒体对广东经济突飞猛进发展的由衷惊叹。

伴随着经济的快速发展，广东科技事业不断取得突破。但此时，科技体制和管理机制仍然相当不完善，科技成果没有很好地转化为生产力，科技进步对经济发展的贡献率严重偏低。科技投入严重不足，科技人才储备不足等问题暴露出来。在经济体制改革的大潮中，作为改革开放前沿阵地的广东，科技体制改革因此进入第二个时期，科技工作以科技转化为生产力为核心，确立科学技术工作必须面向经济建设和社会发展的基本方针，鼓励民营企业的科技进步，推动技术市场的形成，服务高科技产业发展和传统工业产业结构转型。

1991 年 7 月，广东省委、省政府发布了《关于依靠科技进步，推动经济发展的决定》，提出了"第一把手要抓第一生产力"的要求，吹响了加速科技进步的进军号角。《关于依靠科技进步，推动经济发展的决定》对推动广东省 90 年代科技发展发挥了重要作用，产生了良好的社会影响力。它和 1995 年颁布的《关于加速科学技

术进步若干问题的决定》实际上是广东省20世纪90年代科技发展的指南和纲领性文件。它们提出了科技管理体制改革、企业技术进步、科技兴农、高新技术产业发展、科工（农）贸企业建设、科技成果转化、技术市场培育、引进技术吸收、创新和推广、科技经费投入、科技人才队伍建设等方面的发展目标和任务，对于科技更好地面向经济主战场、促进高新技术产业的发展，起到了重要的推动作用。

1991年，由省财政投入500万元，设立广东省科技发展基金；1992年增加至2500万元。广州市则建立了科技进步基金会，湛江等10个市也设立了科技发展基金。省政府还批准建立了“广东省科技创业投资公司”。

从1991年开始，广东依托企业、联合科研机构和高等院校，逐步组建了一批技术水平较高、开发能力较强的国家级、省级工程技术研究开发中心，成为广东省科技创新体系的重要组成部分。多数工程中心后来发展成为广东省工业技术研究开发的重要基地。

为调整、优化经济产业结构，广东省不遗余力制定相关规章，推动高新技术产业发展。1992年2月，广东省人民政府颁发《关于广东省国家高新技术产业开发区若干政策的实施办法》，对广东省辖的国家高新技术产业开发区给予银行信贷的有利措施，为开发区吸引外资提供立项审批、计划安排、资金担保方面的支持，并对开发区内的高新技术企业予以各种优惠政策，从而支持了广东省高新技术产业的快速发展。

与此相配套，广东抓紧人才资源建设。1992年5月，广东省人民政府颁发《关于鼓励留学人员来广东工作的若干规定》，决定为引进优秀留学人员来粤工作提供宽松条件。1992年11月，中共广东省委、广东省人民政府颁布了《关于加快我省科技队伍建设步伐问题的决定》。1993年3月，广东省人民政府根据《关于加快我省科技队伍建设步伐问题的决定》精神，颁布《广东省自然科学学科、技术带头人队伍建设试行办法》，专门制定了自然科学学科、技术带头人的条件和选拔程序，为自然科学学科与技术带头人

提供了较好的工作条件和生活环境，在科研项目立项、住房、待遇、津贴方面给予了比较优厚的安排。

1993年6月，广东省委、省政府颁发了《关于扶持高新技术产业发展的若干规定》，决定全力扶持高新技术产业的继续加快发展，在建立适应高新技术产业发展的运行机制、增加投入、税收、发展国际经济技术合作交流、引进人才等方面制定了相应措施，对高新技术企业在税收、进出口、建设用地等方面给予扶持。广东省逐步开始有计划、有重点地发展电子信息、生物技术、新型材料、精细化工、机电一体化、新能源等领域的高新技术产业。1993年7月，广东省人民政府颁布《广东省鼓励技术出口暂行办法》，鼓励广东省的技术出口，提高了出口商品的技术含量，改善出口商品的结构。

市场的引导，国际产业的转移，体制机制改革的推动，使广东高新技术产业在世界舞台中开始显示出独特的精彩。高新技术产业和技术较密集的电子通讯设备制造、家用电器业迅速崛起，成为广东发展势头强劲的新经济增长点。“八五”期间，广东高新技术产品产值年均增长69%。到1995年，全省已有高新技术产品1669个，产值673亿元，占全省工业总产值的7.2%；高新技术产品出口53.39亿美元，占全国高新技术产品出口的53.39%，产值和出口居全国各省、市、区的首位。1995年，在广东年产值超100亿元的18个行业中，电子及通讯设备制造业963.22亿元，电气机械及器材制造业559.24亿元，居各行业的一、二位，成为广东最大的支柱产业，产值居全国第一。

进入“九五”期间，广东的产业结构继续新的调整升级，高新技术产业的继续发展和传统优势产品不断改造升级。

1995年7月，中共广东省委、广东省人民政府召开全省科学技术大会，颁布《关于加速科学技术进步若干问题的决定》，要求加速科技成果向现实生产力转化，要求全省积极利用外资发展高新技术产业，各级财政对科技投入以及科技贷款有所增加，通过各类技术服务收入、开拓民间集资方式、建立科技风险投资机制等各种

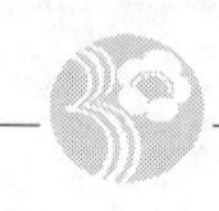

方式，使科技投入多元化，初步建立起了多途径的科技资金投入机制。主要表现在：初步形成了全社会、多渠道、多层次的科技投入体系。这些内容被及时写入《广东省促进科技进步条例》，后者于1995年9月由广东省人大常委会以地方立法形式审议通过。1996年9月，广东省人大常委会在全国率先通过《广东省专利保护条例》，以保护科技成果转化和技术市场的发展。

1997年4月，中共广东省委、广东省人民政府出台《关于进一步扶持高新技术产业发展的若干规定》，增加了更完善、更可操作性和更具体的政策措施。《关于加速科学技术进步若干问题的决定》和《关于进一步扶持高新技术产业发展的若干规定》两个政策的出台，对促进高新技术产业加速发展形成巨大的推动力。高新技术产业区域集中态势初步形成，在珠江三角洲建立的高新技术产业带经济迅速发展，高新技术企业大幅增加，产业产值在全省高新技术企业产品产值中占重要比例，出现了以珠江三角洲为龙头、带动东西两翼发展，以产业带为基地、开发区建设为重点的高新技术产业发展格局。高新技术开发区经济实力不断增强，开发了大批具有市场竞争力的高新技术拳头产品。

广东民营科技企业在20世纪90年代进入快速发展阶段。继1989年广东省人民政府颁布了《广东民办科技机构管理规定》后，1994年1月，广东省人大常委会以地方立法形式，通过《广东省民营科技企业管理条例》。各市、县、区政府依据当地实际情况先后颁布了民营科技企业管理办法，制定了一系列扶持民营科技企业发展的优惠政策。这期间，民营科技企业经营规模不断扩大，民营科技企业的产业化速度明显加快，涌现出了一批较大型或企业集团化的民营科技企业，出现了具有发展潜力的行业龙头企业和知名品牌。其中的一些发展成有影响的上市公司，其经济技术活动已覆盖了国民经济的主要行业。

广东20世纪90年代以科技转化为生产力为核心，鼓励民营企业的科技进步，推动技术市场形成，服务高科技产业发展和传统工业产业结构转型的科技体制改革，与广东产业结构的优化、升级以

及经济总量持续增长，基本上是同步的，并取得积极的结果。1998年，英国著名经济刊物《经济学家》周刊惊呼："在过去两年里，华为公司和另外几家公司已经从在中国投资上十亿美元的爱立信公司、NEC和其他外国公司夺回了中国庞大的电信市场将近一半"。"华为公司和其他这一类的公司获得成功主要靠以其人之道，还治其人之身——在西方所擅长的活动方面击败他们。"[①] 此后，当微软总裁比尔·盖茨在深圳推销它的"维纳斯"计划时，也对深圳高新技术产业发展的迅猛，大加赞扬[②]。

三、断皇粮破"两张皮"，深化科研机构运行机制改革（1998—2003）

镜头画面："增创广东发展新优势"大调研

> 1998年，江泽民总书记要求广东"增创新优势，更上一层楼"。广东旋即开展规格高、规模大的"增创广东发展新优势"十大专题调研活动。几乎与此同时，全省69个省属科研院所重新定位分类，绝大多数被推上经济建设主战场，目标直指科技与经济"两张皮"。

跨入21世纪前夕，尽管全省的经济总量占全国近1/10，还有一大批全国名牌，高新技术产品产值居全国首位，但是广东深深地感受到了经济领域面临的两大挑战：一个是经济全球化，一个是以信息技术为代表的新技术革命在全球的蓬勃发展。科学技术已经成为推动经济增长的主要动力，经济发展对自然资源的依赖程度逐步降低。此外，广东虽然综合科技实力居全国第三，但科技人才总量不足，特别是高层次人才很缺乏。这与经济总量全国第一的地位很

① ［英］《经济学家》周刊，1998年6月27日，《参考消息》，1998年7月18日。
② 1999年5月22日香港翡翠电视台《新闻透视·香港信息业落后于深圳?》。

不相称。

体制问题集中表现在科技和经济“两张皮”上。整个科技体制、技术创新机制还没有从根本上摆脱计划经济的束缚，落后于经济体制改革的步伐，不能适应形势发展的要求。主要表现在，科研机构、科技人员游离于产业系统之外。科技人员中，吃皇粮的占76%。而产业系统生产技术十分落后，社会财富积累缓慢。此外，科技成果的转化率很低，因为科技人员的课题大多不是来源于市场，而来自于企业，更非由企业提出然后跟科研部门合作的。

1998年初，江泽民总书记要求广东“增创新优势，更上一层楼”。广东省第八次党代会提出实施“科教兴粤”等三大发展战略。根据时任省委书记李长春的指示，广东迅速在全省范围内开展“增创广东发展新优势”十大专题调研活动，科技体制改革列入其中。

1998年9月，省委、省政府经过缜密调研，从市场经济、全球经济、知识经济的高度出发，把发展高新技术产业、促进广东经济发展作为增创广东发展新优势的战略重点，把依靠科技进步推动产业结构优化升级作为调研成果转为决策的重头戏，正式颁布了《中共广东省委、广东省人民政府关于依靠科技进步推动产业结构优化升级的决定》，要求把增创科技新优势摆在全省首要地位，充分发挥科技进步对经济建设的强大推动作用。

从此，广东进入了以克服科技与经济“两张皮”为核心的第三阶段科技体制改革。这是一次对科研机构、科技体制的深层次改革，也是对科技资源配置的一次重大调整。主要目标是，在政府的大力支持下，建立起以大企业为主体，以科研机构、高等院校为科技依托，以市场配置资源为基本途径，以提高整体素质和综合竞争力为目的，适应社会主义市场经济，符合科技发展规律的科技创新机制，走一条科技与经济结合的新路子。特点是：第一，政府大力支持，不论是政策法规上、投入上，政府的责任仍然十分重要。第二，确立大企业为科技进步的主体。在明确主体的情况下，以高等院校、科研单位为社会科技依托。第三，通过市场配置资源，使市

场在资源配置上起基础性作用。科技成果、科技人才、科研经费都是资源，由过去的行政配置为主转为市场配置为基本途径。人才由企业面向市场录用，政府办户口。经费上实行政府投资法人化，用于基础研究和公益性研究的，实行招投标，由专家委员会评审，并运用资本市场筹集资金等，弱化政府配置的比重。第四，以提高经济整体素质和综合竞争能力为目的。对科技成果评价体系、科技工作考核进行改革。

这次科技体制改革，突破了原有的科技投入体制，建立适应市场经济的科技投入新机制。首先是树立科技投入是生产性投入的观念，鼓励、引导全社会多渠道、多层次增加科技投入。从过去注重国民收入二次分配中的政府财政增加科技投入，转到重点放在大幅度增加国民收入一次分配中的科技投入和国民收入二次分配中的民间投入。鼓励企业增加科技投入，大大提高国民收入一次分配中科技投入的比重。其次，吸引民间的资金投入到科技进步中来。建立风险投资机制，吸收民间资金，支持高科技攻关。大力发展民营科技企业。支持留学、退休的科技人员创办民营科技企业。可以采取合伙经营、股份合作制等形式，充分调动方方面面科技人员的积极性。大力培养和吸纳优秀科技人才。人才队伍建设，一是抓培养。重点培养产业技术带头人、优秀专家和拔尖人才，特别是重视培养既懂现代科技、又有经营管理才能的复合型人才。二是制定优惠政策，吸引海内外科技人才来广东工作。硕士、博士研究生毕业后被基层单位正式录用的，地方办户口开绿灯，免收城市建设增容费。欢迎出国留学人员来广东投资创办高新技术企业，或来粤工作。

1999 年 6 月，广东省人民政府颁布《广东省深化科技体制改革实施方案》，对科研机构进行重新分类和定位，深化科技拨款方式改革，对科学事业费的使用方向进行了调整，择优扶持 50 家省重点发展的工业大企业或企业集团组建工程技术研究开发中心，大力发展民营科技企业。广东省高校的 15 个国家级重点学科继续保持并扩大优势，高校的技术开发机构逐步转为企业法人。改革科技管理体制，建立新的科技成果评价体制，建立科技计划管理的知识

产权保护制度等。强调鼓励和支持国有企业、科研机构与民营企业之间互相兼并、收购。这些标志着广东省科研机构体制改革工作进入了完善与深化发展阶段。

2000年，广东省委、省政府召开了全省技术创新工作座谈会，颁发了《贯彻〈中共中央、国务院关于加强技术创新，发展高科技，实现产业化的决定〉的通知》，进一步贯彻落实《中共中央、国务院关于加强技术创新，发展高科技，实现产业化的决定》精神，加快全省科技创新和发展高新技术产业的步伐。

2002年5月，广东省第九次党代会对加快广东的社会主义现代化建设作出战略部署，提出要以提高国际竞争力为核心，实施四大战略：以加入世贸组织为契机，在更宽领域、更高层次上参与经济全球化，大力发展开放型经济，带动全省经济持续快速健康发展的外向带动战略；坚持科技先行、教育为本，确立人才资源是经济社会发展第一资源的思想，增强自主科技创新能力和核心竞争力的科教兴粤战略；使经济发展与人口、资源、环境相协调，努力开创生产发展、生活富裕、生态良好的良性循环发展道路的可持续发展战略；把加快山区开发摆上重要的战略地位，努力实现全省不同类型地区优势互补协调发展，促进共同富裕的区域协调发展战略。同时增创五大优势：进一步利用广东改革开放先行一步和毗邻港澳、海外侨胞众多的有利条件，抢抓历史机遇，提高对外开放水平，增创加入世贸组织后的先发优势；加快推进经济结构的战略性调整，打造一批具有国际竞争力的支柱产业、骨干企业和名牌产品，增创产业新优势；坚持引进、消化、吸收、创新相结合，提高自主科技创新能力，加快高新技术及其产业发展，增创科技新优势；加大改革力度，完善市场机制，充分发挥市场配置资源的基础性作用，增创体制新优势；积极营造良好的人文、政务、法制、市场和生活环境，增创环境新优势。“实施四大战略，争创五大优势”是广东省对前一阶段工作的认识，也是对新时期广东发展方向的判断。科技创新和体制创新在其中占有很大的分量。

体制创新有力推动了科技创新。始于1998年开始的广东科技

体制改革，以《中共广东省委、广东省人民政府关于依靠科技进步推动产业结构优化升级的决定》为起点，决心将科研院所“逼”到市场中去，结束了科技游离于经济之外的局面。让“两张皮”在一夜之间成为全省乃至全国科技界的流行语。全省共有69个省属研究所进行转制，绝大多数被推上经济建设主战场。“皇粮”断了之后，科技人员的思想观念变化很大，改革意识、主动面向经济建设的意识都极大增强。

这一时期，广东省着力抓好省重点扶持的50家工业企业（企业集团）的工程中心建设。广东省科技厅组织制定了《广东省择优扶持50家工业大企业、企业集团办好工程技术研究开发中心实施方案》。民办科研机构按《关于〈科技类民办非企业单位登记审查与管理暂行办法〉的实施意见》进行管理，享受《关于民间组织税收征管及票据管理有关问题的通知》的优惠政策。科技人员创办民营科技企业或进入民营科技企业工作，经批准可以保留公职两年。高等学校在校研究生、本科生创办民营科技企业可保留学籍三年。

通过科技创新和体制创新，营造更加有利于科技创新和产业化的大环境，进一步提升了全省科技实力和创新能力。企业科技人力资源较丰富，大中型企业R&D队伍迅速增长，专利件数也远远领先于其他省市。高校采用各种形式主动面向经济建设主战场，与广东高新技术开发区、经济技术开发区、科教园区合作，建立研究开发和产业化基地。2003年，广东高校与企业共签订技术转让合同215项，处于全国先进行列。基于利益动机的企业与科研机构、高校技术创新协同关系初步形成，企业改变了在技术创新中完全被动的地位，主动性逐步增强。据统计，至2003年，广东有近七成科技开发机构设在企业，七成以上的科技人员进入企业，七成以上的科技经费来自企业；近七成的高新技术产品由企业自主研发，企业真正成为技术开发的主体。广东在创新的经济绩效方面表现也很突出，高新技术产业和民营科技产业的规模稳定壮大。

这一时期，广东省同时加强了重点实验室建设。至2003年，广东全省共建立了80多个重点实验室，科研实验条件和环境逐步达到了国内或国际先进水平。重点实验室的建设，培养、稳定和聚集了一批优秀科技人才，成为广东省中长期关键技术、共性技术、高新技术研究开发的重要骨干力量。"九五"期间广东省提出的93项关键技术已全部组织实施，并在一些领域取得了突破或获得了较大进展，如移动通信、软件、医学影像、基因工程、海洋药物、电子新材料、高能电池等。在基础性研究方面，广东省自然科学基金重点支持了一批有广东特色和确有领域优势的基础性研究。广东科研机构改革，促进了科研院所从小循环进入经济到进入社会发展的大循环的跨越。"十五"期间科研机构的经费收入与支出均有大幅度增长，年均增长分别达12.4%和12.2%，其中政府资金年均增长12.9%。科技人员保持稳定，人员素质有所提高，全省科研机构体制改革得到稳步推进。

• 增创广东发展新优势调研

增创广东发展新优势调研活动是1998年广东省委、省政府在全省范围内组织的一次规格高、声势浩大、影响深远的调研活动，旨在探索广东省改革发展继续走在全国前列的新路子、新举措，落实1998年初江泽民总书记关于广东"增创新优势，更上一层楼"的重要指示精神，开展增创广东发展新优势的调研活动。

加快高新技术产业发展作为十大调研内容的一个重要专题，旨在通过深入全面调研，分析广东省加快高新技术产业发展所面临的问题，研究如何加大投入，建立风险投资机制；如何使企业成为技术开发主体，选择一批主要产业行业建立高层次工程技术开发中心，形成企业技术创新体系；如何加快高新技术开发区和珠三角高新技术产业带发展，选择重点技术领域实施突破，加快产业步伐；如何加大对高新技术产业的政策扶持。寻求进一步发展的新思路和具体措施，推动高新技术产业成为全省的新经济增长点。

1998年4月7日，时任主管科技副省长卢钟鹤召开"关于加快高新技术产业发展"专题调研成员单位负责人会议。对该专题的调研工作作了总的部署。成立了由副省长卢钟鹤任组长，省科委、省委政研室、省计委、经委、外经贸委、财政厅、地税局等参加的领导小组。专题调研小组围绕着加快高

新技术产业发展这个主题，分五个小专题展开调研。其中，一是如何建立风险投资机制，健全科技投入体系；二是如何加强成果，特别是高新技术成果开发；三是如何抓好一批重点高新技术企业和高新技术产品；四是如何加强高新区的发展建设；五是如何对高新技术产业的政策扶持。通过召开主题调研座谈会、实地考察、书面问卷等形式展开深入细致的调研活动。

时任省科委主任方旋、副主任郑德涛等亲自主持了专题调研座谈会和实地考察。专题调研组分别召开全省部分研究院所、高校负责人座谈会，对科研院所在高新技术成果及产业化过程中的做法、经验和困难以及高校承担跨世纪基础性研究和产业化升级的关键技术的突破进行了探讨。听取了工程中心负责人关于工程中心如何建立良好的运行机制，形成一支研究与开发队伍，加强产、学、研结合，逐步成为高新技术成果、产品开发的行业技术依托的意见和建议。听取了国家级和省级高新区管委会主任关于高新区运行机制、管理体制、资金、人才，如何发挥各自优势和营造有利于成果转化的高新区发展环境等问题的汇报。6 月底，加快广东高新技术产业发展专题调研的总报告——《实施科教兴粤战略，把高新技术产业发展成为广东第一经济增长点》完成。报告阐述了广东高新技术产业发展的现状和特点，广东高新技术产业发展面临的困难和挑战，加快广东高新技术产业发展的思路、目标与对策，详细地分析了全省高新技术产业发展存在的优势和特色，现阶段和下一步发展面临的困难和挑战，同时提出了加快电子信息、新材料、生物技术、光机电一体化等四大产业发展的新思路。

四、建设创新型广东，争当科学发展观排头兵（2004 年至今）

镜头画面：广东省提高自主创新能力工作会议（2005. 9. 19）

2004 年 5 月，一年一度的广东省“科技进步活动月”拉开了帷幕，年度主题是“树立科学发展观，建设科技强省”。2005 年，广东省委、省政府出台《关于提高自主创新能力提升产业竞争力的决定》。在全国科技大会后，省委、省政府进行再动员、再部署、再落实，提出走自主创新道路，部署加快建设创新型广东。

1. 科技强省。

2004年春节前后，一群各领域的专家正在紧张地论证一部足以影响下阶段广东发展方向的科研巨著——由中国科学院院长路甬祥院士领衔、数百位科学家参与写作的《提高广东创新能力和国际竞争力调研报告》。

中共中央政治局委员、时任广东省委书记张德江仔细审阅了这部巨著，并作出了重要批示，首次提出把广东建设成"科技强省"的目标。

广东要从经济强省向科技强省跨越，这成了广东的最高决策层和科技界的一致共识。2004年5月，一年一度的广东省"科技进步活动月"拉开帷幕，年度主题就是"树立科学发展观，建设科技强省"。省委、省政府召开了全省科技、教育、人才大会，提出要以增加国际竞争力为核心，加快建设科技强省。

2004年8月，省委、省政府颁发了《中共广东省委、广东省人民政府关于加快建设科技强省的决定》，将"科教兴粤"战略的实施推向新的阶段。决定指出，广东的发展潜力在科技，广东的竞争力在科技，广东的可持续发展在科技，广东人民生活水平的提高和生活质量的改善也在科技。全省要以科技强省建设，推动经济强省和文化大省建设，要把广东省建设成为区域性国际化的科技中心，全国重要的高新技术研究开发基地、成果转化和产业化基地。要促进科学技术对各领域、各行业的渗透，为经济社会全面、协调、可持续发展提供强有力的技术支撑。

决定还提出，科研机构内部二级经济实体可改制为投资主体多元化的混合所有制科技型企业。公益类型科研机构要按照非营利科研机构模式进行运行与管理，建立开放、流动、竞争、协作和人员能进能出的新型现代科研院所制度。要吸引世界500强企业和境外其他有实力的公司来粤设立研究开发机构，支持有条件的地区建立国际科技合作产业基地，重点支持一批有优势和特色的高等学校研究机构，促使其成为科技持续创新基地。鼓励企业与高等学校、科研机构联合创办研究开发机构，建立技术研究开发战略联盟。以省

技术产权交易所为核心，吸引相关机构进驻，为科技项目、科技企业等提供产权交易和股权融资等服务。

2. 创新型广东。

2005 年，人们在期盼，广东应该以怎样的姿态进入第十一个五年。

改革开放 27 载，陆地面积只占全国 1.85% 的广东，经济总量增长了 85.7 倍，年均增长 13.4%，经济总量、财税收入、实际利用外资和外贸进出口总额分别占全国的 1/9、1/7、1/4 和 1/3。2004 年，全省提前一年实现“十五”目标，经济达到中等收入国家（地区）水平，处于工业化中后期阶段。根据国际经验，这也是广东经济社会发展进入“脱胎换骨”的质的上升转变期，是一个矛盾和机遇紧密相依的新发展期。

市场经济最活跃的广东，2004 年以来却破天荒地出现了两“荒”：一个民工荒，一个石油荒。两“荒”如一股上升流，将经济社会发展的深层次矛盾从海底一下子泛出水面，呈现在大众面前。在一张张紧急招工海报、一个个油站售罄告示的背后，人们紧张、忧虑，当然也有沉着应对。这些信号，折射了广东转型的紧迫感。

在上一轮发展中，广东通过承接港澳台和国外产业转移所形成的“广东制造”王牌面临新的考验。广东的工业整体上仍然处于全球产业链的低端。广东制造业总产值的 70% 依然靠中低技术产业和传统产业来创造，只能从低廉劳动力形成的成本优势中赚取微薄的加工费。比如卖一台 DVD39 美元，却要向外国公司支付 19.7 美元的专利使用费，而且占成本 70% 的解码器等关键器件还要依靠进口。更严峻的是，资源环境瓶颈的凸现，使“拼资金、拼环境、拼土地”的粗放型经济增长模式亟须转变。

中央对广东寄予厚望，要求广东再度奋起，“闯出一条新路”，率先基本实现社会主义现代化。胡锦涛总书记指示广东要建设“成为国家重要的高新技术研究开发基地和成果转化基地”，温家宝总理指示广东要“更加注重加速科技进步，增强自主创新能

力”。作为改革开放排头兵，广东比以往任何时期更真切地感受到肩头的压力。

因此，广东积极筹划发展模式之变。2005年7月28日，省委中心组举行了第19期“广东学习论坛”报告会，专门研讨“增长模式转型与发展战略选择”。时任省委书记张德江指出，广东下一轮的发展，必须回答好十个“如何”：如何转变经济增长方式，实现可持续发展？如何提高自主创新能力，增强国际竞争力？如何统筹城乡和区域协调发展，推动实现共同富裕？如何激发人民群众的创造力，统筹内外源型经济协调发展？如何解决好体制性机制性问题，不断增强发展动力？如何进一步推动科教兴粤，增强发展后劲？如何进一步加强民主法制建设，维护社会公平？如何妥善处理人民内部矛盾，切实维护社会稳定？如何进一步加强党的执政能力建设，提高领导经济社会发展的水平？如何扎实有效地推进党的先进性建设，不断增强党的生机和活力？

2005年10月28日，对作为改革开放排头兵的广东来讲，不同寻常。广东省委、省政府颁发了《关于提高自主创新能力提升产业竞争力的决定》，其核心思想是，把构建“创新型广东”、实现从制造大省向创新大省的转变，作为未来科技发展的基本战略取向。在战略思路上要实现以下五个转变：创新途径要从当前以引进消化吸收为主逐步向以自主创新为主转变；发展方向要从比较重视工业经济向更加重视工业经济和知识经济共同发展转变；能力建设要从注重科研院所发展向重点构建区域创新体系转变；价值取向要从比较重视项目实施向既重视项目实施更加重视发挥科技人才的作用转变；目标定位从比较重视近期市场目标为主向以满足近期市场与引领中长期市场相结合转变。

《关于提高自主创新能力提升产业竞争力的决定》是提高广东省自主创新能力的纲领性文件，奠定了广东新时期科技体制改革的基调。它要把广东经济社会发展导入“脱胎换骨”的质的上升转变期，核心是“转型”——转变发展观念，创新发展模式，提高发展质量，增强发展动力。它要求在广东建设一批国家创新型城

市，发展一批创新型企业和产业集群，明确支持广州、深圳成为全省自主创新的基地，支持广州、深圳成为国家自主创新试点城市。

2006年，全国科技大会召开，中共中央、国务院颁布《关于实施科技规划纲要增强自主创新能力的决定》，国务院颁布《关于实施〈国家中长期科学和技术发展规划纲要（2006—2020年）〉的若干配套政策》。

2006年9月，省委、省政府在深圳召开全省自主创新现场会，根据中央的精神，对广东省自主创新进行再动员、再部署、再落实。2006年11月30日，印发《广东省促进自主创新若干政策》，提出要认真执行国家激励自主创新的税收政策，努力构建多层次资本市场；积极支持、协调有关方面参与创业板市场、代办转让系统和柜台交易市场的建设和试点，支持有关非上市公司开展证券发行和交易试点，推动高新科技企业充分利用多层次资本市场体系加快发展；支持有条件的高新技术企业在国内主板和中小企业板上市；建立健全促进自主创新的政府采购制度；加大产学研合作专项资金的投入。

自《关于提高自主创新能力提升产业竞争力的决定》颁发后，广东的科技工作紧紧围绕创建创新型广东、增强自主创新能力、提高综合竞争力和建设和谐社会的要求，营造有利于科技创新的大环境，加大重点支柱产业和领域的关键技术攻关，建立和完善区域科技创新体系，推动高新技术产业快速发展，开创了科技工作促进广东省经济社会的快速、健康发展这一主线来开展的新局面。

良好的政策环境，雄厚的经济实力，为广东创造了一个“千金难买”的社会基础和科技创新环境，自主创新和创新型广东建设不断取得新突破：

2005年，全省共实施各级科技计划项目4416项，经费5.16亿元；专利申请量和授权量连续十一年全国第一；这一年，全省拥有省级以上工程技术研究开发中心和技术创新中心累计达227家，省、部级以上重点实验室117家，省公共实验室14个；省市专业镇总数达250个，2005年GDP达4658.3亿元；全省民营科技企业

7590家，2005年技工贸总收入超过2658.5亿元；高新技术产品产值11959.7亿元，高新技术产品出口销售收入位居全国首位。2006年起，省财政投入1亿元设立广东产学研省部合作专项资金。仅2007年，实施科技项目4100多项。与教育部、科技部共同推动产学研合作，与国家基金委员会共同设立国家自然科学基金广东联合基金，开展粤港联合招标，在高端家电、生物医药等领域突破了一批核心关键技术。名牌带动战略成果丰硕，广东省的中国名牌产品、国家免检产品、中国驰名商标分别增加到299个、665个、108个，获中国世界名牌产品4个，均居全国前列。技术标准战略成效明显，参与制定修订国际标准、国家标准和行业标准一批。专利申请和授权量继续居全国首位。多层次科技创新平台体系基本形成，科技进步对经济增长的贡献率提高到50%以上，广东区域创新能力综合指标连续多年居全国第三。

2006年，创新型广东加快建设，科技进步对经济增长的贡献率达50%。组织12个重点产业技术创新专题和"核心芯片设计与制造"等10大专项攻关。实施高技术产业发展项目计划等26个重大专项。全年新认定省级工程技术研究开发中心40家，专利申请量和授权量连续12年居全国第一，其中发明专利申请量连续2年居全国第一。

2007年，广东全省研究生教育招生1.98万人，比上年增长6.3%；在校研究生5.44万人，增长10.3%；毕业生1.38万人，增长10.1%。2007年，全省县及县级以上国有研究与开发机构、科技情报和文献机构共有349个。大中型工业企业拥有技术开发机构1358个。全省从事科技活动人员39.1万人；科技活动经费使用总额630亿元，比上年增长16.3%；全省科学研究与试验发展（R&D）经费支出约375亿元，增长20.0%。其中基础研究经费支出7亿元，增长30.4%。民营科技企业8000家，从业人员146万，技工贸收入8100亿元，增长20.4%。全年省级科学技术奖拟奖项目290项，获省部级以上科技成果480项，其中基础理论成果33项，应用技术成果442项，软科学成果5项。全年申请专利量

102449件，增长12.7%。其中发明专利26692件，增长25.0%。专利授权量56451件，增长29.7%，其中发明专利授权量3714件，增长52.2%。经PCT（专利合作条约）提交专利申请2646件，增长52.9%。全年经各级科技行政部门登记技术合同18093项，增长22.3%；技术合同成交额133.32亿元，增长21.7%。全省累计认定高新技术企业5231家；高新技术产品产值18700亿元，增长20%。拥有国家级工程研究中心15家，省级工程中心291家；国家重点实验室8家，省级重点实验室101个；国家级企业（集团）技术中心26家，省级企业技术中心183家。高技术产业化示范工程项目17项，重大技术装备研制项目58项，项目投资总额8.53亿元，补助总额5930万元。认定技术创新专业镇229个，建立专业镇为主体的技术创新平台130个。

3．争当科学发展观的排头兵。

广东人的创新思考有着令人起敬的惊人魄力。2007年底以来，“用新一轮思想大解放推动新一轮大发展”调研活动在广东如火如荼展开。广东省委书记汪洋旗帜鲜明地提出要“争当实践科学发展观排头兵”，“努力建设成为提升我国国际竞争力的主力省，探索科学发展模式的试验区，发展中国特色社会主义的先行地”。

2008年2月25日，省委、省政府在广州召开“建设创新型广东”专家座谈会，省委常委、统战部部长周镇宏，副省长宋海、佟星出席会议。来自全省高校、科研院所、产业界的20多位专家学者和企业家参加了座谈会。会上，有关专家围绕完善技术创新体制机制、加强产学研合作、加大科技投入、加强国际科技合作、建立工业技术研究院、加强人才队伍建设、优化自主创新氛围、制定自主创新政策等重点和热点问题，提出了很多建议和意见。周镇宏指出，增强自主创新能力，建设创新型广东，是广东省发展战略的核心。开展自主创新专题调研活动，一定要广开言路，集思广益，多听专家学者和社会各界的建议和意见。

站在改革开放30年的今天，广东全省上下期望，广东有更高的追求，更大的作为：让自主创新旗帜灿烂飘扬，争当科学发展观的排头兵和提升中国国际竞争力的主力省。

- **广东科技发展规划**

2004年以来，广东省组织了省内外700多位专家，在14个专题小组细致扎实的前期调研基础上，制定《广东省中长期科学和技术发展规划纲要(2006-2020年)》、《广东省“十一五”科技发展规划》。期间，由省科技厅领导带队多次赴科技部请示学习，使广东的规划更符合国家中长期科技发展规划纲要的要求和部署，力求与国家形成对接，争取国家重大项目在广东省布局。由广东省科技厅牵头、十多个省直主管部门参与，制定了广东省促进自主创新的若干配套政策，共45条政策，为建设“创新型广东”提供有效的政策保证。

《广东省中长期科学和技术发展规划纲要（2006—2020）》根据广东要率先基本实现社会主义现代化、当好排头兵的定位要求，以“自主创新、重点跨越、支撑发展、引领未来”为指导方针，体现实施“科教兴粤”战略新要求，确定全省科技发展的中长期目标以及对推动全省经济和社会发展有重大带动作用的科技方向，提出增强自主创新能力，提高国际竞争力的措施。明确提出，“围绕一个中心，做到八个坚持”的纲要思想：广东的科技发展要紧紧围绕“创新、产业化”这个中心，正确处理科技与经济、改革和创新的关系。一手抓创新，建设和完善新型科技创新体系，创造有利于科技快速发展的良好环境；紧抓重大技术攻关，获得自主知识产权。一手抓科技成果转化和产业化，推动高新技术产业化和利用高新技术改造传统产业，有力地推进科技为经济建设服务。广东科技之路要做到“八个坚持”：第一是坚持面向经济、面向社会，不断推进全社会科技进步；第二是坚持突出重点，加强创新，组织实施重大科技攻关；第三是坚持上下联动，调动各路大军抓大科技，推进全社会的科技进步；第四是坚持体制创新，建立新型区域科技创新体系；第五是坚持试点引路、示范带动，促进科技成果转化和产业化；第六是坚持大力发展高新技术和高新技术产业，培植新的经济增长点；第七是坚持政府支持，市场导向，不断优化科技创新创业环境；第八是坚持以人为本，加强培训、科普宣传和科技考核工作，推进全社会形成尊重人才，重视科技的良好局面。

• 可持续发展与创新

“2007年中国可持续发展论坛暨中国可持续发展研究会学术年会”于2007年11月24日至28日在中山大学隆重举行。这次论坛是在广东省科技厅的支持下，由中国可持续发展研究会、中山大学、广州市科协主办的专门会议，是改革开放以来，在广东省召开的层次最高、规模最大的可持续发展领域学术会议。它以“可持续发展与创新”为主题，围绕“资源环境等可持续发展领域的技术创新”、“科学创新方法”、“区域可持续发展：资源与环境协调发展探索”等专题展开深入探讨。中共中央委员、中国可持续发展研究会理事长邓楠一直对广东的发展有特殊的感情，她亲莅大会，并做长篇讲话。邓楠指出，十七大报告中专门论述了发展方式转变、区域协调与优化国土开发、自主创新等问题，为从事可持续发展事业提供了崭新的研究领域；研究我国可持续发展战略，一定要深入研究如何通过从重视“经济增长方式转变”跨越到更加重视“经济发展方式”，有效推动“人与自然和谐”发展，如何通过改进与完善现有的政策、机制和体制，着力推进区域之间的公平发展，如何通过自主创新，进一步推动可持续发展战略的实施。中国可持续发展研究会副理事长、中国科学院原副院长孙鸿烈院士，全国政协财经委员会主任洪绂曾，国家环保总局原副局长张坤民，中国21世纪议程中心主任郭日生等分别在大会上做大会学术报告。

第二章
忽如一夜春风来
——科技综合实力显风骚

21世纪是广东科技综合实力发展的分水岭，实施创新型广东战略以来，广东经历了一系列鼓舞人心的创新——高等院校的创新力越来越雄厚，广东的原始创新能力日益提高；政府的科技投入力度越来越大，2006年全省科研经费投入总额居全国第一；"喜欢广州"的科学家越来越多，他们发现在广州能够"按照自己的想法和期望来建设一个理想的实验室"；专利申请与授权越来越频，基本上稳居全国第一；科技成果转化率越来越高，赶上了发达国家的水平；企业技术创新能力越来越强，名牌产品与驰名商标量居全国前列；科技创新环境越来越好，科研机构与各类人才源源不断地落地扎根……与此同时，一个崭新的语汇——"区域创新能力"成为广东人的新追求，"科技东莞工程"使原来"只见厂房不见人"的东莞一夜间变得富有魅力……

一、科技综合实力

镜头画面：《中国区域创新能力报告》(2001)

中科院实施知识创新工程需要人才，祖国南方改革开放的热土需要人才，于是决定选择位于珠江之畔的中科院广州能源研究所。而此前，他只知道广东的经济发展快，毗邻港澳，与世界接轨快一些，有产生新思想的基础，是邓公发表视察南方重要讲话的地方。除此，就一无所知了。

广东经济总体实力连续 18 年雄居全国首位，是广东科技综合实力的背靠力量。

由科技部策划资助、中国科技发展战略研究小组完成的《中国区域创新能力报告》2001 年首度公布以来，广东的科技综合实力连续 7 年占据三甲位置，仅次于上海和北京。2004 年，广东的创新绩效仅次于上海，居全国第二，知识获取能力和创新环境排名第三。2007 年，科技对经济贡献率已达 50%。

区域创新能力是指一个地区将知识转化为新产品、新工艺、新服务的能力，包括知识创造能力、知识获取能力、企业的技术创新能力、创新环境及创新绩效等 5 项指标组成。评价标准参考了瑞士洛桑国际管理开发学院的《国际竞争力报告》和世界经济论坛的《全球竞争力报告》，形成 4 个评价的框架原则：即强调大学和研究开发机构、企业、中介机构和政府等创新要素的网络化，而非某个方面的能力；强调链条，即一个地区能否有效地利用世界上所有的各种知识为本地区的创新服务；强调创新环境建设，主要指政府能否创造创新环境以推动企业技术创新；兼顾地区的发展存量、相对水平和增长率三个维度。

在分项指标中，知识创造能力取决于研究开发的投入水平、科技产出水平和过程管理水平，即科技的投入产出比。大学和科研机构是知识的主要生产者。2002 年广东知识创造得分为 25. 38，位居全国第 4 位。知识流动综合指标主要包括科技合作、技术转移和外国直接投资等三项综合指标。它主要是通过创新服务体系的建设来完成，依赖于市场的推动，需要良好的社会支撑服务体系的支持和

帮助。广东着力建设中国（华南）国际技术产权交易中心、完善技术市场体系、发挥省科技信息网的功能，推行网上技术成果交易、建立全省生产力促进中心网等，对加强知识流动起了很大的作用。2002年在知识流动综合指标中，广东以得分55.57排名全国第一。

• 只知道广东的经济发展快，是邓公发表视察南方重要讲话的地方

一次见面机会，现任中科院广州分院院长、能源科学家陈勇，坦诚了他与广东的缘分。

他在扬子江畔度过了儿童和少年时代。1978年恢复高考，血气方刚的他考入南京化工学院，偶然的机缘又使他得以东渡扶桑深造，由开始的当访问学者转为攻读学位，由攻读硕士而至博士。那是20世纪90年代的初期，他在名古屋大学，听从导师的建议，选择了煤科学和固体废弃物城市垃圾研究方向。博士毕业后，他渴望着把所学的知识奉献给魂牵梦绕的祖国。选择回归，这是必定的。但九百六十万平方公里的土地上，究竟定位何方呢？

中科院实施知识创新工程需要人才，祖国南方改革开放的热土需要人才，于是决定选择位于珠江之畔的中科院广州能源研究所。而此前，他只知道广东的经济发展快，毗邻港澳，与世界接轨快一些，有产生新思想的基础，是邓公发表视察南方重要讲话的地方。除此，就一无所知了，但正因为“模糊”才显示出他与广东这片热土的缘分。

若干周折之后，他终于成为这个单位的中科院“百人计划”人才，1995年通过，1996年到位，而且一到位就马上进入角色。

后来的发展证实了他的选择是理智的。广东经济社会的快速发展需要能源事业的大发展，未来的能源所需要强有力的带头人。他以学到的知识和顽强的精神，在广州能源所迅速建立了洁净能源研究室，实现了该研究所洁净能源研究方向“零”的突破。1998年，刚届不惑之年的海归博士陈勇走上了中科院广州能源所所长的领导岗位。开始了他建功立业，报效祖国的新的一页。

• 获国家科技奖

2008年1月8日，2007年度国家科学技术奖励大会在北京隆重举行。广东在该次大会上共有28个项目获奖，其中国家自然科学奖3项，国家技术发明奖1项，国家科学技术进步奖24项。广东获得该次国家自然科学二等奖的

奖项，全部由中山大学包揽，展现了中山大学基础学科和原始创新的雄厚实力，表明广东的原始创新能力显著提高。从具体奖项上分析，本次广东获得的各类奖项均为各自领域的前沿课题和关键技术项目，获奖成果突破了相关领域的技术瓶颈，得到了同行的一致认可，并有着广泛的应用前景。例如，许宁生教授等中大学者完成的“纳米冷阴极及其器件研制”，其论文被同行SCI正面引用超过380篇次。南方医科大学获得的国家技术发明奖，经多年攻关，取得八项发明专利，其中关于磁共振成像技术发明专利填补了国际空白。

二、科技投入

镜头画面：广东省政协专题协商座谈会

2006年9月6日，广东省政协主席陈绍基主持会议“整合创新资源，加强我省自主创新能力”专题协商座谈会。到会主管科技副省长庄重宣布：2006年广东财政科技拨款104.10亿元，是国内首个超过100亿元的省，总额居全国第一。

“2006年，广东全省科技活动经费首次超过500亿元，广东省政府财政科技拨款达104.10亿元，是国内首个超过100亿元的省，总额居全国第一。”主管科技副省长宋海2006年9月6日在广东省政协“整合创新资源，加强我省自主创新能力”专题协商座谈会上郑重宣布。

2005年广东省政府与国家自然科学基金委员会签署的《关于联合设立自然科学联合基金的合作协议》，双方每年度共同出资5000万元（中国国家基金委员会出资1500万元，广东省政府出资3500万元），引导全国知名科技专家和科技团队帮助广东省解决关键技术问题。

2003—2005年，粤港关键领域重点突破项目招标，广东省政府共投入6.4亿元人民币，香港特别行政区政府投入经费4.3亿元港币，引导企业和民间资本投入超过20亿元。

全省437个科研机构的职工总数为2.7万人，其中科学活动人员1.7万人，科学家与工程师1.0万人，R&D人员5616人年。2005年科研机构共筹集科技经费32.4亿元，其中政府拨款19.1亿元；科技经费支出总额32.5亿元，R&D经费支出8.98亿元。在科研课题上，科学技术机构共开展课题4834个，课题经费支出11.1亿元，平均支持强度为23.0万元；R&D课题经费支出4.5亿元，占40.7%。

实施创新型广东战略以来，省科技主管部门以更加开放的思想，开拓工作思路，以“大科技”思路整合资源、增加投入。2006年省科技计划引导投入7.2亿元。资源投入的不断增长和更加科学的组织管理，使得“核心芯片”、“中医药现代化”等一批“十一五”科技规划部署的重大项目得到顺利实施。同时，通过与国家自然科学基金委员会、教育部的合作框架，全省2.3亿元的财政投入带动了全国高校、研究所的人才资源、技术资源和资金为广东科技进步所用，取得了良好的效果。在间接投入方面，省科技厅同样以创新的思路为广东科技发展带来了巨大的资金投入。省财政专门设立规模为1亿元的风险准备金，与国家开发银行广东省分行签订协议，为广东科技型企业提供180亿元的开发性金融贷款额度，极大地支持了企业的发展。

与国家共建，整合国家创新资源，是广东舍得科技投入的重要方面。2002年末，中科院、省政府、广州市政府联合共建华南植物研究所，各出资1亿元共同打造植物种类超过10000种的国际水平的植物园，开展热带、亚热带植物的研究，成为中科院生物学领域的科研基地、植物资源保存基地，也是广东省和广州市重要科普教育基地。2003年，中科院、广东省政府、广州市政府再次以1:1:1的比例各投入1亿元共建中科院广州生物医药与健康研究院。两年后，研究院已建立了18个研究团队，主要从事传染病与新生疾病如艾滋病、流感、禽流感疫苗的研发和癌症、心血管病、糖尿病等创新医药的研发。2005年10月，广州市、中科院共建的“广州中国科学院工业技术研究院”挂牌成立。2006年9月，中科院、

深圳市签署共建“中国科学院深圳先进技术研究院”。2007 年 2 月，中科院、广东省签署《中国科学院与广东省人民政府关于中国散裂中子源项目合作备忘录》，在东莞建设我国首台、世界一流的脉冲中子科学综合实验装置——中国散裂中子源。

• “我喜欢广州”

苏锵院士原是中国科学院长春应化所的学科带头人。1999 年，他不顾古稀之年，调任中山大学化工学院（其实档案还留在长春应化所）。他说，在广东，生活很自在。来到广东，感觉现在的科研条件真的比以前好多了。“广东省的经费较充裕，至少我不必为经费发愁，可以按实际的需要、按照个人的想法和期望，来建设一个理想的实验室”。

“我来中大 5 年感受到，广东省为我们创造的科研机会比较多。现在的政府是服务型政府，这点我很欣赏。我反映的一些建议和看法，他们会记在心中，并在适合的时候给我们创造条件。2000 年，一位广州的市长和一位信息中心的主任向我了解有没有什么可以产业化的。我想起长春有一种稀土夜光材料，晚上可以发光，是很好的节能材料。我说可以考虑在广州是否用得上，它光线不太亮，正好适合情侣拍拖的照明。大家哈哈一笑，我说过之后也忘了。2003 年，当年那位信息中心的主任忽然打电话给我，问我当年提到的这种材料，有否可能做成油漆？他还主动帮我联系了一个油漆化工厂，建立起合作的关系。这个项目报上去，2004 年的时候就批下来了。第二年 3 月底，长春的技术人员将从日本回来，我就让他们来广州视察。现在，这个项目马上就要启动了。

“广州及珠三角地区企业很主动，有的企业会想办法联系我们，或者通过省、市的科技厅等机构牵头。产、学、联互动得很好。目前，我就跟佛山市政府共同在做一个项目，大家合作很愉快。

“我喜欢广州。这里，我认识的人不多，生活圈子小，但生活方便，城市的服务水平高，公民道德也比前些年提高了。在这里，我生活得很自在。”

• 科技东莞

2005 年，东莞市委、市政府决定实施“科技东莞工程”：从 2006 年起，市财政每年投入 10 亿元以上，连续五年共投入 50 亿元以上，主要用于培育发展“两自”（自有品牌、自主技术企业）企业、引进研发机构和科技企业、

建设科技园区、建立技术平台、引进和培养科技人才、保护知识产权、研制和应用技术标准、优化科技发展环境等。各镇（区）政府也要根据镇（区）财政实力，设立镇（区）科技发展资金，相应增加科技投入。总体目标是，通过五年的努力，使东莞在“两自”企业培育发展、区域创新体系建设、高新技术承接能力建设、科技人才队伍建设、科技发展环境建设等方面实现新的突破，基本形成满足经济社会发展需求的技术支撑体系、融合技术创新与体制创新的区域创新体系、反映当代高新技术发展方向的科技产业体系、面向国际国内两个科技市场的科技资源配置体系、适应产业发展要求和提升全社会科技素质的社会知识体系，使东莞成为我国乃至世界科技研究开发基地、科技成果转化基地、高新技术制造基地之一。

“科技东莞工程”的目标是，培育发展100家具有一定品牌优势和技术创新能力的“两自”企业，培育发展10家品牌知名度高、技术优势明显、经济规模大、国际竞争力强的龙头科技企业；使松山湖科技产业园成为最具科技集聚能力和创新活力的基地，成为全市创新体系的核心环节；全市具有国内一流水平的公共技术平台超过5家、行业技术平台超过10家，省级以上企业研发机构超过30家，科技中介服务机构超过100家；主导产业主要产品采用国际标准、国外先进标准的采标率达到80%；人才总量占人口总量的比重达到13%。

2007年8月，东莞市颁布“科技东莞工程”第一批实施方案：对经认定的国家级企业研发机构，认定当年市财政一次性资助500万元。省级企业工程技术研究开发中心经同意组建并验收后，通过验收当年市财政一次性资助300万元。经认定为市级企业工程技术研究开发中心，认定当年市财政一次性资助100万元：对高校、企业等建设科技创新基础条件平台，东莞市在购买办公场地、购买仪器、科研项目启动、平台项目宣传推广等方面给予经费扶持。争取到2010年，具有国内一流的公共科技创新平台超过5家、行业性科技创新平台15家、专业镇为主体的技术创新平台12家、行业技术联盟5家；市财政在硬件方面扶持创新平台建设。行业性科技创新平台，一般要求平台投资总额在5000万元以上，其中承建企业出资筹建经费70%以上，市财政则按照镇财政投入的1∶1比例给予资助。对单个行业性科技创新平台建设，市财政最高资助金额为500万元。对专业镇技术创新平台的扶持，市财政按镇财政投入资金1∶1的比例给予资助，最高资助300万元。市设立产业技术进步资金，项目经费包括3个专项资金：市技术改造和技术创新专项资金、市

装备制造业发展专项资金、市中小企业发展专项资金。企业开展技术改造或技术创新，将给予经费支持。单个项目最高资助额度为200万元。科技企业孵化器建设经费由科技东莞工程专项资金中统筹安排。市财政一次性给予科技企业孵化器自其工商注册之日起到资助申请之日已实际投资总额20%的资助，最高资助额为300万元。

三、专利申请与授权

镜头画面：广东企业获第九届中国专利奖金奖

2006年，广东发明专利申请占全省专利申请比例超过20%。全省PCT专利申请量达1722件，占国内PCT专利申请总量的44.04%。这一年，广东省知识产权战略制定工作取得实质性进展，知识产权保护成为百届广交会的品牌；广东成为第九届中国专利奖金奖数量最多的省份。

时至近日，广东作为中国专利大省的地位已相当稳固。1995年，广东的专利申请总量和授权量位居全国前列。从此以后，一直保持在全国首位不动摇。发明专利申请量和授权量从2005年起，超越北京，跃居全国第一。全省已形成了与电子信息、新材料、光机电一体化、新能源、生物技术高新技术产业群体和一批在国内外市场具有较强竞争力的产品相呼应的专利保障环境。

2006年，广东专利申请量和授权量分别为90886件和43516件，分别占国内的19.32%和19.44%。其中，发明专利申请量为21351件，占国内的17.5%；发明专利授权量2441件，占国内的9.7%；实用新型专利申请量为23886件，占国内的14.9%；实用新型专利授权量15644件，占国内的14.7%；外观设计专利申请量45649件，占国内的24.3%；外观设计专利授权量25431件，占国内的27.5%。发明专利申请占全省专利申请比例超过20%。全省专利申请的结构趋于合理，技术含量提高。全省PCT专利申请增长迅速，申请量达1722件，增长74.12%，占国内PCT专利申请总量的44.04%。这一年，广东省知识产权战略制定工作取得实质性进展；知识产权保护成为百届广交会的品牌；广东成为第九届中国专利奖金奖数量最多的省份。

据统计数据，在累计的50多万件的专利申请中，广东达到第一个25万件，用了19年零9个月；而达到第二个25万件，仅仅用了3年零1个月。申请数量增长的同时，专利质量也大幅提高。在第一个25万件专利申请中，发明专利申请所占比例仅为10.67%；而在第二个25万件中，发明专利申请所占比例提高至21.94%，增长1倍多。目前广东每百万人口发明专利申请量232件，不仅远远超过全国的平均数，而且超过了加拿大、法国等部分国家，接近英国和德国的水平。

• 科技成果转化率80%

一项关于深圳市科技中介机构与科技成果转化的专题调研结果显示，深圳市科技成果转化率高达80%以上，不仅远远高于全国的平均水平，而且赶上了发达国家的科技成果转化水平。

从1999年到现在，深圳市科技中介机构总数由325家发展到1103家，年增长率分别为32.6%、77.5%、44.2%，深圳市科技中介机构总体呈稳步增长趋势，超过同期的国民生产总值和高新技术产值增长速度。正是科技中介的有效增长，有力地促进了深圳的科技成果转化。

专家分析认为，深圳市能够保持较高水平的科技成果应用率，首先得益于企业内部对科技成果的转化。在深圳市的700多家研究开发机构中，90%以上在企业。全市共有27家市级以上工程技术开发中心，21个博士后流动工作站都设在企业。

对比当前形势，我国目前每年取得科技成果3万多项，而且有相当一部分成果达到国内和国际先进水平，但在生产中稳定使用且具有一定规模的不足20%，最后形成产业的只有6%~8%，科技对经济的贡献率还远远低于发达国家，即使在第三世界国家，也是相对落后的。发达国家科技成果转化率超过60%，第三世界国家的科技成果平均转化率在40%以上，其中印度为50%。

科技成果转化，反映了知识形态的科学技术转化成为物质形态的生产力的过程。科技成果能否转化为现实生产力，即科技成果转化率，已成为衡量一个国家和地区科技发展水平的重要标志。“十五”以来，广东重大科技成果中拥有自主知识产权的比例不断增加，推广应用价值稳步提升，适用区域的覆盖更为广泛，呈现出具有显著经济效益的产业化前景，全省转化、推广、产业化的科技成果和适用技术10000多项。新产品直接对企业当年新增的经济效益产生作用显著。2004年，大中型工业企业完成新产品（企业在当年开发的全新产品）产值2988亿元；实现新产品销售收入3055亿元；其中，出口销售收入1127亿元。据测算，大中型工业企业新产品产值对新增总产值的贡献率达43.9%，而产品销售收入的贡献率更是高达51.7%。在新产品效益的绝对量指标大幅增长的同时，相对指标也发生了质的变化。新产品销售率为15.6%；销售出口率为36.9%。

四、企业技术创新能力

镜头画面：华为、中兴和格力被评为“中国世界名牌产品”

在外源型经济的带动下，广东完成了工业化的原始积累，实现了经济起飞，进而从“引进来”到“引进来”与“走出去”并举，从“借船出海”到“借船出海”与“造船出海”并行，从外源型经济到外源型经济与内源型经济协调发展的跨越。科技对经济贡献率以及企业和区域创新能力快速提升。

根据《中国区域创新能力报告》公布，广东企业技术创新能力居全国之首。在十个综合指标中，企业创新能力、大中型企业研究开发投入、产业国际竞争力三个指标位居全国前列。

企业成为广东科技创新的投入主体，特别是大中型工业企业在全省自主创新活动中显示出强大的优势。仅以2004年为例，大中型工业企业研究与发展（R&D）人员4.44万人年，占全省9.52万人年的46.6%，接近一半。大中型企业筹集科技经费318.4亿元，用于技术创新的科技经费支出304.2亿元，内部支出241.1亿元。

当年R&D经费支出总额达147.56亿元，占全省R&D经费215.19亿元的68.6%，接近七成。大中型工业企业R&D人员占科技活动人员的33.2%。R&D经费占科技经费支出总额的61.2%。大中型工业企业当年实施的科技项目4063项，仅占全省34661项的11.7%，但所投入项目人员的折合全时当量为6.21万人年，投入项目经费173.29亿元，分别占全省的48.3%和68.0%。大中型工业企业平均每一项目投入人员15人年、经费427元。大中型工业企业有科技机构818个，占全省的27.3%，不到三成，但机构所配置的人员和经费分别占全省的56.4%和68.1%。从科技机构的配置强度看，平均每一机构有科技人员78人、当年科技经费支出1718元。大中型工业共有发明专利2939件，占全省的41.5%，拥有全省四成的发明专利。

据测算，2005年广东企业技术自给率达到44%。全省拥有165件中国名牌产品，位居全国首位。拥有56件中国驰名商标，数量居全国前列。华为、中兴和格力被评为“中国世界名牌产品”。

• 跨越“引进来”

改革开放初期，针对落后的制造业——许多老企业设备陈旧且缺乏资金和技术——广东从实际出发，作出了引进国外先进技术设备，对原有的几千家老企业进行技术改造的战略决策。从1983年开始，广东用了3年多的时间，花了44亿美元，将近100亿元人民币，从国外引进1600条生产线，购买了30多万台（套）的先进设备，系统地改造了广东原有的工业企业。到1988年底，全省共引进100多万台（套）技术设备和2400多条生产线，大部分具有20世纪70年代末80年代初的国际先进水平。引进先进技术设备对广东轻工、纺织机械、食品、建材等传统产业进行技术改造，加速了工业结构由劳动密集型向资金密集型和技术密集型的转变，使广东工业面貌发生了巨大变化。

在工业化初期的“引进来”政策，受到国内一些人的发难、批评，甚至指责。但广东人并没有被各种舆论所左右，而是义无反顾地走下去。20世纪90年代以后，广东再次抓住经济的全球化和信息化的历史机遇，积极参与国际分工，促进广东产业转型和升级。为适应新的形势，“十五”期间，广东省政府确立了以发展电子通讯、电气机械、石化三大新兴支柱产业，改造提高

纺织服装、食品饮料和建筑材料三大传统支柱产业，培育发展汽车、医药、造纸三大潜力产业的战略部署。在外源型经济的带动下，广东完成了工业化的原始积累，实现了经济起飞，进而从“引进来”到“引进来”与“走出去”并举，从“借船出海”到“借船出海”与“造船出海”并行，从外源型经济到外源型经济与内源型经济协调发展的跨越。广东科技人员进行科技创新的积极性也因此喷发出来，科技对经济贡献率以及企业和区域创新能力快速提升。

五、科技创新环境

镜头画面：广东科技创业投资公司

广东省是全国最早建立风险投资机制的地区之一。省政府通过政府出资引导，政策支持的办法，用于支持新技术创业项目的风险投入，并最早在1992年就探索成立了广东科技创业投资公司。2007年广东省的风险投资公司和相关中介机构约有135家，风险资金约120亿元人民币。

科技创新环境包括基础设施、市场需求水平、劳动者素质水平、技术创新基金、金融环境、创业水平等几个方面。广东逐步建立了形成有利于科技进步和竞争提高的创新机制和科技创新政策体系，制度、市场环境建设以及国际化程度在全国处于领先水平，大幅度加强了科技基础条件平台。技术创新环境与管理综合指标排名全国第三。

目前，全省共有省级以上工程技术研究开发中心和企业技术中心408个，其中国家级33个，数量居全国前列；国家和省级重点实验室、省级公共实验室114家，其中国家级重点实验室7家；省市共建的公共科技创新平台已有15家。政府直属独立科研机构面向企业服务的能力明显增强，2005年与1998年改革前比，研究机构总体技术性收入增长63.9%，固定资产增长了45.8%。全省各类科技服务机构已达6700余家，包括各类型的科技中介服务机构500多家，技术贸易机构6250家，从业人员超过15万人。生产力促进中心体系建设步伐加快，全省生产力促进机构已达56家。建成广州地区大型科学仪器协作共用网，连续举办了中国高新技术成果交易会、中国留学人员广州科技交流会等高层次交流平台引进高级人才。据国家统计局和国家外专局抽样调查，来粤工作的各类境外专家为16.7万多人次，占全国的39%。目前来粤工作的留学人员已达1.2万人。

广东高新技术产业以及以专业镇和民科园为代表的簇群经济蓬勃发展，有力拉动了对科技的市场需求。广东高新技术产品产值一直保持30%左右的增长速度，2006年达到15548亿元，高新技术产品出口额预计超过1000亿美元，占全国40%的份额。省级高新技术企业达到了4236家，累计建立了6个国家级和10个省级高新区，形成了全国著名的珠江三角洲高新技术产业带。此外，还累计建成省级专业镇201个，面向中小企业服务的专业镇技术创新平台达到128家。14家省级以上民营科技园聚集了一批骨干民营企业，成为各地经济发展的一个重要支撑点，全年技工贸总收入超过1100亿元，利润总额超过88亿元。

• 政府科技投入的政策

1991年7月，《中共广东省委、广东省人民政府关于依靠科技进步推动经济发展的决定》明确规定各级地方财政要增加对科技的投入。省、市、县每年要从地方财政总收入中拨出1%作为地方科技三项费用，并纳入年度财政预算。市、县三项经费主要用于科技成果应用开发。

1995年7月，《中共广东省委、广东省人民政府关于加速科学技术进步若干问题的决定》中也明确规定，各级政府必须采取强有力措施，确保到2000年全社会研究开发经费占国内生产总值的比例达到1.5%。

1998年9月，《中共广东省委、广东省人民政府关于依靠科技进步推动产业结构优化升级的决定》中规定树立财兴科技、科技兴财的观念，鼓励和引导全社会增加科技投入。在国民收入二次分配中增加科技投入的同时，要把重点放在国民收入一次分配中加大科技投入。力争按国家规定到2000年研究

开发经费占全省国内生产总值的比例达到1.5%。

1999年，省科委和省财政厅在1986年《广东省科学技术拨款管理办法》的基础上，制定了《广东省科学事业费管理改革办法（试行）》。鼓励企业成为技术创新和研究开发投入的主体是广东科技创新政策的重点之一，如：《中共广东省委、广东省人民政府关于依靠科技进步推动经济发展的决定》明确规定，企业要积极开辟技术开发资金来源，盈利的工业企业，税前按当年销售额1%~2%的比例提取技术开发费。亏损企业在不增加财政补贴的前提下，可按不超过1%的比例提取；高技术企业可按3%提取，其中属于集成电路、程控交换机、软件、计算机行业中经国家批准实行优惠政策的企业，可按10%的比例提取。《中共广东省委、广东省人民政府关于依靠科技进步推动产业结构优化升级的决定》进一步规定，为促进企业成为科技开发投入的主体，企业研究开发支出的费用，按实际发生额计入成本，年增幅在10%以上的，可按实际发生的50%抵扣应税所得额；研究开发经费占当年销售收入的比例，一般工业企业不得少于1%，大中企业不得少于2%，省50家重点企业集团、国家级和省级工程技术研究开发中心依托企业、高新技术企业、技术创新优势企业不得少于3%；实行工效挂钩的企业，年终考核时技术开发投入可视同实现利润。

2000年3月，中共广东省委办公厅、广东省人民政府办公厅颁布《中共广东省委办公厅、广东省人民政府办公厅贯彻〈中共中央、国务院关于加强技术创新，发展高科技，实现产业化的决定〉的通知》提出，财政的科技投入主要用于支持技术创新和发展高新技术产业，投入的形式除资助外，可采用贷款贴息的办法，对国家计划和省自筹博士后，由省财政给予补贴。

2002年，广东科委发布《广东省科技有偿使用资金管理办法（暂行）》，通过科技有偿使用资金作引导资金，吸引地方、企业、科技创业投资机构和金融机构增加对科技的投资，促进广东科技进步，发挥科技对广东经济增长的推动作用。

2005年10月，中共广东省委、广东省人民政府颁布的《中共广东省委、广东省人民政府关于提高自主创新能力提升产业竞争力的决定》中提出，确保地方财政科技投入增长与当地经济和财政收入增长相适应。改革财政科技资金使用办法，加强财政性科技和产业发展资金的绩效管理。

通过科技创新制度安排政策的引导，广东逐步形成了由政府推动、以企业为主体、有金融机构参与的科技投入机制，形成了多元化、多渠道的科技创新投入体系。2004年，广东省科技活动经费385.5亿元，R&D经费支出215亿元，R&D经费占国内生产总值的比例为1.34%。科技经费的来源发生了结构性的变化，国民收入一次分配中的科技投入大幅增加。

政府资金的总量投入呈增长趋势，其增幅超过同期整个社会对该类项目的科技总投入，但政府投入较为集中的是科研机构。该部门政府投入经费占政府总投入42%左右，其中，经费投入增速最快的是科技三项费，该领域1999年仅为13.09亿元，2000年上升为21.47亿元，2004年则进一步增加到39.12亿元，体现了政府对基础项目研究的政策倾斜。企业投入较为集中的是承担着高新技术发展重任的火炬计划，6年间增长了7倍。

从结构上看，资源进一步向基础研究领域、R&D资源分布密集领域以及重点学科、高技术领域集中。"九五"计划以来，政府在基础研究、应用研究与试验发展两大类项目上的经费投入比例大体上是1:4.6:45。但到2004年，该比例被调整为1:2.4:54，其中政府投入在基础研究型项目的经费总计为13.15亿元，投入在应用开发型项目的经费总计为43.05亿元，投入在试验开发型项目的经费总计为791.45亿元。政府经费向重点学科集中的趋势进一步加强。2002年政府投向6个学科的研究经费总额占到全部政府投入经费的49.68%，2004年则为55.63%。

1991年，省科委会同金融部门建立了科技开发贷款制度，积极争取工商银行、农业银行、广东发展银行粤信信托投资公司等安排科技贷款。科技开发贷款是引导企业增加科技创新投入、支持企业加快科技开发和争取早日实现产业化的重要手段。十多年来科技开发贷款对支持企业技术创新发挥了积极作用。但近些年科技开发贷款增幅不大。

广东省是全国最早建立风险投资机制的地区之一。省政府通过政府出资引导、政策支持的办法，用于支持新技术创业项目的风险投入，并最早在1992年就探索成立了广东科技创业投资公司。据统计，2007年广东省的风险投资公司和相关中介机构约有135家，风险资金约120亿元人民币。除了省、市政府分别直接出资组建风险投资公司，从事风险投资之外，广东的高新技术开发区也在资金上进行配套和支持。例如，广州高新区天河科技园在2000年曾经就天河区财政拨款2000万元，与银行合作，由银行以1:5的比例提供相应的配套资金，也就是银行相应出资1亿元，贷给园区内的高新技术企业使用。广州科技风险投资有限公司在投资广州高新区内的中小企业时也采取与高新区合作的模式，由高新区按1:1的比例投资，配套投资给高

新区内的企业。

- **三星的选择**

深圳市是广东省乃至全国当之无愧的沃土，在进入21世纪的国际背景中，国际跨国公司、跨国高新企业在对这块特殊而魅力无限的土地也充满好奇，并跃跃欲试。

这是一个真实的故事①：进入21世纪，韩国三星在中国选择合作城市的故事。韩国三星电子为了在中国寻找合作城市，在没有任何提示信息的前提下，从韩国分别发出一批货到中国北方的一个沿海城市和深圳。到最后交货的时候，三星公司对这两个城市花费的综合成本进行估算，其后发现，深圳市的综合运营成本是最低的。虽然在地理优势上，深圳肯定不如地处北方的某城市，土地资源、人力资源等费用肯定也不低。但是在政府办事效率、通关速度、人员素质、整个城市的高科技氛围等方面却有着那个北方城市所无法比拟的优势。最后，三星决定将其制造基地选在深圳，与科健合作。这种表面上的舍近求远实际是求快、求好。这个真实的故事充分反映出深圳这个城市发展高新的特质与吸引力。

深圳是企业投资者的福地。2003年度中国纳税百强排行榜出炉。在6个分项排行榜上，深企频频上榜。在深圳的市场经济氛围下，民营企业如鱼得水，已经出现了一批在行业处于领先地位的优势企业。从2003年纳税百强总排名及个人所得税、私营企业、外商及港澳台商投资企业、168行业十强等各类排行，凸现出一个明确的信息：深圳经济拥有旺盛的活力。无论私营企业、外商投资企业，还是各行业领域，深圳都涌现出了一批实力雄厚的优秀企业群体。其中，高新技术企业已成为最引人注目的“尖兵”行业。

六、可持续发展能力

镜头画面：广州呼吸疾病研究所

① 《全力打造高科技城市——访深圳市科技局局长王学为》，《证券时报》2004年2月5日。

广东科技在应对突发事件中发挥了中流砥柱作用。在抗击SARS的斗争中，省呼吸疾病研究重点实验室凭借良好的技术积累和创新能力，创造了SARS病死率全球最低、存活率全球最高的好成绩。“广东省传染性非典型肺炎（SARS）防治研究”获2004年度省科学技术奖特等奖。

2003年以来，广东先后经历了SARS疫情、苏丹红、北江水镉污染、防控禽流感和红火蚁等突发的公共卫生、公共安全事件。广东科技在应对突发和重大的社会科技问题上作出了重要贡献。在抗击SARS的斗争中，省呼吸疾病研究重点实验室科研团队，凭借良好的技术积累和创新能力，创造了SARS病死率全球最低、存活率全球最高的好成绩。由广州呼吸疾病研究所钟南山院士主持的“广东省传染性非典型肺炎（SARS）防治研究”项目获2004年度省科学技术奖特等奖和2005年度国家科学技术进步奖二等奖。省化学危害应急检测技术重点实验室积极应对苏丹红、北江水污染等突发事件。省应急病原学重点实验室在广东首例人感染禽流感病例中，分离出高致病性禽流感病毒H5N1，为政府部门制定预防和控制人感染禽流感措施提供了科学依据和参考。2005年，广东及港澳部分地区出现红火蚁外来入侵及伤人事件，广东省科学院组织专家参加国家和广东省防治红火蚁专家组，培训人员近2000人，研制的专门药剂在全省10多个市、县大面积应用，灭杀效果达到95%以上。2007年，针对汛期洞庭湖区东方田鼠大暴发，提出了“谨防2007年汛期洞庭湖区东方田鼠大暴发”的报告，得到国务院副总理回良玉的重要批复。此外，从1980年以来，对广东省海岸带和滩涂资源综合调查、广东省海岛资源调查、广东省亚热带丘陵山区综合科学考察、东江流域综合治理开发研究、花岗岩水土流失区国土综合治理开发研究、广东坡地改良与利用研究、珠江三角洲桑基鱼塘研究、“九五”期间的“海平面上升对广东沿海经济发展的影响与对策研究”，“十五”期间的“广东省主要农情动态监

测及快速预报”等，这些项目的研究成果成为各级地方政府制定经济社会发展规划的重要依据。

相当时期以来，广东被认为是“先污染后治理”的负面典型。但一组数据正在改变人们对广东的印象：国家环保总局近期对17个省（区、市）有关数据的综合分析表明，全国2007年上半年主要污染物排放不降反升，化学需氧量、二氧化硫排放量分别比去年同期增长4.2%、5.8%，而经济大省广东则分别下降了1.1%、2.9%。在上半年广东经济高速增长14.4%的同时，这两个环保硬指标首次出现下降之势，说明广东的水质和大气质量开始好转，环境污染恶化的趋势得到初步遏制，呈现出经济发展又快又好、环境质量逐步改善的良好态势，“环保拐点”依稀可见。这是广东依靠科技进步，走新兴工业化道路，推进绿色广东建设，给广东带来的喜悦成果。

第三章
欲上青天揽明月
——科研机构勇挑使命

广东是国家部委研究机构比较集中的省份。自20世纪80年代起，广东就向许多科研机构和科学家抛出了友好的橄榄枝。到了广东，在本地“水土”面前，许多科学家并没有退缩或逃避，而是积极面对，根据广东地方经济社会发展的需要，走出了条条新路。二十多年来，许多驻粤研究机构在广东获得了大展宏图的广阔天地，它们服务广东的创举更是成了广东科技界一道独有的风景。

与此同时，广东省属科研机构充分发挥机制和区位优势，百花绽放，各成其辉。科技攻关项目锁定了一个又一个与和百姓生活质量息息相关的耙点，成为经济发展的强有力推动器。

高等学校则在这种局面下挑起了原始创新的社会使命；在广东高校中涌现了许多科技成果产业化实践与探索的典型。当前，“建设高水平大学”的呼声深入人心，“科教兴粤”和“教育强省”战略逐步推进，产学研结合的模式日趋走向多元……

至于企业研发机构，更是成为技术创新的市场一线主体。在政府的引导下，不少企业从招揽优秀人才到留住人才，从市场调查到产品研发，如八仙过海，各显神通，力求抢占科技产业化的制高点。

曾一度的“非典”之灾带给广东的并不仅仅是伤痛，痛定思

痛的广东人看到了中药产业所具有的广阔的发展空间，中科院广州国家生物医药与健康研究院应运而生。岭南杏林，热潮奔涌，广东中医药事业发展迎来有史以来的最好机遇。

改革开放以来，广东从没有停止创新研究机构的探索，现在还要走得更远。

一、国家部委驻粤研究机构在广东大展宏图

镜头画面：中国科学院广州地球化学研究所

> 1986 年，中国科学院地球化学研究所整建制搬迁部分研究室、学科带头人到广州分部。分部拥有有机地球化学国家重点实验室和傅家谟、孙大中院士等学者。初到广州，面临两条道路：或继续原来的做法，或面向广东地方经济社会发展的需要，走出一条新路。傅家谟、孙大中院士毅然选择了后者。

1．缉拿“看不见的元凶”。

提起国家部委驻粤研究机构在广东的使命，中国科学院广州地球化学研究所傅家谟院士及其领导的团队十分感慨。

傅家谟是在 1990 年前后以中国科学院地球化学研究所广州分部负责人的身份来到广东工作的。他肩负着在新地建设新所的重大任务。

“傅家谟是典型的‘工作狂’，把工作当成最大的乐趣。”所里熟悉他的人都这样说。但此时傅家谟怎么也快乐不起来。新所刚开张，“百业待兴”，这时中国科学院酝酿体制改革，经费缺口很大(其实是负债)。所里职工工资落后于广州地区的平均工资。更大的困难还在于，地化所是整建制把老所部分研究室搬迁到广州的，拥有有机地球化学国家重点实验室，研究实力强毋庸置疑，但主要从事基础研究，初到广州一时还摸不着北。一部分研究员开始辞职“下海”。

傅家谟本人也是一路从基础研究走过来的。早在 1966 年，他就建起了国内第一个有机地球化学实验室，填补了我国有机地球化学和石油地球化学方面的学科空白。他承担了石油部、地质部、中科院联合组织的西南找油找气大会战任务，首次提出在我国南方“找气为主、找油为辅”的勘探方针，被后来的实践证明行之有效。他先后撰写了《有机地球化学》、《碳酸岩有机地球化学》、《煤成烃地球化学》、《干酪根地球化学》等专著，多次获国家级奖励。因研究成果突出，经中国科学院批准，他的实验室在 1985 年成为国家第一批对国内外实行开放研究的实验室。1989 年经过评议，实验室被国家计委批准为国家重点实验室。带领重点实验室，傅家谟先后出色地承担了国家攻关、部委级重大、重中之重、国家自然科学基金等研究课题。他也因此于 1991 年当选为中国科学院院士。

初到广州面临两条道路：或继续原来方向的研究，驾轻就熟，但可能脱离广东的需要；或面向广东地方经济社会发展的需要，开拓一条新路。傅家谟这位在国内外享有盛誉的地球化学家和沉积学家，毅然选择了后者。

一次，傅家谟在省里的一次座谈会上主动谈到，想为广东地方做些事情，比如清除环境中的某些毒害有机化合物。时任副省长卢钟鹤对此极为重视，第一个由中国科学院与广东省政府共建的省重点实验室，很快确定由傅家谟担纲筹建。对此，不少人觉得不好理解。有人善意地劝他：“你现在是院士，名扬四海，已有自己的专业特长。搞环境你不一定在行，风险太大了，万一砸了锅，有损自己名声……”

但了解到珠三角这些年来工业化和城市化进程的不断加速，由经济发展而引出的与人类健康息息相关的严重环境问题，傅家谟不再犹豫。当时这方面的研究在广东还是非常薄弱。在他的努力下，1995 年，广东省环境资源利用与保护重点实验室建成并通过验收。

多年来，傅家谟带领依托中国科学院广州地球化学研究所有机地球化学国家重点实验室组建起来的广东省环境资源利用与保护重

点实验室，下定决心彻底搞清楚微量毒害有机污染物在水、土、气中的分布和赋存形式，为根本改善广东环境质量问题从而确保人们的健康提供依据。

如果说沙尘暴、酸雨等属于看得见的随时危害环境安全的“凶手”，那么，隐藏在水体和大气细颗粒物中的 POPs 就是“看不见”的危害生命安全的“元凶”。一些毒害化学物质会以细颗粒的形式混入食物和空气中，进入人体后，会干扰内分泌和生殖功能，影响人类的生存和繁衍。空气污染使癌症发病率上升，癌症成了排在中国首位的死亡原因之一。这都是傅家谟要缉拿的“元凶”。

在前期研究的基础上，根据所掌握的“用水情报”，傅家谟倡议启动广东省分质供水重大科研项目。他提出，要真正解决饮水问题，最根本的还是解决水污染，但这不是一两年就可以出成果的。珠三角地区先富起来了，对健康的追求也更高了，所以搞分质供水——把饮用水和日常生活用水分开供应，拧开水龙头就能直接安全地饮水，是比较可行的办法。分质供水项目在省里立项之后，傅家谟又具体主持实施了被称为“水杯子工程”的分质供水示范工程。

傅家谟立足广东需要的前沿研究，特别是对珠江三角洲环境中毒害有机物的研究取得了重要进展，指导团队开发了以“水杯子”为品牌的直饮水深度处理工艺。这些在广东制定区域可持续发展的战略中起到了重要作用。他因此 2003 年获何梁—何利科学技术奖，他主持的“珠江三角洲环境中毒害有机污染物研究”获 2003 年度广东省科技进步一等奖和 2006 年度国家自然科学奖。他本人于 2008 年获首届广东省科学技术突出贡献奖。

• 科技界的排头兵：中国科学院广州地球化学研究所

1986 年，时值“孔雀东南飞”季节。中国科学院地球化学研究所做出一个大胆的决策：在地处改革开放前沿的广州设立窗口——中国科学院地球化学研究所广州分部。

中国科学院地球化学研究所是中国科学院地球科学与资源环境领域第一方队，拥有鼎立学术界的涂光炽院士、郭承基院士和国家重点实验室等，参与了中国核爆炸、卫星矿物涂料、紧缺矿种、石油地质、月球研究等大型科学研究项目，屡获国家和中科院奖励。在人类生存发展环境恶化开始时期，在我国率先建立发展了环境地球化学学科，1968年启动了地方病区的地质环境调查和地球化学病因研究，在斯德哥尔摩《人类环境宣言》发表的同一年(1972)，开创性地主持了我国最早的大型环境科研项目——“官厅水系水源保护”和“北京西郊环境质量评价”研究。1974年正式组建中国第一个环境地质研究机构——中国科学院地球化学研究所环境地质研究室。在20世纪70年代和80年代是中国地球化学科学的不二“圣地”和人才培养的重要基地。

按照计划，广州分部只是过渡，最终目标是要将中国科学院地球化学研究所整建制搬迁至广州。此事惊动了所在地贵州省省长王朝文，贵州省委、省政府“一纸诉状”告到了全国人大、国务院，因为贵州乃至西部太需要这支队伍。于是，采用折中方案，整建制搬迁部分学科和研究室至广州，与原中国科学院广州地质新技术研究所（该所始建于1978年8月）合并成立中国科学院地球化学研究所广州分部。1993年经国家编制委员会批准启用中国科学院广州地球化学研究所名称。2002年初，中国科学院广州地球化学研究所异地兼并原中国科学院长沙大地构造研究所，整体进入中国科学院知识创新工程试点系列。

广州地化所是中国科学院骨干所，在国际上享有较高的地位。现有正式职工281人，其中科技人员148人、中国科学院院士2人、俄罗斯科学院外籍院士1人、创新岗位研究员50人、创新副研究员49人、博士生导师32人、具有博士学位的科技人员120人、“百人计划”获得者16人、国家杰出青年基金获得者15人（含4项为杰出青年基金B类)、中科院海外学者合作研究基金获得者4人、国家基金创新群体1个、国家基金重大项目主持人1人、国家基金重点项目主持人13人。

1998年以来，研究所每年承担的科研课题均超过200项，承担国家基金面上项目名列全国科研机构前10名。作为第一主持单位获准国家基金近1亿元，主持973项目、863重大专项课题10多项，经费近1亿元。获准地方科技攻关经费824万元。

研究成果在Science、Nature发表论文5篇，发表国际SCI收录600多篇。与美、英、德、法、澳、荷、加、俄、日、越南、印度等20多个国家以及港、澳和台湾地区的科研实验室和专家建立稳定的学术交流关系。多次主办、协办国际学术会议。研究所主办核心期刊《地球化学》、《大地构造与成矿

学》、Geotectonica et Metallogenia。2002年以来获得国家和省部级科研成果奖励8项，其中国家二等奖1项，省部级一等奖4项。

全所设有有机地球化学国家重点实验室、中科院边缘海地质重点实验室、中科院同位素年代学和地球化学重点实验室、极端环境地质地球化学重点实验室、成矿动力学重点实验室、中科院珠江三角洲环境污染与控制研究中心、石油天然气与固体矿产资源研究中心等。为推进科学研究面向国民经济主战场、为地方的社会、经济建设服务，并先后在省科技厅的支持下成立了广东省环境资源利用与保护重点实验室和广东省矿物物理与材料研究开发重点实验室。自2002年中科院实施的知识创新工程试点二期以来，代表性创新成果有：极端高压矿物学与地幔矿物学；典型地区地幔物质组成及动力学演化；南海及周边地区气候环境演变的地球化学记录研究；油气地球化学新技术方法发展与应用；珠江三角洲毒害有机污染物的区域地球化学与污染机理研究；海洋资源勘探开发新技术新方法研究。

• 国家部委研究机构

广东是国家部委研究机构比较集中的省份。

国家部委属驻粤的研究开发机构主要包括中国科学院广州分院、广东省科学院，广州中国科学院工业技术研究院，中国科学院华南植物园，中国科学院南海海洋研究所，中国科学院广州化学有限公司（中科院广州化学研究所），中国科学院广州电子技术有限公司（中科院广州电子技术研究所），中国科学院广州能源研究所，中国科学院广州地球化学研究所，中国科学院广州生物医药与健康研究院，广州有色金属研究院，广州机械科学研究院（同时也是国家创新型试点企业），广州电器科学研究院，中国气象局广州热带海洋气象研究所，国家环境保护总局华南环境科学研究所，广州信息技术研究所，中国水产科学研究院（包括中国水产科学研究院南海水产研究所、珠江水产研究所），中国林业科学研究院热带林业研究所，中国热带农业科学院南亚热带作物研究所（包括中国热带农业科学院农产品加工研究所、中国热带农业科学院农业机械研究所），中国赛宝实验室（信息产业部电子第五研究所），中国电子科技集团公司第七研究所，国土资源部广州海洋地质调查局，广东省地质科学研究所，广东省电信有限公司研究院（中国电信股份有限公司广州研究院），核工业二九〇研究所等。

这些机构在中央政府的领导下，普遍结合广东特殊的经济和社会发展背景，获得了源源不断的发展动力，取得了一个个的辉煌成就，对提升广东的科技实力和竞争力，对广东的经济建设起到了良好的促进作用。因而也得到了广东省地方的大力支持。

2. 寄予厚望：中科院广州生物医药与健康研究院诞生。

改革开放以来，广东从没有停止创新研究机构的探索。现在还要走得更远。

2003 年 12 月 28 日。“你这次能够当选院长的最大优势在哪里?”“运气吧!”陈凌以低姿态出任中科院广州生物医药与健康研究院首任院长。陈凌年薪百万，任期定为 5 年。理事会要求他在这 5 年内，将研究院建成一个完整的科研、高技术和人才平台，并且要有一半的科研经费是通过自身影响获得。

中药产业属于生物技术产业。后者被确定为广东四大高新技术产业之一，也是未来的新兴产业。放眼全球，“回归自然”的世界潮流前所未有地凸显了传统中医药的强大生命力和现代化发展的广阔前景，欧美日韩等国纷纷抢占天然药物的“黄金领地”；环顾国内，中药简、便、验、廉的特点，对缓解群众“看病难、看病贵”大有裨益。全国性的“中医药现代化”发展热潮迭起，华东、华南、川渝、京津、吉林几大区域激烈竞争。

盘点广东。广东老百姓有深厚的信赖中医的基础，中医药文化积淀深厚。长期以来，广东中药销量位居全国前列。2003 年全省中医诊疗 3283. 9 万人次，住院服务量为 35. 12 万人次，平均每位医师年诊疗 2839. 3 人次，列全国第一位。全省大部分综合医院设立中医科，有 90% 以上的社区卫生服务中心能提供中医药服务。广东是全国中药大省。生产中药历史超过 1300 年。陈李济、王老吉、潘高寿等一批百年老字号至今光彩耀世。岭南的亚热带气候极利于中药材繁殖生长，药材种类共 2645 种，占全国的 20. 7%。中成药工业因为起步早，企业实力及品牌影响有一定的先发优势。2004 年全省中药产业销售收入 74. 5 亿元，占全国 8. 4%，位居第一。中药饮片加工利润和中成药制造业利润分别居全国同行第 4 位和第 3 位。中药产业生产、销售、品种、效益等方面一直居全国各

省市前列。

精明的广东人，又一次看到了中药产业所具有的广阔的发展空间，但需要借助中国科学院的力量和品牌。

2003 年 7 月 5 日，广东省与中科院、广州市签署协议，在广州建设国家级生物医药与健康研究开发机构，首期（2003—2005 年）建设投资 3 亿元，三方各出 1 亿。新研究机构实行新机制，由合作三方“共建、共有”，合作三方通过理事会对研究院实施管理，实行理事会领导下的院长负责制。

其时适逢“非典”之后，广州建设国家级生物医药与健康研究开发机构被正式命名为中科院广州国家生物医药与健康研究院。研究院的使命是建立疾病机理研究和生物医药关键核心技术的研发平台，面向国内外生物医药企业提供社会化服务，承担国家重大科技攻关任务，生物医药关键技术自主创新和重大技术集成，培养和造就中国生物医药业杰出人才，成为健康和生物医药领域创新源头和带动地区产业发展的动力基地。

当年 8 月，研究院面向国内外公开招聘生物医药领域世界一流水平并具有管理经验的专家担任院长，年薪超过百万，任期 5 年。

截至 10 月 25 日，共有来自世界各地的精英 27 位报名。

包括两名诺贝尔奖获得者及钟南山等国内外权威专家组成的专家委员会，对来自国内外的候选人进行现场考核。经过严格面试，作为默克研究室艾滋病疫苗的第一发明人陈凌博士终于脱颖而出。

陈凌看上去文静而平易近人。瘦瘦高高，戴着眼镜，说话时总带着笑容。他于 1962 年出生在福建厦门，20 世纪 80 年代中期在原上海医科大学毕业后通过考试进入美国哈佛大学并取得博士学位。在留校任教一段时间后，20 世纪 90 年代后期加盟世界最大的企业默克公司，作为首席科学家组织艾滋病疫苗研究，并在全球第一个完成艾滋病疫苗的猴子试验。

2003 年 12 月 28 日，中国留学人员广州科技交流会隆重开幕。此时，中科院广州生物医药与健康研究院在广州科学城国际企业孵化器内正式挂牌。广东省副省长宋海、广州市委书记和中科院副院

长陈竺亲自为研究院成立揭牌。百万年薪院长陈凌首度公开亮相。

“你这次能够当选院长的最大优势在哪里?”“运气吧!”尽管陈凌姿态低调，但专家一致对他寄予十分高的期望。

时任广东省科技厅厅长谢明权说：“他学术水平好，有产业化运作经验。我们选拔院长时考虑到研究院要建成国际一流，就一定要选拔一个高水平的院长。不但学术水平要好，而且还要有产业化运作的经验。陈凌既在大学做过教师，又在默克公司搞过产业，他在这两方面都很符合我们的要求。”

时任中国科学院副院长陈竺：“陈凌有很强的领导才能，他有非常好的学术背景和产业背景，同时还具有很强的领导才能。难能可贵的是他还具有强烈的报国愿望。2003 年春天 SARS 疫情暴发时，他就曾通过朋友与中国科学院联系过，表示愿意回国效力，这让我们很感动。”

中国工程院院士姚新生：“他思路很清晰，没有脱离实际。我作为专家委员会成员参与了院长选聘工作。专家委员会的成员对陈凌都比较看好，因为他不但有好的科学背景以及国际产业化运作经验，还有比较好的组织工作能力。他特别有过在企业工作的经历，并且对研究院成立后的工作思路很清晰，提出了整合地方资源的构想，没有脱离实际。我想这是他当选的主要原因。”

中科院广州国家生物医药与健康研究院，从一开始就包含了创新机制的思想：政府扶持，企业化运作。中科院副院长陈竺院士说，在这 5 年内要求陈凌将研究院建成一个完整的科研、高技术和人才平台，并且要有一半的科研经费是通过自身影响获得。另外还要有一批专利技术。按要求陈凌每年要向由中科院、广东省和广州市政府三方组成的研究院理事会进行一次工作报告，并由理事会领导下的专家委员会对他的工作进行评估。

中科院广州国家生物医药与健康研究院真是生逢其时。

2004 年 2 月，时任省委书记张德江在一份批示中提出了建设中医药强省的命题。随后，他又多次批示。

2005 年 4 月，省政府成立了省中医药振兴计划领导小组，张

德江和黄华华省长亲任顾问，省委常委、常务副省长钟阳胜任组长，游宁丰、雷于蓝、姚志彬等省领导任副组长。领导小组集中了发改委、财政、科技、经贸、卫生等部门的力量，拉开声势浩大的调研，集益众智，筹划中医药强省的建设事宜。

岭南杏林，热潮奔涌。2006 年 1 月 5 日，广东在全国率先发出“建设中医药强省”的总动员令，召开高规格的建设中医药强省大会，会议印发了《中共广东省委、省政府关于建设中医药强省的决定》、《广东建设中医药强省实施纲要（2006—2020）》和《广东省中医药发展“十一五”规划》等三个纲领性文件。换句话说，早在国家 19 部委联合成立“中医药工作部际协调小组”的前一年，广东中医药事业发展已迎来其发展史上的最好机遇。

2007 年 11 月 25 日，广东省常务副省长、省中医药振兴计划领导小组组长钟阳胜在广东中药产业发展高峰论坛暨经贸科技展开幕式上发表主旨演讲时提出，至 2010 年广东中药产业的发展目标：建立较完善的中药创新体系，研究开发出一批大品种名中药；做大做强中药制药产业及相关产业，形成若干家产值超百亿元的大型医药集团和一批制药技术领先、国际知名的中药企业，中药工业产值占全国比重 15% 左右；打造一批中药现代流通企业，形成全国最大的中药材现代物流基地和主要中药产品出口基地，中药产品全国市场占有率 15% 左右。力争到 2020 年，全省中药制造产业规模大、竞争力强，中药现代物流业高度发达，形成一支规模大、结构优、水平高的中药人才队伍，中药自主创新能力强、国际化程度较高，使广东中药产业继续成为全国同行的排头兵。

为了实现上述目标，钟阳胜要求切实做好几项主要工作。第一，调整产业组织结构，打造大型中药企业集团，培育现代中药产业基地。第二，规范中药材种植及饮片、配方颗粒的加工；适应市场需求，规范中药材种植、生产和经营。通过优良品种的培育、无公害病虫防治、高效安全肥料的筛选使用等具体措施，从源头上解决中药现代化和国际化过程中的障碍性因素，创立粤产“绿色中药”品牌。第三，开展中药新药和广东名优中药品种的开发及关

键技术的研究，瞄准重大疾病、常见病和亚健康，加快研究开发具有自主知识产权的原创中药新药品种。加强名牌产品和知名品牌保护工作，打造优质中药材品牌和“广药”品牌。第四，大力发展中药现代物流业，拓展中药出口市场。培育一批具有“统一品牌、统一质控、统一配送”的现代化中药物流企业。充分利用信息技术，发展中药电子商务平台，建立健全中药销售网络，培育华南地区乃至全国最大的医药港；继续加强粤港澳合作；推动与台湾地区的合作与交流；进一步扩大国际合作。第五，适应中药产业需要，培养高素质的中药专业人才队伍，努力为中药领军人才创业与发展营造良好环境。

从 2003 年底以来，中科院广州国家生物医药与健康研究院，从无到有，从小到大，至 2007 年，已经建有七个研究中心，两个公共支撑中心，20 个研究团队，在职员工 220 多人，90% 以上为博士和硕士学位人员，平均年龄 30 岁左右。该研究院的主要学术带头人是从海外归来的优秀科学家，他们大多数曾在世界一流大学、科研机构特别是跨国制药企业担任教授或高级研究人员，有 10 年以上的海外留学和工作经历，在人才培养、科研团队建设和科研成果转化与产业化方面具有丰富的经验。

中科院广州国家生物医药与健康研究院承担国家“973”、“863”和省市各类科研课题共 40 多项，争取的科研经费量累计有 4000 多万。已经申请发明专利 10 多项。取得了如“达菲”合成等重要成果。到 2007 年 7 月，研究院有在读硕士和博士生 150 多名，有近 7000 平方米实验室（租用国际企业孵化器）。研究院广泛地开展国内外科技合作。

此外，研究院成功地和广州医学院联合申请了广东地区唯一的国家级重点实验室“国家呼吸病重点实验室”，与中国科技大学合作共建医药生物技术系，与香港大学、香港中文大学、美国普洛麦格公司、广州医药工业研究所等开展了科技合作。

全球知名的十大制药企业代表团或总裁或副总裁以及美国、德国、日本、加拿大等国的科学家代表纷纷来院考察访问。他们对于

研究院的建设和发展非常惊叹，誉为“广州速度”。

温家宝总理，国务委员陈至立，全国人大副委员长、中国科学院院长路甬祥，人大副委员长成思危，国家基金委员会主任陈宜瑜，科技部部长徐冠华，中央政治局委员、广东省省委书记张德江等先后到院视察并指导工作。

短短几年，研究院的定位和建设目标更加明确。它要成为以国家健康和生物医药需求为主导，以国际前沿的致病机理研究、高水平核心技术创新与集成为核心，致力于构筑我国医药、疫苗及诊断的创新研究实体，提高生物医药研发和产业化水平，成为国家健康安全体系中的重要组成部分。

研究院的建设目标是，将研究院建成在生物医药和健康领域具有自主创新和国际竞争能力的研究机构，使之成为疾病致病机理研究和生物医药关键核心技术的研发平台，成为面向国内外生物医药行业的社会化服务并带动地区相关产业发展的平台，成为吸引、培养和造就具有国际先进水平的中国生物医药行业领军人才的平台，成为国家健康安全体系中的重要组成部分。

2007 年 6 月 28 日，科技部党组书记、副部长李学勇在广州视察，使华南“国家新药筛选评价中心”开始浮出水面，并提到中科院广州生物医药与健康研究院在创建华南“国家新药筛选评价中心”中能够发挥核心作用。

二、地方科研机构发挥机制优势

镜头画面：广东省农业科学院

在广东省农业科学院旗下，院畜牧和植保所分别定位为开发型和公益型研究所。2002 年，畜牧所研制出添加剂 51 种，并迅速投放市场，年创收 1210 万元，人均创收 20 万元。植保所研制出无公害农药 10 余种，进行工厂化生产，政府拨款 110 万元，创收 1250 万元，人均创收 14.7 万元。

广东省属科研机构经历了1985年和1999年两次最重要的科技体制改革，使全省科研机构发生了重大变化。改革的重点是，确立科技是第一生产力的理念，促进科技面向经济、经济依靠科技，以经济建设为中心，推动科研所和人员的市场化。

1985年，中共中央作出了关于科技体制改革的决定，广东因此拉开了科技体制改革的序幕。通过改革拨款制度、放活科技人员等一系列改革措施，改变了旧的科技体制，极大地解放和激发了科技人员面向市场，为经济建设服务的积极性。

1999年，广东省深化科技体制改革，进一步推动科研机构和科技人员进入经济建设和社会发展主战场，加速科技成果转化和高新技术产业发展，建立和加强科技创新体系，提高自主创新能力和综合科技实力。此次改革把69个省属科研机构重新划分为技术开发类型、咨询服务类型、体现广东优势和特色的公益类型三种。其中开发类型科研机构39个，咨询服务类科研机构18个，公益类9个，另有3个技术监督机构不列入科学研究序列。技术开发类型科研机构进入经济建设和社会发展的主战场，实行科工贸、科农贸一体化，向产业化发展。咨询服务类型的科研机构面向全社会组成社会化的服务网络，从事测试分析、中介、咨询、信息、技术培训、技术孵化、技术集成、委托技术开发、企业诊断等科技服务，由科研事业型向科技经营型或中介服务型转变，为社会提供有偿服务。公益类科研机构主要通过争取承担政府委托任务，获得财政对其骨干力量的稳定支持，重点在农业育种和农作物保护、林业育种与保护、水利整治和灾害防治、人民健康领域加强力量。

自1999年实施深化科技体制以来，科研机构与市场结合的意识大大提高，通过面向市场，积极参与产学研相结合的技术开发体系，形成从研究、开发、生产、市场紧密结合的新机制。2004年以来，省委、省政府有意识依托省属研究所，组建一批与广东产业结构相适应、对产业发展有直接推动的国内权威的研究开发、技术标准及测试科研机构，组建一批省重点实验室和省公共实验室的建设。

1. 独辟蹊径除恶臭。

广东省微生物研究所属于1999年重新划分为技术开发类型的研究所。经常性事业费早已减拨为零。尽管面向市场的改革成效至今仍有“仁者见仁，智者见智”的不同看法。但在新的形势下，微生物所充分认识到，不改革就没有出路，停滞不前就是落后。发展才是研究所的唯一出路在全所达成共识。由于全所人员认识的提高，使深化科技体制改革的各项措施得以顺利贯彻实施。凝炼和提升科技目标，在面向市场、促进科技与经济结合、加快科技成果产业化等方面得到了很大的发展。所里及时建立了自己的经济实体，有了较稳定的经济来源，各项工作取得了较显著的成绩，对广东经济社会的发展作出了重要的贡献。

恶臭是一种大气污染，普遍存在于生活垃圾处理、生活废水和工业废水处理过程，涉及畜禽养殖、转运、屠宰、卫生处理厂以及公厕、交通运输、旅游等各种与人们日常生活关系密切的领域。随着经济的发展和社会的进步，社会对恶臭污染控制的要求越来越高，对除臭剂的需求也越来越殷切。未经除臭的垃圾压缩站对周边居民区产生较强烈的恶臭污染，对人的呼吸系统、消化系统、神经系统均可产生不良影响。

2000年，广东省微生物研究所面对迫切的社会需求，准备利用微生物所的学科优势，研制的微生物除臭剂，有效地消除空气中的恶臭。在广东省环保局的资助下，启动了“微生物除臭菌剂的研究”，并确定该项目主要任务是分离对恶臭成分具有降解作用的微生物菌种，研制能有效去除恶臭，而且使用方便的微生物除臭菌剂。

筛选可分解恶臭物质微生物，开发微生物除臭剂，属环境生物技术，研制的微生物除臭剂可应用于生活垃圾、公共厕所、畜禽养殖等环境的恶臭污染的治理。其技术原理是经过筛选并适当搭配的一组微生物经过发酵后配制成微生物除臭菌剂，菌剂中的微生物及其代谢活性物质能够吸附和分解含硫和含氮等恶臭物质，并能抑制生活垃圾中致臭微生物的活性，有效消除空气中的恶臭。

该项目共研制了两种微生物除臭剂。其中一种是针对生活垃圾压缩转运站除臭需要的除臭剂，另一种是针对公共厕所除臭需要，在垃圾除臭剂基础上根据恶臭源的环境和差异研制的粪便除臭剂。微生物除臭剂可在配套研制的自动喷雾系统使用，直接作用于垃圾压缩转运站的垃圾压缩槽内或公厕空间，控制恶臭的散发，减少恶臭的产生。

两年过去了，该项目研制的两种微生物除臭剂受到广州市环卫部门和广大市民的认可和欢迎。该项目的垃圾除臭剂研制出来后，即在广州投入实验室试验和现场除臭试验。试验证明，这种垃圾除臭剂是完全成功的。在以生活垃圾为恶臭源的实验室试验中，采用垃圾除臭剂处理后，空气中因垃圾散发的恶臭浓度下降到国家排放标准。在以生活垃圾为恶臭源的空气除臭实验和应用中可以使恶臭成分去除36.4%～86.8%，恶臭强度由强烈感受的4级下降至认知阈值的2级或检知阈值的1级。“除臭试验效果良好，恶臭污染立马去除。”过去经常遭受市民投诉的恶臭污染源——垃圾压缩站，采用经济、有效的微生物除臭剂后，垃圾站周边的空气质量立马改善，促进城市的文明社区和生态环境建设，产生的经济和社会效益俱佳。

在垃圾压缩转运站的现场除臭试验中，经过除臭处理后，垃圾站内恶臭浓度大幅度降低，垃圾站外5米至10米基本上感觉不到恶臭，空气中的微生物总数也明显减少。经权威的环卫和环保部门采用气相色谱法和感官法测定，除臭处理前后空气中多种恶臭物质的浓度显著不同，除臭剂有效控制了恶臭的产生和散发，改善了垃圾压缩站的周边环境质量。

2002年，垃圾除臭剂除了在广州市城区的垃圾压缩转运站推广应用外，还被广州市环卫局采纳为广州市城区垃圾压缩站的空气除臭剂。广州城区的垃圾站采用该项目的垃圾除臭剂实施空气除臭以来，居民的投诉从每月20～30宗降至零。

经广州市卫生防疫站检测证实，微生物所研制的垃圾除臭剂属于无毒、无害、无刺激作用的产品。该除臭剂已经建立了广东省企

业产品质量标准，采用严格的但易于操作的微生物发酵生产。与国内外同类技术的比较，本研究研制的除臭剂由有益微生物及其代谢产物组成，不含化学合成物质，对人体和环境无毒无害，不产生二次污染。对生活垃圾的除臭效果明显。研制的微生物除臭剂在菌种组成上简单、菌种的数量少，易于工业化生产；发酵所采用的培养基价格相对便宜，可采用某工厂生产的下脚料作为碳源；将微生物除臭菌剂与自行研制的自动喷雾系统配套使用，在生活垃圾压缩站进行空气除臭操作简单，使用方便。目前，两种除臭剂均已申请了国家发明专利。

2. 旧瓶装新酒：广东省农业科学院。

广东农业科学院是成立于1956年的老所。旗下设13个专业研究所，在职职工1147人，其中高级职称231人。建有8个部、省级重点实验室，4个省工程技术研究中心，2个大型农业科研试验示范基地。在农业部组织的1220个地市以上农业科研机构“八五”期间科技与开发综合实力评估中，该院有7个研究所跨进百强行列，综合实力处于省级农科院前列。

1999年省科技体制改革对该院的影响是显而易见的。在当时全院下辖的13个研究所中，有5个定为公益型所，7个定为开发型所，1个定为服务咨询型所。开发型、咨询型研究所要进入市场，2001年前全部转为企业法人，走产业化发展道路。公益型研究所利用广东的优势和特色，根据面向市场和广东现代农业发展方向的需要，调整研究方向，在加强基础性、公益性科研工作的同时，抽出一半人员从事科技转化推广工作，5个公益所均实现研究主体和成果转化实体共同发展的模式。

此时的广东农业科学院，根据市场经济和现代农业发展的特点和规律，及时调整了专业、学科结构和研究方向，撤销了不适应现代农业发展要求的旱作所和经作所，组建了广东农业发展急需的蔬菜所和作物所；撤销了麻类等25个研究室，组建了水产等31个研究室；扩大了四个研究所的研究领域，如蚕业所改为蚕业与应用昆虫研究所，生物所改为生物与食品研究所等。在强化该院粮食作物、经济作物、蔬菜、果树、畜禽的优良品种选育和作物、果树、土肥、茶叶、畜牧、兽医等新技术研究和开发的优势的同时，根据该省现代化农业发展的需要，加强了水稻、玉米、花生、辣椒、南方水果、饲料等对该省农业经济发展影响重大的关键技术的联合攻关，力求不断提高广东省农业科技水平。

在一份上报材料中，省农科院总结了体制改革后的几点体会。一是，面向市场是加强农业科技工作、壮大农业科研机构的重要途径。有面向市场能力的科研机构转制为企业，可获得更大的发展活力和动力；社会公益型研究所在加强基础性和公益性研究的同时，也要积极面向市场，加速科技成果的转化和产业化。在广东省农业科学院旗下，院畜牧和植保所分别定位为开发型和公益型研究所，分别拥有职工60人和85人。2002年，畜牧所研制出添加剂51种，并迅速投放市场，年创收1210万元，人均创收20万元。植保所研制出无公害农药10余种，进行工厂化生产，政府拨款110万元，创收1250万元，人均创收14.7万元。巨大经济效益和社会效益推动科技成果转化，促进研究所的快速发展。二是，面向市场更有利于提高农业科研水平和持续创新能力，形成科研与产业化的良性循环。广东省政府在科研机构改革到位后，政府对农业科研的投入增加了1倍。2002年全院争取各级科研项目经费4800万元，比1998年增加两倍，同时该院还从产业化收益中拿出1500万元投入科研工作，累计全年科研投入达6300万元，创历史最高水平。三是，农业科研单位必须面向农业、面向农村、面向农民，才能获得经济效益和社会效益的双丰收。通过科技创新，促进农业结构调整，加快农村经济发展，提高农民收入，是农业科研单位的首要任务。对那些社会效益大、而直接经济效益较小的农业科技工作，只要符合广大农民的根本利益，农业科研单位就要肩负起义不容辞的责任。四是，发挥科研院所科技创新优势，给予或扩大种子和新技术及产品的经营自主权，是加速农业科技成果转化和产业化发展的关键措施。建立科研成果推广网络和产业化基地，是种子产业化经营的必须途径。如该院拥有种子经营权和国家批准的自营进出口权，在全

省建立了全方位的科技成果推广体系和网络，使科技成果推广畅通无阻。五是，科技创新和重视人才是农业科研工作发展的根本。只有不断创新，科技事业才能发展，科研院所才能壮大，而人才又是创新的关键所在，不但要重视引进人才，更要重视稳住和充分调动人才的积极性。该院近几年不断加强科技创新，引进大批高层次人才，彻底改变了人才队伍的结构，增强了竞争能力，而且通过科技产业化的发展，该院大幅度提高了科技人员待遇，建立激励机制，为吸引和稳定优秀人才创造了良好条件。

三、高等学校魂系原始创新和社会需求

镜头画面：中山大学水生经济动物繁殖、营养和病害控制国家专业实验室

“林彼方法”，是鱼类“送子”的妙诀所在。根据“林彼方法”而在国内投入生产的“鱼类催产剂”，对鱼类养殖产量的提高，所起到的作用是飞跃式的。由于装催产剂的小塑料管形状像一颗小小的导弹，受惠者于是惊呼：“林教授引爆了一枚‘中大导弹’。”

1. 鱼类“送子观音”。

今天菜市场上，鲩、鲫、鳊、鲮、鲇、鲟、鲈、鲂、鳗、鲷……品种之丰富令人惊叹！熟悉情况的人都知道，长期专心致力于鱼类生殖和生长的神经内分泌调节机理理论研究的中山大学水生经济动物研究所所长林浩然院士功不可没。他开发的“新型高活性鱼类催产剂”，使各式咸、淡水鱼类得以大量养殖，走上中国人的餐桌。

与今天形成极其鲜明的反差的是，改革开放初期，人们在餐桌上所认识到的鲜鱼，都是多年不变的四大家鱼。

林浩然自 1954 年中山大学生物系毕业留校后，一直处在教学

第一线，先后系统讲授《鱼类学》、《养殖鱼类生物学》、《鱼类养殖学》、《鱼类生理学》、《鱼类生殖内分泌学》等。面对改革开放后的市场需求，沐浴着全国科学大会的春风，那时的林浩然思索着自己应该为此做些什么。

鱼类要养殖，关键是鱼苗。但是，就像人类一样，鱼类的生育也有一个“性障碍”问题，而且严重得多。早期鱼苗的孕育，采用的都是一种人工方法：从鲤鱼的脑子里取出脑垂体，磨碎后注射到准备产卵的亲鱼体内，通过唤起“性兴奋”去助其生儿育女。

那么，能不能用科学的“脑（垂体）”，去取代鲤鱼的“脑（垂体）”？林浩然在想，鱼性腺的自然成熟，既有促进因子也有抑制因子进行调控，关键是要理清其中关系。

1979年，林浩然抓住了一次难得的出国机会，作为中国改革开放后第一批公派出国的访问学者前往加拿大不列颠哥伦比亚大学动物学系和阿尔伯塔大学动物学系做合作研究。多年的鱼类生理与鱼类养殖的知识积累，遇上一个顶尖级的科研环境，自是如鱼得水。与彼得教授在鱼类脑垂体促性腺激素的合成与释放的基础理论合作研究方面，已取得突破性的进展。之后，就是不断实践和应用的反复攻关。

两年后他学成回国，1984年开始担任中山大学生物系系主任，继续从事鱼类“送子”研究，成功研制新型高活性鱼类催产剂，适用于各种淡水养殖鱼类人工繁殖。

1987年，“诱导鱼类繁殖”国际学术会议在新加坡召开。林浩然与彼得教授在鱼类“送子”的基础理论合作研究成果被誉为鱼类人工催产的第三个里程碑，正式命名为“Linpe Method”（林彼方法，即以林教授和加拿大合作者R. E彼得教授名字命名）。

“林彼方法”，是鱼类“送子”的妙诀所在。根据“林彼方法”而在国内投入生产的“鱼类催产剂”，对各地近几年鱼类养殖产量的提高，所起到的作用是飞跃式的。由于装催产剂的小塑料管形状像一颗小小的导弹，受惠者于是惊呼：“林教授引爆了一枚‘中大导弹’。”

这以后，林浩然紧密结合学科发展趋势和水产养殖的实际需要，研究对象由淡水养殖鱼类，逐步扩展到海水养殖鱼类。进入21世纪，他和他领导的团队在石斑鱼人工繁殖和苗种培育技术研究方面又取得重大突破，所建立的石斑鱼人工繁殖系列支撑技术，实现了斜带石斑鱼苗种的规模化生产。到2005年，得益于该技术的推广应用，广东全省石斑鱼网箱养殖面积就达到84万平方米，产值达到54.9亿元。

事实上，全国各地这些年来受惠于林浩然技术而养殖的各式咸、淡水鱼类，已生产出数以十万亿计的鱼苗，经济效益亦以数十亿元计。那么，鱼类“送子观音”本人的经济收益又是多少？谈起这个，他笑了笑：“过去讲的是为国争光，社会效益永远是放在第一位的。”

“我选择加拿大，是因为那里集中着世界上最出色的鱼类生理学家，而这两所大学因鱼类生理学研究闻名于世。”林浩然告诉采访者，“科研资金的到位也很重要。基础理论研究上的突破，才使这个项目申请到了我国和加拿大的专项资金。之后我仍10多次访问加拿大，与彼得教授再经过好几年的努力合作，才有了这个‘林彼方法’”。

此时的林浩然，已不满足于鱼类“送子观音”的单一角色。他说：“要让大家吃到更多更好的鱼肉，需要解决三大问题：一是种苗，二是饲料，三是病害。”

被学术界誉为“鱼类人工催产的第三个里程碑”的“林彼方法”，所解决的只是种苗问题。而它亦面临着对自身的新突破，即基因工程的导入。对可能是“第四个里程碑”的下一步的攻关，林浩然充满信心。

三大问题之中，最大的瓶颈来自病害。鱼类社会与人类一样，同样有一个与自然和谐共处的问题。林浩然发现，鱼的病害往往源于不好的生存环境。在接下的几年时间里，他所带领的水生经济动物研究所，下大力气，研究如何提高鱼类自身的免疫能力。

林浩然教授的鱼类脑垂体促性腺激素的合成与释放的研究成

果，获1988年国家教委科技进步二等奖。根据上述创新理论研制成功新型高活性鱼类催产剂，在国内外推广应用，为社会创造数十亿元经济效益，已为各国学者公认和引用。该项科技成果在1992年被评为国家自然科学基金委员会资助项目优秀成果，并列入国家科委1995年国家科技成果重点推广计划指南项目，成为我国高等学校科技成果产业化实践与探索的典型之一。他还建立埋植性类固醇激素诱导性腺发育成熟的新方法，为鳗鲡人工繁殖研究提供关键技术路线，分离纯化草鱼生长激素基因并在大肠杆菌表达而获得基因重组生长激素，为加速鱼苗鱼种生长奠定理论基础。该项科研成果获1997年国家教委科技进步二等奖。由于原创性的科研贡献，1997年11月，林浩然当选为中国工程院院士。目前，他和他领导的水生经济动物繁殖、营养和病害控制国家专业实验室正在承担国家海洋863专项课题，对我国名贵海水养殖鱼类石斑鱼的苗种人工繁育进行研究，任务是阐明石斑鱼生殖、生长和性别转换的调控机理，实现石斑鱼雌雄亲鱼同步成熟和自然产卵，培育出大批量大规格种苗，为持续发展石斑鱼养殖生产奠定基础。

2．突破能源困境。

珠三角作为中国工业发展重镇，对能源的需求非常迫切。维持地区经济及社会可持续发展，解决能源紧缺、环境污染的现实困境，需要创新及可持续的能源技术。2006年5月，针对“突破能源困境”议题的科技论坛在广州南沙科技园隆重召开。能源技术专家、华南理工大学教授华贲应邀作“分布式冷热电三联供系统”的主题演讲。

“节约比开发更重要”，华贲鲜明地提出自己的观点：“这是我们选择‘高效节能的关键科学问题’作为研究对象的重要原因。”

能源利用效率的提高，特别需要传热过程的强化，还需要能量利用系统的优化。这构成了能量利用领域中的关键科学技术问题。20世纪70年代初出现的世界性能源危机，使传热强化技术获得了快速发展。初级能源的消费中有80%左右必须经历热量传递过程，即要使用换热器，所以传热强化技术的发展和应用一直是长盛

不衰。

现有的各种能量利用系统，要么处于分散孤立状况（如与建筑物耗能相关的各系统），要么在设计、运营、控制各层次上和在技术与管理两方面，各有模型、互相割裂（如过程工业系统），不可能实现“综合集成，总体优化”的目标。

能量利用系统的优化需要建立科学的模型，运用信息科学和其他工程技术的成果，开发出辅助优化决策的工具。因此，能量系统多层次一体化集成建模、创新和优化是提高能源利用效率的另一个关键科学问题。

2000 年，科技部 973 项目选择支持了华贲教授为首席科学家。973 是我国基础研究的一次重大改革，尽管研究的还是基础的科学问题，但是必须瞄准关系国民经济重大需求的目标，包括农业、能源、信息、人口与健康、材料等领域。“高效节能的关键科学问题”研究的是能源的高效利用。每个项目有 3000 万，基础研究从来没有给过那么多钱。

谈到项目如何取得突破时，华贲介绍说，从热力学的基础理论方面来说，它和一个新的学科——材料过程节能研究的目标是一致的。材料过程节能研究强调单元过程的优化。我们强调能量利用系统的创新、集成、优化，并在多个方面取得了成效。课题组由 21 家单位，主要是由高校和中科院几个院所组成，共有 113 位专家，后来在两年评估之后，项目由 21 家单位缩减到 15 家，其中华南理工大学、西安交大、北京工业大学、中科院的工程热物理研究所等是主要骨干。

“我们的项目是‘973 计划’，到目前为止是研究队伍最庞大的研究项目，地理上又比较分散，因此就难免受到时间和空间的限制。特别是在 2003 年，因为“非典”的原因，我们不得不取消了当年的学术交流研究会。我想，如果我们克服这些困难，能更多的时间在一起，能更紧密的合作，我们可能会获得更大的成绩。”

华贲坦言，承担项目以后，对节能理论的视野开阔了很多，研究的领域也拓宽了很多。理论研究和实际运用之间的关系也更密切了。

2002年9月9日，华贲教授主持的“过程工业能量系统优化研究及工程应用项目”通过广东省科技厅组织的成果鉴定。它在国家和省自然科学基金项目、国家重点基础研究发展项目支持下，课题组综合运用热力学、化学工程、系统工程、计算机科学等多学科，对“过程工业能量系统”的有关理论作了长期研究，发展出的应用技术被广东省列为重点科技攻关项目。全国有20多家大型企业按照项目成果进行了有关的工程改造，采用优化工艺装置和动力系统、利用低温热等节能技术，每年获得1.2亿元的经济效益，到2008年6月止累计有4亿多元，其中中石化的一家炼油厂就节能增效近1.5亿元，并获中国发明、中国实用新型专利5项。

广州大学城分布式能源站更是凝聚着华贲教授的心血。按照传统方式，大学城高峰耗电多达10万KW以上，将给已经十分紧张的广州夏季电网峰值负荷雪上加霜。广州大学城应该建设自身的区域能源站，通过燃气轮机热、电、冷联产，为区域同时提供热、电、冷三种形式的能量，提高能源使用效率，减轻环境污染。这声音来自省政协委员华贲教授。他表示愿意承担有关的工作，为广州大学城的长远效益作出贡献。省、市领导听取了华贲的建议，在广州大学城做成了分布式能源冷、热、电三联控，经过3年时间，已成为全国最大的集中供热、集中供冷能源站。

3. 建设高水平研究型大学。

广东现有高校109所。其中，中山大学、华南理工大学是国家“985工程”大学。还有8所国家“211工程”大学。高校作为知识创新的主力军，是共性技术的知识生产者和人才培养基地，对自主创新活动具有重要的引领作用，已成为许多发达国家和地区的共识。

作为人口大省、经济强省，广东一直期望辖区内有若干所与其大省地位相匹配的标杆性大学。原中共广东省委书记张德江到广东上任后调研的第一站是中山大学，就充分反映了这一点。

与教育部共建中山大学是广东省建设标志性大学的重要举措。

特别是在“211 工程”和“985 工程”建设中，广东省对中山大学的支持力度，使国内众多高校羡慕。广泛的多层次、多渠道共建也成为改革开放以来中山大学肩负人才培养、科研和社会服务三大任务，发展自身的重要法宝。

2005 年 8 月，广东省政府和教育部签署继续重点共建中山大学、华南理工大学的协议，决定继续进行中山大学、华南理工大学“985 工程”的二期共建，投入建设经费规模数达 16 亿元，其中广东省投入经费规模 10 亿元，主要通过科技创新平台和哲学社会科学创新基地的重点建设，促进两校深化管理体制和运行机制的改革与创新，加快其高水平师资队伍、管理队伍、技术支撑队伍的建设，促进两校若干学科达到或接近国际一流学科水平，为国家和广东的经济建设和社会发展提供更强有力的教育、知识和科技支撑。

中山大学是以革命先行者孙中山命名的大学。它在广东特别引人注目，寄托着广东建设居国内一流前列、具有国际影响力的高水平大学的希望。背靠广东雄厚的经济实力和快速发展、沐浴广东文化气质为中山大学的科技发展提供了广阔的发展空间和良好的外部环境。

30 年来，中山大学的科技工作自始至终流淌着改革开放和广东文化的血液，在改革和发展的不同时期，形成与形势相适应的科技工作思路①。20 世纪 80 年代初，学校在基础研究方面引入竞争机制，鼓励申请科学基金，稳定支持基础研究；促进科技成果向生产力转化，兴办科研生产联合体、参加技术市场，加强与生产部门、企业的横向联系；改革科研经费的分配和使用办法，实行科学基金制、科技合同制，打破了“大锅饭”；为调动系、所和科技人员的积极性、主动性，扩大了系所、课题组的自主权，评估科研机构，提高了竞争能力和水平。

进入 20 世纪 90 年代，学校制定了科技工作“八五”计划。

① 主要参考中山大学科技处《改革开放以来中山大学自主创新工作回顾及面临的新形势、新对策》资料。

“八五”期间，学校采取“有限目标、集中力量、强化投资、突出重点”的政策；理顺校内管理体制，进一步调动基层单位和职能部门的积极性；长短结合，保持后劲，内外结合，积累经验和资金；建立科技发展基金，支持有重大发展前景项目起步，扩大开发的规模和深度；重新调整专职科研编制；对在科技工作中作出重大贡献的科技人员实行重奖；加强对科技工作的领导，完善科技管理制度，提高科技管理水平。

“九五”期间，学校提出要紧跟世界科技发展潮流，明确科技主攻方向，全面安排，突出重点，抓好学科前沿的基础研究，力争在若干学科和研究基地建设方面形成自己的优势和特色，在学科前沿取得一批接近和达到国际先进水平的成果；努力承担国家和部门，以及地方重大基础研究、高技术研究和科技攻关任务。主要措施包括：保持一支精干队伍，开展基础研究和高技术研究，这支力量占全校力量的30%；强化面向经济建设的应用研究和开发研究，组织70%科技人员为经济建设主战场服务；争取到20世纪末，科技经费、科技奖励、被SCI收录论文都有较大的增长。

2001年10月，原中山大学与原中山医科大学合并组成了新的中山大学，并明确中山大学发展的总体目标是“立足广东、面向海外、服务地方、辐射全国，把中山大学建设成为一所居于国内一流大学前列、在国际上有较大影响的高水平研究型综合性大学，努力向世界一流大学的目标迈进”。2003年11月，召开了合校后第一次的科技工作会议，进一步提出坚持基础研究与应用研究并重，知识创新和技术创新并重，提高学术水平与服务地方经济并重的科技工作的指导方针。2006年4月，学校召开了合校后第一次理工医文科科研工作会议，黄达人校长在会上作了重要讲话，提出“十一五”期间中山大学的科技工作也应该服从国家发展的大局，服从“把中山大学建设成为居于国内一流大学前列、世界知名的研究型综合性大学”，构建既符合国家科研发展要求，又适应区域经济社会发展需要的科研体系，在若干特色领域取得具有重大国际影响的原创性科研成果和拥有自主知识产权的核心技术成果，造就

若干在国内外有较大影响的科研领军人物、研究基地和科研领域，使学校科研综合实力有一个显著的提高，并稳居全国高校前十位，为建设研究型大学奠定坚实的基础；切实提高承担国家、地方重大科技任务的能力，继续加强科研基地建设，整合多学科研究力量，服务多学科合作研究；加大科技人才的引进和培养力度，加强科研团队的建设，产生若干名具有国际影响的学术带头人；着力建设好学校与地方共建的研究院，使其成为中山大学在广东，尤其是珠三角地区服务地方经济建设和社会发展的标志性窗口；加强产学合作，大力推动科技成果转化，形成若干具有自主知识产权的重大技术或知名产品，服务地方经济建设和社会发展的能力大幅度提高。2007 年 7 月 24 日，校党委书记郑德涛在中山大学第十一次代表大会报告上指出，今后五年中山大学的奋斗目标是：学校整体综合实力的主要指标稳居全国高校前列，为进入世界一流大学行列奠定坚实的基础。

1979 年至 2000 年，经上级主管部门批准，中山大学共建设了重点实验室、研究机构 27 个（含医科 11 个），其中，国家重点实验室 2 个，国家专业实验室 2 个，教育部重点实验室 2 个，卫生部重点实验室 3 个，卫生部医药生物技术工程中心 1 个，广东省重点实验室 7 个（含医科 6 个），教育厅重点实验室 1 个，研究机构 9 个。经学校批准自行建立的研究机构 35 个。“十五”期间，中山大学进一步采取有力措施，以“多层共建”的方式，强化研究基地建设。新建了国家新药（抗肿瘤药物）临床试验研究中心 1 个，华南肿瘤学 1 个国家重点实验室，建设了南海海洋生物技术国家工程研究中心。新建教育部、广东省重点实验室 10 个、教育部工程中心 1 个，省教育厅重点实验室 4 个，并与广州市共建了 2 个研究基地。2006—2007 年，新建了眼科学 1 个国家重点实验室，教育部重点实验室 2 个，广东省重点实验室 1 个，广州市重点实验室 1 个，新建教育部工程技术研究中心 1 个、教育厅重点实验室与产学研结合示范基地 4 个。

以“贡献”促“共建”，使中山大学成为知识创新和技术创新体系的重要组成部分和发展高技术最活跃的创新基地之一。

30年来，中山大学科技工作成绩是有目共睹的。首先体现在造就了一支具有较强创新能力的科技队伍。据统计，1990年全校从事科技工作的教师和工程技术人员为1137人（不含原中山医），占全校科技人员的64.1%。在正、副教授及其他高级科技人员中，参与科研工作的已占其总人数的72.86%。此外，还有600名左右的研究生和大批高年级大学生结合学位论文参加科研工作。“十五”期间末，全校有教学科研人员（含临床教学研究人员）已达4700人，其中，高级职称占49%，拥有博士学位的占34.7%。有43位青年教师获得国家杰出青年科学基金资助，在全国排第七位；64位年轻教师进入教育部“跨世纪优秀人才培养计划”；19位年轻教师入选人事部“百千万人才工程”第一、第二层次计划；50位年轻教师入选广东省“千百十人才工程”培养计划。此外，还有一大批在校研究生和在站博士后，他们参与了学校各类科学研究工作，成为全校科研工作的一支重要生力军。

其次是科技经费持续快速增长。全校理科、医科“六五”期间科研经费分别为1760万元、387.75万元，“七五”期间科研经费为4427万元、839.7万元，“八五”期间为6264万元、1904.74万元，“九五”期间为23175万元、10960.33万元；“十五”期间，全校理工、医科科研经费连续五年持续稳步增长，总经费达9.04亿元，相当于“九五”期间的2.65倍。“十一五”前两年理工科、医科经费为81166.7万元。承担科研项目数也增长较快。全校理科、医科“六五”期间承担科研项目分别为1625项、119项，“七五”期间承担3131项、265项，“八五”期间承担3250项、497项，“九五”期间承担3385项、1482项，“十五”期间理工、医科共承担8140项，“十一五”前两年承担5783项。

科技经费和项目的快速增长一方面源于全校承担重点重大科技项目的能力显著增强，承担基础研究项目稳步增长。“十五”期间，学校在承担国家重点重大科技项目方面取得了重大突破，2003年，以许宁生教授为首席科学家的科研团队承担全校第一个“973

项目”，以杨培增教授为首席科学家的科研团队承担全校医科的第一个国家基金委员会创新群体；2005 年，以屈良鹄教授为首席科学家的科研团队又获准承担“973 项目”。“十五”期间，全校主持“863 计划”资助项目共 40 项，经费 4519 万元，与“九五”期间的 19 项，1121 万元相比，分别增长 110.5%、303.1%；承担国家基金重点项目 16 项，经费 1814 万元；承担卫生部临床学科重点项目 17 项，承担地方政府重点重大项目 98 项，经费 1.05 亿元；承担横向合同经费在 100 万元以上的项目有 35 项，科技经费达 8381 万元。2006 年，全校获国家基金重点项目 5 项，联合基金重点项目 10 项，经费 2020 万元；横向科技合同 100 万元以上的项目 15 项，经费 2441 万元。2007 年，主持国家科技支撑计划项目 2 项，经费近亿元；主持“973”重大研究计划，农业部、卫生部公益性专项等项目 22 项，经费 8717 万元；承担国家重大研究计划项目、“863”等项目 9 项，经费 2580 万元；承担横向科技项目经费 100 万元以上的项目 18 项，经费达 4500 万元，其中一项达 1025 万元。全校承担国家自然科学基金项目逐年增加。1982 年至 1990 年，共获国家自然科学基金 210 项，其中 1982—1985 年 47 项，1986—1990 年 163 项（重大项目 12 项、自由申请 142 项、高科技探索 5 项、青年基金 4 项）。“十五”期间，共承担国家基金面上项目 631 项，经费达 12149.3 万元，在全国排第七位。与“九五”期间的 312 项，4039.5 万元相比，分别增长 102.2%、200.8%。2006 年，全校获国家科学基金资助 199 项（包括联合基金），总经费 7268 万元。其中面上项目 161 项，经费 4267 万元；重点项目 5 项，经费 775 万元；联合基金重点项目 10 项，经费 1245 万元，国家杰出青年基金 3 项，经费 600 万元，海外港澳研究合作基金 3 项，重大研究计划 4 项。根据 2006 年国家基金委员会的统计资料，全校在生命科学领域获得的面上项目资助额在全国高校中排名第八位。2007 年，全校获国家基金资助项目 224 项，总经费 9462.7 万元。其中面上项目 182 项；重点项目 18 项（含联合基金），国家杰出青年基金 6 项（含 1 项海外青年学者合作研究基金），对外交流与合作4项、重大研究计划、主任基金、仪器专项基金各1项。

另一方面源于承担省市科技项目的能力显著增强以及承担的横向课题取得突破性发展。“十五”期间，全校共承担广东省、广州市科技攻关等项目921项，经费25914万元，分别比“九五”期间增长86.1%和245.3%。2006年，全校获广东省教育部产学研合作项目22项，经费1450万元，项目数为全国高校之冠，承担省科技计划项目40项，经费573万元，承担广州市科技计划项目22项，经费659万元。2007年，承担省科技计划重大项目9项，经费830万元；粤港关键领域重点突破招标项目5项，经费510万元；承担广州市科技计划项目16项，经费757万元，承担广州市国家重点实验室产学研合作项目3项，经费420万元。承担的横向课题取得突破性发展与学校重视科研为经济建设和社会发展服务这个“主战场”分不开。学校通过科技体制改革，发展横向联合，制定了一系列措施和管理办法，鼓励科技人员结合地方、部门及企业的需求开展研究。1985年至1994年10年间，据不完全统计，全校理科横向科研经费共1.13亿元、医科为91.3万元。特别是自2003年学校科技工作会议以来，学校给予横向课题“国民待遇”，理工、医科承担横向课题和经费数迅猛增长。2005年横向课题共有503项，经费7178万元，与2000年的255项，经费2274万元相比，分别增长97.2%、215.6%。2006年签署合同315项，合同金额8634万元；2007年合同金额10633万元，当年进账近1亿元。

30年来中山大学科技工作成就还体现在取得系列标志性成果上。自1985年至1994年间，全校理科共出版专著193部，发表学术论文7127篇，其中有1307篇在国外学术刊物上发表。学术论文被国际公认的SCI等四大科技论文索引收录逐年上升。如1991年仅为77篇，1993年增加至141篇，1995年为75篇，列全国第17位，1996年为92篇，列全国高校第13位，2001年为292篇，列全国第11位。“九五”期间，共出版专著115部，发表论文7265篇。“十五”期间，全校理工、医科共计发表论文8605篇，其中在国际期刊发表2749篇，2004年全校被SCI收录论文563篇，被

引用篇数593篇，被引频次1600次，被引频次在全国排第12名。2004年，全国国内论文被引频次7133次，在全国排名第五位。2007年6月，据教育部科技发展中心公布最新的高等院校论文影响力排名，该排名以高校SCI和CSCD论文在2006年被引用频次为主要依据，全校被引论文2138篇，被引4490次，排行第八，其中CSCD论文被引达到825篇、2615次，居全国高校第九名。此外，在科研合作的SCI论文206篇，CSCD论文1019篇，分别位居全国高校排名第八、第七。

1979年至2000年，全校理工科获国家级奖励25项，其中国家自然科学奖9项，国家科技进步奖8项，国家技术发明奖7项，国家星火奖1项；获省部级奖274项。医科获国家级奖励17项，其中国家自然科学奖2项，国家科技进步奖14项，国家技术发明奖1项；获省部级奖357项。“十五”期间，全校共获省部级以上科技奖励176项，其中国家级奖励7项。重要成果包括：龙康侯“软珊瑚化学的研究”，1985年获国家自然科学三等奖；林尚安“乙烯，a—烯烃新型高效催化剂聚合、共聚合及应用基础研究”，1987年获国家自然科学四等奖；刘昕、庞义“固体饮料酒及其载体”，1986年获国家发明四等奖；许宁生“金刚石及其相关薄膜的场致发射特性和机制”，2001年获国家自然科学二等奖；许宁生“纳米冷阴极及其器件研制”，2007年获国家自然科学二等奖；陈小明“配合物控制合成与晶体工程方法基础研究”，2007年获国家自然科学二等奖；罗笑南“‘掌讯通’移动数据终端的软件集成系统”，2004年获得国家科技进步二等奖；蒲蛰龙“水稻害虫的综合防治研究”，1985年获国家科技进步三等奖；韩德聪“巴戟天然高产栽培技术”1992年获国家星火二等奖；廖翔华“草鱼营养需要量和饲料配方”，1990年获国家科技进步三等奖；屈良鹄“新的snoRNA结构与功能研究”，2007获国家自然科学二等奖；杜传书“中国人遗传性红细胞葡萄糖—6—磷酸脱氧酶缺乏症基因频率及变异型研究”，1987年获国际科技进步二等奖；陈心陶《中国动物志》，1987年获国家自然科学三等奖；李绍珍“白内障的防治研究”，

1996年获国家科技进步三等奖；陈家琪“表面角膜镜片术的系列研究”，1997年获国家科技进步二等奖；闵华庆“鼻咽癌防治系列研究”，2000年获国家科技进步二等奖；梁秀龄“Wilson‘s病的分子生物学研究”，2000年获国家科技进步二等奖；曾益新“鼻咽癌分子遗传学研究”，2005年获国家自然科学二等奖；程钢“一种荧光定量聚合酶链式反应方法及其试剂盒”，2006年第九届中国专利金奖和2004年荣获国家科技进步二等奖。此外，徐安龙等的南海海洋生物重要功能基因组研究及开发应用研究也取得重要的成果。“十五”期间，共获省部级一等奖5项。选出24个具有明确新药开发前景的药用基因，已申请国家发明专利，其中4项同时申请了国际发明专利。其中，已获11项专利授权，2项专利技术成功转让，专利及相关技术转让费超过400万元。培养斜带石斑鱼累计售鱼苗利润超过1000万元；研制开发了具有自主知识产权的11种水产养殖主要病害检测试剂盒，并已推广应用。

科研水平的提升，有力促进了中山大学重点学科的建设和研究生的培养。国家重点学科由“九五”期间的8个增加到“十五”期末的20个，并列全国高校第七名，博士学位授权一级学科达到22个，硕士学位授权一级学科32个，博士学位授权点177个，硕士学位授权点245个，专业学位点11类23个。学位授权体系覆盖了除军事学以外的所有学科门类。

• 高校科研机构的政策推动

广东省高等学校研究机构经历了1998年和2005年两次最重要的政策推动。

1998年9月，《中共广东省委、广东省人民政府关于依靠科技进步推动产业结构优化升级的决定》要求，高等学校要在全面提高广东经济的整体素质和综合竞争力以及科技进步中发挥生力军作用。高等学校要发挥人才聚集和多学科联合的优势，实行基础性研究和应用技术研究并重的方针。有条件的高等学校要建立精干的研究机构和一批向社会开放的重点实验室，在确具优势和地方特色的领域开展基础性研究。高等学校的技术开发型科研机构，也

要逐步转变为企业法人，成为校办科技型企业。高等学校独资创办科工（农）贸一体化经营的科技型企业，凡符合校办企业条件的，可享受校办企业的财税优惠政策；与企业通过多种形式促进科技成果商品化所获得的收入，对其应纳税额，实行列收列支，超额返还。高等学校科研工作要走产学研相结合的道路，成为企业技术进步的后盾和依托。实施“产学研联合开发工程”，形成以市场为导向，以技术为核心，以企业为基地，以合同为纽带，互惠互利共同发展的运行机制。企业成为高等学校的科技开发和实习基地，高等学校成为企业技术进步的后盾和依托。高等学校申请政府资助的应用研究和开发研究项目，须有明确的产业化目标，并有企业参与和承用。

2004年，《中共广东省委、广东省人民政府关于加快建设科技强省的决定》要求，要加强高等学校的科技创新，推进产学研结合。支持在高等学校建立一批国家级和省级的重点实验室、重点学科和科研基地，加强有广东特色和优势的基础性研究，促进原始性创新。重点支持一批有优势和特色的高等学校研究机构，促使其成为科技持续创新基地。支持大学科技园建设，大学科技园可参照执行高新技术产业开发区的有关管理办法。鼓励企业与高等学校、科研机构联合创办研究开发机构，加强技术协作，建立技术研究开发战略联盟。《中共广东省委、广东省人民政府关于提高自主创新能力提升产业竞争力的决定》要求，要发挥高等学校和科研机构的中坚作用，为产业发展提供强大技术源；提升高等学校自主创新能力。高等学校要成为广东省产业和企业自主创新的技术依托、技术源头和人才培养基地。加强高等学校重点学科、重点实验室、重点科研基地建设，努力构建科技自主创新平台。深化高等学校科研体制机制改革，实行学科带头人和项目主持人负责制，积极开展多学科交叉研究，大力引导高校科研人员服务地方经济建设主战场。

广东高等学校科研机构有依托学科、系院，建设科研机构的传统，也有松散型的科研机构。它们成为高等学校组织科研的重要模式，也成为大学科研的重要载体。至2004年，全省高等学校共有校级以上科研机构189个，主要集中在理工农医类院校，理工农医类院校的科研机构143个，占75.7%。这些科研机构中从事科技活动人员3954人，其中科学家和工程师2877人，科技活动经费33300万元，R&D经费19544万元，年末固定资产原价12.65亿元。2004年大学中科研机构的科技活动人员占大学科技活动人员的16.3%，科技活动经费占20.0%，R&D经费占19.8%。多年来，高等学校科研机构呈现经费增加的良好发展势头。2005年科技活动经费增长12655万元，年末固定资产原价增长6.2亿元。

表3-1　广东省高校科技活动经费筹集、R&D投入

年份	经费筹集			R&D投入		
	总额（千元）	政府拨款（千元）	企业资金（元）	总额（千元）	政府拨款（千元）	企业资金（元）
1999	388712	265877	124210	388712	265877	124210
2000	688750	462310	157810	688750	462310	157810
2001	1003710	685360	251430	1003710	685360	251430
2002	1233750	906600	260230	1233750	906600	260230
2003	1477510	987340	366280	1477510	987340	366280

资料来源：《中国科技统计年鉴》（2000—2004），中国统计出版社出版。

表3-2　2000—2003广东高校知识创新情况

年份	2000	2001	2002	2003
著作	299	454	247（科技著作）	371（科技著作）
学术论文	14953	16067	17310	19153
三大检索（SCI、EI、ISTP）收录论文数	914	1139	1535	1950

资料来源：根据《广东科技年鉴》整理和计算，中国统计出版社出版。

《广东科技年鉴》显示，2003年广东高校在研各类科技项目共计10451个，其中国家自然科学基金项目898个，国家“973”项目55个，国家科技攻关项目57个，国家“863”项目122个，企事业委托项目2270个。课题数在全国排第五位。筹集科技活动经费147751万元，在全国排第九位。2003年，高校出版科技著作371部，发表学术论文19153篇，其中被SCI、EI、ISTP三大检索收录的论文1950篇，排在全国第9位。广东高校申请发明专利440项，获授权发明专利123项。签订技术转让合同215项，合同金额1.43亿元，实到金额6318.1万元。其中15项属于专利转让，合同金额1964.2万元，实到870.5万元。

产学研合作是广东高校服务地方经济发展的重要形式。20世纪80年代，

广东省的高校专家一般采取业余兼职、咨询服务、单一性成果转让或合作开发等形式，建立起比较自发、松散的合作关系。90年代以来，在国家政策直接引导和推动下，通过建立工程技术开发中心和研发机构、科技园区和专业镇等方式开展产学研合作。至2007年，全省已建成由企业或高校、科研机构和企业共同参与组建的工程技术开发中心或技术创新中心300余家，119个专业镇以及一批大学科学园区、开发区，使广东产学研结合集约化水平向更高的层次发展。

产学研结合的模式走向多元化。主要有以项目为纽带，通过委托开发、共同开发等形式，建立长期稳定的合作关系的产学研合作开发模式；通过高校和科研院所与企业联合建立工程技术研究开发中心、中试基地、示范基地等，或是组建股份制科技经济实体的方式共建产学研相结合的技术开发实体或科工（农）贸一体化经济实体；高校、科研机构创建科技园区，作为高新技术原创基地、高科技成果转化示范基地、科技企业的孵化基地、创业创新人才和科技企业家的培养基地；或者是在政府的直接参与和推动下，实现产、学、研全面合作的政产学研联合协调模式。

● 校市合作

名牌高校与地方政府建立起多领域、全方位、深层次的合作，已成为广东一道亮丽的风景，并展示出美好的前景。高校走出象牙塔，服务社会，深化自我；地方牵手高校，借助“智库”在新一轮发展中提速快跑，广东开始探索的这种全新校市合作，是一次双赢的选择，互惠的合作。

2004年4月8日，中山大学校长黄达人与时任肇庆市委书记林雄的手紧握在一起，这标志着中大与肇庆开始了一次全面、全新、长期的校市合作，开创了省内校市合作先河。双方签订了《中山大学与肇庆市加强校市合作协议书》。自此之后，省内高校纷纷与地方政府“联姻”合作，至今校市一级的“结婚证”已产生超过20张，在全省广泛开花。

为此，黄达人校长直言对校市合作的看法：高校与地方政府全面合作，一方面，地方政府与企业的投入能使高校发挥科研优势，把科研成果转化成市场产品，服务社会。同时，由于经费的投入比学校的单一投入有所增加，使学校的科研能力更上一个台阶。另一方面，这种合作模式也有利于高校进一步发现自己的短处，更深刻地理解和调整我们的学科科研方向，解决发展的薄弱环节问题，提高为社会服务的能力。目前，我国的科研拨款体制仍然是政府主导，无论是企业还是大学，都在想方设法争取政府的资源。但是从应用研究的特点来看，最知道要什么的是企业本身，科技成果的转化如果企业不认可，就一无是处。以广东省的经济总量而言，在中国理所当然应该获得像加州在美国那样的地位，而我们中大也应该有信心成为广东的斯坦福，与其他兄弟院校一起努力为中国、为广东的经济发展提供支持。学校的发展只有放在国家、区域的大发展中，才会有更大的前景。校市合作的双赢硕果完全可以预见。2004年4月与肇庆签协议的时候，曾定下要在7月1日完成“一站式”电子政务网络服务平台的建设项目。7月1日当天，我们果真实现了电子政务的开通。从中，我们已尝到了校市合作的甜头。而实际上，双方全面合作发展中一定会结出更多的果实。

校市合作的另一主角，时任肇庆市委书记林雄表示：肇庆与中山大学的合作是创新的合作，主要体现在“三个转变”，即由原有的阶段性合作向长期合作转变，由松散合作向紧密合作转变，由单项合作向全面合作转变。这一合作不只是搞探索性的科研和科技成果转化，而是有针对性地寻求解决肇庆经济社会发展中面临的突出问题，促进肇庆的全面发展。校市全面合作，就是把我们的需要与中山大学的优势对接，形成一种稳固的、互动的、双赢的合作机制。我们成立专门的合作委员会，研究解决合作的重大问题。在具体运作上，日常工作由联络小组衔接，具体项目由我们各级政府、部门、企事业单位与中山大学的院、系、所、室开展合作。

除肇庆外，中山大学还分别与广州、佛山、惠州、肇庆、湛江、潮州、东莞、始兴等县市建立了校市全面合作关系，开展全方位、深层次合作，与地方政府共建了珠海创新研究院、佛山研究院、深圳研究院、“国家大学科技园”等一批研究机构和成果孵化基地。中山大学与广东地方政府合作共建，形成一批技术创新骨干基地，成为广东区域创新体系的重要组成部分。2007年学校成立了地方合作办公室，专门负责学校与地方政府的合作与交流。

四、企业研发机构成为技术创新主体

镜头画面：广州金发科技股份有限公司国家级企业技术中心

> 广州金发建立了以国家级企业技术中心为核心的开放式技术创新体系，中心负责企业技术创新战略制定和体系建设，促进企业创新技术的产业化、商业化和收益最大化，解决企业中投资与技术分离、技术与市场分离问题。依托研究中心，建设了博士后流动站，依靠高层次人才，企业实现跨越式发展，成为全国同行业的佼佼者。

1．政府引路。

设立的具有较高层次和水平的研究开发机构（企业技术中心）是国际上大型企业的通常做法。它的主要功能是开发新技术新产品，促进企业产业链延伸、升级和产业结构的优化，把创新技术和成果如何推向市场。具体任务包括重大、关键、前瞻性技术项目的研发，企业发展战略意义上的决策咨询与组织策划，创新技术的投融资评价和商业策划，企业内外资源的整合与互动，研发活动的保障，产学研合作与对外交流，多元化激励的实施，以及技术创新人才吸引与培养等。

建设以企业为主体的技术创新体系，是国家制定的重要发展战略。自20世纪90年代以来，国家和广东都十分重视引导、扶持企业设立自己的技术中心，分别出台一系列不断深化的鼓励和操作政策。

1991年，国务院领导提出要鼓励企业建立自己的科研中心或技术中心。1992年，原国家经贸委（当时称“生产办”）发布《推进企业技术进步的若干政策措施》，提出鼓励企业建立研究开发机构。同年开始认定国家级企业技术中心。

1993年，原国家经贸委、国家税务总局、海关总署颁发《鼓励和支持大型企业和企业集团建立技术中心暂行办法》。此时的技术中心定位在技术开发机构的层面。

20世纪90年代中后期，随着经济全球化，跨国公司实施全球化的经营战略，整合全球的技术资源、建立全球性的研发平台和网络成为一种趋势。于是，国家提出了技术中心新的定位：不仅仅是研发能力，而是企业整合资源能力的提升。

1999年8月，中共中央、国务院发布《关于加强技术创新，发展高科技，实现产业化的决定》，要求大中型企业要建立健全企业技术中心，加速形成有利于技术创新和科技成果迅速转化的有效运行机制。2000年9月，原国家经贸委提出《关于加强国家重点企业技术中心建设工作的意见》，进一步明确了企业技术中心建设的要求。

2005年4月，国家发改委会同财政部、海关总署、国家税务总局发布《国家认定企业技术中心管理办法》。要求申报企业年销售额在3亿元以上，有较强的经济技术实力和较好的经济效益，在国民经济各主要行业中具有显著的规模优势和竞争优势，具有较完善的研究、开发、试验条件，研究开发与创新水平在同行业中处于领先地位，已认定为省市（行业）认定企业技术中心两年以上。

2006年4月，科学技术部颁发《关于开展创新型企业试点工作的通知》，并同时下发《创新型企业试点工作实施方案》及《创新型企业试点方案主要内容要求》，启动创新型企业试点工作，指出创新型企业试点工作以提升企业自主创新能力为核心，探索促进企业成为技术创新主体的有效模式和措施，加大对企业自主创新的引导和支持，促进产学研紧密结合，形成各种类型具有示范性的创新型企业，引导更多企业走创新发展之路，为增强自主创新能力、加快经济结构调整和增长方式转变、建设创新型国家提供支撑。试点工作要求突出政府的引导作用，充分发挥市场在配置资源中的基础性作用，激发企业的创新活力，促进企业成为研究开发投入的主体、技术创新活动的主体和创新成果应用的主体，提高企业的持续创新能力。要求注重集成，把扶持企业技术创新的科技计划、基地建设、人才培养以及试点推动等措施有效地集成起来，整合资源、形成合力，加大对企业自主创新的支持。

广东省委、省政府遵照中央的要求，高度重视企业技术中心建设。1993年，广东省经委开始着手申报认定国家级企业技术中心，

佛山电子工业集团总公司等3家企业成为广东省首批国家级企业技术中心。

1998年，广东省经贸委、省财政厅、省国税局、省地税局和海关总署广东分署等有关部门，积极推进企业技术中心建设，建立起以市场为导向、以企业为主体、以产业化为目标、以应用技术为重点、以产学研结合为重要方式的产业技术创新体系，促进技术中心成为企业技术创新的主体。

2000年，广东省经贸委、省财政厅、国税局、地税局和海关广东分署制订《关于印发广东省重点企业技术中心认定与评价管理办法的通知》，同年认定广州市珠江啤酒集团有限公司等8家企业为第一批省级企业技术中心。

2001年，广东省人民政府颁布《广东省工业产业结构调整实施方案》，明确规定：已认定为省级企业技术中心，并承担了结构调整重点技术创新项目（重点是中试过程）的企业，由省财政对每户拨款200万元。至2005年，已安排省财政资金2.5亿元，支持企业技术中心承担产业结构调整项目125项，引导社会投资22.35亿元，取到较好成效。

2004年，广东省经贸委、省财政厅、国税局、地税局和海关广东分署重新修改印发了《广东省省级企业技术中心认定和评价管理办法》。

2006年7月，经省科技厅组织上报，广州金发科技股份有限公司、广东威创日新电子有限公司、广州机械科学研究院、华为技术有限公司、中兴通讯股份有限公司、广东风华高新科技股份有限公司被科技部、国资委和中华全国总工会认定为首批开展创新型试点企业。12月，广东省科技厅、省发展改革委等六部门联合确定了50家企业为广东省第一批创新型试点企业。技术创新、品牌创新、体制机制创新、经营管理创新、理念和文化创新等方面成效突出，是入选企业共同的显著特点。

至2006年，全省企业已建立国家级技术中心23家、省级技术中心135家。省级以上企业技术中心一般在集团层面组建，介于董

事会和各专业研究开发机构之间，是具有重大技术发展和产业发展投融资决策咨询权的综合性机构。它负责企业技术创新战略制定和体系建设，并为董事会重大投融资决策提供咨询、评估等服务，从企业发展战略高度，整合企业内外资源，通过技术经济评价和决策咨询机制，促进企业创新技术的产业化、商业化和收益最大化。期目的在于解决企业投资与技术分离、技术与市场分离的问题。

- **美的电器**

广东美的电器股份有限公司（原名为广东美的集团股份有限公司）成立于1992年3月，地处“中国百强县（市）”榜首的广东顺德，是一家主要从事家电制造与经营的国内知名企业，主要产品有家用空调、商用空调、大型中央空调、风扇、电饭煲、冰箱、微波炉、饮水机、电暖器、洗碗机、洗衣机、电磁炉、热水器、灶具、消毒柜、电火锅、电烤箱、吸尘器、小型日用电器等大小家电和压缩机、电机、磁控管、变压器、漆包线等家电配套产品，现已拥有中国最大、最完整的空调产业链和微波炉产业链，以及小家电产品和厨房用具产业集群。

美的创始于1968年，1980年正式进入家电业；1981年开始使用美的品牌；1997年实行事业部制改造；2001年转制为民营企业；2004年，美的相继并购合肥荣事达和广州华凌，继续将家电业做大做强。目前，美的拥有总资产达110亿元，员工6万人，在顺德、广州、中山、安徽芜湖、湖北武汉、江苏淮安、云南昆明、湖南长沙、安徽合肥、重庆等地建有生产基地，总占地面积达670万平方米（约10000亩）；营销网络遍布全国各地，并在美、德、日、港、韩、加、俄等地设有分支机构。

美的一直保持着健康、稳定、快速的增长。20世纪80年代平均增长速度为60%，90年代平均增长速度为50%。新世纪以来，年均增长速度超过30%。2004年，美的集团共实现销售收入320亿元，其中出口创汇10.5亿美元。美的商标是国家商标局认定的“中国驰名商标”，在“2004年中国最有价值品牌”的评定中，美的品牌价值已从2003年的121.5亿元跃升到201.18亿元，名列全国最有价值品牌第八，居全国百家家电行业的第二位。2004年9月，国家统计局中国行业企业信息发布中心公布的“2003年度中国最大500家大企业（集团）”中，美的荣列第88位。同年7月，美的入选由广东省中小企业局主办评选的“广东省首届百强民营企业”，并名列第一。

广东省美的重点工程中心，依托广东美的电器股份有限公司，于1999年经省科技厅批准组建。其中，广东省空调节能工程中心是广东省美的重点工程中心的主要组成部分。研究开发方向为“空调节能技术及电子控制技术的研究开发”。已建立起从基础研究、核心技术、产品开发、中间试验、测试验证到技术管理以及财务支撑的完整研发体系，拥有科研设施及仪器的原值超过2亿元，现有员工总数550人，其中95%的员工均具有大学以上学历。该中心下属的分析测试中心拥有各类试验室20多个，包括热平衡试验室4个、焓差室6个、噪音振动室2个、电器安全试验室1个、跌落运输实验室1个、高性能试验室1个、长期运行室2个、理化分析室1个、盐雾试验室1个，并已于2002年获国家实验室认可，可对内对外开展3C、UL、CE等认证业务。

工程中心构建了多层次的技术创新平台。第一层次，超前技术和核心技术研究开发。以博士后科研工作站、技术研究所为创新主体，承担基础技术、核心技术、超前技术的研究开发。第二层次，共性技术研究开发。以工业设计公司、电控开发部为创新主体，承担产品的共性技术研究开发。第三层次，产品研究开发。以家用产品开发部、商用产品开发部、海外产品开发部为创新主体，根据细分目标市场进行新产品的研究开发和改良设计。有利于强化产品开发的市场导向和快速反应。第四层次，工艺技术研究开发。以中试工厂、生产制造部设备工艺科为创新主体，承担工艺技术的研究开发。此外，为支撑上述四个层次的技术创新，工程中心建立了完善的技术支撑系统，包括CAD中心、分析测试中心、标准化部、财务部、技术管理部等。

美的集团非常强调机制创新，以工程中心的激励机制为例，每年对优秀的科技项目和个人进行奖励，自1997年以来，每年的科技奖励金额约为300万元至500万元，其中单个项目最高奖励记录为169万元，个人最高奖励记录为10万元。

工程中心在强调自主技术创新的同时，十分重视通过技术合作和产学研合作，促进企业的技术进步与发展。空调节能工程中心成立之初，在自主开发能力比较薄弱的情况下，先后通过与日本东芝进行分体式空调器的技术合作，与日本松下进行变频空调控制项目的技术合作，使美的空调的产品技术水平在较短时间内就赶上了国际先进水平，逐步成长为市场上的领头羊。1999年，工程中心通过与日本东芝开展VRV技术合作，成功切入智能变频集中式空调领域，填补了当时的国内空白。之后逐步通过消化吸收，形成了自主开发能力，至今共开发出200多个商用机型，2004年创造产值超10亿元，利税近8000万元。

2000年，工程中心建立博士后科研工作站，先后与西安交大、华中科技、上海交大、华南理工等国内名牌高校建立了合作关系，联合开展科研课题研究。现已顺利完成了“空调风机内流特性研究”、“风冷式换热器强化传热研究”等课题的科研工作，课题研究成果经广东省科技厅组织专家会议鉴定，技术水平均处于国内领先地位，从而奠定了美的空调在这些技术领域的国内领先地位和竞争优势。此后，工程中心先后立项并开展了“网络家电控制平台”、“空调机械振动与噪声控制技术研究”、“变频控制技术研究”等博士后课题的研究，有的已取得阶段性突破。

2. 企业自主创新。

2005年，全省135家省级企业技术中心分布于20个地级市，包括广州市30家，佛山市31家，中山市8家，珠海市9家，江门市4家，东莞市58家，惠州市3家，汕头市5家，揭阳市3家，潮州市4家，梅州市5家，河源市2家，韶关市1家，清远市3家，肇庆市6家，茂名市3家，湛江市4家，阳江市3家，云浮市2家，省属4家。深圳市单列。

135家省级企业技术中心分布于16个行业，包括电子15家，机械30家，轻工18家，家电19家，纺织4家，建材2家，陶瓷7家，化工16家，金属7家，矿山1家，医药7家，造船2家，饲料3家，农林2家，公用1家，交通1家。与广东省支柱产业分布大体一致。

100多家广东企业技术中心的运行显示，技术中心已稳定成为企业技术创新的主体。据统计，2005年，135家省级技术中心企业完成新产品、新技术项目5376项，其中40%以上达到国内领先水平，40%拥有自主知识产权；实现产品销售收入3617亿元，其中新产品销售收入1554亿元，占产品销售总收入的比重达到43%，远远高于全省大中型企业同一比重14%的平均水平。

技术中心成为企业自主创新的源头。技术中心以提升企业竞争力为目标，开展产业技术研发，成为企业技术创新的核心和实践基地，是企业自主创新的源头。据统计，2006年，全省135家企业

技术中心 R&D 经费支出达 116 亿元，占企业销售收入总额的 3.2%，远远高于全省大中型工业企业 1.5% 的平均水平；全省省级技术中心企业授权专利 2180 多件，其中发明专利 117 件。

技术中心成为带动行业技术发展的龙头。技术中心通过信息交流，新产品、新技术成果发布和推广应用，以及对技术创新的指导、咨询、评价和服务，极大地带动了行业技术发展和创新水平的提高，逐步成为行业技术创新中心。如广州金发科技股份有限公司、TCL、美的、中金岭南、温氏等一批企业技术中心建设典型，以他们先进经验和独创的工作思路，启迪和推动了全省行业技术创新工作的发展。

技术中心成为培养和造就高层次科技人才的基地。通过营造宽松和谐的创新环境，技术中心产生了强大的凝聚力，成为企业吸引、培养和造就高层次人才的摇篮。据统计，135 家省级企业技术中心共引进人才 4700 多人，海内外交流人才达到 5100 多人次。技术中心中 85% 的人员直接从事科技开发工作，每个中心从事技术开发活动的人员平均为 320 人，其中有突出贡献的专家和有博士学位的占 4%，高级职称的占 8.2%，均远远高于全省大中型企业的平均水平。2005 年，全省已有 39 家技术中心企业建立博士后科研工作站，中心与工作站融为一体，为企业培养、吸引高层次人才创造了条件。如美的集团把博士后工作站和国家级技术中心作为“筑巢引凤”基地，先后吸引专家、博士后、博士、硕士 209 人，依靠这批高层次人才使企业得到了跨越式发展，成为全国家电行业的佼佼者。

技术中心成为企业对外技术合作的纽带。据统计，全省 135 家企业技术中心已与国内外 100 多所高校、科研单位建立了长期合作关系；与国内外相关单位联合建立研发设计机构 411 家，其中在国外的有 104 家。一批企业技术中心还在国外设立了分支机构，把资源整合链延伸到发达国家。在这些国内外技术合作中，企业技术中心发挥了重要纽带作用，促进了产学研的有效结合。

技术中心成为产业发展的助推力。据统计，2005 年，广东省

省级以上技术中心企业销售收入3762.4亿元，占全省规模以上工业企业销售收入的11.05%；实现利润总额180.33元，占规模以上工业企业的12.37%。在创建名牌中，省级以上技术中心企业也发挥了巨大作用。2003年，全省获得的23个中国名牌产品的企业中，省级以上技术中心企业占10个；2004年，省级以上技术中心企业囊括了程控交换机、微型计算机、彩色电视机、子午线轮胎、家电燃气具、电冰箱、洗衣机、家电分体空调、微波炉等9个分类21个中国名牌产品。截至2005年底止，省级以上技术中心企业共拥有46个国家名牌产品、119个省名牌产品，以及17个中国驰名商标、110个省著名商标。

• 珠海丽珠医药

丽珠医药集团股份有限公司创建于1985年。经过20年的发展，丽珠集团已经成为集医药产品科研、开发、生产、销售于一体的综合性、高新技术型制药企业集团，在处方药的生产与销售领域具有突出优势，全国共设有82个办事机构；市场网络覆盖了4800家县级以上医院（医疗机构）、800多个医药商业批发企业。2004年被中国医药企业管理协会评为“2003年中国医药企业100强”第31名。丽珠集团2004年末总资产达22亿余元，现有下属31家控股公司及8家主要合营、联营公司，在产品种300余个，类别涉及化学药品、生化药品、生物工程药品、微生态制剂、中成药、诊断试剂等，产品领域涉及消化道、心脑血管、抗感染、生殖内分泌等领域，主要品牌有丽珠得乐系列以及丽珠肠乐等重点品种；有38条生产线通过GMP认证。集团运用灵活高效的科研开发机制和投入巨额科研经费，长期致力于新产品的科研开发、提高产品的质量、加快新产品与市场营销的接轨。每年投入研究开发经费占当年销售额的3%~5%。

集团的药品研究机构丽珠医药研究所成立于1986年，具有独立法人地位，通过横向协作与独立开发相结合的方式，为集团提供各类新产品开发与新产品工业化服务，同时不断加大力度进行上市产品的二次开发。多年来与湖北医药工业研究院和国家中药工程技术研究开发中心建立了密切的战略伙伴关系，并长期与中科院、北京大学、中山大学、中国药科大学、香港科技大学、国药集团四川抗生素工业研究所（简称“川抗所”）、上海医工院等数

十家科研院所建立了密切的科技合作关系，近年还与美国哈佛医学院及硅谷的生物技术研究所利用高技术平台合作研究开发新药，形成“产、学、研”结合的企业科技创新网络。经过20多年的发展，现已成为具有较高水平的、多学科研发能力的综合型医药研究所。研究开发和工业化转化新产品达数百个，涉及化学药、生物工程药、生化药、半合成原料药、微生态药、中药、保健食品、诊断试剂、生物活性材料等类别，产品优势领域为消化道用药、心脑血管用药和抗感染用药。丽珠集团与四川抗生素工业研究所合作研究开发的新药“洛伐他汀”荣获1999年度国家科技进步三等奖。丽珠集团研究开发的“丽珠得乐”、“丽珠肠乐”、“丽珠赛乐”和“丽珠威”等新产品，在我国同类产品中具有很高的市场占有率和良好的品牌形象，创造了良好的经济和社会效益，并先后获得珠海市科技进步特等奖。

广东省丽珠医药重点工程技术研究开发中心，是在集团原有丽珠集团丽珠医药研究所的基础上，于1999年在广东省科技厅、珠海市科技局的大力支持和指导下组建而成。主要任务是服务于丽珠集团，吸引、凝聚了大批高素质专业人才，掌握国内外新药发展趋势，选择与评价新药开发项目，组织新药的研制开发、报批与转让。促进科研成果工程化、市场化水平。协调新药投产与销售中出现的各种技术问题。通过横向协作与独立开发相结合的方式，使工程中心具有各类新药开发能力及成为省内新剂型、新技术的研究基地，不断提高集团企业的产品技术创新水平和市场竞争能力，形成企业科技创新体系的核心。

丽珠医药重点工程技术研究开发中心现有技术人员56人，其中，中高级技术职称的研究开发人员占60%以上，现有固定资产投入约1500万元，研究实验室面积2000多平方米，拥有各类先进的分析测试仪器及制剂研究设备、化学合成研究设备60多台（套）。工程中心除了拥有多年从事新药研究开发、在德、美留学的，和长期从事医药情报工作、在世界最大药厂任高级顾问多年的专家教授，以及在英日美澳等国留学回国、精通各种专业技术人才和国内各大医、药科大学毕业并具有实践经验的精英外；还拥有国内各医药领域集科研、生产和临床为一体的专家网络系统作为新产品或项目评估、市场评估的强大后盾。工程中心采取中心主任负责制，下设制剂研究室、合成研究室、生物制药室、微生态研究室、质量研究室、中药研究室、信息咨询室及临床监察室等专业科室。工程中心的主要目标是通过自主研发与合同研究相结合的方式，加速科研成果产业化和市场化，并逐步增加自主知识产权的创新产品的比重。

丽珠研发中心在化学药、中药和生物制药等有关领域，有计划、有策略地推出可持续发展的后续产品，加速推动了企业科研成果产业化。在化学药方面，加大力度研究开发具有自主知识产权的创新药物，与国内外科研机构合作，争取更多的创新药物申报临床。同时可根据市场变化，介入其他治疗领域新药的研发。并充分利用集团内化学合成资源，开展创新药物和特定药物等具有发展潜力的新药研发和化学合成工程化技术研究；在制剂研究领域，加大力度建设制剂中试车间，开展特殊创新剂型新药研究和制剂中试工程化技术研究，逐步形成具有丽珠特色的制剂工程化技术。对于已上市的产品，开展深化研究，服务于丽珠30多条制剂生产线，提供上市产品的二次开发服务；在中药研究领域，与国家中药中心密切合作，充分利用国家中药中心资源，提供中药新药的研究开发、工艺改进等二次开发服务。同时可根据市场需要，开发中药保健品。对于集团上市的具有竞争优势的中药品种考虑向国际市场渗透；如泛昔洛韦项目，科研部门在研究开发中与生产和销售部门紧密协作，采用先进的“并行工程”运作模式，在泛昔洛韦取得国家生产批文后仅两个月的时间，就成功地将泛昔洛韦片（丽珠风）投产上市。在生物制药和微生态研究领域，发展基因重组药物、多肽类药物和生化药物提取技术，加强与美国等先进生物技术研究机构利用高技术平台合作研究开发新药。同时开展对生物制药新剂型的研究和开发；在微生态药物领域，利用丽珠肠乐良好的市场基础，发展微生态药物及新剂型，形成微生态药物系列产品；在技术成果转化效益及对行业发展的作用方面，发挥其工程化研究开发方面优势，开发技术创新项目并保证科研成果顺利转化，立足服务丽珠的同时面向医药行业，带动广东医药产业不断向前发展，创造良好的经济效益和社会效益。通过深化研究，努力在创新药物、制剂技术、中药和生物制药等工程化技术形成几个特色，发挥其技术领域的示范带头作用，以综合实力和技术水平推动行业进步。

工程技术研究中心在化学物合成、药物新剂型、生物制药、中药等研究方面具有较强的实力，同时不断加强老品种的二次开发技术研究，取得了良好的效果和明显的经济效益。技术水平在国内居领先地位。中心从2000年开始逐步加大对知识产权项目的投入，组建期间投入专利新药科研费用总计达2000多万元，用于专利新药（一类）的研究开发和专利技术的研究、引进。至今，中心拥有自主知识产权的项目有20项，其中获化学药和中药发明专利

授权3项，发明专利申请公开4项，外观专利13项。准备申请发明专利5项。

中心组建以来，建立了有效的管理模式和工作方式，初步建成一支具有高素质、高水平工程技术研究开发和试验设计技术人才，以及试制生产等配套的综合性工程技术专业队伍，逐步实现科研—开发—产品—市场的良性循环。在重大技术突破与改进项目方面：完成重大技术突破5项，技术改进12项。完成了阿莫西林等5项重大工艺研究课题，保证品种的顺利投产。体现了中心对企业技术支持的重要作用，体现了工程化技术的优势。

中心已建成较为完善的实验室、中试基地。具备了接纳国内外同行研究单位、企业来人开展合作研究的条件。中心积极创造条件，吸引港澳粤地区人才来中心工作。如香港、深圳、珠海等十几家科研、药检机构，利用本中心的实验条件，进行新药研发等工作，标志着中心经营意识和开放程度更加进步。工程中心充分利用自身的硬件设施优势，与国内高校如中山大学、广东药学院及香港、澳门等高等学府合作联合培养实习生等。以灵活的运行机制稳定和吸引科技人才，人才队伍建设有了长足进步，培养和造就懂科研会经营的人才。与一批大专院所、科研机构建立了密切联系，形成了良好的伙伴关系，建立了合作开发的有效工作方式。如与中国医学科学院药物研究所、中国医药研究开发中心、上海医工院、上海有机所、湖北医工所、国药集团川抗所、韩国一洋药品株式会社、美国哈佛医学院等单位共同开发项目18个。合作开发，使中心更能适应市场的变化。

三年来，发明的新药被集团投入到生产的有31个，投产和转化百分率达90%。新产品共实现产值92403万元，销售92403万元，创造利税13426万元。新产品销售额占集团总销售额的22.25%。“丽珠威”、“前列安栓”、“丽珠树脂绷带”、“罗红霉素分散片”、“阿奇霉素分散片”和“注射用头孢哌酮钠舒巴坦钠”等15项新产品顺利完成工业化生产，各具技术创新特色，上市后经济效益显著，先后获国家级、省级科技进步奖或优秀新产品奖。

中心先后研发品种65个，获临床批文35个，新药证书及生产批件分别为36个和42个。拥有自主知识产权的项目有20项。正在申请发明专利5项。通过多种方式的辐射作用，中心对行业技术发展产生积极影响。主要表现为技术成果转化较快，有15个品种分别被评为国家级新产品，获得国家科技进步奖、广东省优秀新产品奖、广东省火炬奖、珠海市科技重奖。珠海市各个医药企业纷纷仿效，加大技术创新的投入，尤其在珠海市政府将医药行业列入经济建设支柱产业之后，这种社会效应日益显著。

工程中心资金投入。组建以来，丽珠集团投入大量的人力和资金用于创新技术项目的研究和开发，并得到省经贸委、省市科委科技局的扶持，中心在研项目中，包括一类新药等16项被列入国家863计划、省市级重点技术创新项目、省重点新产品计划和市科技计划重点项目。资助研究经费近2000万元，使新产品顺利完成工业化生产，上市后经济效益显著。同时，有力地促进了工程中心技术创新项目的深入开发。

在谈到工程中心建设的体会，中心负责人说，中心研发的新技术产品有力提升了丽珠集团的核心竞争力，形成了丽珠集团的品牌优势，形成了丽珠集团在消化性疾病治疗药、心脑血管疾病治疗药、抗感染药物三大领域的优势地位，使丽珠集团发展成为国家医药骨干企业之一，成为集医药和相关产品科研、开发、生产、销售于一体的大型高新技术企业集团。丽珠集团目前组成了三大主导产品领域及全部覆盖全国市场范围。其中：在消化道疾病用药领域，丽珠得乐占铋制剂市场份额的40%，丽珠肠乐占微生态活菌制剂市场份额的18%；在心脑血管疾病治疗药领域，丽珠赛乐占同品种市场份额的13%；在抗感染用药领域，丽珠风、丽珠威占同品种市场份额的50%~60%。

五、跨国公司和外资企业在粤研发机构迅猛发展

镜头画面：广东北电研发中心

2005年，外商投资企业在广东省设立研发中心243家。杜邦、宝洁、三菱、本田、日立、汤姆孙、三星等均在广东省设立了研发机构。在广东省设立的跨国公司研发机构有广东北电研发中心、广州本田技术中心、甲骨文深圳研发中心、康柏深圳研发中心、朗讯科技中心、日本富士通深圳公司和香港伟易达集团公司等。

改革开放初期，来自香港、台湾及东南亚的外商将生产线与技术迅速转移到珠江三角洲，这种前店后厂的模式使制造业迅速崛起。广东紧邻香港的区位优势、廉价的劳动力和灵活优惠的政策，也使它成为第一批进入中国的跨国公司的首选地。宝洁就是这时落

户广州。这种大规模工业制造使广州、深圳、顺德、东莞等地成为20世纪80年代中国经济最大的亮点。进入20世纪90年代后，外资投资的主体已经发生变化。外商将投资珠三角的重心逐步升级为IT、家电、精密仪器和生物工程。进入21世纪，在经济全球化和知识经济飞速发展的背景下，越来越多跨国公司纷纷落户广东，并设立研发机构，进行高素质的研究开发。截至2005年底止，广东累计批准外商直接投资项目11.97万个，合同外资额已突破2500亿美元，实际利用外资1628.55亿美元，工商登记注册的实有外商投资企业5.88万家，居全国之首。其中“十五”期间新签外商直接投资项目3.59万个，合同外资额944.99亿美元，实际利用外资640.36亿美元。世界500强跨国公司在广东投资设立了404家企业，包括200多家研发机构、采购中心和地区总部。

外资企业在广东建立研发机构，始于20世纪90年代中期，标志着当地利用外资达到了新的水平，标志着外资企业对当地人才资源和投资环境充满信心。

至2000年，根据广东省R&D资源清查数据，全省外资及港澳台资企业科技机构占全省企业科技机构总数的31.9%，科技活动人员和科技活动经费分别占企业科技机构的28.8%和28.0%。外资企业科技机构人员经费规模略小于全省平均水平，反映当时外资企业研发重点主要放在创新难度较低的市场化、产品本地化技术上。

2001年，深圳经发局的统计资料显示：该市经政府部门认定的外商投资先进技术企业160家中，已有67家在深圳设立了研发机构，40家与国内高校院所合作实行“产学研”一体化。据介绍，来深投资的外商早年大都是抱着“试试看”的心理前来办厂的，投资额不大，项目技术含量低，多为简单加工组装生产线。经过多年的试探性投资，外商对深圳的投资前景越发感到乐观，逐渐改变了最初的试探性投资战略，转为长线投资，追加投资的外商与日俱增，且大都投向高新技术项目。据了解，在深设立研发机构的外资企业，涵盖电子信息、光机电一体化、生物医药、食品、化工、建

材、印刷等行业，其中包括朗讯、开发科技、奥林巴斯、赛格日立、南海油脂、哈里斯通讯、才众电脑、三洋华强能源公司等外资企业，均在深圳设立了研发机构。

从 2003 年开始，广东省高新技术企业认定逐步向在该省境内设立了研究开发机构的外商投资企业放开。

至 2004 年共认定的 3065 家高新技术企业中，有 40 多家为外商投资企业。这批企业的 R&D 经费的投入远远高于其他外商投资企业，对促进国外高新技术在广东省的吸收和转移提供了重要的支撑渠道和费用。2004 年，全省新设立的外商投资具有独立法人资格的研发中心达 11 家，主要集中在电子信息、医药研究、汽车技术等产业。

2005 年，世界 500 强企业已有 176 家在广东设立 581 家企业。外商投资企业在广东省设立研发中心 243 家，较五年前翻了近五倍。美国杜邦、宝洁，日本三菱、本田、日立，法国汤姆孙，韩国三星等世界知名企业均在广东省设立了研发机构。其中，影响比较大的有，设在广州是广东北电研发中心和广州本田技术中心；设在深圳的是甲骨文深圳研发中心、康柏深圳研发中心、朗讯科技中心、日本富士通深圳公司和香港伟易达集团公司。

作为省会城市，广州有更好的发展外资 R&D 中心的优势。一是研发战略区位优势。广州凭借其濒临南海，毗邻港澳的地理优势，配以“空港、海港、信息港”三港合一的完善交通体系，地理区位和虚拟区位优势明显，具有成为辐射广东、泛珠三角甚至东南亚的区域科技中心城市发展战略空间优势。二是巨大的研发需求空间。广州基本完成产业结构的转型和升级，产业结构步入以技术和资金密集型产业为主要的支撑阶段。逐渐形成以电子信息、生物医药为主导的高新技术产业集群，产业进入依托科技进步的轨道，将对科技成果产生强大的研发需求。而且广州及周边区域 FDI 的投资增长，直接扩大了研发发展空间。广州所处的珠三角区域经济发展迅速，外商直接投资密集，消费能力强，市场容量大，研发需求大。三是丰富的研发资源 广州作为我国三大中心城市之一，是全

国高新技术人才主要集聚地，研发资源非常丰富。拥有大量的科研机构和高等院校，有167个自然科学与技术领域开发机构和15个社会科学研究机构。中央在粤、广东省属科研机构、国家和省重点实验室绝大多数地处广州，研发人才智力资源相对密集。广州有各类科技人才1.8万人，是我国重要的智力密集城市，加上珠三角经济活力的影响，人才聚集优势明显，每年都产生大量的科研成果。四是相对完善的研发服务体系。广州拥有各类科技服务机构4000余家，规模位居泛珠三角各城市之首。广州基本构建起以高新技术企业孵化网络、生产力促进中心网络、工程技术研发中心服务网络、技术市场网络、技术产权交易网络等为主干支撑的科技中介服务体系，为吸引外商在穗研发投资创造了发展平台。

外资企业在广东建立研究开发中心有力促进了广东创新能力的提升。这些外资企业研究开发中心，上连研究开发的源头，即科研机构和高等学校，下连规模化生产的企业和市场，在改善广东省科技投入结构的基础上，为全省企业吸收和承接国外高水平技术的转移，增强企业的科技创新能力，带动相关高新技术产业的发展，提供了良好的研究开发平台。外资的投入，特别是大额外资对科技研发的投入，提高了广东省科技投入的质量，同时也改变了外资企业在该省单纯生产贸易的局面，成为广东省科技创新体系的重要组成部分。

外资企业研究开发中心，还是加大对海内外优秀人才引进力度的重要措施。一批发达国家和国内重点地区的优秀人才进入外资企业研究开发中心，提高了引进人才的工作水平。

中共广东省委、广东省人民政府颁发《关于加快建设科技强省的决定》和《关于提高自主创新能力提升产业竞争力的决定》明确提出，进一步支持吸引外资来粤设立研发机构，吸引跨国公司特别是世界500强企业和有实力的外资企业在粤设立研究开发机构，鼓励省内大学、科研机构、企业与他们联合创建实验室等技术创新机构。民间资金、境外资金可以在粤创办综合性或专业性的科技成果孵化器，鼓励各类孵化器通过兼并、重组、联营等形式做大做强。对具有研发机构的外资企业，优先认定为高新技术企业或先进技术型企业。实行驻粤外资科研机构登记备案制。外资研发机构的实验设备向社会开展有偿服务。

• 广东北电研发中心

2007年10月25日，在北电大中华区总裁Jackson Wu的陪同下，全球运作高级副总裁Joe Flanagan率其全球运作的HR，财务和亚洲营运部的相关领导及亚洲北电的首席财务长Lorrie一行莅临广东北电参观考察。Joe Flanagan之行，发生在2007年7月旨在提升本地硬件设计研发能力的广东北电硬件开发实验室成立之后，反映了跨国大公司北电网络公司对中国基地的重视和信息。

广东北电通信设备有限公司成立于1995年3月，是加拿大北电在华投资的核心公司之一。注册资金8250万美元，总投资1.8亿美元。在生产方面，广东北电拥有大规模、装配精良的生产车间，拥有世界先进的GSM、CDMA/CDMA2000和DMS生产线，而且是中国少数几家能同时生产CDMA、GSM和DMS产品的企业之一。现时，广东北电已成为北电在亚洲最大的制造中心。年生产能力为：CDMA基站：16000；GSM基站：12000台；MS100程控交换机：15000台；CDMA 2000基站：预计年生产能力为10000台；拥有世界先进的CDMA/CDMA2000、GSM和DMS生产线。广东北电研发生产的设备广泛应用于众多世界领先的运营商网络中，包括KTF、Version、印度BSNL、中华电信、中国移动、中国电信、中国联通、中国网通等。仅2006年，全年销售收入约22.5亿人民币，其中出口销售约占20%。广东北电一直致力于引进高端技术，积极推进研发、生产和服务的本地化。凭借先进的通信技术、可靠的产品质量以及全面的客户服务，已成为北电全球研发、生产和客户服务的核心环节，为中国，乃至全球的客户提供优质专业的产品和服务。

广东北电研究开发中心，于1995年12月在广州中山大学校园正式成立，定位为广东北电的核心技术部门，同时也是北电网络全球研究开发体系的重要组成部分，是北电在亚太地区研发的主要力量和技术支持的窗口，现拥有研发人员逾1100名，超过员工总数的一半。使命是为中国客户以及亚太客户提供具有竞争力和可增值的通信技术和服务，满足市场需求。中心自成立以来，开发能力逐年提高。从最初的单纯依赖北电技术转移，到形成一支具有自主开发能力的研究队伍，再到能够承担北电国际市场的开发任务。从1995

年成立以来，先后研发了固话产品 DMS 100i（1995）、GSM 核心网（1999）、CDMA 核心网（2000）、CDMA 接入网、北电软交换产品 Succession（2001）、UMTS 接入网测试和互联互通测试、基于第三方的 VoIP 接入网关、无线通信中自动测试工具（CATT）（2002）、无线通信中基于包交换的中继和媒体网关研发（2004）、数字平台的研发、无线网状网（2006）。核心竞争力主要体现在 GSM、CDMA 接入网和核心网丰富的研发经验、本地化 3G 研发及测试队伍、有线通信电路交换和基于软交换的下一代网络（NGN）技术、熟悉大中华及亚太地区特定的网络或协议标准、严格的面向对象软件体系的研发流程。

广东北电研发中心有功能强大的软硬件开发平台，有强韧的测试平台和 24 小时技术支持平台。它不是单纯地进行软件设计，而是根据本地客户的要求，对北电网络的先进技术在功能和特性上进行本地化开发。北电的自动化测试系统可在短时间内完成成千上万个测试用例，严格的测试保证了交付商用软件的质量。在商用过程中，研发中心通过强大的技术支持平台对客户的网络进行24 小时远程故障排除。广东北电研发中心对 DMS 进行升级，帮助传统电话运营商向下一代网络平滑过渡。在 NGN 方面，研发中心对 Succession 软交换的功能和特性进行本地化，使其更适应本地运营商的需求。北电为中国铁道部青藏铁路提供的 GSM－R 也是在广东北电研发中心进行本地化开发。这意味着广东北电研发的产品将应用在世界最高的铁路线上。广东北电研发中心是能够同时进行 GSM/UMTS 和 CDMA 研发的少数研发机构之一，这里演示着世界最先进的 3G 技术。

自成立以来，工作重点放在建立一支强大的无线因特网 GSM 和 CDMA 研发队伍，加上有效的研发，以满足不断增长的大中国和亚太地区的移动通信市场的需要。主动积极地寻找发展 VoIP（Succession）CS2K 和 CS3K 等产品的方法，同时也发展 IP 应用功能以满足大中国市场的需求。继续以最低的高效成本开发项目以在大中国获得最大的销售收入。加强产品的本地化程度以适应大陆及香港市场。消除有线和无线网络的界限，消除电信网络和企业网络的界限已成为广东北电在网络融合方面的核心能力。

北电网络在 WiMax 4G 解决方案的开发方面一直处于领先地位。根据介绍，屹立于电信研发领域的最前沿，紧跟北电网络的科技创新战略，广东北电于 2007 年年初在位于广州的研发中心正式组建 WiMax 研发团队，从事 WiMax BTS、ASN Gateway、GNPS 等尖端 4G 领域的开发，研发阵容已从 2006 年初的数十人增长至近八十人。WiMAX（微波存取全球互通 Worldwide Interoperability for Microwave Access）是一项基于IEEE 802.16标准的宽带无线接入城域网技术（Broadband Wireless AccessMetropolitan Area Network），是针对微波频段提出的一种新的空中接口标准。它的基本目标是在城域网接入环境下，确保不同厂商的无线设备互联互通，主要用于为家庭、企业以及移动通信网络提供随时随地地高速宽带接入，以及未来个人移动通信业务。其技术优势可以简要概括为：传输距离远；接入速度高；可提供广泛的多媒体通信服务等。

广东北电WiMax部门的各项培训、开发项目紧张有序地展开，每位软件开发人员均有明确的分工和清晰的目标，每个小组均有自己的专项任务和跨组协作安排。任务指示、管理层分析、小组分析、任务分配、程序编写、检测、验证、严格的质量控制、沟通会议、状态汇报、问题汇报、回顾会议……科学的方法，高效的运作，将确保WiMax团队茁壮成长，为客户带来更便捷、更优质的无线宽带服务。

研究开发中心具有一流的研究队伍和优越的开发环境。2005年投入约400万美元建设新的研发中心。中心员工90%以上具有硕士研究生以上学历，并且在加入中心之后，均受到系统全面的通信技术与开发体系的培训，培训地点包括北电体系在国内外的各大培训中心。另外，中心有外籍员工，为中心带来了先进的开发经验与管理经验。研究开发中心坚持以人为本的原则，吸收优秀的员工并为他们制定完善的个人发展计划，同时也形成了一支高效率、高产出的开发队伍。

作为北电网络的重要研发基地之一，广东北电研发中心因应市场需要，紧跟北电研发战略，从研发队伍中挑选出经验丰富、能力强的高级研发人员，送去加拿大进行长期的深造，在实践中学习和探索，最终把最新的科技和高效的方法带回中国。

作为北电在华投资的核心企业，自1995年成立以来，广东北电先后荣获国家科委颁发的“国家级火炬计划项目证书”和广东省科委颁发的“科学技术成果鉴定证书”，并通过了广东省“高新技术企业”的认定。公司一直坚持引进高端技术，积极推进研究开发，并不断加大对研发工作的投入。

2007年7月，广东北电硬件开发实验室在顺德正式成立。这是公司新产品引进发展的重要里程碑，它的成立标志着广东北电首次建立起本地化的硬件设计研发能力。实验室的宗旨是帮助广东北电及北电提高在全球硬件产品和市场的竞争能力。实验室集资深技术专家，及丰厚的软硬件实验设备工具

于一体，为广东北电提供在PI测试，数字板设计、射频设计、机械件设计、EC编写的开发支持，并且与北电在产品创新等领域进行合作，为北电提供低成本解决方案。

六、民营科技企业成为技术研发的生力军

镜头画面：全省民营科技工作会议（2003）

1989年，广东省政府颁布《广东民办科技机构管理规定》，把民营科技企业纳入政府管理职能范围。1994年，广东省人大常委会通过《广东省民营科技企业管理条例》。在20世纪90年代，广东民营科技企业经营规模迅速扩大，产业化速度也不断加快，涌现了一批较大型或企业集团的民营科技企业，其经济技术活动已覆盖了国民经济的主要行业。

民营科技企业是采用非政府经营方式、产品或服务有比较高的技术和知识含量的民营企业。伴随着广东科技发展，广东省民营科技企业不断加强技术创新和体制创新，大力促进科技成果产业化，民营科技经济保持高速发展。

广东民营科技企业是科技体制改革产物，发端于20世纪80年代初。1989年3月，广东省政府颁布《广东民办科技机构管理规定》，把民营科技企业纳入政府管理职能范围。1994年1月，广东省人大常委会以地方立法形式，通过《广东省民营科技企业管理条例》。在20世纪90年代，广东民营科技企业经营规模迅速扩大，产业化速度也不断加快，涌现了一批较大型或企业集团的民营科技企业，其经济技术活动已覆盖了国民经济的主要行业。

2003年召开全省民营科技工作会议，以及2005年召开广东省自主创新大会，政府出台了一系列扶持引导政策。这些政策措施坚持技术创新与制度创新相结合、市场导向与政府引导相结合、公平竞争与规范经营相结合、营造环境与科学管理相结合，加强服务，

将全面提高民营科技企业的整体素质和国际竞争力。

政府支持企业加强自主创新能力建设。对符合国家规定条件的企业技术中心、国家工程（技术研究）中心等，进口规定范围内的科学研究和技术开发用品，免征进口关税和进口环节增值税；对承担国家重大科技专项、国家科技计划重点项目、国家重大技术装备研究开发项目和重大引进技术消化吸收再创新项目的企业进口国内不能生产的关键设备、原材料及零部件免征进口关税和进口环节增值税。支持创业风险投资企业的发展。对主要投资于中小高新技术企业的创业风险投资企业，实行投资收益税收减免或投资额按比例抵扣应纳税所得额等税收优惠政策。

政府鼓励增加科技投入政策。建立多元化、多渠道的科技投入体系，全社会研究开发投入占国内生产总值的比例逐年提高，使科技投入水平同进入创新型国家行列的要求相适应。支持有条件的高新技术企业在国内主板和中小企业板上市。引导商业金融支持自主创新。政府利用基金、贴息、担保等方式，引导各类商业金融机构支持自主创新与产业化。商业银行对国家和省级立项的高新技术项目，应根据国家投资政策及信贷政策规定，积极给予信贷支持。商业银行对有效益、有还贷能力的自主创新产品出口所需的流动资金贷款要根据信贷原则优先安排、重点支持，对资信好的自主创新产品出口企业可核定一定的授信额度，在授信额度内，根据信贷、结算管理要求，及时提供多种金融服务。鼓励社会资金捐赠创新活动。企事业单位、社会团体和个人，通过公益性的社会团体和国家机关向科技型中小企业技术创新基金和经国务院批准设立的其他激励企业自主创新的基金的捐赠，属于公益性捐赠，可按国家有关规定，在缴纳企业所得税和个人所得税时予以扣除。发挥财政资金对激励企业自主创新的引导作用。创新投入机制，整合政府资金，加大支持力度，激励企业开展技术创新和对引进先进技术的消化吸收与再创新。要引导和支持大型骨干企业开展竞争前的战略性关键技术和重大装备的研究开发，建立具有国际先进水平的技术创新平台；加强面向企业技术创新的服务体系建设。加大对科技型中小企

业技术创新基金等的投入力度，鼓励中小企业自主创新。

政府采取税收激励政策。允许企业按当年实际发生的技术开发费用的150%抵扣当年应纳税所得额。实际发生的技术开发费用当年抵扣不足部分，可按税法规定在5年内结转抵扣。企业提取的职工教育经费在计税工资总额2.5%以内的，可在企业所得税前扣除。研究制定促进产学研结合的税收政策。允许企业加速研究开发仪器设备折旧。企业用于研究开发的仪器和设备，单位价值在30万元以下的，可一次或分次摊入管理费，其中达到固定资产标准的应单独管理，但不提取折旧；单位价值在30万元以上的，可采取适当缩短固定资产折旧年限或加速折旧的政策。完善促进高新技术企业发展的税收政策。推进对高新技术企业实行增值税转型改革。国家高新技术产业开发区内新创办的高新技术企业经严格认定后，自获利年度起两年内免征所得税，两年后减按15%的税率征收企业所得税。继续完善鼓励高新技术产品出口的税收政策。完善高新技术企业计税工资所得税前扣除政策。扶持科技中介服务机构。对符合条件的科技企业孵化器、国家大学科技园自认定之日起，一定期限内免征营业税、所得税、房产税和城镇土地使用税。对其他符合条件的科技中介机构开展技术咨询和技术服务，研究制定必要的税收扶持政策。

改进政府采购评审方法，给予自主创新产品优先待遇。在政府采购评审方法中，须考虑自主创新因素。以价格为主的招标项目评标，在满足采购需求的条件下，优先采购自主创新产品。其中，自主创新产品价格高于一般产品的，要根据科技含量和市场竞争程度等因素，对自主创新产品给予一定幅度的价格扣除。自主创新产品企业的报价不高于排序第一的一般产品企业报价一定比例的，将优先获得采购合同。以综合评标为主的招标项目，要增加自主创新评分因素并合理设置分值比重。经认定，政府进行首购，由采购人直接购买或政府出资购买。

对企业消化吸收再创新给予政策支持。对消化吸收再创新形成的先进装备和产品，纳入政府优先采购的范围。对订购和使用国产

首台（套）重大装备的国家重点工程，国家优先予以安排。建立由项目业主、装备制造企业和保险公司风险共担、利益共享的重大装备保险机制，引导项目业主和装备制造企业对国产首台（套）重大装备投保。加强对技术引进和消化吸收再创新的管理。凡由国家有关部门和地方政府核准或使用政府投资的重点工程项目中确需引进的重大技术装备，由项目业主联合制造企业制定引进消化吸收再创新方案，作为工程项目审批和核准的重要内容，报请国家有关主管部门审批（核准）后实施。

广东科技发展30年来，广东民营科技企业不断壮大，在数量和质量上都取得了较大的突破，民营科技企业群体已成为全省经济发展一支重要的力量。特别"十五"期间是广东民营科技企业发展取得重大成就的五年，民营科技企业继续保持加速增长的良好发展态势，经营规模和实力不断壮大，自主创新能力明显增强，各项主要指标的年增长率均超过30%，持续位居全国前列。民营企业科技创新和产业化活动覆盖全省国民经济主要行业，成为广东发展高新技术产业的重要力量，已发展成为最具创新活力和竞争潜力的企业群体，在广东乃至全国的经济发展中占据着日益重要的位置。

至2005年末，全省民营科技企业共7590家，比2001年的3952家增加了3638家，增幅为92.05%。其中，年技工贸总收入达亿元以上的695家，比2001年的182家增加了513家，达千万元以上的2871家，比2001年的980家增加了1891家，达百万元以上的4421家，比2001年的1910家增加了2511家，分别占企业总数的9.16%、37.8%和58.3%。

"十五"期间广东民营科技企业的经营规模达到了较高水平，民营科技经济增长速度不仅大大高于国民经济增长速度，也大大高于同期民营经济的发展速度。2005年末民营科技企业资产总额达3905亿元。技工贸总收入4658亿元，比2001年同期（下同）增长352.23%；实现利润268亿元，增长215.29%；上缴税收219亿元，增长208.45%；出口创汇151亿美元，增长150%；从业人员达107万人，增长245.16%。期间涌现出了一批实力较雄厚、规

模较大的民营科技企业，在激烈的市场竞争中蓬勃发展，如深圳的华为技术有限公司、广州的金发科技股份有限公司、东莞的方正科技电脑有限公司、惠州的侨兴集团、云浮的广东温氏食品集团、阳江的广东喜之郎集团等。民营科技企业不仅已经成为广东经济发展的生力军，而且对广东经济发展的重要性和贡献度也在加速提高。

科技创新投入逐步提高。广东省民营科技企业在企业技工贸总收入逐年增长的同时科技活动经费也一直保持增长态势，2005 年全年的科技活动投入经费和全年技术性收入稳步增长，增长幅度分别在 51.15% 和 33.56%。

民营科技企业自主创新能力不断加强。广东民营科技企业涉及的投资领域已扩展到电子与信息、生物医药技术、新材料、新能源、光机电一体化、环境保护技术及高效节能技术和其他高技术等技术领域，并且在一些新兴的领域如新材料、新能源和光机电一体化等领域的投资增长较快，在高新技术领域占据了相当重要的位置。全省的民营科技企业中有相当一部分属于高新技术企业，技术开发紧紧围绕成果应用和产业化进行，很多民营科技企业建立了研发部门或工程中心，技工贸收入达千万元的民营科技企业中已有近 80% 建立了自己的研发机构。据不完全统计，2005 年广东省民营科技企业申请专利数近 10000 件，比 2002 年增长近九成；专利授权数超 7000 件，比 2002 年增长近九成；实施专利数约 9000 件，比 2002 年增长近九成。民营科技企业生产的 7687 件主要产品中，独立开发的有 5921 件，占生产产品总数的 77%；合作开发的有 897 件，占生产产品总数的 11.67%；其中属高新技术产品的占 87%，技术水平达到国内领先以上的产品占 52%。

到 2005 年，全省以民营科技企业为依托建立的国家、省级工程技术研究开发中心近 200 家。如珠海市国家级、省级、市级工程技术研究开发中心达到 25 家，其中依托单位是民营科技企业的有 18 家。据统计，2005 年民营科技企业开发的新产品中属高新技术产品的占有率从 2001 年的 60% 提高到 89.1%，国内领先以上技术水平的达 51.4%，独立开发的达 80% 以上；全省民营科技企业专

利申请数、专利授权数均突破一万件，分别达到15582项和10506项；各地市民营科技企业承担的各类国家级科技计划项目817项。“十五”期间民营科技企业的科技投入保持稳步增长，大部分年度内企业年科技活动经费占其技工贸总收入和总支出的比重分别超过5%和7%，规模以上民营科技企业的科技活动经费占全省科技活动经费的比重保持在30%左右。如深圳华为技术有限公司每年都拿出销售额的10%用于研究开发，2004年的研发投入甚至高达40亿元左右；专利申请一直保持超过100%的年增长率，据国家知识产权局统计，截至2004年底止，华为累计申请专利5300多件，发明专利申请量居全国企业之首，其交换机、智能网用户、光网络产品等占有率位居全球前列，在国际市场的地位不断扩大。民营科技企业已经成为广东高新技术产业发展的生力军。

广东民营科技企业的人才不但在总量上迅速增长，而且在结构上也获得很大改善，吸引了一批优秀的高学历、高职称人才，科技人员在企业总人数中所占比例不断提高。据统计，2005年全省民营科技企业中高级科技人员达到8.4万人，占企业长期从业人员的8.07%，从事科技活动的人员有15.79万人，占企业长期从业人员的15.18%。

在广东的民营科技企业家中，包括了有国外学习、经商经历的“海归”人士，从国企、高校及科研机构“下海”经商的科技人员，还有一批土生土长的私营企业主。他们不仅具备市场观念及经营管理经验，而且深知只有依靠科技进步、不断创新才能立于不败之地的道理。如广东恒兴集团有限公司坚持走“产、学、研”发展之路，坚持引进各类优秀人才，构建充满活力的人才发展平台，让各类人才在企业有广泛的发展空间，从而保持企业快速、稳定发展的基础，先后与中国人民大学、中山大学、中国海洋大学、中科院南海水产研究所等十多所高等院（所）建立了长期的人才与技术合作关系，并聘请了包括中科院院士张福绥等在内的46位全国海洋领域的专家教授为技术顾问；在企业管理人员中，大专以上学历的达98%以上，硕士学历的占26%。科技和管理人才结构的进

一步优化为广东民营科技企业的持续发展提供了重要的支撑。

民营科技园逐步形成了特色技术创新平台。建立较为完善的服务体系，集聚了一批民营科技企业，成为各地经济发展的重要支撑点。

广州民营科技园以汽车、生物医药和健康产业为主导，兼顾航空航天技术、新材料、电子信息和环保技术等高新技术产品的研发与产业化，致力发展成为863计划产业化服务平台、高新技术企业总部基地和科普基地为一体的科技发展中心。

新会今古洲民营科技园把创新创业服务中心建设作为民科园科技创新服务体系建设重点，设置了企业产品展示厅、多功能会议室、多媒体演示室、实验室等功能区域和多个独立办公室，增加了"孵化"场地，增强中心的"孵化"功能，为中小型民营科技企业的发展和科技人员创业提供了一个资源共享系统空间。创新中心先后"孵化"了诺文合金材料有限公司、泰普克沥青有限公司、威氏电缆材料有限公司、气派摩托车有限公司等多个企业，江裕映美信息科技有限公司有两个科研项目（"LCD投影机光引擎三液晶板光学聚焦调整系统"和"Jolimark映美FP－800K24针点阵式高端宽行平推打印机"）被评为2003年广东省重点科技项目，广东千色花化工有限公司的"千色花"商标被认定为广东省著名商标，润田实业投资有限公司的CPF牌聚丙烯电容薄膜被确认为"广东省名牌产品"。2005年15个省级以上民营科技园总产值超过600亿元，利润总额超55亿元。

到2005年末，14个省级以上民科园的资产总额达1512.28亿元，园区内企业数达3380家，长期从业人员超过33万人，创造总产值988.25亿元，技工贸总收入909.99亿元，利润总额74.12亿元，上缴税金60.89亿元，创汇总额20.25亿美元；其中高新企业有943家，占企业总数近30%。建有技术研发机构551个。企业拥有自主知识产权共2321项。如广州民科园虽然起步较晚，但近年来取得了重大进展，到2005年末全园资产总额达13.18亿元，共有企业28家，其中14家通过高新技术企业认定，建立了工程技术开发机构3个，长期从业人员达3372人，创造总产值10.48亿元，技工贸总收入10.37亿元，园区产业重点突出，优势明显。广东民营科技园的发展潜力已经凸现。

2005年广东省有22家企业获得中国民营科技创新奖，12人和2家企业获得中国民营科技促进奖，5家企业获优秀民营企业奉献奖，7人获优秀民营企业家奉献奖。

• 广州金发科技股份有限公司

广州金发科技股份有限公司是广东的一家民营企业，创立于1993年。几年后，它已发展成为实力雄厚的上市公司，集高性能改性塑料研发、生产和销售于一体，是国家重点高新技术企业。

2003年元旦刚过，广州金发就迎来了2003年的第一件大喜事：刚刚来广东履新的中共中央政治局委员、广东省委书记张德江前来公司视察。在仔细聆听了公司董事长袁志敏的汇报后，张德江书记连连说了三个“好”字：“金发的股权制度比较好，能有效地运用股权激励，解决了吸引人才、留住人才的问题，好！靠自身发展得这么快，发展到这个规模不容易，好！公司有这么多博士、硕士，在技术开发上达到国际领先水平，好！”张德江书记以三个“好”字高度肯定了金发的发展，肯定了金发在体制创新、技术创新上的努力。

2007年7月，广州市委组织部在市委礼堂召开了广州市优秀专家命名大会，会议上宣读了当年入选的广州市优秀专家名单并向入选的专家颁发了“广州市优秀专家证书”，广州金发科技股份有限公司企业技术中心主任黄险波光荣入选了广州市优秀专家。黄险波作为广州金发科技股份有限公司的技术带头人，努力研究行业技术发展情况，开发出新型阻燃热塑性树脂等一系列高性能改性塑料产品。其中，他作为第一研究人员开发的“新型阻燃热塑性树脂系列产品”包括从产品配方到工艺设备及控制的整套技术解决方案，克服了行业关键技术7项，是世界上最先进的一种阻燃热塑性树脂生产技术，填补了国内空白，于2005年先后获得中国石油和化学工业协会科技进步一等奖、国家科技进步二等奖。十年来，他参与高性能改性塑料研发的项目，有4项被列入国家火炬计划，2项被评为国家级重点新产品，他还编著了《阻燃苯乙烯系塑料》，并在国内外核心期刊上发表了15篇学术论文，获得国家发明专利3项。此外，在公司自主创新平台建设方面他也付出了艰辛的努力。

他负责组建了行业内第一家国家级企业技术中心、院士工作站、博士后工作站和国家认可实验室，促使广州金发科技股份有限公司技术研发平台连上新台阶，科研开发实力迅速增强，科研开发也连结硕果，累计开发出阻燃树脂、增强增韧树脂、塑料合金、功能母粒和降解塑料五大系列60多种2000多个牌号的高性能改性塑料产品，打破了高性能改性塑料长期依赖进口的局面，2006年广州金发科技股份有限公司实现销售额46.5亿元，实现利税6亿元，成为中国改性塑料行业最大的龙头企业。

重视体制创新，招揽优秀人才，坚持足够的技术创新投入，是广州金发成功的秘笈。

还在创立之初，公司就深深意识到人才的重要性。为招揽优秀人才，公司每年都要派出行政副总及有关人员到北京大学、中山大学等各大院校参加毕业生供需见面会，招聘重点学府的优秀毕业生，并提供住宿、差旅费，邀请初试合格的博士、硕士、本科生来公司参观、复试。对招收进来的人才，公司提供住房分配、调动、档案挂靠、保险、交通补助、误餐补助等福利，以解除人才的后顾之忧。为吸引并留住人才，公司创业者们还结合中外企业的成功经验，创建了一种独特的个性化激励机制——限制性期权股份制：将员工分为管理类和技术类，分别实行不同的分配制度。对于管理类精英，实行“空壳制”期股分配，即给予员工的股份主要记入奖励方案，能得到分红，但分红只可领取10%的现金，而其余90%必须转增成股份，员工所得的股份不能转让或赠送，要等到董事会认为这个管理人员干满一定的年限，达到“空股”转“实股”的成绩时，才能转化成真正的实股。对于技术、市场类员工，根据其技术革新所获得的市场实际成绩、市场开拓的成绩而定其业绩，按销售额的一定比例提成，其股份是实股，可以转让或赠送，但每年也只能领取10%的现金。

公司建成了一支强大的科研队伍，培植出雄厚的科技创新实力。队伍中拥有博士二十余名名，硕士六十余名。创业十年，公司高科技人才无一流失，在业界传为佳话。

在产品研发方面，公司还以“填补空白，创造市场，引领市场”理念为指导，提出“国家缺什么，我们就要做什么”，大力进行技术创新工作。公司先后投入巨资建设科研实验基地，及时添置色谱质谱联用仪、等离子体电耦合发射光谱仪、原子吸收分光光度仪、电子万能试验机、电子显示冲击试验仪、热失重分析仪、流变测试系统、模流分析系统等一批先进的专业科研设备，建立了行业内首家“国家认可实验室”。公司还加强信息资源建设，与高校建立信息资源共享平台，购买了美国CA化学文摘的高分子部分文献查询系统，加入了中国粤凯信息中心文献查询系统和中山大学、华南理工大学校园网，及时了解和掌握最新的高分子研究动态，为公司的战略研发方向提供决策依据。公司还每年派出科研人员参加国内外各种材料学术会议，到国外先进科研机构、企业考察学习，开阔了视野。为使科研人员及时了解科技发展动态，金发科技每年都要邀请中国工程院、北京理工大学、中山大学等科研院所和高校的专家到广州，召开专业技术讲座、报告会和交流会，多方位进行学术交流。在创新机制上，公司坚持技术创新和市场开拓相结合，依照“市场需求→资金投入→新产品研制开发→市场推广→再投入研制新产品”的模式滚动发展，使技术创新密切贴近市场，大大缩短技术成果向生产力转化的周期。

金发科技与中国科学院、中国工程院、北京理工大学、中山大学、华南理工大学、四川大学等著名科研院所、高校进行合作开发和攻关，充分利用高等院校和科研机构丰富的科技资源。金发科技每年投入超过1000万元开展产学研合作项目研究，自1998年以来，开展的科研课题和攻关项目累计90项，累计取得了近70亿元的经济效益。公司先后与华南理工大学、中山大学合办高分子材料研究开发中心、改性塑料研发中心，共同进行科研开发。2006年，公司与中山大学合作开展高性能高分子产学研合作创新平台建设。

2000年12月，公司工程中心被认定为广东省重点工程技术研究开发中心。2003年2月，公司技术中心又被认定为广东省级企业技术中心。公司先后开发了阻燃树脂、增强增韧树脂、塑料合金和功能母粒4大系列50多个品种1000多个牌号的产品，阻燃类产品都通过了美国UL认证，并先后获得了国家重点新产品、广东省重点新产品、广东省优秀新产品、省市科技进步奖等殊荣。其中，袁志敏主持并参与开发的“阻燃高抗冲聚苯乙烯树脂”、“户外专用耐光热气候老化聚丙烯树脂”、“耐候阻燃聚丙烯树脂”、“高光泽、快速成型阻燃增强PBT”等产品性能优异，技术水平达到国际20世纪90年代先进水平，填补了国内空白，先后被列入国家级火炬计划项目。

目前广州金发建立了以国家级企业技术中心为核心的开放式技术创新体系，中心负责企业技术创新战略制定和体系建设，促进企业创新技术的产业化、商业化和收益最大化，解决企业中投资与技术分离、技术与市场分离问题。依托研究中心，建设了博士后流动站，吸引大批专家、博士后、博士、

硕士。依靠高层次人才，不断推出创新产品，形成了极强的核心竞争力，企业实现跨越式发展，成为全国同行业的佼佼者。在创业过程，金发科技较好地建立了以市场导向促进科技创新、以科技创新推动产业发展、以产业发展支撑科技创新的产学研合作创新平台及其运行机制，造就了一支团结协作、求真务实、勇于创新的科研团队。

至今，广州金发已建成了五大系列塑料改性技术体系，开发了包括阻燃树脂、增强增韧树脂、塑料合金、功能母粒和降解塑料 5 大系列 60 多个品种 2000 多个牌号的产品，广泛应用于汽车、IT、电子、通讯、家用电器、建筑、灯饰和电动工具等行业，打破了国外公司的技术和产品垄断，改变了国内高性能改性塑料长期依赖进口的局面，海尔、长虹、松下、夏普等著名企业纷纷成为广州金发的长期战略合作伙伴。广州金发也在市场经济大潮中迅速壮大起来：2000 年，广州金发实现销售收入 5.7 亿元，创汇 207 万美元。2006 年完成销售额已逾 54 亿元人民币，成为国内最大的改性塑料生产基地。2006 年 8 月 9 日，《福布斯》中文版推出中国顶尖企业排行榜，总共 100 家中国企业上榜。金发科技位居第 89 位，首次荣登福布斯排行榜。

第四章
不辞长作岭南人
——科技人才培养筑高地

20 世纪 80 年代以来，无数胸怀雄心的青年人如孔雀东南飞，纷纷奔赴广东。改革开放 30 年带给广东的巨大财富之一，就是人才。全套培养、引进、稳住科技人才的政策机制，再加上放低了的进驻门槛，使广东的科技人才队伍年年壮大。进入 21 世纪，广东人力资本方面更是走到了全国的前列。在吸引留学人员回国创业、健全人才激励机制、加大人才培养使用力度、建设人才市场方面，广东的诸多创举尤其令人印象深刻。广州大学城的建成，更是为广东营造了一个人才的摇篮，为其长足发展提供了源源不断的新血液。改革的天空下，广东涌现出许多璀璨的科学之星，如呼吸疾病专家钟南山院士、肿瘤防治专家曾益新院士等等。

“踏遍青山人未老，风景这边独好。”广东仍在继续吸引更多的“孔雀”，此时的广东星空，更是异彩纷呈！

一、人才高地

镜头画面：南方人才市场

> 浙江大学毕业的段永平愤然离开原分配单位北京电子管厂，他发誓自己以后再也不会在国营工厂里上班，因为那里“人人都觉得能干，且什么都不干”。他坐着火车到了珠三角。同样是浙江大学数学系毕业的史玉柱，在安徽省统计局的办公室里编写了第一个统计系统软件之后，发誓要做中国的IBM，不久南下深圳。

说1984年属于广东也许不过分。邓小平视察南方的示范效应，在这一年终于发酵。无数胸怀雄心的青年人如孔雀东南飞，纷纷奔赴广东。

浙江大学数学系毕业的史玉柱，在安徽省统计局的办公室里编写了第一个统计系统软件之后，发誓要做中国的IBM。不久后南下深圳书写了一段高亢而悲壮的人生乐章。同样也是浙江大学毕业的段永平愤然离开原分配单位北京电子管厂，他发誓以后再也不会在国营工厂里上班，因为那里“人人都觉得能干，且什么都不干”。他也坐着火车到了珠江三角洲。赵新先，军医大学的教授，带着自己的“三九胃泰”，在深圳笔架山下开始新的事业。在惠州，从华南理工大学毕业的李东生在一个简陋的农机仓库开辟自己的工厂，与香港人合作生产录音磁带，这便是日后赫赫有名的家电公司TCL。

在广东顺德的容桂镇，只有小学四年级学历的潘宁以零件代模具，用汽水瓶做实验品，凭借手锤、手锉等简陋工具、万能表等简单测试仪器，在十分简陋的条件下打造了中国第一台双门电冰箱。10月，珠江冰箱厂成立，冰箱的品牌是“容声”，潘宁出任厂长。这便是后来统治了中国家电业十余年的科龙公司的前身。

改革开放30年中，广东经济和科技政策催生了“孔雀东南飞”，更是催生宽松的培养、引进、稳定和增加科技人才的环境。全省科技队伍不断壮大，研发队伍快速扩大，彻底改变了改革初期广东科技人才十分的匮乏的面貌。

1. 科技人才队伍不断壮大。

改革开放以来，通过一系列政策的催化，广东的科技队伍不断壮大。根据《广东统计年鉴》公布数据，广东科技人才队伍总量从1980年的全国第11位上升到2003年的第2位。每万人口科技活动人员数从第23位上升到2003年的第12位。至2005年，全省拥有专业技术人员258万人，其中民营经济科技人员150万人。从事科技活动的人员28.9万人，其中企业22.8万人，科研机构1.1万人，大学3.5万人。科学家与工程师20.5万人，科技人员大幅度向企业集聚，并有继续发展的趋势。

科技人才队伍不断壮大得益于教育的迅速发展。从1978年至1998年，广东省教育发展速度大大高于全国平均水平，与全国的差距逐步缩小。“八五”期间，广东省在全国率先实现基本扫除青壮年文盲和基本普及九年义务教育，中等职业技术教育发展较快。其中普通高校在校学生由不到10万人增加到58.78万人，年均增长12.16%；本专科在校生由8.7万人增加到65.5万人，年均增长23.91%；博士、硕士在校数4.39万人，年均增长27.54%。

放开胸怀引进人才一直是广东的骄傲。仅1985—1992年，广东省从各种渠道吸纳各类人才共126万。另外，还有数以万计的科技人才受聘于珠江三角洲的各行各业。

进入21世纪，广东人力资本方面已居于全国前列。截至2004年底，广东人才资源总量愈1100万人。在13.5万名高层次人才中，有院士53名（含双聘两院院士25名），长江学者24人，入选中科院“百人计划”17人，国家级有突出贡献中青年专家70人，特殊津贴专家4931名，博士后1750名，博士约万名。

按活动性质分类，科技活动人员27.76万人，R&D人员9.38万人。按职称结构分，国有企事业单位的高、中、初级科技人才为4.8：34.1：61.1。按学历结构分，广东科技人才队伍中研究生、本科生、大专及以下学历人数的比例为3.8：55：41.2。

全省大中型工业企业有科技人员11.3万人，R&D人员5.6万人。在经济活动的科技人才密度方面，广东百万GDP科技活动人

员和 R&D 人员密度分别为 20 人和 6. 88 人。在行业领域方面，科技人才主要集聚在教育、卫生、科技和政府系统，以及高新技术企业和技术含量较高的制造业。

全省 80% 以上科技研发人才集中在企业，高新技术产业人才已达 26. 7 万人。广东全省技能人才队伍的高级工以上技能人才所占比例为 4. 78%，技能人才占城镇从业人员比例从 2000 年的 30% 上升至 2004 年的 43. 59%。

广东国有企事业单位专业技术人才总量增长较快。广东专业技术人才总量由 1980 年 28 万人增至 2003 年的 126. 5 万人，增加约 3. 52 倍，年均增长 6. 78%，专业技术人才总量在全国各省市中居第 3 位。

• **R&D 人才和高层次人才开发**

每百万人口中拥有科学家和工程师人数是重要的人才质量指数。至 2003 年底，广东每万劳动力中从事 R&D 活动的科学家与工程师约为 21 人。广东每万人口从事 R&D 活动的科学家与工程师约为 12 人。到 2005 年底，全省从事科技活动人员达 32. 5 万人，其中科学家与工程师达 21. 8 万人，分别比 2000 年增长 46% 和 47%。每万人口从事 R&D 活动人员 13 人，比 2000 年增加了 4 人。

根据广东省官方统计，1995 年，广东全省仅有 6 名学部委员（院士），到 2003 年，全省拥有院士 53 名（含双聘两院院士 25 名），在粤中科院院士和工程院院士居全国第 6 位。有国务院特殊津贴专家 2909 名（不含中央驻粤单位 2022 名该类人员，下同），承担国家“863”、“973”重大科技项目带头人 187 名，高级职称人才 56948 名（不含党政机关和非公单位 43000 名该类人员，下同）。全省现有院士、政府特殊津贴专家和高级职称人才总量，在全国各省市中分别居第 9 位、第 5 位和第 6 位。全省积累博士后 1500 人，现在站博士后共 529 人，在全国各省市中均排第 4 位。

仅 2003 年，全省共从省外调进各类人才 19559 人，其中具有副高职称以上人员 1984 人，占 10. 1%；引进省外应届大学毕业生 68668 人，其中博士 498 人。

此外，据不完全统计，2000 年 1 月至 2005 年 9 月，进入广东省各级人事部门统计范围的海外留学人员来粤创业的有12000多人，居全国第3位，仅次于北京、上海。其中取得博士学位的约占23%，取得硕士学位的约占58%。根据国家外国专家局和国家统计局抽样调查，仅2005年，在广东工作的外国和港澳台经济技术专家16.7万人次，占全国近4成，继续居全国首位。长期在粤工作的5.4万人，短期工作的11.3万人，留学生5768人。广东先后建立了五个留学人员创业园，有500多名留学人员进园，创办了300多家高新技术企业。

• 万常委

经常慷慨激昂的陈词、浓重的四川口音、广东省人大常委和九三学社广东省委副主委的头衔，特使人感受到万洪富的影响力，并留下深刻的印象。熟悉他的人都习惯称他为万常委或万所长。

新疆阿克苏生产建设兵团的勘测设计技术员，改革开放后首批进入中国科学院的研究生，多年的美国盐土实验室和美国加州大学Riverside分校土壤与环境系访问学者，作为主要骨干参与国家“六五”攻关重大项目“黄淮海平原中低产地区综合治理和发展研究”，是万洪富丰富人生经历的一部分。1989年回国后，万洪富被抽调到中国科学院院部，参与国家“八五”重大科研工程项目“中国生态网络”的立项工作。当时，中国科学院决定把分散在全国各地的54个农、林、水、草的生态站组织起来，通过科学论证，从中挑选28个站建设“中国生态系统网络”，这在当时中国是一项前沿性的任务。万洪富作为总体组的负责人之一负责生态站的建设，其足迹踏遍了祖国的山山水水，长白山麓、内蒙草原、新疆戈壁、西双版纳、海南、大亚湾都留下了他的身影，为网络争取到世界银行的贷款和国家计委立项立下了汗马功劳。这样的经历和业绩，放到当时中国的每一个单位，都是难得的人才。

1993年，万洪富面临全新的选择：广东省科学院向他伸出了橄榄枝，时值孔雀东南飞的高峰期。当时，广东省土壤研究所正处于新老交替的关键时期，与万洪富原来就职的中科院南京土壤研究所相比，无论是从基础设施、人才配备，还是科研成果方面都存在相当大差距。求贤若渴的广东省科学院领导，选中了曾到广东省土壤研究所考察过的万洪富，力邀其担任所长。

面对诚意的邀请，年过40岁、科研处于“黄金时代”的万洪富欣然来到了来广州，并就任广东省土壤研究所所长。

万洪富用自己的苦干、实干和智慧实现了跨越。他完成了从典型的科技

型人才向科研和管理相结合的复合型人才的角色转换。而且，在他的领导下，短短的几年时间，土壤所面貌焕然一新，并更名为“广东省生态环境与土壤研究所”，大大地拓展了发展空间。2000年，土壤所进一步获准建成广东省农业环境及其综合治理重点实验室。至此重点实验室配置的土壤学、生态学和农业环境研究测定仪器以及信息系统设备，具有20世纪90年代先进水平，在全省的省级科研所和大专院校中处于一流位置，对土壤所的科研开发乃至凝聚士气产生了关键性的影响。

2. 人才培养发力猛进。

在改革开放后相当长的一段时间里，广东高教的滞后与经济的迅猛发展及经济规模形成鲜明的反差。直到1998年，广东高等教育毛入学率仅8.1%。广东对此感到压力很大，从20世纪80年代开始，广东高教开始发力猛进。特别是在“十五”期间，广东实施建设广州大学城等教育“补短”工程，为广东教育发展重新设定了速度。财政的教育支出由1995年的84.56亿元增加到2004年的287.95亿元。广东逐步形成以广州为龙头，以深圳、珠海、佛山、东莞为骨干的广东省高等教育集聚群。

2007年，全省已拥有相当规模的高校群体、各类高校达109所，在校学生112万人，高等教育毛入学率达到25%。招收博士、硕士研究生1.48万人（2004年）。博士、硕士研究生成为科研的生力军。截至2003年，广东省高校拥有国家重点学科43个，列全国第六位，广东高校在人文社科、基础研究、医学以及工程领域方面都拥有国家重点学科和重点实验室。根据广东省高校重点学科领域扶持政策，启动了第七轮广东省高等学校重点学科评审工作，共评审确定广东省高等学校重点学科172个，其中重点学科111个，重点扶持学科21个、扶持学科40个。

至2005年底，广东省普通高校教师54247人（含聘任教师）。通过内延外聘等办法，多渠道补充全省高校教师队伍，缓解了高校教师紧缺的矛盾。多项提高教学、科研和师资水平的人才工程，有力提升了教师队伍的学术素质。仅2005年，广东高校引进各类人才和选留优秀毕业生5050人，其中引进博士生导师46人，正教授

（研究员）282人。高校“千百十工程”共培养1444人，其中国家级培养对象19人、省级培养对象187人、校级培养对象1238人。

广州大学城建设是广州高等教育发展的标志性事件。2005年9月，广州大学城10所高校4万新生、3万老生顺利入住，加上2004年入住的4万新生，两年内广州大学城高校学生人数达到11万人。广州大学城校园占地面积820公顷，校舍面积538万平方米，规划学生规模15万人。

通过30年的改革和发展，广东高等教育逐步居全国前列，教育质量和科研水平逐步提高。首先，改革了与经济社会发展脱节的教学、科研体制和校内管理体制，建立了适应市场经济和社会发展需要的教学、科研和师资管理制度。建立了人才多种规格、适应个性发展的主辅修制、第二学位或双专业制、学分制和硕士研究生专业学位制等。初步建立适应市场经济发展的双向选择、自主择业制度。毕业生不再包分配，而是与用人单位双向选择、自主择业。改革了过去高教经费仅靠政府财政拨款的单一投资体制，形成了多渠道投入经费的格局。中央、省和市各级政府投入不断增加，其中1978—1998年省级高教财政投入年均增长速度达到23%；争取社会力量和华侨港澳同胞投资、捐资办学，实行收费上学，这部分经费占全省高教投入的近三分之一。改革了单一的办学体制，形成以公办为主、民办共同发展的新格局。建立了多样化的民办高等学校办学模式，如民办公助等。改革单一的办学模式，形成了多形式、多层次发展的办学模式。学历教育与非学历教育并举；全日制教育与业余教育并举；学术型与教学型高等学校并举；普通高等教育、职业教育、成人教育、自学考试教育、广播电视教育、远程教育等多种形式共同发展。建立了专科、本科和包括博士、硕士在内的研究生三个教育层次。

在市场经济和高新技术发展洪流中，广东人越来越深深认识到，教育是全局性、先导性、基础性的知识产业，是综合实力竞争的基础。全省先后实施了“科教兴粤”和“教育强省”战略，把高等教育办成高级专门人才特别是创新人才培养和科技发展的摇

篮，建立了与经济、科技、文化、生态发展相适应的教育产业发展机制。

在世纪之交，广东高校对办学专业进行了大调整，使高校的专业结构更好地适应市场经济发展的需求。这次调整把发展信息技术、生物技术等高新技术专业放在第一位，同时瞄准市场，改造传统专业和基础学科专业，灵活设置直接为地方经济服务、适应人才市场需求的学科专业。拓宽本科专业的口径，加强学科间的相互渗透，培养复合型人才，招生规模也大幅增长。专业的适应性将进一步增强，大力发展工科。

“名牌专业”的评选是世纪之交专业调整的重点。中山大学、华南理工大学被首先列为广东信息技术人才的重点培养基地，并建立计算机网络和软件学院。广东从 2001 年起建立高校毕业生就业率社会公布制度，公布高校各专业的一次性就业率，形成专业结构调整的市场机制。

• 原来生活可以更美的

“在来美的之前，就曾为美的‘宁可放弃 100 万利润的生意，也决不放弃一个对美的有用的人才’的人才观所深深吸引，怀着对这样一个国内著名企业人才理念的钦佩和实现自身价值的抱负，我来到了美的。”来自清华大学的新一届博士后兰勇说：“通过这一段时间的工作，我深深感受到了美的任人唯贤、尊重知识的良好氛围。”高校代表认为，2006 年大批量来自国内高等学府的博士后进驻美的，说明美的博士后工作站这棵“梧桐树”极具魅力。

集团常务副总裁刘知行表示，引进博士后的目的是要继续加大在空调、电机、洗碗机等家电产品前沿技术的研发投入，保持集团在家电领域研发的领先地位。博士后们所选的研究课题以及研究方向、具体技术指标均根据企业的发展需要来确定，优先满足一线产品。

“在美的博士后工作站的两年时间里，真正感受到了科研工作与企业实践相结合具有巨大的空间和无限的活力。”在出站仪式上，童怀博士后说出了自己的肺腑之言。

2000 年，美的引进了第一批两名博士后，奠定了美的空调在这些技术领域的国内领先地位和竞争优势。现任制冷事业本部技术研发中心研究所所长的张智是美的第一批引进的博士后之一，他表示，美的博士后科研工作站工作的开展，架起了企业与高校、科研院所合作的桥梁；同时也在企业中形成了一种重视基础研究、以研究带动开发、以开发验证研究的良好氛围和局面。

经过两年的辛勤耕耘，即将出站的童怀和卢剑伟两名博士后已经为美的"孵出"累累硕果：由卢剑伟博士主持的"空调机械振动及整机噪音控制的研究"课题被列入"2003年度广东省技术创新计划"和"2003年度顺德区科技计划"，在空调器配管可靠性设计、振动控制，空调器异音故障诊断、配管可靠性评价等方面取得了非常有价值的结果和经验研究。由童怀博士主持的"开关磁阻电机及无刷直流电机控制技术研究"项目取得阶段性进展，在优化开关磁阻电机和无刷直流电机的主控CPU、解决三相开关磁阻电机的低速启动、成功应用电阻采样技术取代电流传感器、研制盘式无刷直流电机驱动系统等方面取得很好的研究成果。

美的集团还与华中科技大学联合技术研发中心签订了合作协议，双方将积极探索并开展企业与高校科研院所在产、学、研方面的广泛合作。美的集团与华中科技大学有着多年友好合作关系，本着"优势互补、共同发展"的原则，双方的合作充分发挥了校企合作的优势，提升了美的空调研发在国内以及国际上的地位，保障美的制冷事业战略目标的实现。中心成立后，双方将以此作为科技、人才和信息交流的平台，在制冷技术、控制技术及其相关领域展开合作，研究和开发具有自主知识产权的新技术和新产品。

二、人才政策

镜头画面：中山大学苏锵院士

苏锵院士，从1999年开始成为中山大学化工学院教授，但档案还留在中科院长春应化所，成为"双聘院士"。2004年，中国科学院、中国工程院与广东省达成协议，广东为这些院士提供非常优厚的待遇。目前，广东拥有院士45名，其中，有16名是采取聘用形式从外省引进。

苏锵，稀土材料与化学专家，特别擅长余辉夜光材料和显示材

料研究，1995 年当选中科院院士。他自 20 世纪 50 年代从清华大学毕业后，一直在中科院长春应用化学所工作。从 1999 年开始成为中山大学化工学院教授，但档案还留在中科院长春应化所。像他这种情况，在广东称为“双聘院士”。2004 年，中国科学院、中国工程院与广东省达成协议，允许广东省聘用 65 岁以上的院士到广东工作，广东将为这些院士提供优厚的待遇。目前，广东拥有院士 45 名，其中，有 16 名是采取聘用形式从外省引进的。

如果说，改革开放初期，市场需求造就了“孔雀东南飞”。进入 90 年代后，广东省政府采取了更加积极的主动型人才政策。近几年，广东在“科教兴粤”的战略思想指导下，大力发展教育事业，先后制定了一系列推动科技人力资源开发的政策措施和规章制度，使人才创新和创业的环境得到了进一步优化，科技人才激励机制得到了逐步完善，对优秀科技人才的项目和资金扶持力度也不断加大，较好地调动了科技人才的积极性，促进了科技人才作用的有效发挥。

1. 推进“人才强省”战略。

30 年来，广东省一直重视人才队伍，特别是高层次人才队伍建设。

1983 年，广东省委、省政府利用改革开放和经济的快速发展对人才吸引的优势，及时研究、制定有关政策，大力吸引各地适用人才，有组织地从省外科技人才资源较为集中的地方招聘、引进年富力强的科技人才，并每年从全国大量招聘大学毕业生，迅速提高了全省科技人员的数量和质量。

1987 年，广东省发布《广东省放宽科技人员政策实施办法》等，就有关知识产权保护、科技成果入股等方面给予规范和继续完善，采取各种措施调动人才的积极性，努力争取做到人尽其才。

1988 年开始，对获得科学技术突出贡献的专家，由省人民政府授予“广东省有突出贡献的专家”称号，并颁发奖金和证书。

1992 年，广东省省委、省政府发布《关于加快我省科技队伍建设步伐问题的决定》，提出要加快广东省各学科、技术领域的学

科、技术带头人队伍建设步伐，改革分配制度，完善对科技人员的激励机制。

1993年，出台《关于完善专业技术职务聘任制实行评聘分开的原则意见》，对企事业单位和政府机关的专业技术职务的岗位设置和聘任实行评聘分开、分类管理的原则，充分发挥专业技术人员的积极性和创造性。

1993年，颁布《广东省自然科学学科、技术带头人队伍建设试行办法》，对自然科学学科、技术带头人的条件、选拔方式和相关待遇作了详细的规定。1993年，省人大用立法的形式颁布了《广东省科学技术人员继续教育规定》。

1995年起，根据人事部的精神，广东省组织实施了培养造就年轻学术技术带头人的专项计划——“百千万人才工程”。

1999年，《广东省选拔管理优秀专家办法》提出要给予省管优秀专家科研立项优先、解决其配偶和子女户口问题及其相关福利待遇，加速广东专业技术人才的培养，创造有利于优秀人才脱颖而出的良好环境。

2000年，广东省科技厅设立“自然科学基金研究团队项目”。至2005年底“自然科学基金研究团队项目”已扶持优秀团队项目28个，优秀人才800余人，研究团队中有11位专家入选国家863专家组。此外，“博士科研启动基金项目”等科技项目也在激励、扶持和促进优秀科研人才团队成长方面发挥了很大作用。

2002年，省府办公厅出台《广东省选拔和推荐政府特殊津贴人员试行办法》。对特殊津贴专家继续实施“双重津贴”制度，鼓励他们安心在广东建功立业。

2003年，经专家评议，省人事厅推荐罗必良等26人作为广东省“新世纪百千万人才工程”国家级人选，上报人事部等七部委审批。

制定并实施广东省居住证制度，开辟吸引国内、国际人才的“绿色通道”，是广东灵活人才政策的创举。至2003年上半年，已为不迁户口、不转人事关系的8000多名各类人才办理了居住证，其中包括博士505人，硕士4388人，教授193人，副教授2245人。

广东省居住证制度打破地域、身份界限，以更加务实的态度、更加灵活的方式，鼓励和支持人才柔性流动，拓宽引才引智渠道，增强广东人才凝聚力。根据《广东省引进人才实行广东省居住证暂行办法》，凡具有国民教育硕士以上学位的毕业生，可在省内任何城市先落户后择业。国民教育大学本科和专科毕业生，可在省会城市先择业后落户，也可在省会城市以外的其他城市先落户后择业，各地一律不得收取除工本费以外的任何费用。先落户后择业的毕业生可根据本人意愿将档案保留在学校或政府人事部门所属人才交流服务机构，两年内免交人事代理服务费。通过全面落实《广东省引进人才实行广东省居住证暂行办法》，广东积极吸纳和引进有利于广东发展的各类人才来粤干事创业，发挥广东在国际交往中的区位优势，在外向带动战略的推动下，积极促进人才开发国际化。

2004 年 5 月 20 日，广东省委书记张德江在省科技厅关于加强科技人才队伍建设的建议材料上批示："我完全赞成加强我省科技人才队伍建设的建议。同时，时至今日，我们不能再走老路，要探索改革创新的办法。要按照经济和社会发展规律，研究加强科技人才队伍建设的新路"。张德江书记在批示中指出，关于科技人才基地建设，要"引导各市、各企业和高校、科研院所去办"。省科技厅根据张德江书记的批示精神，积极统筹各市以及企业和高校、科研院所参与广东省各类科技人才基地建设。

2004 年，为促进了泛珠三角人才资源的合作，广东省人事厅牵头还召开了泛珠三角人才服务合作联席会议，签署了《泛珠三角人才服务合作第一次联席会议纪要》，并组织人才代表团参加省第三届"山洽会"，加强珠三角地区与山区在人才、智力、技术等方面的交流与合作。

• 吸引"海归"

吸引留学人员回国创业，是开展广东高层次人才队伍建设，实施"人才强省"战略的重要内容。

1989年3月20日，省人民政府就颁布了《广东省自费留学人员回国工作安排试行办法》。

1992年，广东省人民政府重新制定《关于鼓励留学人员来广东工作的若干规定》，对于学成回国的海外留学人员，根据来去自由的原则简化审批程序，并给予安排住房、优先晋升专业技术职务，支持留学人员开展科研活动等优先待遇，同时在办理落户手续、购房、子女入学、入托等方面享受相应的政策。

从1998年开始，广东省相继每年承办广州留交会、深圳高交会、东莞发展与百名博士创业洽谈会等大型高层次人才洽谈会或招聘会，加大了引进海外高层次留学人员的力度。

1999年，广东省政府制定了《关于鼓励出国留学高级人才来粤创业的若干规定》，明确鼓励留学人员来粤创业。随后，省人事厅、省科委等9个部门联合发布了关于贯彻《关于鼓励出国留学高级人才来粤创业的若干规定的实施意见》，对出国留学高级人才的资格确认办法、高级人才和专门人才信息库、申请高新技术风险投资资金以及出入境和相关福利待遇进行了详细的规定。

广东省积极促进CEPA实施，促进粤港人才交流，开展粤港第一期科技人才学习交流活动，签署粤港科技交流活动协议书。粤港专业资格互认工作进入实质性操作阶段，内地与香港已在建筑、医疗、证券、保险、会计和法律六个领域实行专业技术资格互认。

从1998年起，广州市在国内率先设立“留学人员专项资金”，“海归”来穗创业可申请适当的安家费和科技项目启动资金。2004年12月，广州市委常委、常务副市长林元和在向人大代表汇报时透露，广州对海外留学人员创办科技型企业、从事高新技术成果转化和产业化进行政策性支持，累计支持经费6132.2万元，其中2004年支持经费1635万元。

2．构筑和谐的人才创业和发展环境。

30年来，广东着力把“人才资源是第一资源”的理念落到实处，不断优化人才生态环境，构建适宜人才创业和发展的环境。一是构建经济的富裕环境。大力推进经济建设，不断提高生产力水平，壮大综合经济实力，为各类人才干事创业提供厚实的经济基础。二是构建繁荣的文化环境。努力塑造广东人精神，培育具有广东特色的地方文化，全力实施文化精品工程，使广东成为文化事业

繁荣、科技教育发达、公民素质良好的文化大省，为各类人才提供丰富的精神食粮。三是充分发挥区域生态和资源优势，为各类人才创造蓝天碧海、山川秀美的生态居住环境。四是构建和谐的社会环境。实施各项安民工程，健全各类法律法规，完善人才服务和人才市场体系，建设民主法治、公平公正、稳定有序、安定团结的良好社会环境，使人才乐于在广东安居和创业发展。

分配向市场一线倾斜，这就是广东改革开放后分配格局的鲜明特点，也是广东构筑人才创业和发展环境的成功做法。1992 年 4 月 25 日，《经济日报》报道了一则故事：华南理工大学博士马军到顺德美的电器公司应聘，他自称可解决高效节能空调的设计问题。公司老总答应了他。马军进美的后很快拿出了单一工程节能空调并通过了国家鉴定。1991 年美的高效节能空调投入批量生产，马军被聘为高级工程师，月薪 2300 元，宿舍里电话、彩电、冰箱、沙发一应俱全，全为公司配备，而且从 1992 年起，每出售一台高效节能空调还能得到一定的提成收入。

健全人才激励机制首先是完善薪酬分配制度。薪酬分配是企业最核心最敏感的热点，对于人才激励具有十分重要的作用，因此要加强对企业人才薪酬分配工作的指导，制定出台相应的管理办法，建立健全具有竞争性的、以能力评价和绩效考核为依据、以市场的人才价格为参考的薪酬分配制度，坚决破除平均主义。逐步形成以知识、管理、技术等生产要素参与收益分配的人才激励机制，按人才的贡献大小进行分配、真正做到“一流人才，一流业绩，一流报酬”，对做出突出贡献的人才进行重奖，促进人才资本向现实生产力转化。

深化职称制度改革。建立健全适合企业人才发展特点的职称评聘制度，对于各类企业的专业技术人员，只要符合条件的，都可以通过政府部门的代理机构、具备相应职能的人才市场、行业协会等，申报评审或报考相应的专业技术资格，或通过职业培训和职业技能鉴定获得国家职（执）业资格证书。加快职称评审的社会化进程，对具备条件的行业协会，应对其授予相应的专业技术资格评审权限。结合经济社会发展和产业结构调整需要，推进新的职称系列设定工作，积极探索和开展“科技成果转化工程师”、“技术推广工程师”等职称的评聘试点工作

加大人才奖励力度。人才奖励是人才激励的重要手段，对企业的人才奖励工作给予高度重视。各级政府将企业优秀人才纳入评奖的人选范围，支持和鼓励企业优秀人才积极参与各类政府评奖活动。通过各类人才奖励和表彰活动，不仅要重奖杰出人才，而且要通过新闻媒体向社会广泛宣传企业优秀人才的先进事迹和突出业绩，以及他们为社会做出的贡献，从而更好地营造有利于企业人才发挥作用的有利环境和良好氛围，激励企业人才再做新贡献，再创新佳绩。

强化创新型人才培养、选拔、使用制度。把大力培养、引进、储备和使用各类创新人才，作为提高广东省自主创新能力的基础性工程。重点加强科研团队、重点学科的自主创新能力培育，增强企业家的创新意识。根据全省产业和科技发展方向，加强重点学科、研究基地、创业园、工作站的建设。建设了广州、深圳、中山、东莞4个省科技人才基地，通过重点实验室、科技基地、科研团队等培养科技创新人才。充分发挥好广东省自然科学基金与国家自然科学基金委员会合作创立的“自然科学联合基金”的人才培养和集聚作用。

三、创新引才引智新模式

镜头画面：珠海重奖科技人员

1992年3月9日，珠海市首开全国科技重奖先河。获奖者分别获得一辆奥迪小汽车、一套住宅、一笔30万元奖金。在那个物质匮乏的年代，当精神鼓励仍然是当时主要的奖励手段时，珠海率先以物质重奖科技人才，人才和知识的价值得到了前所未有的体现。珠海重奖科技人员在全国引起了强烈反响。

1. 南方人才交流中心。

“欢迎您有空到南方人才市场来指导工作。”第一次接到广东省政协委员盛南方的名片，听了他简短的寒暄，许多人以为南方人才市场就是盛南方的私人物业，因为很多民营企业的老板喜欢用自己的名字作为公司名。但盛南方说，他的名字与人才市场相同，这纯属巧合。从1981年起，盛南方长期在广州市人事局工作，对人事人才政策和法规非常熟悉。2000年，他受命主政南方人才市场。

中国南方人才市场创办于1995年9月13日，现已成为广州人才市场一个响当当的品牌。市场现有员工700多人，服务项目和业务覆盖范围不断扩展，尤其在人事代理、人才招聘、人才租赁、人才网站、猎头、人才测评、毕业生就业服务、国际人才交流等方面具备很高的专业水准，覆盖了人力资源管理的各个环节，已经形成了多层次的、全方位的、完善的人力资源服务体系。还在西安、香港等地设有分支机构，在广州大学城和南沙设立市场分部。近几年，每年为非公经济组织推荐优秀应届毕业生近1000人，为1000多家企事业单位提供人事外包服务，为800多家企业提供人才租赁服务；每年举办各类人才招聘会近400场，进场企业8万余家，入场求职者人数超过100万人，年成功配置人才超过10万人次；旗下的南方人才网日访问量达到800万人次，投寄简历数量达到300万份，注册会员30万家，是华南地区最大、最成熟的专业人才网站。近年来，中国南方人才市场针对大学毕业生就业竞争越来越激烈的现状，把为高校毕业生就业服务作为服务社会的切入点和重点。2004年至2006年10月，推荐高校毕业生就业8万人次，成功就业2万多人，免费提供广州生源人事档案保管4.3万多份。为此，中国南方人才市场相继获得“中国企业文化建设十佳单位”、“中国人才市场最具影响力第一品牌”等十多项奖项。主政南方人才市场的盛南方本人也被授予“中国企业文化建设十佳个人”和“2005年度中国品牌建设十大杰出人物”等荣誉称号。

中国南方人才市场由人事部和广州市人民政府联合主办，由广州市人事局具体管理。由于有政府的主办背景，南方人才市场反映了政策的人才交流理念，肩负着人才交流、人事人才服务的重任，最基础角色是为广州经济社会发展提供人事人才的保障，为政府排忧解难，协助政府营造一个尊重知识、尊重人才的社会氛围。人才市场的所有工作都围绕经济发展这个核心来展开。

中国南方人才市场非常注重品牌建设。曾主持策划南方“人才精英”和“引进人才奖”评选活动，重奖为广州做出贡献的外来人才和为广州经济发展所急需的各类人才。当时，通过发动，省内外共有6000多人报名参加，活动历时3个月，评出获奖者30名，每人给予3万元奖励，整个活动耗资300万元。当时，邀请了钟南山院士等专家和上次评出的优秀人才代表给获奖者颁奖，并请来人事部副部长和有关专家同这些获奖优秀人才对话，请来电视台直播，效果之好，社会影响之大，出乎人们的意料。当时的人事部副部长对这项活动给予高度评价：“这种做法在全国开了先河，是一次有益的尝试。”

中国南方人才市场在2001年举办赴港专才招聘会，开了内地与香港人才交流的先河。国内75家民营企业和国有金融企业在香港会展中心举办供需见面会，香港1.2万人参加，轰动整个港岛，香港、美、日、韩、法和东南亚等各地媒体均跟进报道，该人才市场顿时成了香港各大报头版新闻人物。这次内地赴港企业招来了金融、高管等方面人才近100人，此举引起了香港劳工局的高度重视，掀起港人北上就业的热潮。从此，盛南方和南方人才市场名扬海外。

- **“星期六工程师之家”**

广东“星期六工程师之家”于1985年在广州成立。它是全国第一个人才中介组织，专门经营“炒更”工程师的中介组织，由其买入工程师星期六晚和星期天的智力，又卖给有关乡镇企业和需要智力的单位。自成立以来，不仅使上千名兼职的工程师活跃在珠江三角洲，为广东的经济建设作出了贡献，而且自己也挣了不大不小的一份家当。广东“星期六工程师之家”，无“皇粮”可吃，自负盈亏，强烈的商品意识和经营意识，强烈的内在改革冲动，

促使它不断推出新的经营方式、制定新的经营战略。

• 珠海重奖科学家

1992 年 3 月 9 日，在珠海市委、市政府隆重召开的首届科技进步奖励大会上，首开全国科技重奖先河，“凝血”的首席发明者迟斌之、“BH—0111 型 80—480 门系列控制用户交换机”的首席发明者沈定兴、“丽珠得乐冲剂”的发明者徐庆中，分别获得重奖——一辆奥迪小汽车、一套住宅、一笔 30 万元奖金。这次重奖的意义在于冲破奖励的壁垒，打破了“大锅饭”，造就了中国第一批科技百万富翁。在那个物质匮乏的年代，当精神鼓励仍然是当时主要的奖励手段时，珠海率先以物质重奖科技人才，让极少数科技人员通过科技贡献一夜间成为百万富翁，使得人才和知识的价值得到了前所未有的体现。这是中国科技奖励史上空前的一次创举，在社会上引起强烈反响。海外传媒也作了大量的报道。原广东省省长叶选平以“一石激起千重浪”形容珠海重奖科技人员在全国引起的强烈反响。

“重奖”产生了多方效应，珠海市尊重知识、尊重人才蔚然成风，一时间，人才、成果、资金源源不断地涌入珠海市。同时，极大地提升了珠海市的认知度、美誉度、和谐度。在第三届“重奖”大会召开前夕，江泽民同志来珠海视察，并对珠海市的同志们说：“你们有一套吸引科技人才的办法，对做出贡献的知识分子进行重奖，这是对的。”

亚仿公司研发的“电站运行仿真机”项目荣获了珠海市科技重奖 1992 年的特等奖，作为科技重奖的得奖者，同时又是利用得奖科技项目运作企业的带头人，游景玉对科技重奖的意义有着更为深刻的认识。她认为，重奖最重要的意义在于确立了科技人员的价值。在当时的背景下，这是敢为人先的，具有划时代的意义。重奖带动了人们观念的变化，让人重新思考这样一些问题，那就是怎么去认识科技的价值，怎么去认识知识的作用，怎么去认识科技人员的价值。

之后，珠海的重奖重点不断突破。2002 年，首次增设“珠海市归国科技人员创业奖”，专门用于奖励在科技方面作出突出贡献的归国人员。珠海银油光电技术发展有限公司的“光纤射频信号分配系统”科技成果被评为珠海市归国科技人员创业奖。2007 年，不仅重奖科技英雄，更鼓励不拘一格、默默无闻的创新之花，增设创新促进奖。珠海市庭佑化妆品公司的张军因为发明了一支小小的新型多功能化妆笔，而获得了首次设立的自主创新促进奖。广东省科技厅副厅长雷朝滋认为，珠海“全覆盖”的科技奖励体系对促进科技创新和推动产学研结合工作大有裨益。

对科技人员奖励政策的实施，对广东科技事业的发展，产生重要影响的主要有如下几点：第一，提高了科技人员的社会地位和他们对自身价值的认识。第二，加强了科技人员的市场意识，促进科技人员将科研与市场相结合，尽快使科技成果产生经济效益。第三，吸引科技人才。发展科技事业和高新技术产业，人才是最关键的因素。因此，建立一个有效地吸引人才的体制和机制，是当地政府一项非常重要的工作。广东在开放改革后，一直从构建体制和激励机制等多方面努力。深圳和珠海等特区城市，更是充分利用特区的优势，通过设立重奖的科技政策，大量地吸纳全国各地的优秀人才。珠海市1992年实行重奖后的4个月中，国内外要求到珠海工作的科技人才达2000多人，其中包括数百名留学生。而同时在这4个月中，珠海就有150多个科技开发项目启动。

2. 留交会与高交会。

广州留交会（中国留学人员广州科技交流会）和深圳高交会（中国高新技术成果交易会）是广东大力吸引海内外优秀人才，创新人才引进模式的两大举措。它们的国际化、专业化程度等各项指标屡创新高，已成为中国留学人员和中国高新技术领域的重要窗口和最富实效的中介平台。通过留交会、高交会途径，广东有力吸引了海内外优秀科技人才，特别是带项目海内外优秀科技人才来粤创业。

首届广州留交会于1998年12月28日召开。留交会通过经贸洽谈、投资研讨、项目发布、人才引进、技术交流、参观介绍、代表座谈等多种途径和方式，使海外留学人员与国内企业、科研机构、高等院校进行了广泛的交流。留交会十年，已经发展成为中国规模最大、最有吸引力、最具影响力的海外留学高端人才与科技交流的国家级平台，是迄今为止中国最大的海外留学人才与高科技项目信息交流平台。一大批海外留学人员通过留交会这个平台走上了回国效力、创业发展的成功之路。至2007年，在广州创业服务的回国留学人员约15000名，从事科技创业的留学人员1500多人，创办留学人员企业1100多家。

首届高交会于1999年召开，每年举办一届。它被誉为深圳乃至全国发展高新技术产业的一个里程碑。它创造性地发挥了政府和中介组织的作用，首次引入风险投资和中介机构。以留学出国人员为核心的展览板块，独具特色的留学人员创业大会，包括留学人员创业论坛、民间资本的掌门人与科技创业者的对话、留学人员与企业配对洽谈活动等内容，为留学生提供与资本直接面对面的机会。从国外归来的董士杰，带着“e-ControlK 控制网络技术”参加了第二届高交会，并以此技术设计施工的监控系统在国家有关部门“建筑物智能化控制系统”中获得了好评。

• 投身创意产业，享半价房租

张强来自江西，是广州众家设计有限公司首席执行官、2010广州亚运会会徽设计者。他在日本攻读完研究生后在东京的设计公司和广告公司工作。2001年，他决定回国发展。“回国以后，我在国内的几个大城市考察过，广州、上海、深圳，经过一段时间的权衡，我自己以及朋友、家人都认为广州是最好的选择。一句话就是，我想要的，广州能让我实现。”

2003年，张强正式落户广州，成为了一名真正的广州人。一家人很快在广州团聚了。2005年，张强和其他8个人在越秀区黄花岗科技园合伙创办了“广州众家设计有限公司”。越秀区和黄花岗科技园的领导对创意产业非常重视，“我们和园区内的其他公司的房租都享受半价优惠，在楼价不菲的今天，这绝对是非常好的实惠。”张强说。

• 《故乡的云》

1983年，袁玫在大型电视连续剧《红楼梦》中扮演袭人一角，被称为黄梅戏的“五朵金花”之一，1988年她南下发展，成为广东电视台演员剧团演员，现为省政协委员、省青联委员。两年前，她与朋友聚会，大谈《故乡的云》。不过，她在《故乡的云》的角色不再是演员，而是执行制片人。

《故乡的云》是以广东为背景、反映出国留学人员“归国创业”的电视连续剧。故事是从选择切入的。经历奋斗，作为科学家的简牧风在美国学术界已经崭露头角，前程似锦。就在此时，故乡的云彩悄然地飘进了他的心扉，于是，他就随着这片故乡的云回到了祖国。

剧集一开始，定格在20世纪90年代初期，美国一个重点实验室的主任遴选，在中美两国的科学家之间展开竞争。与此同时，中国的一位大学副校长到美国寻求优秀人才。这拉开了一个国与国交融的当代世界环境，为其后剧情的展开和主题的确立提供了一个十分广阔的国际背景。剧集展示的不仅仅是简牧风和留学归国人员的生存状态，也是中国知识分子20世纪90年代初期可能遭遇到的种种困难和挫折。

“海归派”作为一个新词已经说了多年。改革开放30年间，中国各类出国留学人员近100万人，但真正回国效力的海归大约不足30万人。1993年，中国就明确提出了“支持留学、鼓励回国、来去自由”的留学工作方针。到了90年代末，“海归”现象终于由“一点一滴”渐渐演变成“涓涓细流”，再发展到“蔚然成潮”的地步，不过尽管这几年留学生的回归成为潮流，但我们却不能够忘记毕竟回来的留学生不到总数的三分之一。

《故乡的云》有几分“粤式味道”，选择了美国、加拿大和充满了变化的中国广州为拍摄地，在片中观众有机会看到北美的城市景色，但最重要的，观众所看到一个发展中的广州的城市新形象，它已不再是多年前《情满珠江》、《和平年代》的广州。在这部典型的“粤派”电视剧镜头转换之间，广州现代城市的新形象尽现：历史悠久的中大校园、高楼林立的黄埔大道、古色古香的中山纪念堂、灯光璀璨的珠江夜游、绿阴满山的鸣泉居。

“海归”已经成了广东“科教战略”的重要参与者。随着中国国内教育逐渐与国际接轨，可替代“海归”的人才逐渐增多，但海归派仍具有联系中外的优势。目前70%的大专院校领导有留学经历。在2008年广州地区留学人员迎春交流茶话会上，广州市副市长徐志彪表示，广州目前的回国留学人员已超过16000人，留学人员累计创办企业超过1200家，其中800余家留学人员企业得到了市各级政府的扶持。

3. 科技人才“孵化地”。

把科技人才培养基地与科技企业发展基地统一起来，由省科技厅积极统筹，各市以及企业和高校、科研院所参与，是广东人开创人才工作的又一新思路。

把科技人才培养基地与科技企业发展基地统一起来，最有效的方式之一就是扶持科技人才创业。通过科技项目的实施，加大对科技人才的扶持，促进科技人才团队成长。在各类科技项目的实施过程中，加大对科技人才的扶持力度，紧紧围绕“培养、引进、留

住、用好”科技人才做文章。近年来，广东制定了一些更为优惠的扶持政策，以便更好地吸引海内外优秀科技人才带项目来“广东科技人才基地”创业，以多种形式为广东的科技进步和社会发展服务。省科技厅通过安排重大科技专项、科技创新百项工程、农业科技攻关和星火计划等各类科技项目以及资金投入，大力扶持省内杰出学科带头人、优秀项目人才团队、博士后、海外留学回国人员创办企业申报的项目，有效地推动了本省科技人才的培养和队伍建设。

以基地建设带动科技人才培养的做法产生了很好的效果。全省各类科技产业园区既是集中培养科技人才的重要基地，也是科技人才创业的重要平台。省科技厅高度重视和积极扶持全省各地科技基地的建设和发展，设法加大资金投入，搞好各类硬件设施和科研条件建设，十分明确地把科技人才的培养和引进作为一项硬指标。注重推动科技园区发挥扶持和培养科技人才的功能，全省各地的科技园区已经培养、引进、凝聚了一大批优秀科技人才，形成了一支精干、年轻的科技人才队伍，极大地增强了广东省的科技能力和科研后劲。在这支科技人才队伍中，拥有一批在国内外享有盛名的优秀专家、两院院士、国家级突出贡献专家、享有国务院政府特殊津贴专家、全国劳动模范、全国先进工作者、省级突出贡献专家、省劳模、省三八红旗手、省优秀中青年专家等一大批优秀人才。

2004 年 1 月，“广东科技人才基地”在广州国际企业孵化器挂牌成立。仪式由广东省科技厅、广州市科技局、深圳市科技局以及广州经济技术开发区和深圳虚拟大学城的共同举办。

广州国际企业孵化器（GIBI）成立于 2000 年 12 月，正值全球人才竞争急剧升温之时，高科技人才短缺越来越成为科技企业发展的关键难题。GIBI 的发展以市场为导向，以培养人才为根本，以提高创新能力为核心，以营造创业环境为重点，以孵化项目和企业为突破口，坚持“政府支持、人才创业、整体规划，持续发展”的指导思想。政府赋予 GIBI 孵化培育高新技术企业的职责，通过构建良好的创业环境，吸引海内外科技人员入驻 GIBI 创办高新技

术企业，探索促进高新技术成果产业转化的有效途径，在促进广东高新技术成果产业化和经济发展的过程中，积极培养一支优秀的高新技术人才队伍，使GIBI成为国内一流，国际知名的高新技术创业发展中心。明确把企业孵化器作为科技人才培养基地，加快推动了广东的科技人才队伍建设，通过构建良好的人才创业环境，在培养人才、引进人才和凝聚人才方面发挥示范带动作用，为海内外人才创业发展提供一个有利的平台。截至2005年初，入驻GIBI的企业中，有科技企业从业人员1060人，其层次结构为博士后22人，占科技企业从业人员总数的2%；博士80人，占总数的8%；硕士132人，占总数的12%；大学本科456人，占总数的43%；大学专科243人，占总数的23%；其他127人，占总数的12%。在GIBI创业的32名留学人员中，他们分别来自美国（20名）、澳大利亚、日本和加拿大。

GIBI的优秀人才群体已经成为广东省人才队伍的一支生力军，是广东高新技术产业发展的一支宝贵力量。在GIBI聚集的大批优秀的创业发展人才，通常以创新型智力劳动为主。他们全身心投入高新技术的研究、开发及科技成果的产业化工作。例如，广州欧替克生物医学科技有限公司的殷生章博士，研制成功了新型高效环保型消毒剂，该产品在0.02%浓度时，可以完全杀灭“非典”冠状病毒；在0.03%浓度时可以完全杀灭乙肝病毒，是我国消毒剂的新型换代产品。这些人才不但具有宽广深厚的知识理论功底，而且具有较强的技术创新和科技成果转化能力。例如，广州市达博生物制品有限公司的留美博士黄文林，研究了重组人内皮抑素腺病毒注射剂，该产品为一类新药，经临床实验后，即可进入实用。他们普遍具有较强的冒险精神与创新精神，是推动广东省科技成果向现实生产力转化的先锋队，为提高广东的科技进步水平做出了积极贡献。例如，广州市凯诺生物科技有限公司的王尚武博士，采用生物基因技术研制出人源化单克隆抗体基因药物，为实现单克隆抗体用于癌症治疗并克服其不良作用，提供了全新的产品。2003年是GIBI正式运营的第一年。GIBI开业的第一年就取得了较好的开局，

园区入驻企业达到40家，场地使用面积达70%，为GIBI的发展迈出了坚实的第一步。GIBI已经吸引了一批发展势头良好和高速成长科技企业以及国际知名企业入驻发展，如海格公司，德国的知名企业德固赛公司、拜耳公司，新加坡新生物医药公司。国际型企业的入驻，为GIBI吸引国际人才、国际项目，以及提升管理水平打下了良好的基础，使GIBI真正成为国际化的科技人才交流与合作平台。“广东科技人才基地”营造的良好的人才创业环境和氛围，使它在凝聚人才、引进人才和培养人才方面起到了示范的作用。

4. 从个人到成建制的创新群体迁移。

在中国改革开放30年中，深圳是一个创新者神往的地方。20世纪90年代中期，人才在中国稀有得像孔雀一样，市场经济意识开始在中国萌动，人才流动的闸门打开，大批“孔雀”东南飞。深圳成了最大的受益者。分配制度和人才制度的突破，使一个个“孔雀”循着改革的气息把深圳当作理想的栖息地。大量优秀的创新人才涌向深圳创业，导致了一批创新型企业的产生，使高新技术产业迅速成为深圳的支柱产业。从当初只有一名拖拉机维修员和一名兽医的技术人员家底，到如今近百万人的专业技术人才队伍，深圳对人才的吸引力可见一斑。

今天，深圳仍然续写着“孔雀东南飞”的佳话，但它的魅力已经不仅仅止于那些向往创新的“孔雀”。“与过去单个创新人才涌向深圳不同，近几年国内很多院所、大学的研究机构成建制地迁往深圳。”十几年前飞往深圳的“孔雀”，如今已是深圳市科技和信息局副局长的周路明为这一悄然的变化兴奋不已，“从单个的创新人才涌来到成建制的创新群体迁来，实现了创新资源的聚集，促进了深圳创新重点向产业链高端延伸”。

中国科学院先进技术研究院，2006年落户深圳。这个与企业研究机构迥异，又不同于内地传统研究院所的平台，吸引力和创新力超乎人们想象。仅一年时间这里聚集了300多名海内外有名的创新人才，申请专利25项，争取了6项国家863项目。在智能系统、精密仪器、生物医学工程和高性能计算机等领域已逐步形成优势，成为区域自主创新的重要力量。参与绘制人类基因组序列图的中国科学家核心团队率上百名高端人才从京城南下，如在深圳登记注册的深圳华大基因研究院，科研人员全都来自北京华大基因研究中心和中国科学院北京基因组研究所，他们的平均年龄不到35岁。

素来缺少大学的深圳，近些年来也“阔”了起来。深圳虚拟大学园云集了清华大学、北京大学、南开大学、香港大学、香港科技大学等40多所名牌大学的研究生院和研究机构。它成功孵化了300多家企业，转化200多项成果，获得136项专利，成功融资22亿元。8家院校的18个国家重点实验室即将入驻深圳虚拟大学园。这样的规模，甚至连很多高校云集的省市都眼红。

“如果说‘孔雀东南飞’为深圳成就了一批具有创新能力的企业，那么今天研究机构的聚集，实现了创新资源的连接集成和共享共用，为深圳创新重点向产业链高端延伸积聚了能量。”深圳市科技和信息局局长刘忠朴如是说。这些创新机构与深圳本土企业的研发机构相得益彰。既有紧盯市场的研发团队，又有瞄准产业链顶端的创新舰队，深圳形成了“顶天立地”的创新格局。

四、“聚才高地”

镜头画面：中山大学博士后流动站

> 除了科研院所、高等学校传统人才聚集地外，广东从“人才强省”的高度出发积极营造人才新优势，形成了培养、吸引、用好人才的新的四大“聚才高地”，为广东新一轮发展热潮提供了有力的人才和智力支持。

1. 博士后·重点实验室。

自国家设立博士后流动站后，广东一直重视博士后科研流动站和工作站的建设。1998年，省委、省政府对每名博士后进站实行财政补贴4万元，带来博士后事业大发展。经人事部和全国博士后

管委会批准，2003 年全省新增博士后科研流动站 29 个，企业博士后工作站 30 个，全年招收博士后 300 多人，设站规模和招收规模均创历史新高。至 2003 年底，全省已有 15 家高校和科研院所建立了 55 个博士后科研流动站，涉及 41 个一级学科，在 128 个企事业单位设立了 78 个博士后工作站，博士后在站规模 529 人，全省积累博士后 1500 多人，形成了广东省博士后人才分布更为合理，学科体系更为完整的良好发展态势。11 月，省人事厅与佛山市人民政府、全国博士后管理办公室联合举办了 2003 年中国博士后佛山项目洽谈会。全国有 33 所著名高等学校、科研院所的 187 名博士、专家学者携带科研成果到会与 203 所进行项目洽谈，会上有 43 家企业的 57 个项目签订了合作意向，另有 9 家企业的 11 个项目签订了联合开展博士后研究的协议。至 2005 年，全省出站后留在广东和从外省调进广东的博士后达 1275 人，占全国累计招收企业博士后的 1/4。企业博士后在站期间，人均完成科研和技术创新项目 2.6 项。

在建设重点实验室方面，到 2002 年底，省财政共投入 3 亿多元，带动社会投入近 10 亿元，建设了 84 个国家级和省部级重点实验室，聚集了中高级职称专业技术人才 883 名，其中院士 4 名、博士生导师 21 名、国家级突出贡献专家 21 名、享受国务院政府特殊津贴专家 69 名。在加强基础研究方面。广东实施了项目、人才、基地相结合的“广东省自然科学基金研究团队项目”，省财政每年投入 1000 多万元，带动社会投入 2000 多万元，重点支持 26 个基础研究团队，通过这一措施，培养和吸引了几十名基础研究带头人和科技帅才，聚集了 200 多名具有较高水平的人才。像广东最近实施的“华南植物园创新工程”、“生物医药与健康研究院”等大型基础研究项目，都聚集了各自领域的大批高层次人才。

2. 企业研发·工程技术中心。

1998 年，省委、省政府发文，择优扶持 50 家省重点发展的工业大企业或企业集团办好工程技术研究开发中心。到 2005 年，省财政共投入 1.5 亿元，带动企业投入 80 亿元，建立了 132 个企业工程技术研究开发中心，聚集了2万多名高中级科技人才，吸引了全国各地1000多名高级专家作为客座研究人员。

2002年，工程中心依托企业实现销售总额2339.7亿元，实现税后利润184.6亿元。惠州TCL集团投入5000多万元创建工程技术研究开发中心，吸引和聚集了技术开发人员600多人，共开发新产品132项，其中国际领先水平4项、国际先进水平17项、国内领先水平37项，申报专利86项。在建设技术中心方面，省财政投入1亿元，带动企业投入近10亿元，建立了74个企业技术中心，聚集了3000多名中高级科技人才。

3. 科技园区·专业镇。

在建设高新区方面，至2005年全省共建立16个高新技术开发区，聚集了15万名科技人才、5万多名中高级科技人才。2002年全省高新区工业总产值2178亿元。如广东提出由省财政投入5000多万元扶持民营科技企业的发展，首期投入1000多万元支持民营科技园建设。在全省组建了15个民营科技园，共聚集了2万多名中高级科技人才。广东早已正式组建农业科技园区和农业科技创新中心，共已投入2000多万元，带动社会投入160亿元，共组建了10个农业科技园区和12个农业科技创新中心，聚集了农业科技人才3000多人、中高级职称农科人才1500多人，2002年实现总产值1166.5亿元。

90年代以来，广东涌现出一大批产业相对集中，产、供、销一体化，营销网络覆盖面广，非公有经济占主要成分的专业镇。2001年，广东顺势而上，出台了专业镇技术创新试点方案和管理办法。几年时间，省市共投入6000多万元，镇政府投入3亿多元，共建63个科技创新专业镇，聚集了3.7万名中高级职称的科技人才、11.8万名特色产业的科技人才，解决了182万人的就业。

4. 大学园区。

近年来，广东省采取一系列措施，加快大学园区的建设。广东省政府和广州市政府投入超过100亿元，共同建设广州地区高校新校区。中山大学等11所高校部分或全部搬进新区，并从国内外吸

引 1.5 万名高水平的教师和科研人员前来工作，每年将培养 3 万多名大学生和研究生。

各市也采取多种形式建设大学园区。珠海市政府投入 5.7 亿元、带动社会投入 17.5 亿元，建设大学园区，吸引了北京师范大学、中山大学等 17 所高校进入大学园区办学，在校学生 3.5 万人，吸引和聚集了 2000 多名教师和科研人员到园区工作。深圳市政府投入 10 多亿元建设大学园区，吸引了清华大学、北京大学、南开大学、哈尔滨工业大学等高校前来办学。

第五章
不破楼兰终不还
——科技计划与科技攻关有序推进

广东科技计划与科技攻关管理一直在试图引领广东科技前进的方向。

“星火计划”和“火炬计划”是广东省较早启动的科技计划。他们的启动突破了以往科技体制改革囿于科研机构的小科技体制思想，标志着广东科技体制改革已从小科技体制到大科技体制的转变。

“大投入大开放、走大路打大仗”，国家自然科学基金委员会与广东省联合基金通过动员全国优质科技资源，来解决广东科技的瓶颈，无异于给广东科技攻关添上了有力的翅膀。省部产学研结合工作则犹如广东经济发展的一座硕大发动机，成功推动了70多所国家重点建设高校与广东地方、专业镇和企业的战略对接。从“非典”科技攻关到粤港关键领域重点突破项目，广东借助部属高校雄厚的科技资源，在国家重大科技项目上开始了一系列攻关。

与此同时，广东出台了“十一五”规划，继续推行“新产品计划”，并推出了促进科技成果转化为现实生产力的“科技成果重点推广计划”……广东，有着无限的勇气与恒心。

一、国家自然科学基金委员会与广东省联合基金

镜头画面：NSFC－广东省政府联合基金新闻发布会现场（2006.11.27）

> 2006年初，国家自然科学基金委员会与广东省举行成立联合基金框架协议的签约仪式。联合基金由广东自主选题，面向全国接受申请。项目的研究成果优先在广东实施转化和产业化，成为广东省技术创新的源泉。在首次联合基金项目评审会上，一位领导感慨：没想到联合基金动员的科学家队伍如此庞大。

国家自然科学基金委员会—广东省人民政府自然科学联合基金的建立是广东省政府自然科学基金发展中具有重要意义的举措。由地方支持基础研究，与国家进行省部联动支持基础性研究，广东省是开风气之先的第一家。它表明，广东省经过经济高速发展成为经济强省后，领导集体的观念也在不断变化，不再认为基础研究是国家队干的事。基础研究没有区域界限，区域性问题可以提供研究样本，联合基金可以借助全国力量，提升研究水平，促进区域创新。特别是，联合基金在推动科学家开展合作研究方面可以发挥有效的作用，体现了动员全国科技资源解决广东科技瓶颈的优势。这对提高国家基础研究和广东区域创新具有双赢的意义。

“很多机缘促成这项联合基金”，中科院广州分院院长陈勇说，“国家基金委员会主任陈宜瑜原是中科院副院长。他对广州分院的科研力量和承担地方课题的情况比较了解。2003年，陈宜瑜调任基金委员会后，就透露出国家自然科学基金和地方合作的想法。”

2004年，陈宜瑜到广东湛江视察指导工作，当时陈勇就做了些协调工作，促成了时任广东省科技厅厅长谢明权与陈宜瑜直面座谈。座谈中，陈宜瑜阐述了基础研究对广东地方可持续发展的支撑作用，提出国家基金和地方结合，围绕地方的经济社会发展需求，开展基础研究，来调动国家和地方两方面的积极性的设想。谢明权听了陈宜瑜的想法后，很快就将此事上报给广东省委、省政府。

陈勇说，地方政府过去主要支持应用技术研究，认为基础研究和地方没多大的关系。实际上地方经济发展过程中有很多问题，像广东省面临的环境问题、大气问题、海洋问题、土壤问题，这里面有很多是基础性的问题，要靠基础研究来解决。它虽然不会立即产生直接的经济效益，但对一个地方经济的可持续发展十分必要。

在谈到国家自然科学基金委员会与广东共同设立联合基金时，陈宜瑜说，广东是改革开放的前沿，广东社会经济发展很快，在社会经济发展的同时不断出现一些新问题。长期以来国家在科研力量的部署上，对广东投入偏少，现在广东遇到一些问题，要调动全国的力量来解决。而且这对其他地方也有借鉴意义，有些研究看似是在地方开展的，或为解决地域社会经济发展而开展的，但却带有普遍意义，也是国家层面的问题。

2006年1月，全国科技大会在北京召开。会议期间，广东省省长黄华华、副省长宋海、省科技厅厅长谢明权，代表广东省人民政府与国家自然科学基金委员会（NSFC）签订了《国家自然科学基金委员会—广东省人民政府关于共同设立自然科学“联合基金”的框架协议》。此次签约仪式在当时并没有引起媒体过多的关注。

框架协议约定：（1）面向全国，是国家自然科学基金的组成部分，由国家自然科学基金委员会负责受理申请。有关项目申请、评审和管理的办法按照国家自然科学基金管理有关规定和《国家自然科学基金委员会—广东省人民政府自然科学联合基金实施细则》执行。（2）双方共同出资设立联合基金，以吸引和凝聚广东及全国优秀科学家联合开展研究，重点解决广东及珠三角地区经济、社会、科技未来发展的重大科学问题和关键技术问题，重点提升广东原始创新能力、自主创新能力和国际竞争力，促进广东的科技发展和人才队伍建设。

根据《国家自然科学基金委员会—广东省人民政府自然科学联合基金实施细则》的规定，联合基金面向全国接受申请。为促

进广东省科研队伍建设和人才培养，联合基金鼓励申请者与广东省内具有一定研究实力和研究条件的大学或研究单位开展合作研究。

10个月之后，首次联合基金项目评审在广州举行。面对评审的盛大场面，曾为促成此事而多次进京与基金委领导反复磋商的广东省科技厅厅长谢明权颇为感慨：没想到联合基金在全国范围内反应如此热烈；没想到各地申报项目如此积极；没想到动员的科学家队伍如此庞大。

2006年联合基金项目首次接受申请就收到来自全国24个省（市、自治区）的申请787项，其中重点项目749项、面上项目38项。包括清华大学、北京大学等著名大学和研究院所参与了申报。广东省内中山大学、华南理工大学、南方医科大学、华南农业大学、中科院广州分院、广州大学等获得资助。在获得资助的41个项目中，多数项目均有2～3个合作研究单位。联合基金在推动科学家开展合作研究方面发挥了有效的作用，也体现了动员全国科技资源解决广东科技瓶颈的优势。

在NSFC—广东联合基金管理办公室组织的项目评审会上，来自全国各地的57位专家，严格按照自然科学基金委员会重点项目、面上项目的评审方式，对根据同行评议结果推荐的69个项目进行了认真评审。最终39项重点项目、2项面上项目获得2006年度NSFC—广东联合基金资助，自然科学基金委员会与广东省人民政府联合发出项目批准通知。

联合基金从评审条件、评审队伍来看，和其他国家自然科学基金项目一样。评审和研究水平要明显高于地方的基金课题。在立项方面，联合基金项目偏向基础，而地方的项目则更注重应用研究。基础性研究注重对规律性的把握，这类研究一旦取得突破，对后面的工艺研究、技术进展有很大意义。

“联合基金项目由广东自主选题，包括广州分院、中山大学、华南理工大学等机构也提出科学问题，再由广东省提供给国家自然科学基金委员会，由基金委员会请各领域的专家进行论证。通过论证后再发布指南，面向全国接受申请。通过自然科学基金调动全国的力量，这是陈主任最初的设想。”陈勇说，“而且项目的研究成果要求优先在广东实施转化和产业化，这将成为广东省技术创新的源泉。”

2008年度NSFC－广东联合基金计划安排资助经费约4600万元，主要以资助重点项目为主，资助强度为100万元/项至200万元/项，同时支持小部分较高强度的面上项目，资助强度为30万元/项至60万元/项。

联合基金的设立已初步显示较大的社会效益。陈勇说：“广东省在高速发展中，出现不少新问题。这些问题需要用战略性的眼光，进行前瞻研究，寻找其中的规律性，不能等问题出现后再进行研究。”比如从能源的角度讲，广东省经济的快速发展对能源需求的缺口很大。广东省有太阳能、地热能、生物质能、海洋能、风能等丰富的可再生能源，但现在这些能源在我国能源结构中的比例很低。这里面有多种因素，但其中一个很重要的因素就是技术发展的问题，而技术发展的瓶颈就是基础性研究。比如涉及太阳能、海洋、生物质能的利用问题，很多都是材料学的问题。广东由于靠近海洋的地理位置，受高温多雨的气候条件、生活习惯等等因素影响，容易滋生一些致病菌，比如2003年突发的SARS，以及禽流感等都是首先从我国南方发生。

“这项联合基金支持的研究问题虽然来自地方，但很多基础研究都是带有普遍意义的。像南海海洋所、地球化学所、广州能源所、中山大学等承担的节能技术课题、大气污染课题、海岸带研究，包括一个鼻咽癌研究的课题，都是有普遍意义的研究。”陈勇说，国家和广东省合作，有助于推动广东成为泛珠江流域经济发展的中心，带动广东、广西、云南等我国南方数省经济和科研力量的发展。

• 广东省自然科学基金

广东省自然科学基金（简称“基金”），是在1987年成立广东省科委科学基金的基础上，从1993年起由广东省人民政府拨出专项资金设立。它主要资助自然科学基础研究、部分应用研究和基础性工作，重点资助与广东省经济、

社会发展有关的应用基础研究。它不断创新资助模式，于1996年开始实行联合资助，1997年设立博士启动项目，2000年设立研究团队，2004年底与国家自然科学基金委员会探讨设立国家自然科学基金委员会—广东省人民政府自然科学联合基金。

目前，广东省自然科学基金资助结构分为研究团队、重点项目、面上项目（包括自由申请项目和博士科研启动项目）三个部分，并视实际情况设立专项基金项目。广东省对自然科学基金的拨款不断增加，已由1987年的150万元增加到2005年的4500万元，广东因此成为全国各省市地方财政对自然科学基金资助最多的省份。1991—2005年期间，广东省自然科学基金共资助基础研究项目5505项，资助经费3.39亿元，有力地促进了广东省基础研究的发展。

2000年，广东省自然科学基金委员会开全国各省市之先河，率先设立省自然科学基金研究团队项目，重点资助围绕广东省社会经济发展中的重大应用基础性问题开展多学科综合研究的优秀科学家群体。自2001年实施至2005年，全省已有58个研究团队项目获得资助，支持科技经费达4320万元，涉及领域有材料科学、基因工程、重大疾病防治、资源环境保护利用、农业种质资源创新、海洋生物技术、信息技术等。

许多学科都直接受惠过广东省自然科学基金的支持、扶持。至2005年，全省已建立了植物学、动物学、凝聚态物理、人文地理学等43个国家重点学科，建设了海洋生物等172个省级重点学科，有博士后流动站56个、博士学科点355个、硕士学科点831个、一级学科点46个。广东省已形成了包括数学、物理、化学、医学、生命科学、地球科学、环境科学、信息科学、材料科学、能源科学在内的学科门类较为齐全的学科体系。

广东省自然科学基金设立以来，针对学术人才缺乏尤其是青年科技人才以及高级人才缺乏的状况，重视和加强科研队伍建设，注意优秀中青年科技人才的培养和引进，达到了前所未有的程度，成为广东省基础研究工作的重要特点。“十五”期间参加广东省自然科学基金的科技人员达26000人次，培养博士3100多人，省自然科学基金资助研究团队58个。

广东省通过实施省自然科学基金研究团队项目，有力地推动了广东省科研团队进一步向跨学科结合、跨单位、跨地域合作方向发展，有效地整合资源，充分发挥群体的力量，实现优势互补，大大增强了广东省的科研创新能力；在培养和吸引优秀高级人才方面发挥了举足轻重的作用，提高了广东科技综合实力和竞争力；在广东省高等院校和科研单位形成了一批优秀的科研群体和骨干，产生了一批重点学科，建成若干重要科研基地，一批专利和技术获得应用，取得了令人瞩目的巨大成果。

仅从省自然科学基金资助的58个研究团队来看，"十五"期间，共申请专利643件，其中申请发明专利532件，授权专利237件，授权发明专利187件；承担国家和省部级重大、重点项目1032项，获资助经费6.38亿元。其中重大、重点课题（包括973计划、863计划、国家攻关、国家基础研究项目等）389项，获资助经费3.46亿元；培养出"973"首席科学家3人，国家杰出青年基金获得者19人，教育部跨世纪人才22人，中科院百人计划7人，博士、硕士研究生2943人。

在广东省自然科学基金和国家基础研究计划的共同支持下，广东省基础研究产生的科技论文数量逐年增加，居全国各省市前列。《中国科技论文统计与分析》结果显示，1991－2004年广东省在国内刊物发表的论文累计138892篇，在国内排名由1991年的第13位上升到2003年的第3位。三大索引收录广东省的科技论文从1991年的274篇上升到2004年的3442篇，累计16919篇。同时，在前沿研究领域取得了原创性成果，在国际上产生了重要影响，并有一批科研成果获得国家科技奖励，如中山大学完成的研究成果"金刚石及其相关薄膜的场致电子发射特性和机制"2001年度获国家自然科学二等奖，广州地球化学研究所完成的"极端高压矿物学和陨石的冲击变质特征"课题在*SCIENCE*杂志发表论文5篇，获2002年度广东省科学技术奖一等奖。

二、省部产学研合作

镜头画面：广东产学研结合成果展

2007年6月27日，广东教育部科技部产学研结合工作会议及广东产学研结合成果展在广州举行，包括76所重点高校在内的106所省内外高等院校和中科院相关科研机构参加了会议。这次会议将省部合作推向了一个新的高潮。

广东教育部科技部产学研合作与国家自然科学基金委员会—广

东省自然科学联合基金有异曲同工之妙：动员全国优质科技资源解决广东科技瓶颈。

产学研合作是科研、教育、生产不同社会分工在功能与资源优势上的协同与集成，是技术创新上、中、下游的对接与耦合。广东长期以来，以产业（生产）见长，而国家部属高校的许多优秀成果，往往苦于经费，没有能及时转化为产业技术。自 2004 年广东提出建设“科技强省”之后，务实、敢干的广东人再次把注意力从一省放大到全国，聚焦在创新机制上：建立以企业为主体、市场为导向、产学研结合的技术创新体系，加强经济和科技体制改革的结合，提高自主创新能力，推进创新型广东建设。这实质是“引进、消化、吸收”，直至“集成创新”的翻版。

广东省资助的各类政府科技计划和产业化项目向部属高校开放，企业重大技术和重点产品的难题也向高校招标，借助部属高校雄厚的科技资源，广东要在“大飞机”、“核电”、“新一代汽车”等国家重大专项上进行攻关。省长黄华华指出，我们就是要搭建科技创新平台，开发一批拥有核心技术的新产品，打造一批自主品牌，培育一批创新人才，使广东成为全国重要的高新技术研发基地和科技成果转化基地。

双赢的理念很快得到教育部的响应。

2005 年 9 月，教育部部长周济、广东省省长黄华华分别代表教育部和广东省人民政府联合签署了《关于提高自主创新能力加快广东经济社会发展合作协议》。

2006 年 4 月 26 日，成立了广东省教育部产学研结合协调领导小组。广东省省长黄华华亲自担任领导小组组长，教育部副部长赵沁平、科技部副部长尚勇、广东省副省长宋海担任副组长，领导小组办公室设在广东省科技厅，负责日常工作。

4 月 27 日，教育部、广东省产学研结合协调领导小组成立暨第一次全体会议在广州举行。这是促进广东增强自主创新能力，省部携手推进区域创新体系建设的重大举措。

2006 年 8 月，广东省人民政府与教育部联合下发《广东省人民政府、教育部关于加强产学研合作提高广东自主创新能力的意见》，广东省设立了省部产学研专项资金：省财政2006年投入1亿元，2007年投入2亿元，2008年以后每年投入不少于2亿元。

2006年的省部产学研结合项目专家评审会如期在广州举行。专家评审组按照3：2的比例由省外专家和本省专家组成，有效地保证了项目评审的公正性和权威性。评审结果：围绕10个关键技术领域和高新技术产业化基地，共支持70个项目155个课题。共计有58所大学参与承担项目，其中省外高校46所，省内高校12所，分布在全国17个省和直辖市。省外高校参与的项目数占66%，省内高校参与的项目数占34%，教育部直属高校参与的项目数占80%。

2006年的计划项目具有三个特点：一是高校参与面广。由于组织工作到位，宣传发动力度大，省部产学研结合项目申报工作得到了国内重点建设高校、省内重要的企业和研究院所积极响应。清华大学、北京大学、复旦大学、南京大学、电子科技大学、华中科技大学、中南大学、中国科技大学、中山大学、华南理工大学等80所省外重点建设高校与广东企业开展了产学研合作，达到了推动以教育部属重点大学为主体的国内重点建设高校参与广东经济建设的主要目标。二是项目产业化前景良好。产学研合作项目主要集中于广东的电子信息、先进制造、新材料、生物医药等支柱产业，项目与市场结合紧密，产业配套完善，产业化前景好。三是技术水平高。许多产学研合作项目瞄准世界前沿技术领域，由国内一流大学和广东的中兴、TCL、美的、格力、广钢、广药集团，巨轮和迪森热能等知名企业共同组织实施，项目实施完成后都能够获得高水平的自主知识产权成果。

2006年省部产学研结合项目的实施吸引了部属大学的科技专家数千人次来粤开展自主创新工作。组织实施的产学研结合重大项目对广东产业升级具有良好的带动效应，市场前景良好，对提升广东省企业的创新能力和核心竞争力以及行业整体的技术水平和市场竞争力有重要作用。省部产学研专项资金的投入，可以产生1：10

以上的带动和放大作用，其中引导企业资金投入15亿元以上，带动各级财政投入产学研资金6亿多元。

省部产学研结合工作成功推动70多所国家重点建设高校与广东地方、专业镇和企业的战略对接；初步建立了产学研联盟、产学研结合示范基地、高校专业镇对接等产学研结合新模式；探索出了以市场为导向、企业为主体、高校为技术依托的产学研相结合的新思路和新机制。2006年全省各类产学研合作项目3287项，各级政府财政投入10.5亿元，企业投资165亿元，分别比上年增长25.6%、94.4%和41%。各类产学研结合项目实现总产值1500多亿元，出口创汇30多亿美元，新增利税230多亿元。

2007年6月27日，广东教育部科技部产学研结合工作会议及广东产学研结合成果展在广州举行，包括76所重点高校在内的106所省内外高等院校和中科院相关科研机构参加了会议。此次成果展共有720多个重大项目参加展出，其中200多项是省部合作已经取得的硕果，300多项即将与广东企业合作转化。有60多所高校还带来了3500多项科技成果，寻求与广东企业对接合作，广东各地企业提出了2400多项技术需求。

在这次会议上，还有13个具有代表性的省部产学研战略联盟、23项校市全面合作项目、11项高校与专业镇对接项目和131个产学研校企合作项目现场签约。

会上，教育部副部长赵沁平说，广东省、教育部和科技部的产学研结合是政府推动的全面的产学研结合，是新时期产学研结合模式的有益探索。省部合作产学研工作架起了一座金桥，一头连着享誉国内实力雄厚的各个高校，一头挽起雄心勃勃志在创新的广东企业……

如果将2007年6月产学研会议与中共广东省委第十次党代会的“增强自主创新能力”的核心理念结合起来，可以发现，当时看到的省部产学研结合展示了一种开放式的产学研结合，是一种战略性的产学研结合，体现的是广东和全国科技的“大协作”。而在这里也可以看到，广东科技工作正在悄然转型，“大投入大开放、走大路打大仗”的新思路所要改变的正是对自主创新等同于自我创新、封闭创新的误解，所要达到的目标正是引领广东从要素投入型的增长步入创新驱动型的发展，省部产学研合作只是这一战略思路的切入点和突破口，是未来广东科技新工作的先声。

• 产学研结合

20世纪80年代，面向市场经济的广东产学研的结合还处于起步阶段。当时放开放活科研机构和科技人员是主线，一批省内外高校、科研机构和科技人员来到珠三角地区，进入企业，进入经济领域，走产学研相结合的路子。产学研各方就眼前的现实需要，或为了“借脑袋发财”，或为了“找米下锅”，通过“星期六工程师”等途径，采取业余兼职、咨询服务、单一性成果转让或合作开发等形式，建立起比较松散、目标单一、短期、“点对点”式的合作关系。在这一时期，各方自发地建立起三者之间的联系，角色定位不是十分明确，急功近利的行为比较多，也有一些高校和科研机构走“一竿子插到底”，从研究到开发到产业化独立完成的路子。结果长处没有发挥，短处却捉襟见肘，以致削弱了科技创新源头的活力。

20世纪90年代，随着改革开放的不断深入，产业结构逐步升级，科技与经济结合愈益紧密，产学研结合也向着更加广泛、更加深入、更加紧密和更高层次的方向发展。① 90年代初，国家召开了全国产学研工作会议。省委、省政府及有关部门也相继出台了一系列推动产学研结合的政策措施。1999年，广东省政府办公厅颁发了《广东省产学研联合开发工程实施方案的通知》，成立了“产学研工程协调会议”制度。在中央和省政府政策直接引导与推动下，科技工作与经济建设之间“依靠”与“面向”的方针得到了更好的贯彻落实，建立了一大批工程技术开发中心和研发机构，崛起了一批各类型的科技园区，以产业集群和合作创新为特征的专业镇也获得迅速发展。通过实践，产学研各方对自己的优势和在产学研结合中的角色定位，有了比较准确的认识，尤其是企业实施产学研结合的积极性得到了更好的调动与发挥。高校和科研院所通过多种渠道，主动建立学校与地方、学科与企业、教授专家与企业家之间的合作关系。

① 本节主要参考广东省科技厅编的《自主创新之路——广东“十五”科技创新发展回眸》，广东人民出版社2008年版。

进入21世纪以后，随着“经济强省”、“科技强省”、“教育强省”战略的实施和深入，全省进一步提升了对产学研结合的战略重要性的认识，把产学研结合看成是增强自主创新能力、提升产业竞争力的战略举措，是涵盖高校与科研体制改革、企业优势再造与政府政策创新等在内的全社会创新体系中不可或缺的重要组成部分。进一步理清了产学研各自的角色定位，各方更深刻认识到，产学研相结合是将科研、教育与生产三类不同社会分工实现在功能和资源优势上的协同与集成，是技术创新的上、中、下游的有机衔接与耦合。政府通过制定产学研结合的发展规划与相应的政策法规，提供必要的资金支持，指导市场体系建设，营造良好的宏观环境，指导、协调和推动产学研结合健康发展。企业是产学研相结合的主体，是主要的受益者与风险的主要承担者，其职能主要是承接高校、科研院所知识创新、技术创新的成果，通过工艺创新、产品创新，完成工厂化、产品化，并进一步实现产业化和市场开拓。高校、科研院所的主要职能是产生新思想、创造新技术，在源头上实现知识创新、技术创新，并与企业一道推动这些成果产业化，为企业的发展提供源源不断的技术动力、技术源泉和发展后劲。重点建立和完善以市场需求为导向，以实现科技创新为目标，以政府引导和社会服务为支撑，以企业为技术创新主体，以大学、科研院所为创新源头和依托，“三位一体”的资源整合、优势互补、优化配置、规范管理、协作互动、互惠共赢的产学研合作新机制。

此外，政府发挥引导和服务的双重作用，营造产学研合作的良好宏观环境，更加重视扶持产学研结合体系的建设，着力打造和发展产学研结合的核心平台，引导与扶持产学研结合向着紧密型、集约化、高级化发展，打造和发展产学研结合体系的核心平台，为高校、科研院所和科技人员与企业的结合搭建一个稳固的大舞台。核心平台包括大学科技园、以产业集群和合作创新为主要特征的各种创新平台，如专业镇及其创新中心、与发展县域经济相适应的县域创新平台、主要为中小企业服务的中小企业创新服务平台、各级各类高新技术产业开发区和科技园区的创新服务平台以及各级行业性的创新服务平台的建设等。更加重视政产学研全面结合，扶持技术创新战略联盟。由地方政府出面并直接参与和指导，使产学研之间在某一领域或者全方位地建立起稳定长期的合作关系。

这一时期，全省相继建成300余家由企业或由高校、科研机构和企业共同参与组建的工程技术开发中心或技术创新中心，在19个地级市陆续建成了

119个各具特色的专业镇。还有一批大型企业与高校、科研机构建立起全面合作的、稳固的技术联盟，一批大学科学园区和其他各类科技园区、开发区内集聚了省内外一大批知名高校、科研机构，使广东产学研结合逐步走上了紧密型、集约化的发展轨道。如深圳大学城就集聚了43所国内知名高校和科研院所，还有一批高校和科研机构成为它的网络成员。近年来，又出现了校、市合作的新势头。广州市政府与中科院合作共建了“广州中国科学院工业技术研究院”。东莞市政府与中科院计算机所共建了“广东电子工业研究院”。中大、华工、华农、暨大分别与湛江、肇庆、梅州、韶关、茂名、云浮等市签署了校市全面合作的协议，使产学研结合集约化水平向更高的层次发展。在全省300余个国家级和省级工程技术研发中心，有九成以上设在企业，全省的研发机构有近七成设在企业。全省的科技人员近80%在企业。全省的科技活动经费有七成多来自企业。60%以上的高新技术产品是以企业为主体开发的。还有140多个高新技术企业与高校、科研院所联合建立了80多个博士后科研工作站。至此，广东省已初步确立了企业在产学研结合和技术创新中的主体地位。

从紧密型、集约化层面看，广东省产学研结合的模式主要有四种。一种是产学研合作开发，以项目为纽带，通过委托开发、共同开发等形式，建立长期稳定的合作关系。如广东北大新世纪生物工程股份有限公司与北京大学合作开发发酵技术并实现产业化，华农大与广州粤旺农业发展有限公司联合开发无公害蔬菜等。二是共建产学研相结合的技术开发实体或科工（农）贸一体化经济实体。如温氏食品集团与华南农业大学以技术入股的形式组建成股份公司，广东中大亿达洲海洋生物科技股份有限公司，是由广东亿达洲集团、陆丰市城东投资有限公司与中山大学联合组建的股份制企业。还有一些有战略眼光的企业家把目光投向教育，与高校合作办学或建立博士后工作站，为本企业也为社会培养人才。三是高校、科研机构创建科技园区。这类科技园区作为高新技术原创基地、高科技成果转化示范基地、科技企业的孵化基地、创业创新人才和科技企业家的培养基地的功能正逐步发挥，并显示出巨大的活力。四是政产学研联合协调模式。在政府部门的直接参与和推动下，实现产、学、研全面合作。像中大、华工、暨大、华农等高校与有关市政府签署全面合作的协议，广州市政府与中科院的合作，东莞市政府与中科院计算机所的合作，就是“政产学研”成功结合的范例。最近省科技厅实施了省市联动共同推进专业镇（区）建设和推动县域经济发展的一系列措施，进一

步推动了政产学研结合向着更加深入的方向发展。

从20世纪90年代开始，广东产学研结合逐步向多功能的方向拓展。中山大学与广东恒兴集团有限公司合作建设科研基地，开展凡纳对虾（俗称“南美白对虾”）SPR品系选育等一系列技术研究，使这家公司在不到6年的时间里发展成为一家集饲料生产、海水种苗繁育、水产养殖、水产品加工、科研开发及进出口贸易为一体的跨地区、跨行业的高新技术民营企业，建成了我国第一个国家“863”计划“海水养殖种子工程基地”，极大地提升了企业的竞争力。中山古镇与复旦大学电光源研究所合作，成立了中山照明工程技术研究开发中心，着力解决灯饰产品质量标准化问题。经过几年的努力，古镇灯饰企业集群的质量管理已有明显进步，有3家企业通过ISO9001质量管理认证，22个企业通过ISO9002质量管理认证，36家企业的130个产品符合UL、GS、CSA、VDE、IEC等国际标准，120家企业通过中国电子产品安全认证，8家企业获得了出口灯饰产品质量许可证。广东温氏食品集团有限公司就是华农动物科技学院技术入股的企业，他们坚持“公司+农户+基地+高校”的模式，陆续建立健全了10大技术的综合开发体系，使企业由生产经营型发展成为科技产业型。2004年公司销售收入达55.46亿元，带动合同农户29500户，带动农户增收4.73亿元，平均每户增收16034元。

产学研结合有效地发挥了重点实验室、研发中心和重点学科在自主创新能力建设中的龙头带动作用，也促进了这些高层次创新基地的建设。“省农业害虫综合治理重点实验室”，通过农业创新中心开展了以生物防治为主体的害虫治理研究，研制成功了我国销往国际市场的唯一的生物农药，并获得美国农业部核发准入许可。“省农业环境综合治理重点实验室”，通过与农业示范基地合作，推进了矿物源农业产业化与果、茶绿色生产技术在果茶生产上的推广应用，果品以获国家绿色食品标志，为这一产品进入国际市场提供了技术保障。产学研结合既促进了创新型研发人才和复合型人才的成长，又促进了高校的教学改革，推动了创新人才的培养。通过产学研结合，造就了一批懂技术、通市场、会经营的科技企业家。一批企业博士后工作站的建立，既有效提升了企业的自主创新能力，又吸纳和培养了一批高层次人才。

三、“非典”科技攻关

镜头画面：依靠科学战胜SARS成果展（2003.12.12）

> 2003年10月7日，一场庄严的责任状签订仪式在广东省政府举行。签订责任状的一方是省防治SARS科技攻关领导小组组长、省委常委、常务副省长，另一方是该领导小组下设的8个专题研究小组的组长，他们都是在第一轮抗击SARS战役中立下赫赫战功的医疗科技专家。

SARS疫情首先在广东发现，广东便成为抗击SARS的“第一战场”。

传染性非典型肺炎是一种传染性极强的呼吸系统疾病，主要通过近距离空气飞沫和密切接触传播，临床主要表现为肺炎，在家庭和医院有显著的聚集现象。起病急，以发热为首发症状，体温一般高于38℃，偶有畏寒；可伴有头痛、关节酸痛、肌肉酸痛、乏力、腹泻；可有咳嗽，多为干咳、少痰，偶有血丝痰；可有胸闷，严重者出现呼吸加速，气促，或明显呼吸窘迫。世界卫生组织将传染性非典型肺炎称为严重急性呼吸综合征（Severe Acute Respiratory Syndromes），简称SARS。SARS是人类进入21世纪后遭遇的第一个最严重的新发传染病，在短期内迅速波及全球数十个国家和地区，对人类社会的影响触及到环境保护、人文心理、卫生管理等各个方面。SARS的暴发使各国政府、各级医疗和疾病控制机构，医务工作者及广大群众经受了巨大冲击和严峻考验。

“非典”科技攻关诞生于危难时期，它是检验广东科技集体攻关能力和组织、整合科技资源能力的试金石，所以又被称为抗击“非典”攻坚战。

面对SARS严峻的形势，2003年4月30日，省政府成立防治SARS科技攻关小组，以著名呼吸病专家钟南山为总顾问，来自医疗、科技、教育界的13位知名专家组成了专家委员会。

广东省政府和广州市政府及时拨出2000万元作为科技攻关启动经费。提出“发动准备，申报受理，特事特办，协调攻关”的工作思路和程序，分设病原分离鉴定和生物学特性、流行病学、快

速诊断、中西医救治、疫苗研制等五个科技攻关组。广东率先在国内紧急组织实施“非典”专项攻关，从而为领导决策提供了科学依据。

全省科研院校、医院和企业的科技和医务工作者打破单位条块界线，积极参与，申报各类科研课题220项。参加科技攻关的首批专家50余人。随后，发动更多的研究单位、研究团队投入到科技攻关中。

2003年10月7日，一场庄严的责任状签订仪式在广东省政府举行。签订责任状的一方是省防治SARS科技攻关领导小组组长、省委常委、常务副省长钟阳胜，另一方是该领导小组下设的8个专题研究小组的组长，他们都是在第一轮抗击SARS战役中立下赫赫战功的医疗科技专家。责任书明确提出近期、远期科技攻关工作目标。

在签订仪式上，除综合指导组以外7个专题组的组长，分别在《广东省防治“非典”科技攻关责任书》上签下了自己的名字。这份责任书，列明下一阶段的攻关内容、目标、进度计划、成果提交形式、经费安排等。

中山大学江丽芳教授作为病原学研究组组长，第一个签下责任书。她介绍说，病原学组的目标是弄清“非典”传播链与传播规律，“非典”致病原因和免疫机制以及基因结构与功能，根据研究结果，提交一份有针对性的广东地区“非典”防治方案。这位专家表示，签订责任书，可以看出政府对彻底战胜“非典”的决心和对科学家的信任，我们也感觉到责任更加重大，但我们一定会竭尽全力完成好。

广东省副省长钟阳胜表示，通过签订责任书，详细制订下一阶段的攻关内容、目标和工作进度计划，使各专题组在有限的时间、经费上按计划完成相应任务，以充分的准备来应对可能发生的“非典”反弹。他说，在接下来的冬春关键季节，我们要充分做好防治“非典”的备战工作，一旦疫情再次出现，我们做到完全有能力应对。

广东省科技工作者全身心投入“非典”科技攻关，成果源源不断地涌现。此时，务实的广东科技工作者没有忘记，充分利用珠三角的高新技术产业链的优势，产学研携手并进来促进生物医药的发展。

万卓越教授领导的诊断试剂组很快取得标志性成果，深圳匹基生物公司及中山大学达安基公司研制的“新型冠状病毒核酸扩增（PCR）试剂盒”获得国家新药证书。

车小燕教授研制的国内第一个“SARS冠状病毒抗原诊断试剂盒”，通过了国家药品部分的技术考核，并与两家企业达成合作生产协议。

深圳蓝星公司研制的SARS－COVPCR分子信标检测试剂盒适于基层单位用，申请了2项专利并进入实审阶段。

深圳清华源兴生物医药科技公司合成十几个针对SARS冠状病毒RNA聚合物的化合物，并通过SARS病人尸检肺组织进行基因全序列测定。

珠海友通科技公司研制的DR胸部影像系统，对SARS早期诊断性能较好。

SARS科技攻关工作不但取得了研究成果、建立了技术平台，而且有力地推动了广东省生物医药产业化的发展。

科技攻关及时指导预防和临床救治工作，使广东省“非典”的治愈率居国内外先进水平。广东省科学防治SARS的成绩得到世界卫生组织（WHO）和国家的认可与肯定。科技部确定在广东建立防治SARS科研基地，广东省获得国家防治SARS各类科技计划项目资助经费1200余万元。

2003年12月26日，“依靠科学战胜SARS”成果展在广东国际科技中心展览厅开幕，引来踊跃的参观者。

当天下午，时任广东省委书记张德江，省长黄华华，省政协副主席兼卫生厅长姚志彬，以及省防治SARS科技攻关领导小组成员和参加科技攻关的专家出席了开幕式。

同日，广州出现了一例疑似“非典”病例，市民们对此不再

像年初时那样惊慌惶恐，而是心态平和地照常生活，因为他们都相信“非典”是可防可治的。

面对“非典”，科技作为第一生产力和人类抗击病魔的最强大武器，大显身手。在较短时间内，广东科技人员取得了一批具有较高水平的科研成果。这些成果是按照“依靠科学，整合科技资源，充分发挥科技力量，打赢抗击‘非典’攻坚战”思想取得的。

展览会上，广东防治“非典”科技攻关在全国摘取了多个“第一”，给人留下了深刻印象：

广东省已经申请有关SARS专利近百件，位居全国第一；

第一个获得国家批准SARS快速检验试剂盒证书；

第一个获国家批准用于防治SARS的治疗药乌司他丁；

第一个探索总结出一套救治SARS的中西医结合有效方法；

第一个在果子狸身上分离出两株冠状病毒，发现野生动物SARS样病毒与人类SARS冠状病毒密切相关，并在国际权威杂志上发表论文……

这些凝聚科技人员心血与智慧的丰硕成果，换来了广东SARS病人全世界病死率最低的纪录，换来了人们战胜SARS疫魔的信心，换来了中央对广东防治“非典”举措“步步到位，节节领先”的高度评价，也换来了省委、省政府敢于做出“两手抓”、“四不停”大胆决策的科技支撑。

SARS疫魔已过去。后来人们总结，广东防治SARS科技攻关之所以在短期内就能取得如此骄人的战绩，关键在于组织得力，资源集中，团结协作以及科技人员的使命感和奉献精神。通过“非典”科技攻关，检验广东科技集体攻关能力和组织、整合科技资源能力。

广东防治“非典”科技攻关成果引起了世界的关注，防治“非典”的科学经验和成果受到国家的重视，广东派出多批专家协助有关省市救治SARS病人和赴京协助SARS排查。2003年6—7月，分别出版广东省防治“非典”科技攻关论文专辑二期，在国内外发表论文350余篇，编印广东省防治非典型肺炎科技攻关专报共45期，为省领导及指挥部提供决策参考。

国家支持广东建设P3实验室（省CDC和深圳CDC），支援广东科技攻关用P3流动实验室一个；科技部确定在广东建立防治“非典”科研基地，广州市医学院第一附属医院广州呼吸疾病研究所为防治“非典”科技攻关示范医院。广东防治“非典”科技攻关取得了重大的阶段性成果，获得了重大的社会效益和间接的经济效益。

2003年12月，有4名患者得病。由于吸取了首次疫情的经验，及应用了广东省对SARS传播途径研究工作的发现，建立并执行了“四早”（早发现、早报告、早隔离、早治疗）措施及严格管理野生动物的措施，在2003年冬及2004年初未发生疫情。

2004年3—5月，在北京出现实验室SARS病毒灭活不彻底而造成实验室污染事件，9名患者得病，实验室汲取了2003年SARS疫情特别是广东省防治的经验，积极采取“四早”的措施，在5月份有效地控制了疫情。

• 关键时刻显英雄本色

2003年SARS疫情在中国蔓延，钟南山及其领导的团队由于在抗击SARS的斗争中，发挥了中流砥柱作用，获国家颁发的特等奖。

钟南山院士，现任广州医学院广东省呼吸疾病研究重点实验室主任，兼任中华医学会会长、联合国世界卫生组织医学顾问、广州市科协主席，撰写联合国《哮喘防治全球战略》文件的中国代表。主要从事高氧/低氧与肺循环关系研究。1979—1981年赴英国爱丁堡大学及伦敦大学呼吸系进修。1996年当选为中国工程院院士。

在2003年中国SARS疫情中，钟南山院士确立了广东的病原学，组织了广东省SARS防治研究，创建了“合理使用皮质激素，合理使用无创通气，合理治疗并发症”的方法治疗危重SARS患者，获国际上最高的存活率(96.2%)，并获广东省科技进步特等奖。

在医学科研中，钟南山重点研究支气管哮喘和气道高反应性的关系、呼吸衰竭与呼吸肌疲劳和慢阻肺及肺心病人营养状态及营养疗法。他所领导的实验室发现了粒细胞—巨噬细胞集落刺激因子和肿瘤坏死因子-α可诱导气

道平滑肌分泌内皮素，后者又可增强纤维母细胞 PDGF－β 及 CM－CSFmRNA 的表达，形成恶性循环，在气道高反应性发展中起重要作用，并阐明了皮质类固醇对该恶性循环遏制作用，发现了茶碱对内皮素生成的抑制作用。创制了可供流行病学调查的“简易组织胺气道反应性测定法”，首次证实并完善了“隐匿型哮喘”的概念。并首次证明低剂量茶碱联合皮质类固醇吸入在哮喘治疗上的优越性，阐明了肺血管中一氧化氮和内皮素失衡以及多种原癌基因表达异常在缺氧性肺动脉高压形成中起重要作用，首次证实了慢性阻塞性肺病在早、中期就存在膈肌耐力减低、采用呼吸休息（非创伤性通气）疗法可使 60% 病人气促及跨膈压改善。他是近十几年来推动我国呼吸疾病科研和临床事业走向世界的杰出领头人之一。他和他的同行们在这个专业的突出贡献，奠定了我国呼吸疾病，特别是哮喘及呼吸肌的医研水平在亚太地区的领先地位。

钟南山先后著述有《英中日图解医学辞典》、《现代呼吸病进展》等。他领导的广州呼吸疾病研究所是教育部重点学科和广东省重点实验，在哮喘、COPD、肺部感染、呼吸监护、微创胸外科等方面在国内处于领先地位。1985 年被指定为中央领导保健医生，被聘为联合国世界卫生组织顾问，参与制订哮喘全球防治战略，先后被聘为国际胸科协会特约会员、亚太分会理事，2008 年获首届广东省科学技术突出贡献奖。

四、粤港关键领域重点突破项目

镜头画面：粤港关键领域重点突破项目招标公告

2004 年粤港关键领域重点突破项目招标揭标公告：宽带数字集群通信系统及其应用（华为技术有限公司中标）；高速高精度全自动贴片机系列化机型的研制和产业化（华南理工大学中标）；新型无氟全芳燃料电池质子交换膜的研制（中山大学中标）；南方建筑节能技术集成系统示范（广州中科环能科技有限公司中标）。

粤港关键领域重点突破项目的招标，是广东发挥区域科技合作优势，组织粤港关键领域重点突破联合技术攻关工作；是在2003年CEPA合作框架下，珠三角各地市积极参与的局面下形成的区域科技合作工作的创新。招标面向粤港两地经济与社会发展对科学技术的重点需求，围绕加强粤港两地紧密合作、谋求共同发展，发挥科学研究和技术创新的先导和支撑作用，广泛组织科技力量共同攻克制约粤港两地科技和经济发展中的关键技术，促进粤港两地国际竞争的提升和经济快速发展。

2002年，广东省政府决定，针对广东省经济和科技发展的实际情况，主要选择电子信息、新材料、先进制造、生物医药、新能源及环保为关键领域，以公开招标的形式，组织力量进行重点突破，实现促进广东省产业结构优化升级的目标。

2003年，广东省选择软件领域关键技术及应用、集成电路设计与应用、新型发光和显示器件、中药现代化关键技术及中药新药、生物技术新药及其关键技术5个领域共30个项目，进行公开招标，投入高达2.1亿元。自招标工作从9月1日启动后，立即得到了省内外的热烈响应，250家企业、高校和科研院所购买了标书，其中不乏海外企业。最后有122家（组）单位正式竞标，集结了广东省相关行业实力最强的企业和院校，包括华为、中兴、TCL、南方高科、羊城药业、三九药业等著名企业，更不乏清华、北大、中大等名校捧场。

2004年是CEPA合作框架颁布后实施的第一年。广东抓住机遇，由省政府协调香港特别行政区政府共同做出决定，以两地支柱产业和战略产业的关键技术攻关为切入点，实施粤港关键领域重点突破项目联合招标。粤港两地资金原则上是“谁筹集，谁安排”，主投标单位在广东省的由广东省安排经费，主投标单位在香港特别行政区的由香港创新科技署安排经费。香港企业如果要争取粤方资金，必须与广东企业组成联合体；广东企业如果要争取港方资金，则必须与香港企业组成联合体。

2004年9月6日，首次粤港关键领域重点突破项目联合招标在广州与香港同时举行新闻发布会。时任广东省科技厅厅长谢明权

在会上宣布，粤港联合招标由广东省人民政府投入 1.7 亿元人民币，香港特别行政区政府投入 1.7 亿元港币，在“电子信息、新材料与精细化工、精密制造关键装备、新能源、节能与脱硫关键技术、电子标签技术和汽车配件制造关键技术”等六个可带动区域产业发展的关键领域进行社会招标。在经费筹措安排方面，广东省政府筹措的 1.7 亿元人民币计划安排精密制造关键装备领域 4000 万元、新能源、节能与脱硫关键技术领域 4000 万元、电子信息领域 7000 万元、新材料与精细化工领域 2000 万元。电子标签技术和汽车配件制造关键技术领域主要在香港招标。

此次项目进行粤港联合招标，是落实 CEPA，加强粤港两地科技合作的重要举措。目的在于广泛组织两地科技力量攻克区域经济与社会发展有重大带动作用的产业关键技术，使广东成为全国重要的高新技术研究开发基地和成果转化基地。香港有雄厚的资金、信息的优势和开拓国际市场的能力，广东有较好的科技和人才优势，具有良好的产业基础和市场，粤港两地政府通过公开招标的形式开展科技攻关，对实现两地科技和经济的进一步紧密合作、充分利用资源优势，谋求粤港共同发展具有重大意义。香港科技创新署官员杨德强表示，香港创新基金支持了很多项目，粤港合作可营造双赢的局面，估计招标公告将得到企业与社会的热烈反响。

粤港联合招标按照“以市场机制为主，合理配置和适当集中资源，力争重点突破”的原则，采用向社会公开招标的方式，通过公平竞争优选项目承担单位。鼓励粤港合作，在同等条件下对联合投标者优先支持。在粤方的招标要求中，参加的企业要分别投入两至三倍于政府资助的资金，这将带动社会资金对科技投入。

2004 年粤港关键领域重点突破项目招标揭标公告：宽带数字集群通信系统及其应用（中标方：华为技术有限公司）；高性能聚合物乳液及水性木器涂料产业化技术（中标方：广东嘉宝莉化工有限公司）；高速高精度全自动贴片机系列化机型的研制和产业化（中标方：华南理工大学）；新型无氟全芳燃料电池质子交换膜的研制（中标方：中山大学）；南方建筑节能技术集成系统示范（中

标方：广州中科环能科技有限公司）。

广东省人民政府2003—2005年共投入经费6.4亿元人民币，香港特别行政区政府2004—2005年共投入经费4.3亿元港币。广东省政府资金对关键领域重点突破项目引导了企业和民间资本投入超过20亿元，达到当时招标预想，即政府引导资金与企业提供的配套资金比例为1∶3。政府资助的资金真正带来了“四两拨千斤”的滚动效应。粤方对168个项目，港方对56个项目进行了资助。

通过对18个承担生物医药和中药招标项目企业的调查发现，在中标的项目中，企业研发投入占销售额的平均比例为2%，高强度的科技研发投入，促使企业核心竞争力不断提高。同时，其他各中标单位在政府资金的引导下，也加大了对科技的投入，不断开发出拥有自主知识产权的新产品，在推动广东省掌握自有技术，提高市场竞争力，占领技术制高点等方面起到了重要的作用。

2003—2005年，承担重点突破项目的168家企业以及300多家联合单位共申请专利14000多件，其中发明专利800多件，产品的技术水平达到和接近国际领先或先进水平。据对2003—2004年中标项目的统计，已实现产业化的项目有15个，项目销售收入累计达30多亿元，净利润2.8亿元，交税3.3亿元。关键技术产生的辐射带动作用，为企业利润的提高创造了广阔空间。据对2003—2004年74家中标企业的不完全统计，2005年企业实现销售收入达2000多亿元，利税200多亿元，取得了良好的经济效益和社会效益。

关键领域重点突破招标项目的实施，对广东省实施人才创业和产业创新领军人才发展计划、重点学科带头人和人才团队发展计划、“科技人才基地”发展计划等一系列人才计划起到促进和推动作用。特别是通过高技术研发项目的实施，带动和促进了重点学科带头人和优秀人才团体的迅速成长，进一步推进相关承担单位科技人才基地建设工作。据不完全统计，实行招标工作以来，中标项目直接吸引高级人才800多名投身到项目研发中去，培养高级人才近500人。

从2004—2005年广东省科技厅中标项目主投标和联合投标单位情况看，粤港两地的企业、高校和研究所之间的合作紧密，资源互补性强，发挥了联合攻关的作用，对实现两地科技和经济的进一步紧密合作、发挥两地优势、充分利用资源优势，谋求共同发展具有重大意义。粤港联合攻关，在内地和香港都产生了较大的影响。2004—2005年粤港联合攻关项目中，粤方组织实施的项目有31项属粤港合作项目，粤方资助经费达7940万元；港方组织实施的项目中有47项属粤港合作，港方资助经费达2.18亿元，体现了粤港两地科技紧密合作、共同谋求繁荣发展的良好态势。

进入“十一五”期间，粤港联合投标进一步加大了支持强度。2006年粤港联合投标的粤方项目是由省科技厅、省经贸委、省发改委、广州市、深圳市、佛山市和东莞市三个部门和四个地市共同组织实施，招标经费总投入达3.83亿元。其中，发改委新增项目招标投入2400万元，东莞市新增投入2000万元。同时，粤方还首次与港方在节能与新能源汽车和高效大功率白光半导体照明两个关键技术领域共同开展评审资助项目，这标志着粤港科技合作进一步向深度和广度拓展。

2006年粤港关键领域重点突破项目包括了这几大领域：（1）信息与通讯；（2）精密制造技术及产品；（3）新材料与纳米技术；（4）生物医药与健康；（5）新能源与资源环保；（6）现代农业；（7）广东省重点产业科技创新平台。

2007年，粤港双方商定，粤港关键领域重点突破项目招标，以支柱产业、共性技术、实用技术的攻关为切入点，瞄准国际先进水平，加强自主创新，选择“信息与通讯”、“重大装备及精密制造技术”、“新材料”、“生物制药与中药现代化”、“新能源、节能与资源环保技术”以及“现代农业”等六个领域进行专项技术攻关，以提升粤港两地的国际竞争力，从而带动泛珠三角经济区域的快速发展。同时，为进一步推动粤港两地的深层次技术合作，粤港双方商定，在上述六个领域中，选择“节能与新能源汽车”和“高效大功率白光半导体照明（LED）关键技术”两个专题，由粤港双方共同资助。

五、其他科技计划

镜头画面：广东实施“星火计划”项目

广东省分别于1986年和1986年开始组织实施面向农村的“星火计划”和面向工业领域的“火炬计划”。“星火计划”和“火炬计划”的启动，突破了以往科技体制改革囿于科研机构的小科技体制思想，标志着广东科技体制改革已从小科技体制到大科技体制的转变。

1. 星火计划。

“星火计划”是由中共中央、国务院批准于1986年初开始实施的，其特点是抓一批对中小企业、特别是对乡镇企业有示范和推广意义的“短、平、快”项目，以及科技商品化周期短、与中小企业技术水平相适应、取得经济效益快的技术开发项目。当时提出的目标是，为乡镇每年培训20万农村知识青年和基层干部，使每人掌握1~2项本地区适用的技术，五年累计100万人；动员中央和省市研究部门开发100种适用于农村的成套技术设备，组织大批量生产，供应农村；帮助建立500个技术示范性的乡镇小企业。80年代末，又提出建立星火技术密集区，培育和发展区域特色与支柱产业，促进了区域（主要是县域、镇域）经济的发展，使科技星星之火，逐步形成燎原之势。

广东省于1986年开始组织实施“星火计划”。按照国家要求，明确提出“星火计划”是把先进适用的技术引向农村，推动农业和农村经济快速发展，让现代科技服务于经济建设的主战场，惠及千家万户，开创农村科技服务的新模式，加快农村工业化、现代化和城镇化建设进程。

20世纪90年代早期（“八五”期间），广东省星火计划工作的

重点一直是，以市场为导，发挥资源优势和特色，培育星火区域性特色产业，建立和发展农村区域性特色产业，合理配置开发资源，形成规模经济效益，培育星火龙头企业，实现农业产业化的发展。在培育区域特色产业中，坚持科技带动和产业化模式，注意引导产前、产中、产后互相配套，科、农、工、贸一体化。同时，根据广东实际，因地制宜，按照珠江三角洲、东西两翼、粤北山区经济发展的不同特点各有侧重。

在“七五”和“八五”期间，通过星火计划的支撑，果蔬保鲜、板栗、银杏等经济林产业、优质水果种植加工、农产品加工、畜禽养殖业、优质水产品种育苗产业等都得到迅速发展。全省形成了粤北以反季节蔬菜为支柱，珠江三角洲以畜禽、水产养殖为支柱，东西两翼以海水养殖为支柱的区域农业格局和梅州的沙田柚、肇庆柑橘等的生产基地，在农业增效，农民增收中发挥了积极作用。开展梅州的沙田柚规范栽培系列措施，带动全市 1.93 万公顷商品生产，产量 25.3 万吨、产值超亿元。南雄市 0.67 万公顷银杏生产基地，挂果超 134 公顷，加工开发规模日益扩大，创产值超千万元。东源和阳山的板栗基地全面展开了优化品种结构和高位嫁接等工作，经过改造的板栗园产量达 1800 千克/公顷，比未改造板栗园的产量提高 7 倍以上。

在农村工业方面，建成了一批星火技术密集区，形成了一批以纺织、服装、玩具、陶瓷、食品、家具、灯饰、五金制品等以劳动密集型为主的“特色专业镇”。在培训方面，逐步建立了星火培训网络，培训科技和管理人才提高劳动者素质。由于这些培训工作针对性强，注重实用技术的培训，适应当地技术和经济发展的需要，受到广大农民的欢迎，极大提高了广大群众的科技素质以及学科学、用科学的积极性。

广东与全国一样，存在着区域经济发展不平衡的特点。为此，广东注意强化政府资金的引导作用，促进星火计划的区域均衡实施，在珠三角地区，主要是抓好密集区的建设，发挥星火项目的聚集效应，在粤北山区和东西两翼，则加大政府引导资金的投入，推

动区域性特色产业的形成和科技先导型企业的建立。

进入90年代中期（“九五”期间）以后，星火计划的实施环境发生了很大变化。首先是广东在珠江三角洲和粤东潮汕地区已建立了一批星火技术密集区，而且发展势头强劲。此外，继星火计划之后，其他一些科技计划也沿着星火计划的路子进入农村领域，在一定程度上取代了星火计划的作用。而星火计划原先的一些优惠政策、支撑条件逐渐减弱，使得星火计划对农村经济的带动力没有设立初期那样明显。针对形势和环境的变化，广东省在组织实施星火计划过程中，突出抓构建星火技术密集区技术创新平台，重点提高“七五”和“八五”期间在发展星火技术密集区过程中，形成的以劳动密集型为主的专业镇的技术创新，用高新技术改造传统产业。2000年在国家级星火密集区东莞石龙、佛山张槎启动了专业镇的技术创新试点工作，构建密集区的技术创新平台，建立完善的信息网络和电子商务网络，疏通科技成果引进、转化的渠道，探索一条为星火密集区企业技术进步，提升产品档次和提供技术市场信息服务的路子。到2000年，广东各星火密集区基本实现了网上办公自动化，湾仔、石龙等星火密集区已建立了政府管理部门与各大企业直接相连的局域网，使各星火密集区形成了科学有效的政府管理体系，整体科技意识得到很大提高，技术创新有较大突破。据不完全统计，仅2000年，星火密集区开发新产品近30个。星火密集区科技创新平台建设已经取得初步效果，带动这些区域经济从数量型发展转向重质量效果的专业型、内涵型发展。

采取多种方式，增强龙头企业的技术创新。在引导星火龙头企业开展技术创新的过程中，一是通过星火计划资助企业从外部引进新的技术、设备；二是鼓励企业独立进行研究与开发；三是鼓励产学研相结合，对于缺乏信息、人才、技术等的乡镇企业来说，合作研究开发便显得更为重要，产学研的联合也就成为星火企业从事技术创新的重要途径；四是支持星火龙头企业建立技术研发中心。1998年开始，在8家星火龙头企业组建省级工程技术研究开发中心。

在抓好重点工作的同时，还对星火计划面上项目实施区域进行了调整，项目实施的区域从以珠江三角洲为主逐渐向东西两翼和北部山区为主转移，使星火计划不断向纵深发展，在全省区域经济发展中发挥重要作用。“九五”期间，全省组织实施了大农业技术领域科技项目600多项，投入省级科研经费超过1亿元。通过科技和生产管理人员的共同努力，这批项目形成年产值5000万元以上的有62个，1亿元以上的有43个，实现利税195亿元，节创汇11.4亿美元，并取得了明显的社会效益，促进了农村的技术创新活动，增强了企业的竞争能力。星火计划的实施培育了一大批具有较强技术开发能力的星火龙头企业，如北滘美的集团，顺德万和家电集团，珠海湾仔中富集团，阳春喜华生物化工公司等等。以广东温氏集团为例，该公司从80年代后期开始承担国家级和省级星火计划项目，2000年开始组建“广东省温氏食品工程技术研究开发中心”，2001年，建立“广东省农业技术创新中心”。技术创新能力的不断提高，促进了企业的快速发展。2001年，温氏集团肉鸡上市量达9000万只以上，销售额达到30多亿元。

通过“九五”期间星火计划的实施和引导，优化了广东农村产业结构，促进了农村城镇化的发展。全省培育和建立了优质水果、反季节蔬菜、水产规模健康养殖、良种禽畜、茶叶、竹笋、南药、食用菌、林产化工、家电产品、农业信息以及相关加工产业等40个在地方经济发展中占举足轻重地位的区域性特色或支柱产业，如北滘镇农业形成了以鳗鱼养殖、加工和畜禽生产为龙头的产业，工业形成家电及相关产业（含相关原材料加工业）的发展。根据1998年的统计，镇一级经济规模超10亿元的镇有274个，其中珠江三角洲地区194个，占70.8%，占珠三角全部市辖镇的46%。东翼地区汕头、揭阳等市56个，占20.9%。星火计划的实施促进了乡镇企业和中小企业的发展，带动了农村经济的快速增长，进而带动了农村工业化、城镇化的大发展。

同时，省市科技主管部门努力探索推进星火计划新的管理方式，促进星火计划不断适应发展形势，迈上新的台阶。首先是强化上下联动，调动地方政府的积极性，对列入省级星火计划的项目，原则上要求地方科技部门给予立项支持，共同推进星火计划项目的组织实施工作，项目实施得好，在发展地方经济中能发挥作用，又能得到当地政府的更多支持，形成良性循环。其次是强化各种科技计划的衔接，有效地整合科技资源。从国家层面来讲，科技计划体系中还有火炬计划、科技成果重点推广计划，农业部门有跨越计划、丰收计划、乡镇企业东西合作示范工程、农业综合开发示范商品基地建设、菜篮子工程、温饱工程、农业技术推广计划等农业和农村经济发展计划。这些计划都有配套的政策和相应的投入，而且在实施过程中，有些与星火计划既有相互补充，又有重叠的特点。通过强化各种科技计划的衔接，明确界定星火计划的位置，广东省星火计划按照“突出重点、有所为、有所不为”的原则，以市场为导向，发挥星火计划与其他计划相互补充、相互促进、互相支撑、互相依托的关系。

1998年，全省有东莞石龙、珠海湾仔、南海平洲、汕头澄城、韶关大塘、佛山张槎6个星火技术密集区被科技部正式批准为国家级星火技术密集区建设单位。全省8个星火技术密集区实施星火项目16项。各区按照自身的产业特点不断培育龙头产业的发展后劲，重点推动了北滘密集区的家电产业，石龙密集区的电子和医药产业，湾仔的饮料包装产业和张槎的全息防伪印刷和针织产业。同时加大了各密集区的镇容卫生和绿化美化的力度。

进入21世纪（“十五”期间），广东星火计划管理部门进一步凝练星火计划的主要任务。重点支持、引导“公司＋基地＋科技＋农户”的产业化经营方式的集成，加强产、学、研的集成，加强省、市、县联动的集成，调整产业结构，发展一批农业现代化示范区，攻克一批农业生产中急需解决的关键技术，提高农业经济的竞争力和可持续发展能力。

在“公司＋基地＋科技＋农户”的产业化经营方式的集成方面，重点支持建立适应家庭承包经营体制，种养加、产供销、贸工农一体化，以市场为导向，技术为依托，立足资源优势的农业产业

化经营模式。通过依靠科技进步，促进龙头企业的成长、壮大，形成一批可带动相关产业发展的、集约化、规模化、产业化经营的星火区域性支柱产业和龙头企业，推动全省农业产业化的发展。

在产学研的集成方面，重点鼓励农业企业建立自己的技术开发机构，增加研究开发投入；鼓励农业企业与科研单位、大专院校合作建立农业工程技术研究开发中心或其他技术开发机构，合作研究和开发新品种和新技术；鼓励科研单位、大专院校以技术入股等多种形式进入农业企业，加强企业的技术开发能力；鼓励科研单位、大专院校的开发推广机构，成为农业企业，进入经济建设主战场。

在加强省、市、县联动的集成方面，提出依靠科技进步，加快贫困山区脱贫致富，促进星火计划北移。组织科研院所、大专院校的科研人员到山区开展科技扶贫，推广良种，传递信息和开展技术培训，全面提高农村劳动者的知识水平和技术素质。鼓励和引导珠江三角洲地区的科技先导型企业到贫困地区搞经济合作，项目联姻，优势互补，强强联合，牵动贫困山区生产力水平的提高。在山区各县大力发展特色农业，建立一批山区“造血型”项目，逐步形成龙头企业，实现龙头带动的发展目标，不断培育新的经济增长点。做到省、市、县互动，共同扶持山区科技经济的发展。

在调整产业结构，发展农业现代化示范区方面，重点引导包括星火技术密集区、可持续高效农业示范区在内的农业现代化示范区，依靠科技进步促进农村经济体制转变，推动农村经济发展模式由单一、分散、粗放型向综合、集约、效益型转变，三次产业协调发展，引导、带动农村工业化、现代化和小城镇建设。

在攻克农业生产中急需解决的关键技术，提高农业经济的竞争力和可持续发展能力方面，重点在动植物良种及产业化技术，可持续高效种养技术，农副产品保鲜、贮运、深加工新技术，农业生产现代化装备，海洋综合开发技术，林业综合开发技术，以及开发绿色产业，绿色食品，高效持续地开发利用浅山、坡地、滩涂和海湾，保护农业生态环境，解决农业和畜牧业高度发展过程中，农林牧副渔五业协调发展以及农业内源污染，尤其是畜禽粪便污染日益严重问题，实现生态效益、经济效益和社会效益同步持续增长。

在“十五”期间，广东省科技厅共组织实施星火计划项目777项，其中国家级226项，省级435项，项目总投入近52亿元，其中国家财政投入1533万元，省财政投入6665万元，企业自筹374309万元，获取贷款44768万元，项目完成后预计实现产值超330亿元，新增利税98亿元，创汇87052万美元。

2005年，创建星火技术产业带，目的是进一步推进广东农村科技工作，优化资源配置，发挥星火技术整体优势，提高星火技术集成度和显示度，加速先进科技成果转化，培育区域竞争力较强的特色优势产业，增强区域经济互补性，推动农村经济规模化、集约化发展，切实促进农村增益。2005年，省科技厅开始设立科技专项经费支持星火产业带建设。在星火计划实施和区域性支柱产业建设基础上，充分发挥企业积极性，按照“合理布局、突出特色、加强协作、共同推进”的原则，组建了具有广东特色的“茶叶星火技术产业带”、“果品星火技术产业带”、“水产星火技术产业带”三个星火技术产业带。

至2005年，广东已经建成了8个国家级星火技术密集区和1个省级星火技术密集区，在国家级星火密集区东莞石龙、佛山张槎等近10个镇启动了技术创新试点工作，构建密集区的技术创新平台，建立完善的信息网络和电子商务网络，疏通科技成果引进、转化的渠道，探索一条为星火密集区企业技术进步，提升产品档次和提供技术市场信息服务的路子。建设农业科技园区是实施星火计划的深入发展。“十五”期间，全省建立了2个国家和15个省级农业科技园区，29个省农业科技创新中心。其中，国家和省级农业科技园总投入资金20.39亿元，园区核心区总面积6005.33公顷，辐射区总面积279888.7公顷，带动区总面积2694906.7公顷，实现总产值34.45亿元。29个省农业科技创新中心建设总投入6.2亿元，其中研发经费投入2.5亿元，开发出各类新产品743个，取得30多项新技术，申报专利28件，其中获批15件。所依托企业（集团）年总产值达77.3亿元，带动农户123365户，农民增收

6.3 亿元。共培育形成了近百家科技型农业龙头企业，分布在蔬菜种植等行业，其中年产值超亿元的农业龙头企业达 18 家。

在国家制定《“十一五”星火计划发展纲要》后，广东致力于推动泛珠江三角洲区域科技合作。2006 年 5 月，广东科技厅和广西科技厅在广西梧州联合签署了《广东省科学技术厅、广西壮族自治区科学技术厅共同建设星火技术产业带合作备忘录》，明确共建星火技术产业带，内容包括开展星火产业带规划，共建星火产业带发展平台，协商星火产业带建设的协调机制、交流机制、资助机制、管理机制等。双方还约定，条件成熟后，两省区科技厅联合向科技部申报国家级星火产业带。

2. 火炬计划。

1988 年 8 月，国家火炬计划经国务院批准实施。它是以国家、地方和行业的科技攻关计划、高新技术研究开发计划成果及其他科研成果为依托，以发展高新技术产品，形成产业为目标，旨在以市场为导向，促进高新技术成果商品化、产业化、国际化的一项指导性开发研究计划。火炬计划项目的重点发展领域包括：电子信息、生物技术、新材料、光机电一体化、新能源、高效节能与环保等。

1993 年，广东组织代表团参加全国火炬计划五周年（1988—1993）庆祝活动和全国火炬计划成果及高新技术产品展示会。全省有 70 多家企业，131 个项目，145 种展品参加展出，并有 22 个先进单位（项目）和 23 位先进个人获科委奖励，奖励总数名列全国前 3 名。

1994 年，在奖励和表彰的基础上，广东省开展省级火炬计划五周年奖励表彰活动。共有 10 个先进单位（项目）和 8 位先进个人获奖。

1995 年，国家开始创建火炬计划特色产业基地活动。

1996 年 6 月，广东省举办高新技术创名牌产品展览会。

广东省科技厅（省科委）受省委、省政府的委托，负责组织实施广东省火炬计划。1997 年 7 月，广东省发布了《广东省火炬计划项目管理办法》，明确火炬计划项目是火炬计划的重要组成部分实行国家和省两级管理。省级火炬计划项目的评审、立项由省科委负责；国家级火炬计划项目由省科委组织评审，申报国家科委审定立项。火炬计划项目的资金实行国家、地方和项目承担单位相匹配的原则，同时积极争取多渠道的资金投入。国家和省匹配的资金主要来自银行和有关金融机构的科技开发贷款。

申报火炬计划项目需属于火炬计划重点支持的新材料、生物技术、电子与信息、机电一体化、新能源高效节能与环保和其他高新技术领域；项目所采用的技术必须是先进和成熟的，而且经过了产品（样品、样机）技术鉴定，已具备商品化生产的条件（对国家专卖产品、食品、医药、通讯类产品需取得主管部门有关生产的批件）；项目产品投产后能形成一定的经济规模，且有良好的国内外市场、较好的经济效益和较高的投入产出比；项目承担单位有较强的技术实力（或技术支撑单位），较高的市场开拓能力和管理水平。

1998 年 8 月，广东组织代表团参加全国火炬计划十周年（1988—1998）庆祝活动和全国火炬计划成果及高新技术产品展示会。全省共有 35 个先进单位和 10 位先进个人获科技部奖励，并获六个全国第一：火炬奖获奖总数第一，火炬优秀项目奖第一，火炬优秀项目一等奖第一，火炬优秀项目三等奖第一，火炬优秀企业奖第一，火炬先进科委管理奖第一；另有 16 个单位和 6 位先进个人受表彰，并获得所有表彰项目的全国第一：表彰总数第一，项目表彰第一，企业表彰第一，单位表彰第一，个人表彰第一。

1999 年，在科技部火炬计划十周年奖励表彰工作基础上，广东省开展省级火炬计划十周年奖励表彰活动。共有火炬奖 145 项（含国家火炬奖 45 项），其中火炬优秀项目奖 46 项（含国家火炬优秀项目奖 20 项），火炬优秀企业奖 29 项（含国家火炬优秀企业奖 11 项），火炬先进管理奖 19 项（含国家火炬先进管理奖 4 项），火炬优秀协作奖 5 项，火炬先进个人奖 46 项（含国家火炬先进个人奖 10 项）获得奖励。

2003 年，广东省启动省级火炬计划特色产业基地工作。目的是引导和扶持一批产业特色鲜明、产业关联度大、技术水平较高的高新技术产业集群和特色高新技术产业集群的发展，并指导当地政府采取有效措施，推动这些特色产业集群进一步提高自主创新能力，为区域经济社会发展发挥更大作用。

2004 年，根据《中共广东省委广东省人民政府关于加快建设科技强省的决定》的精神，参照《国家火炬计划特色产业基地管理办法》，广东省科技厅发布《广东省火炬计划特色产业基地认定和管理办法》，明确特色产业基地是指在某一地域内，在实施高新技术产业科技计划的基础上，以一批产业特色鲜明、产业关联度大、技术水平较高的高新技术企业群体为骨干，依托当地的资源和技术优势建立起来的具有某种高新技术特色的产业集群。特色产业基地的认定将以高新技术的发展为手段，集成优势资源，培育和带动地方的特色和支柱产业，促进区域经济协调发展，提高区域经济的整体竞争力。特色产业基地应有较好的产业基础，其相关特色产业的产品年销售收入应达到 10 亿元（特殊行业和地区可适度放宽）以上的经济规模。在 3 年内可望有较大发展，相关特色产业的产品可形成年销售收入 30 亿元以上的经济规模和较高的国内外市场占有率。

“十五”期间，广东省累计实施火炬计划项目超过 1350 项，其中国家级火炬计划项目达 550 多项。

2007 年 2 月，根据广东省科技厅发布《广东省火炬计划特色产业基地认定和管理办法》，新认定广东省火炬计划特色产业基地 20 个，包括广东省火炬计划电子信息特色产业基地（东莞市），广东省火炬计划照明器材设计与制造特色产业基地（中山市），广东省火炬计划生物与有机功能新材料特色产业基地（广州市），广东省火炬计划高能环保电池特色产业基地（惠州市），广东省火炬计划家电配套创新特色产业基地（中山市），广东省火炬计划模具和塑料制品特色产业基地（揭阳市），广东省火炬计划 TFT-LCD 特色产业基地（佛山市），广东省火炬计划服装特色产业基地（东莞市)，广东省火炬计划海洋水产特色产业基地（阳江市)，广东省火炬计划输配电设备制造特色产业基地（汕头市)，广东省火炬计划建筑五金特色产业基地（肇庆市)，广东省火炬计划生物医药特色产业基地（东莞市)，广东省火炬计划海洋生物技术特色产业基地（广州市)，广东省火炬计划铜特色产业基地（梅州市)，广东省火炬计划珠宝特色产业基地（广州市)，广东省火炬计划水族器材特色产业基地（潮州市)，广东省火炬计划空港物流特色产业基地（广州市)，广东省火炬计划医疗信息化特色产业基地（汕头市)，广东省火炬计划羽绒特色产业基地（湛江市)，广东省火炬计划服装纺织特色产业基地（云浮市)。

2007年4月19日，广东省特色产业基地现场经验交流会议在佛山召开。会议主要议题是进一步贯彻落实全省自主创新工作现场会议精神，总结和交流全省特色产业基地建设和发展的经验，研究和部署今后一个时期特色产业基地的工作，推动广东省特色产业基地建设迈上新台阶。会议认为产业集群已成为当今世界经济发展的主流之一，得到了世界各国、各地区的高度重视。

“十五”以来，广东省的产业集群发展迅速，特色产业基地已成为广东省经济持续高速增长的新亮点，建成特色产业基地65个，其中科技部高新司新材料特色产业基地2个，国家级火炬计划特色产业基地19个，省级火炬计划特色产业基地44个。据统计，2006年广东省特色产业基地工业总产值达4930亿元，约占全省工业总产值的10%；基地的高新技术产品产值1650亿元，占特色产业基地工业总产值的30%，占全省高新技术产品产值的11%。全省特色产业基地的经济增长幅度，明显高于当地经济增长的平均幅度。2006年，广东省特色产业基地的工业总产值，比2005年增长20.3%。与此同时，各类特色产业基地占当地经济总量的比重逐步加大，有些基地已占到当地工业总产值的30%以上。如湛江海洋特色产业基地的工业总产值，2006年已占湛江市工业总产值的33%；阳江五金刀具特色产业基地2006年工业总产值占了全市工业总产值的31%；云浮禽畜生物制品特色产业基地2006年工业总

产值占当地工业总产值的38.5%。

特色产业基地依托高新技术，成为区域自主创新的有效载体。国家级肇庆金属新材料产业基地，以高新技术为导向，坚持走自主创新的道路，聚集和培育地方特色高新技术企业，形成了鲜明的产业特色。该基地内有高新技术企业19家，占全市高新企业总数的17.7%；该基地建有国家级工程中心1个、省级工程技术研发中心10个，承担了国家级火炬计划项目12项，占肇庆市历年来承担国家级火炬计划项目总数的21.2%。2006年该基地共有金属新材料类企业482家，销售收入超亿元的企业有12家，共实现工业总产值54.58亿元，成为肇庆市的支柱产业之一。

特色产业基地不断完善和延伸产业链，有效地推进了区域产业结构的优化升级。国家级顺德家用电器产业基地，是全国最大的空调器、电冰箱、热水器、消毒碗柜等家电生产基地，该基地已突破行政区域界限，产业链不但分布在顺德各镇区，而且覆盖到了南海、中山的部分镇区，甚至产业链的一些环节扩散到了东莞、江门等珠江三角洲区域。

特色产业基地的产业竞争力不断增强，形成了一批具有国际影响的自主名牌。目前，广东全省特色产业基地共有规模化企业4000多家，年产值超过亿元的企业约500家，超10亿元的企业60多家，上市企业50多家，高新技术企业1000多家（占全省高新技术企业总数的1/4）。具有自主知识产权的高新技术产品产值，占特色产业基地工业总产值的30%。

广东全省基地逐步形成以惠州数码视听、汕头轻工机械、东莞虎门服装、高要铝压铸等为代表的区域品牌，在国内外享有盛誉。截至2006年底止，全省特色产业基地内的“中国名牌”产品达到60多个，占全省“中国名牌”产品的30%左右。

星火计划和火炬计划的启动，突破了以往科技体制改革囿于科研机构的小科技体制思想，标志着广东科技体制改革已从小科技体制到大科技体制的转变。

• **广东省重点新产品计划**

广东省重点新产品计划从1990年开始十几年来，社会经历了重大变革，给新产品计划带来了深刻的影响，新产品优惠政策发生了多次的变化。期间，由广东省科技厅推荐上报的新产品计划项目中，共有1610个项目被列入国家级重点新产品计划，6142个项目被列入省级重点新产品计划。这些项目的实施，取得了非常显著的经济效益和社会效益。

重点新产品计划实施，引导企业进行科研投入，推进企业技术创新。1999年约投入1.44亿元，2000年约3.43亿元，2001年约3亿元，2002年约2.68亿元，2003年约4.2亿元，2004约5.69亿元，平均每年递增41.5%，2004年科技投入是1999年的3.94倍。企业科技投入连年增长说明新产品的优惠政策的实施，提高企业科技投入的意识，提高自主创新能力，促进了高新技术产业的可持续发展。

在国家新产品计划优先支持、鼓励发展的政策引导和带动下，重点新产品计划的实施，促进广东省产品结构和产业结构调整，使高新技术不断向传统产业渗透，促成了传统产业资源优化重组，提升了广东省传统产业。1999年列入广东省重点新产品的352项产品按技术领域分类，排在前五位为：光机电一体化、新材料、农业、电子信息、新能源、高效节能，分别占列入计划产品的21.31%、19.03%、18.75%、13.35%、8.52%。2004年列入广东省重点新产品的360项产品按技术领域分类，分布在9个技术领域，排在前五位为：光机电一体化99项、新材料90项、电子信息77项、新能源、高效节能34项、医药医学22项。光机电一体化、新材料、电子信息、医药医学等高新技术领域产品发展较快，列入计划产品数比1999年有较大增长，其中光机电一体化列入计划产品数增长32%，新材料列入计划产品数增长34%，电子信息列入计划产品数增长63%。这些领域基本涉及了广东省高新技术产业发展的重点领域。

新产品计划的实施引导企业加大了新产品开发力度。从745份问卷、416个实施新产品计划企业来看，每年新产品的数目都在递增，新产品销售收入占企业产品销售收入的15%，利润占企业利润的21%。新产品的开发促进企业产品升级，提高市场竞争力，企业逐步意识到技术创新对企业稳定发展起了关键性作用，企业的专利申请和授权量，注册商标的数量大幅度提高，1999—2004年，全省新产品获得国家级奖励有167项，获得省级奖励有372项，共有223家企业获得了奖励。

新产品产出的效益，为国家培植了新的税源。1999－2004年，调查的416家企业享受新产品计划税收优惠政策、财政补贴累计等共7804万元，累计新增利润123159万元，新增税额51875万元，新产品享受优惠政策与新增利润比例约为1∶16，上缴税额比例约为1∶7，这些效益对企业和地方经济的发展产生了一定的推动作用，为国家培植了新的税源。

从调查的745个项目的新增经济效益来看，从1999－2004年，除2002年外，新增的销售额连年增长，分别增长了25.11%、42.94%和85.62%，2004年的新增销售额是1999年的2倍。同样，新增利润除2002年外，也连年增长，新增利润分别上升了22.04%、73.9%和77.6%，2004年比1999年增长了1.5倍，新增上缴税额分别增长33.51%、72.15%和25.89%，2004年比1999年增长了56.03%，新增创汇分别增长41.83%、90.91%和275.34%，2004年比1999年更上升了将近5倍。

“十五”期间，广东省通过重点新产品计划，共扶持新产品项目1974项（注：不含深圳，以下数据皆不包含深圳），其中国家级新产品立项410项。

扶持的项目覆盖光机电、新材料、电子信息、农业、新能源、医药医学、生物、环境资源、航空、地球空间及核技术等11大领域。技术领域分布从高到低依次是：光机电一体化25.73%、新材料24.42%、电子信息21.18%、新能源、高效节能7.85%、农业5.62%、医药与医学工程5.52%、生物技术4.76%、环境与资源利用4.00%、航空航天及交通0.51%、地球空间及海洋工程0.25%、核技术应用0.15%，而光机电一体化、新材料、电子信息三大技术领域超过立项总数70%。

产业领域分布从高到低依次是：电子与信息22.95%、机械20.26%、建筑与建材7.95%、生物与医药7.90%、农业6.43%、轻纺5.47%、石化5.37%、能源4.31%、交通运输2.84%、冶金1.37%、其他15.15%。立项项目主要分布在机械和电子信息行业，两者皆超过立项总数20%，合计超过立项项目的40%。

“十五”期间广东省新产品计划立项的1974项项目中，达到国际领先水平159项，国际先进水平567项，国内领先水平1065项，国内先进水平183项；获得发明专利342件，实用新型专利515件，外观设计126件。项目上报当年累计新增销售额1073.59亿元，新增利润233.11亿元，新增创汇27.08亿美元，新增上缴增值税59.54亿元，增加就业人员80.13万人。

• 科技成果重点推广计划

科技成果重点推广计划是广东省科技计划体系的一部分，在整个计划链条中处于下游，是定位在技术的应用、示范层面的一个计划，其主要任务是通过政策引导和资金支持，有组织、有重点地将先进、实用的技术成果进行推广应用，以达到促进科技成果转化为现实生产力，提高行业（或产业）和区域技术发展水平的目的。其主要特征：一是面向区域和行业（或产业），即计划项目的实施要针对一个区域（或群体）、一个行业（或产业），有一定的覆盖面；二是重点支持能够提升传统产业和对发展高新技术产业有促进作用的共性技术，以及社会效益和生态效益显著的社会公益技术；三是技术推广应用与推广转化体系建设相结合；四是单项技术的推广和技术集成项目的推广相结合，更多的应是技术集成。

1997年，广东省科委公布《广东省科技成果重点推广计划实施办法》，明确要求高度重视科技成果重点推广计划与各类科技攻关上游科技计划的衔接，努力将各类攻关计划产生的科技成果进行推广、转化和示范。

2005年共实施科技成果推广项目50项。结合行业和区域产业特色，在农村、工矿企业大面积推广应用前景好、技术成熟的项目。重点在河源、韶关两地实施农村沼气新技术综合利用推广示范工程、在云浮启动了传统果蔬食品绿色加工技术推广等3项重点成果推广项目，实施了运销、外销荔枝配套技术示范等3项重点培育项目，批准省级重点新产品697个，列入国家级新产品计划114项，取得了良好的成效。

推广计划项目的支持范围主要在省科技计划主体领域，即大农业、工业和高新技术、社会发展三大领域。大农业领域是根据广东省农业、农村和提高农民素质的需要，着力为农业产业化和现代化、农村城镇化推广先进实用的技术成果和开展技术培训。工业和高新技术领域是针对广东省高新技术产业发展和走新型工业化道路的需要，着力于传统产业技术升级，为广大中小企业发展提供共性技术服务，组织高新技术成果推广应用。社会发展领域是围绕人类健康、生态环境建设和社会安全的需要，着力在提高人口素质、资源有效利用、环境保护和生产安全、公共安全保障等方面组织技术推广。

推广计划项目的重点内容主要有三方面：一是农业技术方面，以新品种、种养新技术或其配套集成技术和设施，农产品保鲜加工共性技术和装备，食品安全技术，农业信息技术，改善农村生产环境以及提高农民生活质量的共性实用技术和社会公益技术为重点；二是工业和高新技术方面，以电子信息

技术、生物工程技术、新材料技术、新能源或节能技术和装备、先进制造技术和装备、控制系统及监控设备等为重点；三是社会发展技术方面，以有利于环境保护和可持续发展的技术及设备，工业清洁生产技术及设备，自然灾害防治技术、人类及动物流行性传染疾病防治技术、资源再利用技术等为重点。

“十五”期间，广东省科技成果重点推广计划立项项目近400项，经费金额近4000万元，项目技术覆盖工业和高新技术、农业以及社会发展各个领域。重点项目的实施周期为2～3个年度，拟支持经费总额100万～150万元。这些项目的实施对于提升行业技术水平或促进当地科技进步起到了积极作用。如：由广东省微生物所承担的“食用菌标准化生产技术的推广应用”项目，该项目以“在食用菌产业链的制种、栽培、深加工和销售渠道4个主要环节同时进行技术升级，制定广东主产食用菌品种的企业质量标准及食用菌菌种和食用菌栽培技术规程”为目标，经过两年实施，按照项目研制的4项从菌种到菇品，从生产技术规程到产品质量的系列标准规范，广东省的食用菌标准化栽培企业不断增多，已达到30多家。规模在持续扩大，从日产5～10吨增加到10～30吨。传统农耕式生产在明显萎缩，从占总产量90%下降到60%左右，市场产品质量有了整体的提高，促进了食用菌生产从传统农业向标准化现代农业的迈进。在已投产的基地（12个）和应用了新技术的企业2005—2006年实现了近1亿元的直接产值和3400万元的利税。通过基地带动农户发展食用菌生产，加快了山区、库区农民的脱贫致富，两年来带动6000家农户从事食用菌生产，带动农户增收2000万元。通过对广西、重庆等地的技术输出，促进了广东与西部和泛珠三角地区的合作，争取到国家科技项目立项2项，申请3项专利，提供标准和规范4项。

再如由华南农业大学承担的“传统果蔬食品绿色加工技术的推广应用”项目，其项目目标是：将绿色加工技术体系应用到传统食品的加工与生产中，以此提升企业的技术水平和提高产品的质量与安全性；将ISO、HACCP质量控制体系和标准体系在传统食品加工企业中推广应用，建立全新的传统食品质量管理体系。至2006年底，马林食品有限公司、嘉兴食品有限公司、万事兴食品有限公司三家凉果加工企业通过了QS认证，取得了食品生产许可证，其中，马林食品有限公司已通过ISO9001认证。

第六章
千树万树梨花开
——科技创新平台与科技基础建设绽放奇葩

改革开放以来，广东省科技创新平台呈现了多足鼎立的局面。

广东省重点实验室在应对突发公共安全事件中起中流砥柱作用；作为广东优秀科技人才和科研团队栖息的“梧桐树”，为广东优化创新环境提供了大批优秀科技人才；在推动科技成果转化、促进地方经济发展方面，省重点实验室更是功勋卓著。

省公共实验室肩负着深化广东科技管理体制改革，为国家科技基础条件平台建设探索机制的使命。作为新型的公益性科研机构，执行国家和广东省科技中长期发展规划，从事关键技术、共性技术的基础和应用基础研究。

专业镇技术创新平台则成为专业镇特色产业技术创新的核心，它的出现大大提高了镇级经济和中小企业的竞争力，有力地推动了广东省城镇化的进程。广东省专业镇的技术创新工作也经历了一条从小到大、从弱到强、从量变到质变、从星星之火到燎原大火的辉煌发展历程。

一、广东省重点实验室

镜头画面：广东省药用功能基因研究重点实验室（中山大

学）

> 从“九五”开始，广东逐步打破隶属关系的限制。以“不求所有，但为所用”的理念，面向全社会，同时在驻粤中央部委属高校和科研机构中择优建立重点实验室。这种不分隶属关系的建设方式，充分利用和整合了广东当地的科技资源，提升了重点实验室的整体水平。

广东省重点实验室是广东适应科技体制改革的重要举措。广东省从“七五”期间实施科技体制改革，于1986年，由广东省科委和省计委联合启动省重点实验室建设。省重点实验室主要建设在应用技术与应用基础研究和重大工程技术研究及开发领域。

在省重点实验室建设初期，政府支持力度比较有限，一般只有几十万元。在“七五”、“八五”期间所建的实验室，主要由科研实力较强、基础条件较好的高校、科研机构或企业独立承担，基本隶属于省属科研单位和高校。“七五”期间，全省共建立8家重点实验室。

从“九五”开始，广东逐步打破隶属关系的限制。以“不求所有，但为所用”的理念，面向全社会，同时在驻粤中央部委属高校和科研机构中择优建立重点实验室。这种不分隶属关系（国家、部委、外省市）的建设方式，充分利用和整合了广东当地的科技资源，提升了重点实验室的整体水平。省重点实验室逐步明确自己的定位：紧紧围绕广东省经济和社会发展需求，实行“开放、流动、竞争、协作”的运行机制，开展应用基础和应用开发研究工作。

从1999年开始，广东省科技厅加大了对重点实验室的投入力度，同时采用政府引导和依托单位和相关部门配套投入的方式。不断创新机制，拓宽合作领域，形成省市共建、院地共建和省部共建等模式，拓宽了资金投入渠道，对重点实验室建设起到了良好的促进作用。省重点实验室在承担科研项目的同时，重视把握本学科领域的研究方向，主动适应广东经济、科技、社会发展的需求。

至“十五期”末，政府累计投入4.1亿元，依托单位与相关部门配套投入6.6亿元。政府的引导性投入，拉动了社会各方对重点实验室的投入，为重点实验室的研究开发和条件建设提供了坚实的保障。目前，全省共建设了94家省重点实验室，其中70家已建成并通过验收，在重点实验室建设规模方面已走在全国前列。省重点实验室与在粤的国家重点实验室、部级重点实验室、省公共实验室、重点科研基地及其他厅局建设的重点实验室共同构成了广东省的实验室体系。

省重点实验室建设对全省科技体制改革、完善，对全省支柱产业和经济社会各领域发展，起到有力的支撑作用。它涵盖的学科和领域非常广泛，包括信息与通信、先进制造、新材料、新能源与节能、生命科学、医药与健康、资源与环境、现代农业、海洋等与广东省经济建设紧密结合的战略性研究领域，以及有发展前景的应用基础研究领域。其中，依托科研机构建设的有40家，依托高校建设的有49家，在相关部门和企业建设的有4家，分别占43.2%、52.1%和4.7%。它在广东自主创新能力和关键技术研究处于主力军地位。省重点实验室较好地处理了科研体制改革中“破”与“立”的关系，起到了“稳住一头”的重要作用。同时，省重点实验室建设进一步改善了科技创新环境条件，建立健全了科技创新机制，提升了科研院所的科技创新和成果转化能力，提高了大学的学科建设和科研水平。据统计，省重点实验室累计承担国家级重点、重大项目、省部级重点攻关项目、国际合作项目等各类科技项目7324项，部分科研成果填补了国内空白，达到国内或国际先进水平；共获得厅局级以上奖项965项，其中国家科技三大奖一等奖2项，二等奖24项。获得授权的专利797件，其中发明专利有502件，实用新型270件，外观设计25件。多个重点实验室掌握了行业的共性和关键技术，成为了广东省自主创新的源头。“十五”期间发表SCI、EI、ISTP三大索引收录论文共1754篇，连年在*NATURE*、*SCIENCE*和本领域顶级杂志上发表高水平论文，极大地提

高了广东在国际学术界的影响。在广东作为首席科学家单位的5项“973”项目中，重点实验室承担了其中的4项，省重点实验室已成为承担国家高水平科技项目、开展重大关键领域研究的主力军。

此外，省重点实验室还是广东优秀科技人才和科研团队栖息的“梧桐树”，成为广东优化创新环境，培养和吸收优秀科技人才的聚集地。根据广东科技主管部门统计，先后有6位省重点实验室的主任或学科带头人当选为两院院士。现有38名院士担任实验室主任、学术委员会主任、副主任职务。实验室吸引和培养了一大批优秀科技人才，其中获国务院政府特殊津贴93人，国家杰出青年基金资助22人，获国家有突出贡献中青年专家9人，“长江学者”特聘教授7人，广东省自然科学基金研究团队23个。历年来，重点实验室共培养高级人才3799人，其中培养博士后197人，博士生980人，硕士生2622人。

在推动科技成果转化，促进地方经济发展方面，省重点实验室更是功勋卓著。一方面，省重点实验室及其依托单位直接转化科技成果，产生良好的经济效益。“十五”期间，省重点实验室通过科技成果转化和技术转让带动各行业实现经济效益超过900亿元，与总投入10.7亿元相比，投入产出比高达1∶90。广东省现代表面工程技术重点实验室研制的激光雕刻陶瓷网纹辊产品具有国内领先水平，替代了进口产品，已实现年销售1100万元，取得了良好的经济效益。另一方面，省重点实验室通过技术转让、委托研究、技术咨询等方式，为企业提供技术服务，提高了广东产业竞争力和经济效益。依托华南理工大学建立的广东省高性能与功能高分子材料重点实验室，近3年来承担技术转让和技术开发项目55项，新增产值超过2亿元，新增利税3000万元以上。一些省重点实验室还到科技园区、专业镇等产业集聚地设立了研究开发和技术服务机构，为企业提供长期稳定的服务。

未来，省重点实验室的主要使命是不断增强科技持续创新能力和科学技术储备，进一步强化应用基础研究，推动产业结构优化升级，培养、稳定和聚集一批优秀的高科技人才，实行“开放、流

动、竞争、协作”的运行机制，创造良好的科研环境和实验条件，使其成为有广东地方优势和特色，代表广东省学术、技术水平、实验水平和科技管理水平的科技创新基地。省重点实验室要不断增强综合科技实力，成为全省中长期关键技术、共性技术、高新技术研究开发的骨干力量，成为承担各类科技计划项目的主力军，主动适应广东省经济社会和科技发展的需要，进入经济建设主战场，成为全省科技创新体系的重要组成部分。省重点实验室的目标是，建设成为拥有自主知识产权的科研成果的创新基地，成为培养、稳定、聚集高层次科技人才创新基地，成为具有国内先进水平的实验条件和科研环境的创新基地。

二、广东省公共实验室

镜头画面：广东省农产品加工公共实验室

> 广东省公共实验室是新型的公益性科研机构。建设原则是，以社会发展需求和市场需求为导向，以建立共享机制为核心，以资源系统整合为主线，充分激活和利用现有科技资源，有效改善广东省科技创新环境，为广东省科技长远发展与重点突破提供强有力的支撑。

2004年11月，广东省科技厅根据《2004—2010年国家科技基础条件平台建设纲要》和《中共广东省委、广东省人民政府关于加快建设科技强省的决定》（2004）的有关精神，在全国率先启动省级公共实验室建设，首期投入资金2400万元。

省级公共实验室肩负着深化广东科技管理体制改革，为国家科技基础条件平台建设探索机制的使命。改革开放以来，广东的科技基础条件不断改善，建设了一批科技基础设施。“九五”和“十五”期间，积极探索科技资源整合。广东经济、科技、社会的健康发展，需要对科技基础条件资源进行战略重组和系统优化；需要

打破资源封闭局面，创建开放共享环境，促进全社会科技资源高效配置和综合利用的有效方式。

根据省科技厅的明确定位，广东省公共实验室是新型的公益性科研机构，它结合国家和广东省科技中长期发展规划，从事关键技术、共性技术的基础和应用基础研究。建设原则是，以改革和创新为动力，以社会发展需求和市场需求为导向，以建立开放、共享机制为核心，以资源系统整合为主线，搭建具有公益性、基础性、战略性的科技基础条件平台，并注重与国家和有关部委实验室的衔接，充分激活和利用现有科技资源，注重学科交叉和技术融合，促进新兴学科或优势学科的产生，有效改善广东省科技创新环境，增强持续发展能力。根本目的是要在科研机构中吸引和稳定一批精锐研究力量，保持科研的发展后劲，组织对关键领域的核心技术和共性技术进行攻关，产生具有原始创新或自主知识产权的重大科研成果，为广东省科技长远发展与重点突破提供强有力的支撑。

至今，在组织专家开展充分调研和科学规划的基础上，广东省科技厅依托相关机构先后建立了 14 家省级公共实验室，主要技术领域包括：金属材料、日用电器、微生物应用新技术、农产品加工、动物育种与营养、环境科学与技术、食品工业、农业机械装备技术、现代控制与光机电技术、软件共性技术、化学工业、兽医公共卫生、野生动物资源保护和利用、亚热带建筑技术等。

随着公共实验室的成功组建，广东还建立了由国家和部委级重点实验室、省公共实验室、省重点实验室共同构成的广东省实验室体系，大大充实了科技基础条件平台建设内容。

省公共实验室在建设过程中，积极探索省市共建的新模式。例如，广东省、广州市科技部门以广东省科学院自动化工程研制中心、广州市光机电工程研究开发中心为依托，在省现代控制技术重点实验室基础上，整合光机电工程研究开发中心应用光学实验室、自动控制实验室、光学镀膜中试基地、激光加工示范中心等资源，建立现代控制与光机电技术公共实验室。公共实验室以省、市共建共管共用的模式建设，具有分工协作、资源共享、优势互补的特

色，既整合资源，避免重复建设，又保证实际运作的高效性。鼓励各类科研机构联合共建公共实验室，促进这些学科的交叉与技术融合，为优化广东省产业结构，提升传统产业提供核心技术支持。例如，农产品加工公共实验室是由省农科院内的广东省（农业部）功能食品重点实验室和广东省果蔬深加工重点实验室整合而建；环境科学与技术公共实验室利用了省科学院系统内三个环境领域的研究所，广东省农业环境综合治理重点实验室、广东省遥感与地理信息系统应用重点实验室和广东省环境资源利用与保护重点实验室的优势，突出重点联合共建而成。

按照规划，广东今后将继续在转制科研院所建设省公共实验室。

三、专业镇技术创新平台

镜头画面：广东省科技厅分管专业镇工作的领导

> 最关键的是在“科技与经济结合”的大背景、大原则下，科技厅找到了一个科技为经济服务的很好的切入点：通过专业镇技术创新，为科技找到了一个为经济服务的途径，把不同领域（科技与经济）的概念有机地结合起来，也为科技管理部门找到了一个崭新的工作空间。

1．初入视野。

进入20世纪90年代以后，广东农村经济的一个突出特点是镇一级经济的发展壮大。特别是在珠江三角洲腹地和东翼的汕头、潮州、揭阳等一些城市的市场经济发育良好，现代化的交通、通讯、信息条件优越的市县，在国内外市场的牵动、国际国内产业转移的推动下，出现了大批经济规模超过10亿、几十亿到100亿元的产业相对集中，产供销一体化，营销网络覆盖面广，以非公有制经济占主要成分为特征的专业镇经济。

1999年，广东经济理论界指出以珠江三角洲地区为主的广东省专业镇（集群）经济现象。专业镇经济的发展不仅促进了城镇经济的发展，而且有力地推动了广东省城镇化的进程。因为专业镇，珠三角地区成为全国城镇化最高的地区之一。

但直到90年代末，广东省专业镇经济大多还处于初级成长阶段，产业、产品档次低，产业开发、设计能力不强，企业缺乏足够创新能力和市场竞争力，企业、机构网络还未完善，产业集群的集群效应没有得到充分释放。很多专业镇，纺织、服装、玩具、陶瓷、食品、家具、灯饰、五金制品等类型的劳动密集型行业，占镇级经济的六到七成以上。有的企业从产业类型来看是技术密集型企业，但由于没有自己的核心技术和知识产权，只是一个区域性生产者。随着工业化程度的不断提高和市场开放程度的不断加深，多数专业镇企业正面临着二次创业的挑战，产业改造升级的任务十分迫切。

2000年3月，广东省委、省政府出台关于贯彻《中共中央、国务院关于加强技术创新，发展高科技，实现产业化的决定》中提出“积极开展专业镇技术进步试点工作”。

2000年下半年，广东省科技厅在充分调研的基础上，正式启动专业镇技术创新试点工作。通过引导专业镇建立和完善技术创新平台，重点以高新技术和先进适用技术改造提升传统产业，发展具有广阔市场前景的特色产业，以技术创新推动专业镇企业的技术创新和技术进步，促进专业镇经济与科技的结合，较大地提高了特色产业的竞争力，促进专业镇经济社会的发展。同年11月认定第一个广东专业镇技术创新试点单位。

根据省科技厅的要求，获准试点的专业镇，首先要严格执行《广东省专业镇技术创新试点实施》方案的各项要求，在省、市、县科技局的指导下，根据本地区位优势、特色资源和产业基础，以高标准做好技术创新发展规划，制定出具有科学性、前瞻性、可操作性的促进技术创新的措施，用以指导专业镇的技术创新工作，使专业镇迅速发展成为国际知名的明星专业镇。

其次，每个专业镇围绕特色产业技术创新的需要，因地制宜地重点建设技术创新中心、生产力促进中心或行业协会，使它们成为平台核心，用以整合利用资源。在这个核心的基础上构筑社会化的科技服务网络，帮助企业建立依靠科技推动发展的动力机制，疏通人才、成果、信息的引入、应用与实施渠道，提升专业产品质量和知名度，形成专业镇品牌。其中，南海、中山、东莞等地的专业镇技术创新中心还包括技术研发、物流、电子商务、融资、信息化等方面的综合功能。中山市共有19个镇，已建立科技创新中心的有7个镇，南海区有18个镇，9个镇建立了技术创新中心。南海市西樵镇通过创建纺织创新中心，引进国外先进的纺织面料电脑设计系统，利用计算机辅助设计和制造技术，全方位为传统纺织产业的原料开发和面料设计提供技术服务，新产品开发时间从1个月缩短到3~5天，产品附加值提高了15%~20%，推动了全镇产业结构的升级。

再次，大力推进产学研合作，积极探索与国内著名高校、科研机构以及跨国公司开展合作的方式，促进产学研紧密结合。第一批专业镇共引进了80多家大学、科研院所的技术力量。有50多个专业镇实现了产学研合作。如中山大涌镇和中南林学院、北京林业大学、西安交大、中国林科院木材研究所、中科院广州能源所等院校在红木家具的设计、木材加工、木材烘干技术等领域进行合作，并聘请了14位专家担任技术顾问，帮助解决红木家具生产销售中的难题。

2002年，省科技厅成立了课题组，专门对《广东省专业镇技术创新示范工程研究与实践》进行调查研究，深入探讨如何加强专业镇技术创新工作，进一步推动全省区域特色产业发展，促进了镇级经济上规模上水平。

到2003年为止，广东已在全省范围内覆盖18个地市的71个镇（区）开展技术创新工作，并逐步从珠江三角洲向东西两翼和山区推进，从工业领域向农业领域推进，发展态势十分乐观。

2. 速见成效。

广东省专业镇技术创新试点工作迅速取得成效。一是推动乡镇政府发展观念的转变。基层政府从过去重视投资建厂房等粗放型扩大生产转变为重视依靠科技创新，建立技术创新平台，营造“软”环境来吸引人才和内外商投资的集约型发展。部分镇成立了镇科技创新领导小组，注重引导和扶持，营造了有利于技术创新、中小企业创业的良好环境，吸引技术与人才，不断树立科学发展观，促进特色专业镇持续、协调发展。科学技术是第一生产力的理念深入人心，各专业镇政府在财政上加大了对科技的投入，2003 年 71 个专业镇政府科技投入超过 4 亿元，占镇财政收入的 4.8%，平均每个镇政府科技投入 579 万元。

二是推进区域特色产业的发展。通过专业镇技术创新，促进信息化与工业化相结合，推动企业优化生产工艺，提高产品的科技含量和市场竞争力，扩大生产规模，降低生产成本；通过专业镇技术创新，研发新技术，提高产品的科技含量，打造自主品牌，增强专业镇的发展后劲。专业镇技术创新试点工作大力推进区域特色产业的做大做强，壮大了原有的区域特色产业。根据 2003 年 71 个专业镇的统计数据，专业镇特色产业总产值达到 1780 亿元，税收超过 63 亿元，专业镇覆盖的特色产业由 2000 年初的家具、五金、纺织服装、电子信息、建材扩展到食品加工、农产品、造纸、工艺品、旅游等广泛的产业领域。

三是完善产业链配套建设。中山南头镇在长虹、TCL 两大龙头企业进入后，积极引导注塑、五金、电子、铜管、包装、控制等上下游配套企业到南头投资建厂，形成完整的产业链，推动了企业的分工协作，使南头的家电特色产业迅速迈上新台阶，产品几乎覆盖了整个家电生产领域；2003 年全镇工业总产值 98.8 亿元（不变价），其中家电企业工业总产值就达 73.1 亿元，占工业总产值的 73%；产业链配套完善使生产成本和交易成本大大降低，增强了产业的竞争力，促使专业镇特色经济向规模化发展。

四是提高了镇级经济和中小企业的竞争力。潮州市彩塘镇被人们誉为“不锈钢王国”，全镇有 1300 家企业，其中规模以上企业仅60家，特色产业企业750家，绝大部分是中小企业。不锈钢制品业属于传统产业，技术含量不高。通过建立各种技术服务机构和技术创新中心，促进特色产业的发展。至2003年底，彩塘镇累计申请专利500项，有十多个品牌先后获得中国专利新技术新产品称号，有3家企业被评为“中国商标十佳企业”。

五是加快城镇化和信息化的进程。专业镇通过技术创新，推动经济的快速发展，从而推动城镇要素的聚集，加快推进城镇化进程。专业镇的发展，打破了长期存在的城乡分割“二元经济”格局，加速了农村现代化、城镇化的发展。专业镇技术创新试点的建设，加快了城镇信息化的步伐。通过专业镇科技信息平台的建设，政府和企业获取信息的渠道和速度大大提高，信息化的作用逐步在实践检验中体现出来。

广东省专业镇技术创新试点的最大特征是政府主导和市场化运作。专业镇技术创新工作，为政府部门找到了一个科技为经济服务的很好的切入点，成为地方政府推进经济、扶持产业、帮助企业的一个突破口。地方政府在建立区域创新平台中发挥着主要的作用，包括制定技术创新发展规划、引导企业进行技术创新、提供技术创新所需的公共产品和准公共产品，如建立工程技术中心，加快基础设施的建设、加快信息化建设等等。政府对技术创新平台建设的扶持主要在初期，但到一定时期，政府就退出，实行市场化运作。

同时，广东省专业镇技术创新试点十分注重科技与经济的紧密结合以及“产学研”的技术创新模式。专业镇创新平台的建设着眼于解决特色产业发展所急需解决的技术问题上。技术创新平台紧紧依托于产业的发展，既是当前专业镇技术创新工作的一大特征，也是创新平台建设的基础。开展“产学研”合作，实现科研成果产业化，是专业镇进行技术创新的重要途径和不竭源泉，是专业镇进行技术创新的有效模式。专业镇技术创新试点单位一般都进行了“产学研”技术创新模式的有益的实践活动，为后来进一步推广和完善“产学研”的创新模式积累了有价值的经验。

广东省专业镇技术创新的模式主要有三种。一是提升传统产业

创新能力模式。这是当时专业镇的主要技术创新模式。南海西樵镇从1998年开始，先后投入1亿多元资金建成了南方纺织技术创新中心，使之成为西樵纺织业一个依托大市场、面对大行业的社会化、开放性的技术创新平台，包括纺织新原料开发、素织物CAD、提花CAD、分色印花CAD、花样设计开发系统、印染实验室等，形成了全方位的纺织原料和面料技术创新系统。该中心成立以来，共开发了9000多个新产品，市场命中率达80%，产品开发周期由原来的20～30天缩短到3～5天，开发成本下降50%以上。国内的品牌服装企业，如雅戈尔、红豆、杉杉等均锁定西樵面料。南方纺织技术创新中心的成功运作，极大提升了西樵纺织业的竞争实力。

二是促进高新技术产业本土化模式。东莞石龙专业镇是这种创新模式的典型代表，它找到了一个很好建设自己创新平台的切入点：将技术创新平台建设的重点放在产业的本地化，人才、技术的本土化的目标上。石龙一方面加紧向外资企业输送管理和技术人才，实现管理和技术的本地化；另一方面，为加深与它们的合作关系，积极推动合资工作，石龙在外资企业来本地投资时也参与到外资企业里去，与它们风险共担，形成良好的互动关系。

三是提升产业可持续发展能力模式。佛山南庄专业镇，以建陶为特色产业，小企业很少，产业相对比较成熟，在国内有很高的知名度，但生产会对周围环境造成很大污染。南庄的科技创新平台的建设就把重点放在治理污染上。2002年南庄镇镇政府与景德镇陶瓷学院共同创办华夏建筑陶瓷研究开发中心。该中心瞄准国内外建陶工业的最新技术和发展方向，将治理污染、环保、节能工艺技术及产品技术标准的研究列为攻关的重点之一。

从2000年专业镇技术创新试点工程开始以来，广东省的专业镇开始进入了依靠技术创新、管理创新和体制创新相结合促进产业结构优化升级、提高经济竞争力的第二次大发展阶段。广东省的专业镇的技术创新工作也经历了一条从小到大、从弱到强、从量变到质变、从星星之光到燎原大火的辉煌发展历程。广东省专业镇技术创新示范工程的实施效果远远超过了原来的预期，已引起了各级政

府部门、领导和学者的极大关注。

至2003年，全省集群经济仅珠江两岸的电子信息产业规模就达4000亿元，具有各自产业特色的专业镇在全省星罗密布，全省经批准认定的专业镇的GDP已达千亿元以上，平均每个专业镇达20亿元以上，规模以上的企业达7113个，有力地推进了广东省农村专业化、社会化、信息化、城市化、现代化的进程，支撑了全省经济的大发展。

专业镇技术创新试点发挥了很好的示范、辐射作用。中山、佛山、东莞三市为代表的珠江三角洲专业镇第一批试点，先行做好有关专业镇技术创新发展规划，组建镇级技术创新平台并理顺其运作和管理机制，引导成立行业协会弥补政府在行业管理与提供公共服务方面的不足，构筑社会化的科技服务网络，完善产学研密切合作的区域创新体系，建立企业依靠科技的动力机制，疏通科技转移的渠道，以信息化带动工业化，走新型工业化发展道路，协调环境保护与经济发展的关系，强化质量认证管理、实施人才支撑与名牌带动发展战略，建设区域整体品牌、推广整体形象、举办产业产品会展与招商引资活动等一大批先进的经验与成熟的做法为后起专业镇提供了一个个生动活泼的成功样板与典型示范，降低了学习的成本，成为其效仿与借鉴的重要途径，全省各地正逐渐掀起了一股争创专业镇试点的滚滚热潮，

专业镇技术创新试点发挥了很好的扩散作用。中山古镇是广东省技术创新示范工程试点的发源地之一。该镇以生产灯饰为特色产业，该产业占全镇GDP的90%以上。全镇共有灯饰生产企业1500多家，生产配件企业400多家，从业人员3万人，产品占国内市场的60%～70%，出口外销40多个国家，被中国照明协会授予“中国灯都”的荣誉称号。古镇灯饰产业的最大技术问题是由于中小企业的技术创新能力较低，产品的质量检测合格率一直较低，在1999—2000年的抽检中甚至出现了低于50%合格率比例，甚至有些中小企业生产的灯饰被同行称为“礼拜灯”（只能正常工作一个星期的灯）。古镇灯饰的质量问题引起了各方的严重关注，曾被中

央电视台经济频道专题报导批评过，严重影响了古镇灯饰在国内外的良好声誉。在国内对电工产品实施了3C强制认证背景下，古镇灯饰的质量问题若不抓紧解决，将使古镇的灯饰产业遭受严重打击。为解决这一技术问题，在2001年，古镇科技办同上海复旦大学、天津大学的电光源研究机构合作建立了中山市照明工程技术研究开发中心，作为该专业镇的技术创新平台，重点解决灯饰产品的质量标准化问题。经过两年多的努力，古镇灯饰业的质量管理有了很大的起色，有25家企业通过了ISO9000系列的质量管理体系认证，120家企业通过了中国电工产品安全认证，36家企业的130个产品符合UL、GS、CSA、VDE、IEC、SASO等国际标准，拥有进入西欧、美国、日本等前景广阔但检测要求较为苛刻市场准入证，等等，极大地改变了古镇灯饰质量不良的形象。古镇灯饰特色产业经济也获得了较大地的飞跃，由2000年的20多亿元产值发展到2002年的50亿元产值。

中山小榄专业镇，以生产五金制品为特色和主导产业，年产业总值高达150亿元，其中，年产值超过2000万元的企业70多家，拥有固力、华帝、长青等30多家全国著名企业和名牌产品，大中型企业都拥有自己的研究开发机构，3亿元以上的企业建有工程技术研究中心，镇级财政科技投入高达3000多万元，具有较强的技术创新能力。但是，小榄镇数以千计的中小企业创新能力较弱，随着国内外对五金制品应用的要求的提高，需求方对五金制品的质检工作强化了，小榄镇中小企业创新能力缺陷已在较大程度上影响和制约了该镇五金产品在国内外市场的进一步开拓。2000年，小榄镇政府投资近千万元，建立了汉信快速成型技术服务中心作为技术创新平台，并从德国引进SLA快速成型设备，重点解决五金制品模具不过关的技术难题。这一创新平台建立以来，已为80多个企业设计了数百个模具，帮助中小企业提高了产品质量，获得了数以亿元计的经济效益。该中心也在为中小企业提供服务的过程中发展壮大了自己，中心的服务和辐射范围已覆盖到中山、顺德、珠海等地，在上海还开了分中心。

3．提升自主创新能力。

2003年10月，在佛山市南海区召开广东省专业镇技术创新工作现场会。省长黄华华和与会代表们一起参观了南海大沥“广东有色金属技术创新中心”、金沙“广东五金技术创新中心”、西樵“广东南方技术创新中心”。黄华华在参观现场高兴地说：“科技创新为广东专业镇经济的发展带来了无限的生机和活力，大家在现场感受到专业镇经济已得到了迅猛的发展。”在谈到专业镇技术创新的重要性时，黄华华指出：“专业镇技术创新是发展区域经济，推动产业结构调整和升级的客观要求，是走新型工业化道路的重要途径，它作为重要‘引擎’加快了城镇化进程，是广东省发展民营经济的加速器。”黄华华要求，各地、各部门要继续高度重视和切实抓好专业镇技术创新工作，省科技、经贸、国土、建设、质监、环保等部门要密切协作，积极支持，加强指导，引导各地专业镇技术创新工作的有效开展。

早在广东省专业镇技术创新工作现场会之前，2003年3月19日，中共广东省委、广东省人民政府就颁布了《关于加快民营经济发展的决定》，提出要提升专业镇经济整体素质，推进民营经济向园区化发展，依托专业镇、大型工业企业或专业市场，建立特色工业园区，特色工业园区要突破行政区划限制，与全省的产业发展规划相衔接。

自2003年省专业镇技术创新工作现场会以后，广东省专业镇技术创新进入了一个新时期。依据广东省产业结构调整方向、产业布局的重新定位以及发展战略部署，这一时期，广东省专业镇技术创新总体战略应包括主导产业创新战略、传统产业推动型创新战略、高新技术拉动型创新战略和中心扩散型创新战略四部分。实施主导产业创新战略，就是要求专业镇做好主导产业发展方向的选择，并在今后的技术创新活动中，紧紧围绕主导产业发展的需要，依靠技术进步推动产业结构的调整，实现产业结构的优化升级，促进现有主导产业结构向更高层次的方向发展，加速新兴主导产业的培育，实现产业结构调整和技术创新的良性互动机制。这一创新战

略对于推进广东省区域产业结构调整，推动珠三角向高新技术型的“世界工厂”的转变，实现广东区域的协调发展具有迫切而积极的意义。实施传统产业推动型创新战略，主要是针对广东专业镇大多是以传统产业为主，因此，要求专业镇企业加快利用高新技术、先进适用技术改造传统产业，提高产品档次，促进产品升级换代，实现主导产业的优化升级。实施高新技术产业拉动型创新战略，就是要求专业镇经济顺应世界经济和科技的发展潮流，选准战略产业为突破口，大力发展高新技术产业，拉动主导产业的升级，实现跨越式发展。实施中心扩散型创新战略，就是充分发挥专业镇技术创新试点单位的辐射和示范作用，推动技术创新活动在全省其他镇的全面展开。这一战略又包含两个层次，第一层次是从全局出发，合理地配置好广东省科技创新资源，重点扶持一批具有良好基础，创新能力较强，能有效地带动相关行业或地区实现充分有效扩散的专业镇技术创新单位的发展。第二层次是加强示范单位自身建设，倡导专业镇尽快建立具有自己特色的技术创新优势，拉大差距，促进各地区以各自的优势行业创新为中心向上下游行业及技术相似行业渗透扩散，形成技术、创新知识的梯度转移。

在四大创新战略中，主导产业创新战略是主线，传统产业创新供给满足主导产业的发展需要，推动和支持主导产业优化升级，高新技术产业的创新成果诱发和拉动主导产业向更高层次发展。而中心扩散战略则在于为全社会的技术创新转移创造高效、协调、充分发展的区域产业环境，加速转移进程。他们共同构成了新时期广东省专业镇技术创新的总体框架和思路。

新时期广东专业镇技术创新的首要战略任务是优化整合专业镇技术创新资源，主要包括创新服务机构和创新人才两部分。专业镇的技术创新服务机构，要根据产业特点和市场需求来开展工作，进一步加强社会服务型的科技中介机构建设和整合。同时要大力营造区域科技创新环境，营造有利于区域创新的文化氛围，加强各类科技创新基础设施建设，加快建设科技园区、工业园区以及孵化器，积极扶持高新技术企业、民营科技企业及大型企业的研发机构，加强与高等院校、科研机构的合作，加快“产学研”基地的建设，积极引进和培养高素质人才。国外的实践表明，区域创新环境的良好绩效跟区域文化传统有很大的关系。一个地区文化的内部凝聚力、对创新活动的价值观念以及对外界文化的排斥性、保守性、开放性直接影响着该地区的创新能力和创新意愿。注重创新文化环境的构建，选择好制定创新政策的文化切入点，鼓励文化创新，使创新贯穿于人们的思维和行为之中，在全社会形成崇尚知识，尊重人才，鼓励创新，敢于创新的新风尚，这是新时期促进专业镇技术创新的一项重要举措。

在具体实践层面，要建立和完善技术创新机制，以区域特色产业或产业集群的中小企业为主要服务对象，以开发、引进、推广和使用新技术为重点服务内容，由地方政府与其他社会机构联合组建专业镇技术创新平台，坚持以市场机制为主，发挥企业积极性，完善行业技术创新中心的运作，实行企业化、市场化的运作模式，形成有利于技术创新和经济社会协调发展的新体制和新机制。要以企业为主体推进技术创新，开展行业关键技术研发，提升和改造传统产业；要积极实施名牌带动战略，不断提高产品档次。根据特色产业发展的需要，重点开发有自主知识产权的核心技术；有关部门要充分发挥职能作用，做好对名牌的培育、推动、引导和监督工作，推动企业加强产品质量管理，树立品牌意识，争创更多的名牌，走品牌效益发展道路。要建立和完善专业镇创新服务中心、咨询服务公司等科技中介服务机构，为企业提供技术信息、政策咨询；要促进行业协会的发展，制定和推行专业镇特色产业的行业技术标准或国际标准。要通过成立科技创业、风险投资公司等拓宽技术创新的融资渠道。

2006年10月，在2005年提出建设创新型广东之后，中共广东省委、广东省人民政府颁布了《关于加快发展专业镇的意见》，要求着力促进专业镇品牌、标准、人才、知识产权和信息化工作。要求到“十一五”期末，专业镇创建国内外有重要影响力和知名度的集群品牌50个以上，突破行业公共技术和关键技术100项以上，

制定行业标准100项以上，形成自主创新产品3000个以上，实现专业镇单位生产总值能源消耗比“十五”期末降低15%以上。加强专业镇自主创新，增强特色产业核心竞争力，实施专业镇技术创新工程，设立加快发展专业镇科技专项计划，围绕专业镇特色产业发展需求，采取省、市、县联动，产学研联合，省内外招标等形式，组织开展联合攻关，集成一批先进技术，攻克一批核心技术，研制开发一批自主创新产品。对自主创新产品，经省科技部门会同综合经济部门认定后，优先进入政府采购目录。鼓励和支持专业镇大中型骨干企业建立省、市级工程技术研究开发中心、技术创新中心、重点实验室等，支持大企业建立的研发机构对社会开放，为中小企业提供服务。鼓励高等学校、科研机构和检测机构等在专业镇设立服务机构；促进特色产业从产业链中端逐渐向高端过渡转型；鼓励专业镇建设特色产业基地；鼓励专业镇发展循环经济，实施专业镇清洁生产，培养一批国家级或省级循环经济试点企业、试点园区；推动专业镇参与泛珠三角区域协作；积极承接国际产业、技术转移；推动专业镇企业“走出去”。

2007年12月，广东省科技厅批准东莞市寮步镇、沙田镇，河源市龙川县麻布岗镇，惠州市惠城区汝湖镇，江门市开平市塘口镇，茂名市茂港区南海街道办事处，清远连州市西江镇，汕头市龙湖区珠池街道办事处，汕尾陆丰市甲子镇，韶关市曲江区枫湾镇，云浮市新兴县六祖镇，中山市三角镇，佛山市三水区芦苞镇，肇庆市封开县河儿口镇为广东省技术创新专业镇。要求省技术创新专业镇做好培植地区性新兴特色产业，延长和完善特色产业链，促进专业镇经济的形成和发展。

• 专业镇在广东

专业镇的崛起和发展，加速了农村劳动力的转移，加快了农民发财致富的步伐，带动了当地经济的起飞，改变了农村的经济结构，调整了农村就业结构，推动了农村城镇化，同时对周边地区的发展也产生了积极而深远的影响。

专业镇的崛起和发展，是广东新的经济增长点，城市化的新台阶，产业结构和产业链特殊的联结架构，市场体系新的组织形式，商品经济发展的新模式。它是广东改革开放与发展的产物。专业镇经济是以优势的传统产业为基础，在一个区域内相对集中发展某一项产业或产品，逐步形成“一区一业”、“一区一品”。专业镇经济已逐步主导广东农村经济产业化、专业化、集团化、区域化的大趋势。到目前为止，在全省1556个建制镇中，约有300个左右的镇（区、街道）已具有专业镇经济的特征。

广东省专业镇的形成发展过程大概有如下五种类型：(1)“一镇一业，一村一品”起步，逐步发展壮大，形成气候。这一种类型相当多，顺德的陈村是以花卉起家的，而且有悠久的历史，北滘、桂洲、容奇（现合并为容桂镇，经济规模达178亿元）起步靠的是小家电，主要是电风扇，现在已发展成为广东最大的电气机械制造业基地，科龙、华宝、格兰仕、美的等大型家电企业都集中在这里，还有中山小榄的五金制品、古镇的灯饰、黄圃的腊味、沙溪的服装、澄海澄城的玩具等。(2) 从营造市场网络开始，逐步形成某种特定商品的专业市场，以销促产。再发展成为产供销一条龙的专业镇经济。南海的专业镇经济形成过程大都是这种模式。(3) 依靠“三来一补”业务和外资企业发展而成。东莞石龙、石碣、清溪的电子工业，厚街和南海平洲、里水的鞋业，官窑的玩具都是这样形成专业镇经济的。(4) 依靠邻近地区产业的转移和辐射，如南海的南庄镇同“陶都”石湾毗邻，发展成为陶瓷专业镇。(5) 农业产业化和专业化农业区域布局导致市场网络的形成和农产品加工业的发展，推动了专业镇的形成，如茂名市高州、化州的水果、信宜的竹编、梅州的沙田柚等。由于发展历程不同，广东省专业镇经济的形成机制也有所不同，但除了东莞一些“嵌入型”专业镇外，广东省大多以传统产业为主的专业镇经济大都是沿着“少数创业者成功创造一类企业——人们模仿跟进——企业开始集聚——集聚扩散——专业镇经济形成”的发展路径形成的，并且由于专业镇本身不同的资源禀赋、历史传统和地缘优势从而形成了不同的经济分工、形成了各具特色的地方产业。

随着专业镇的发展，专业镇产业集群形态呈现有规律的发展趋势：①集群产业链不断延长并突破市、县（区）、镇的行政区划，集群覆盖范围不断扩大，日益成为由产业链紧密联系的经济区。目前，在珠江三角洲地区已形成了以珠江东岸为主的电子信息产业集群（经济规模达3000亿元以上）和以珠江西岸为主的电气机械集群（经济规模达1300多亿元）。另外，佛山石湾区

和南海南庄的陶瓷集群，南海金沙及其周围地区的五金制品集群，顺德伦教、龙江、乐从的家具集群都已形成上百亿元产值、上中下游产业链衔接、产供销一条龙的产业地区集聚形态。②实体经济与虚拟经济相结合，信息化、网络化同产业经济实体、研究开发及市场动作紧密相结合。信息化已成为提升专业镇经济发展的重要手段。从已批准为专业镇技术创新试点镇的建设来看，大多数都已建有特色产业及技术信息平台，信息网络发展很快。在珠三角腹地专业镇经济发育最好的东莞、顺德、中山、南海，入网用户都以十万计。③集群经济发展模式日益扩展，目前已从珠三角地区向广东东西两翼扩展，从以制造业为主向农业、服务业扩展。现在，在东翼的潮汕地区，西翼的云浮、阳江、茂名和湛江地区，都兴起了以食品、服装、农业为主的特色产业集群。

四、大型科学仪器协作共用网

镜头画面：广州地区科学仪器协作共用网建设10周年工作会议（2007.6.18）

全省仪器购置带有较强的计划经济色彩，条块分割现象明显。经费主要来源于国家和各级财政拨款，少量的自筹经费和社会捐赠。由此造成资源配置严重不均，大型科学仪器配置缺乏统筹规划。有些仅从事简单测试服务的检测机构，却购置了价格昂贵的研究级高端设备，明显是“杀鸡用牛刀”，造成资源浪费。

2007年6月18日，广州地区科学仪器协作共用网建设10周年工作总结会议在广东迎宾馆召开，来自科技部、福建、广西、海南以及东道主广东省科技、教育界的有关领导、专家及会议代表约250人参加了这次会议。会议以“开放、共享、创新、发展”为主题，广泛开展工作经验交流，结合广东省“十一五”科技发展规划要求，进一步明确广东省科学仪器协作共用网建设思路，对大型科学仪器协作共用工作进行部署。

根据广东科技厅的统计，2005年，广东计有10万元以上的仪器5386台（套）。其中，单价10万~50万的仪器4209台（套），占总数的78.15%；单价50万~100万元的仪器804台（套），占总数的14.93%；单价100万~200万元的仪器264台（套），占总数的4.90%；单价200万元以上的仪器109台（套），占总数的2.02%。就仪器设备的价值来说，填报的10万元以上的仪器总值21.82亿元。其中单价10万~50万的仪器9.52亿元，占仪器总值的43.61%；单价50万~100万元的仪器5.52亿元，占仪器总值的25.30%；单价100万~200万元的仪器3.65亿元，占仪器总值的16.75%；单价200万元以上的仪器2.02亿元，占仪器总值的14.35%。

全省大型科学仪器设备主要集中在广州地区，约占全省总量的64.7%；其次为深圳，约占全省总量的10.8%。仪器数量和价值排在广州和深圳之后的地区为汕头、中山、东莞、珠海、湛江和佛山。按拥有单位所属行业，大型科学仪器设备主要集中在教育、科技、商检、技监、卫生等行业，尤其是教育部门。教育部门共拥有10万元以上仪器设备2558台（套），占全省仪器总量的47.5%，仪器价值9.41亿元。各单位在用的大型仪器设备，主要是在2000年后购置的。1994年以前购置的仪器设备391台，占总量8.0%，1994—1999年购置的962台，占总量19.8%，2000年以后购置的3514台，占总量的65.3%。大型科学仪器购买主要来自于美国、欧盟、中国、日本等。从数量上统计，来自于这四个地区的仪器设备，分别占总量的38.1%、22.0%、17.2%、15.6%，合计占总量的92.9%。中国制造的科学仪器主要是一些相对低端的产品。总计926台（套）国产10万元以上的仪器设备中，价值50万元以上的仅有84台（套），占同价格档次仪器总量的7.1%。

全省仪器购置带有较强的计划经济色彩，条块分割现象明显。经费主要来源于国家和各级财政拨款，少量的自筹经费和社会捐赠。由此造成资源配置严重不均，大型科学仪器配置缺乏统筹规划。有些仅从事简单测试服务的检测机构，却购置了价格昂贵的研

究级高端设备，明显是“杀鸡用牛刀”，造成资源浪费。

随着科技体制改革的深入，1997 年 5 月，国家科委在全国条件工作会议中提出，在北京、上海已建立科学仪器协作共用网的基础上，再选择广州、沈阳、武汉三个科学仪器较集中的城市，建立科学仪器协作共用网，逐步形成布局合理的全国共用网络。

1997 年 9 月 28 日，国家科委、省科委、省高教厅、中科院广州分院和广东省科学院、广州市科委五个单位签署《广州地区科学仪器协作共用网共建协议书》，并正式成立协作共用网管理和运行机构。广州地区科学仪器协作共用网的基本定位是国家和广东省仪器设备资源共享平台，是重要科技基础条件平台之一，面向全社会开放。

1998 年 2 月，一批科学仪器共 48 台进入广州地区科学仪器协作共用网。4 月 1 日广州地区科学仪器协作共用网正式开始运作。

为促进大型科学仪器设备资源在全省范围内的共享共用，协作网建设由政府主导。除启动之初，由五个出资单位共筹集 600 万本金专用资金之外，政府建立资金保障制度。从政府层面制定政策，支持大型科学仪器参加协作共用。从政策上明确规定原则上以政府财政资金为主所购置的、用于科学研究和技术开发活动的大型科学仪器设备和实验设施，必须参加信息资源的共享。建立大型科学设备绩效考核制度和大型科学仪器设备共享信息维护制度。

广州地区科学仪器协作共用网从筹建开始就成立了由共建单位分管领导组成的协调领导小组，负责指导、协调运行中的重大事宜；由共建单位主管部门负责人和特邀专家组成的管理委员会，负责协作共用网具体运作。共建部门的通力合作，在广州地区科学仪器协作共用网建设中起到了关键的作用，保障了协作共用网的顺利建成和运转。

由广东省科技厅、省教育厅、广州市科技局、中科院广州分院等单位组成的管理协调领导小组，负责指导和协调运行中的重大事宜；下设管理委员会，全面负责协作网运作事宜。管委会设办公室和专家顾问组。广州地区科学仪器协作共用网对广州市大型科学仪器进行协调、管理与服务，运用政府调控和市场机制相结合手段。如通过对承担项目的课题组或高新企业到网上仪器测试提供分析测试补贴费，鼓励其尽量使用网上仪器开展工作，减少不必要的仪器重复购置；通过对入网仪器提供业务培训补助、评优及提供共享服务后给予机组人员一定奖励等方式，激励大型科学仪器入网，承诺服务质量和价格优惠，为全社会提供优质服务，从而提高仪器的利用率，实现资源共享。

入网大型科学仪器数量逐年增加。由1998年成立之初的48台，逐年递增至2005年的92台，2007年的170台。入网机构包括广东省测试分析研究所、广东省微生物研究所、广东省农业科学院水稻研究所、中科院南海海洋研究所、广东省钢铁研究所、广东省石油化工研究院、广州化工研究设计院、广州有色金属研究院、广州电器科学研究院、广州市光机电工程研究开发中心、广州澳凯油品检测技术服务有限公司、中国科学院广州化学研究所测试分析中心、中科院广州生物医药与健康研究院、中国科学院华南植物园、广东省生态环境与土壤研究所、中国科学院广州地球化学研究所、广东省昆虫研究所、广州市二轻工业科学技术研究所、广州市医药工业研究所、广州市轻工研究所（美晨集团股份有限公司）、信息产业部电子第五研究所元器件检测中心、广东省农业科学院蔬菜研究所、广州花卉研究中心、广东省农产品干燥加工工程重点实验室、广东省农业科学院畜牧研究所、广州市农业科学研究所蔬菜产品综合检测站、广东工业大学、华南师范大学分析测试中心、华南理工大学材料学院、华南理工大学分析测试中心、华南理工大学工控学院、中山大学测试中心、基础医学院、中山眼科中心、华南农业大学、韶关学院、南方医科大学生物力学实验室等。

协作网自正式对外开放起就颁布了一系列规章制度，并随着协作网的建设修订，这些规章制度包括《广州地区科学仪器协作共用网专用资金管理暂行办法》、《广州地区科学仪器协作共用网专用资金管理实施细则》、《广州地区科学仪器协作共用网入网仪器年度考核及表彰暂行办法》、《关于入网机组人员进行业务学习

（培训）的有关规定》、《广州地区科学仪器协作共用网入网仪器对外服务收费标准（试行）》、《广州地区分析测试基金资助专题项目管理暂行办法》等。入网仪器对全社会开放，同时，通过给予承担科研项目课题组及高新企业提供分析测试补助费，使入网仪器重点服务于国家、省、市科研计划项目。

2004 年，广州科学仪器协作共用网管委会办公室制定《广州市高新企业使用广州地区科学仪器协作共用网上仪器指南》，决定凡广州市高新技术企业为研制开发新产品、检测产品质量或其他等目的使用广州地区科学仪器协作共用网上仪器可获得所需费用三折（自己支付七折）的优惠，鼓励希望获得检测费用优惠的企业向广州地区科学仪器协作共用网办公室申请。

同年，国家编制《2004—2010 年国家科技基础条件平台建设纲要》，提出建设科技基础条件平台战略，由科技部牵头，建设国家科技基础条件六大平台。"大型科学仪器协作共享平台"是六大平台之首。

2006 年，科技部召开全国大型科学仪器协作共用网建设研讨会，决定在原有国家八个省市协作共用试点网基础上，总体部署建设环渤海、长三角、泛珠三角、东北、西南、华中、西北七大区域大型科学仪器协作共用网，整合各区域内大型科学仪器，为区域自主创新，国家科技、经济和社会整体提升提供有效支撑。

按科技部的部署，在广州地区科学仪器协作共用网的基础上，广东联合广西、福建、海南建设泛珠三角区域大型科学仪器协作共用网，签订了合作协议并制定管理办法。建立了区域大型科学仪器共用网信息管理系统及门户网站，提供了仪器信息动态维护、网上查询、统计分析等功能，实现了区域与国家信息资源交汇和信息共享。设立了区域网管理办公室（设在广州），负责日常的联络、协调、沟通等具体工作。

第七章
大鹏一日同风起
——区域创新促发展

提到中国改革开放的发展，无人能回避一个城市的名字，那就是深圳。她是一个看得见摸得着的神话；她被无数人视为现代中国的一个奇迹，她就像童话中那个穿上了水晶鞋跃身变为公主的灰姑娘——从一个边陲小镇，一夜之间发展成为一座举世瞩目的现代化大都市。即便是见证了特区的发展与成长的拓荒者们，看到这一奇迹也感慨不已。从改革开放的“窗口”到自主创新的“排头兵”，深圳一直是创新文化的忠实居所：她崇尚竞争；她勇于探索，敢为天下先；她求新求变求异，她的每一根血管里都沸腾着创新的细胞。最近，她又有了一个美丽的新名字——被誉为高科技人士“创新的沃土、成功的家园”。

东莞石龙镇尝到城镇科技创新甜头，则有很好的代表性。石龙是东莞面积最小的镇，改革开放前，处处落后；改革开放后，以国家级星火技术密集区建设为新起点，拉开了跨越式的现代化发展之路。自 90 年代以来，石龙镇在实践现代化建设科技创新工程方面共经历了“三次跨越”：建设国家星火技术密集区；建设国家信息化试点镇、广东省专业镇技术创新试点工程；建设国家星火计划农村小城镇现代化示范镇、省“绿色制造、清洁生产”科技示范镇。每次跨越，都是对既有的创新、对自我的超越。经过努力，石龙镇

成为广东实施星火计划的一面旗帜，具有显著的示范带动效应。

富起来的广东人，脑子里又盘算起一件心事——“吸引全球最有智慧的人来这里创业”。省会广州，在这个问题上，更能深深体会到自己的使命。广州的机遇在于创新，动力在于创新，希望也在于创新。近年来，两座“新城”在广州横空出世，充分体现广州“转型”思路——一座是在广州东北部熠熠生辉的广州科学城，另一座是在小谷围岛上拔地而起的广州大学城。两座城皆为大手笔，托起广州美丽的明天。

一、区域科技创新体系建设：深圳市

镜头画面：广东省科技进步奖发奖仪式

2006 年末，广东省科技进步奖颁奖仪式在广州隆重举行。广东省省长黄华华亲自为深圳市政府颁发特等奖，奖励题目是“深圳市区域科技创新体系建设”。深圳是创新文化的居所：崇尚竞争，勇于探索，敢为天下先，求新求变求异，血液里流淌着创新细胞。就连深圳市政府也不例外，成为创新体系的主要编织者。

1. 深圳精神。

深圳市建制成立于 1979 年，至今只有 29 年。非常有意思的是，市民平均年龄也只有 29 岁。难怪前中共深圳市委书记李鸿忠在深圳一次全市青年工作会议上以“让青春的城市燃烧青春的激情”为题讲话。在深圳，到处闪现着一张张青春的面孔，年轻、富有朝气、充满生机。

深圳的“发家史”，与创新有着千丝万缕的关联。在中国经济特区史册上画下深刻一笔的深圳首任市长吴南生同志回忆道，刚刚开始搞经济特区时，经常埋头投身到花园式工厂和科学实验区的建设中去。

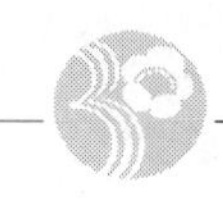

深圳是各地淘金者包括外国人的创业的天堂。深圳是一座移民城市，深圳特区自成立以来，一代又一代热血青年义无反顾地奔赴深圳，不断涌现敢为人先、誓当先锋的典型。无论是工商业者、科技人才、莘莘学子还是务工青年，都与深圳同呼吸、共命运，大家凭着智慧、勇气和毅力，在一片黄土之中矗立起高楼广厦，从穷乏荒凉之地创造出繁华街市。他们当中，有人们熟悉的任正非、侯为贵、马蔚华、马明哲、王石、马化腾、李云迪等。这些青年精英或追求实业兴国，或驰骋科技前沿，或探索艺术之路，他们的最大共同点是，骨子里无不充满了敢于冒险、敢于尝试、敢于创新的因子！

还有很多来自全国各地的有为青年，在深圳挖到了“第一桶金”，又将理念、资金、技术、人才等资源辐射到全国其他省市，把梦想播撒到四面八方。

所有这些，铸造深圳人特有的精神品格：求真洒脱、朝气蓬勃、敢闯敢冒。

正是这种精神品格，使深圳在经济体制改革上，敲响了新中国成立以来土地使用权公开拍卖的第一槌，发行了新中国的第一只股票，率先引进外资、发展混合所有制经济，率先开启了劳动力商品化的先河。正是这种精神品格，使深圳一直保持观念常新，敢于“吃螃蟹”、勇于“赶潮流”。正是这种精神品格，使深圳能够顶住“特区姓资姓社”、“红旗要变色”等论调的压力，在荆棘载途中杀出一条血路。正是这种精神品格，使得深圳敢于在“三来一补”方兴未艾之时，顶住经济总量可能下降的风险，作出发展高新技术产业、促进科技创新的决断，从而确立了今天在自主创新方面的优势地位。

诚然，深圳的发展受惠于中央和广东省的特别期望和特殊政策。1979年2月，国务院发布38号文件，提出在若干年内把深圳建设成为相当水平的工农业结合的出口商品生产基地，建设成为吸引港澳游客的旅游区，建设成为新型的边境城市。3月，中央和广东省委决定把宝安县改为深圳市，受惠阳地区和省委双重领导。11

月，中共广东省委决定，将深圳市改为地区一级的省辖市。1980年5月，中共中央和国务院发出41号文件，明确指出要积极稳妥搞好特区建设，并将“出口特区”改为“经济特区”。从此，深圳正式成为“经济特区”。同年8月，全国人大常委会通过颁发了《广东省经济特区条例》，对外宣布“在深圳、珠海、汕头三市，分别划出一定区域，设置经济特区”，10月，广东省委宣布恢复宝安县建制，同时宣布深圳市的政治待遇与广州市相同。

1988年11月，国务院正式批准深圳市在国家计划中包括财政计划实行单列，并赋予其相当于省一级的经济管理权限。1992年7月，全国七届人大常委会第26次会议通过决议，授予深圳市人民代表大会及其常委会和深圳市人民政府有制定法律和法规的权力。

至今，深圳奇迹被各种新颖的都市建设代表着，成了深圳的特色风景线：国贸大厦、地王大厦、赛特广场、五洲宾馆、彭年大酒店、电子科技大厦、高交会会馆等大批高楼拔地而起，数不清的花园别墅、精品公寓纷纷兴建，购物商厦街区在扑朔迷离的霓虹灯闪烁中展现着令人炫目的繁华。

现在深圳已成为珠江三角洲城市群中最重要的城市之一。深圳是中国大陆人均国内生产总值最高的城市，经济总量相当于一个中等省份，是经济效益最好的城市之一。国内生产总值居大中城市第四位；财政收入居大中城市第三位；进出口总额占中国大陆七分之一，连续11年居大中城市第一；港口集装箱吞吐量居中国大陆第二位，世界第四位。深圳宝安机场是中国大陆四大航空港之一、华南航空货运的重要枢纽。在国家统计局2005年底公布的全国综合实力百强城市排名中，深圳位居全国第三。

在深圳的高新技术产值中，超过90%属于电子及通讯设备等相关产品。事实上，电子及通讯设备是深圳的支柱工业之一，占全市工业总产值57.8%，相当于全国18.6%。跨国公司，如IBM、英特尔、西门子、三星、日立等，均有生产线在深圳。深圳亦是一个重要的软件开发基地。2002年中国100大软件公司中，有10家位于深圳。

深圳在科学研究和试验发展（R&D）方面的经费支出居全广东首位，达到68亿人民币（2001年），占国内生产总值的比例达3%，较全国平均1%高，并超越了上海、苏州等长江三角洲城市。除了华为和中兴等深圳企业外，跨国公司如朗讯、甲骨文、杜邦和阿尔卡特等均在深圳设有研发中心。

深圳正大力加强与各高等院校的联系，现已与超过200间大学建立了各类研究成果转化合作。深圳作为一个移民城市，以其良好的发展机遇吸引了大批来自各地的人才，以支持其工业发展及创新意念。

2. 产业向高新技术转型。

“三来一补”企业对深圳的发展做出了历史性贡献。90年代初，深圳已形成比较发达的以“三来一补”企业为主的加工工业，现在这依然是经济发展的重要力量，但开放的深圳人想得更远。

市委、市政府领导看到了长期依赖加工工业的隐患和弊端，提出要将产业发展的战略重点转向扶持高新技术产业。这次战略调整对以“三来一补”为主的加工工业产生了冲击，深圳当时有不少“三来一补”企业迁移到周边地区，深圳的GDP也有所下降，社会上对政府的决策有些风言风语。特别是在国际上，一般人都认为，高科技只能出现在大学、科研院所集中的地方。根据这个惯例，深圳被人认为是不太适合发展高科技产业的。对深圳能不能搞高科技产业，当时很多人都持怀疑态度。

以1992年邓小平同志视察南方提出发展科技的一系列论断，以及1993年6月珠三角发展高新技术产业座谈会在深圳举行为标志，深圳高新技术产业发展开始进入了从未有过的快速发展时期，高新技术产品产值几乎以翻番的速度增长。更为可贵的是，全社会形成了发展高新技术产业的共识、共鸣和共振。

李灏，曾任深圳市市长、市委书记，在20世纪90年代初提出，要在前10年发展的基础上，大力发展高新技术产业和第三产业，确定建设综合性的经济特区和外向型、多功能的国际性城市的新目标。

李灏的后任厉有为提出："科技进步，是深圳实现10年规划发展目标的关键。要促进科技与经济的有机结合，加快经济发展步伐，把经济建设真正转移到依靠科技进步和提高劳动者素质轨道上来。"

1993年6月，深圳银湖。珠三角发展高新技术产业座谈会在银湖举行。会议集中研究珠三角地区如何加快发展高新技术产业，带动全省经济上新台阶的问题。会议通过交流经验，现场参观深圳部分高新技术企业，对珠三角地区加快高新技术产业的发展，继续发挥"龙头"作用，达成了共识，会议增强了信心，明确了方向，找到了路子。

时任广东省委书记谢非说："广东要实现现代化，不发展高新技术产业就不可能迈开大步。珠三角地区要继续保持经济发展领先的地位，应抓紧发展高新技术产业，尽快形成高新技术产业区和高新技术产业群，带动全省经济的总体科技水平不断提高。经济特区、高新技术开发区和珠三角地区的领导，尤应花很大的精力抓高新技术产业的发展。"

1995年10月，出台了《中共深圳市委、深圳市人民政府关于推动科学技术进步的决定》，提出了科教兴市战略，重点解决该不该发展高新技术的问题，作出了大力发展高新技术产业战略的决策。在这个时期，政策法规的内容主要集中在扶持建立高科技企业上，形成高科技要素的集聚效应。

1995年到2000年是快速成长期。1998年2月深圳市政府出台的《关于进一步扶持高新技术产业发展的若干规定》（即"22条"），旨在解决在资源与条件先天不足的背景下如何利用优惠政策杠杆的问题。"22条"在全国开创了地方出台扶持高新技术产业发展优惠政策的先河，推动了深圳市的高新技术再上新台阶，奠定了深圳在全国高新技术产业的领先地位。"22条"在1999年9月又作了修订，称为"新22条"。时任深圳市市长李子彬评价："深圳是一个地域不广、人口密集、基础工业薄弱的城市，必须把科技创新放在产业升级的关键地位，坚定不移地推进科技进步，大力发展高新技术产业。”

构建深圳高新技术产业带，是2001年4月29日，深圳市委、市政府召开高新技术产业带办公会议时做出的重大决策。会议指出，要在深圳市在150多平方公里范围内进行统一规划，分期开发，建设若干高新技术产业片区。在这些片区内实施鼓励和扶持高新技术产业发展的优惠政策，引导国内外高新技术投资项目进入，使其成为深圳发展高新技术产业以及技术进步的大制造业的重要基地。时任深圳市委书记张高丽指出：“构建高新技术产业带是市委、市政府继高交会之后作出的又一重大决策，是我市‘增创新优势，更上一层楼，率先基本实现社会主义现代化’，实践‘三个代表’重要思想的重大举措，对加快我市高新技术产业发展，实现‘十五’计划乃至新世纪的发展目标具有重要深远的战略意义。”

2003年12月，市委举行三届八次全体（扩大）会议，时任深圳市委书记黄丽满代表市委常委会作报告，提出了建设高科技城市的目标：拟用20年左右的时间，在率先基本实现社会主义现代化的基础上，把深圳建设成为重要的区域性国际化城市。围绕这一定位要求，努力建设高科技城市、现代物流枢纽城市、区域性金融中心城市、美丽的海滨旅游城市、高品位的文化—生态城市。”

3．建立区域创新体系。

2005年以来，由科技部、财政部、商务部等十三大部委组成的调研组，多次南下深圳，其中仅华为、比亚迪、中兴通讯等企业就去了两三次。参加调研的人员一致认为，深圳自主创新的经验对我国制定建设创新型国家的科技政策具有重要的参考价值。尤其是华为，可以说是建设创新型国家的一个样板。科技日报社社长张景安在参加深圳举办的一个论坛时，激动地讲：“1988年，我陪几个韩国人、香港人来深圳，那时候深圳人都仰着头看他们。现在是反过来了，深圳以众多自主创新业绩的高大形象站在国际舞台上，为中国争得了荣耀。我对自主创新的深圳人表示由衷的敬意！”

2004年1月18日，深圳市召开全市高新技术产业工作会议。

会上，以市委、市政府2004年第一号文件的形式发布《关于完善区域创新体系，推动高新技术产业持续快速发展的决定》。

2004年深圳“一号文件”，在全国首次提出了“区域创新体系”的整体概念，“产业链”、“拓展产业空间”等用语第一次进入深圳市委、市政府的政策性文件，表明深圳市自主创新的政策法律体系内涵，已经从财政补贴、税收减免等优惠为主，逐步向营造体制创新、机制创新和综合创新环境转变。

该文件规定，“高新技术企业当年实际发生的研究开发经费可全额计入成本，如该费用比上年增长10%（含10%）且符合国家税收法律法规规定的，经主管税务机关批准，允许再按其实际发生额的50%，抵扣当年度的应纳税所得额”；“鼓励海内外投资者在深圳设立创业投资机构，凡符合创业资本投资高新技术产业导向的项目，累计投资额超过其注册资本或者出资总额70%并且其中不低于30%投资于创新型企业的，享受高新技术企业的有关优惠政策，对种子期项目投资，市科技发展资金匹配投入”。“一号文件”赢得了大家的喝彩。职能部门和企业反映，“一号文件”中不仅“好看”，也“中用”。

国家IC设计深圳产业化基地负责人周生明说：“2004年‘一号文件’的出台，可以看作是深圳高新技术产业发展第三次创业的开始。第一次创业，以成立高科技企业为主；第二次创业，以出台优惠政策促进产业发展为主；第三次创业，以建立区域创新体系为主，提升核心竞争力，保持高科技的可持续发展。这意味着深圳在未来相当一个时期发展高新技术，已经有了指导性、纲领性文件。”

2006年1月5日，深圳市委、市政府发布了另一个重要的一号文——《关于实施自主创新战略建设国家创新型城市的决定》（2006年深圳第一号文件）。处于战略转型期的深圳，提出了从产业发展战略向城市发展战略转变，以自主创新作为未来城市发展的主导的战略目标是塑造自主创新的城市之魂，建设国家创新型城市。

2004年和2006年两个“一号文件”表达了深圳市对自主创新

的内在需求。这种需求比其他省市更为迫切。市高新办副主任张恒春一针见血指出："2000年到2005年，外资向长三角转移，一方面使深圳深受'打击'，换一个角度，它同时又是一次重大调整的机会。逼着深圳把有限的资源向本土企业倾斜，向本土创新能力倾斜。这个阶段，完成了从上世纪90年代发展高新技术产业，到新世纪立足自主创新的转变"。市科技和信息局副局长周路明感慨地说："2005年是极具指标意义的年份，深圳把握住了机遇，解决了深圳在国家战略中的'位置'与'角色'问题，承担起国家使命，并提出了从改革开放'窗口'到自主创新'排头兵'、'高产田'等新概念。这个过程中，认识越来越统一，决心越来越坚定，力度越来越有效，定位越来越清晰。""这么多年，深圳积累了许多财富，但对积累的方式，外人多有质疑：认为是靠特殊政策发展的。现在的成就表明，深圳是通过自主创新、通过高新技术发展的。这种改变，不仅在产业上具有价值，同时在道德上也具有价值"。市留学生创业园总经理张滨龙评价："2006年的一号文件，把科技工作从一个行业、一个部门的工作，变成了全社会参与的工作，变成了城市的工作。深圳的社会氛围发生了巨大的变化。人气指数一扫低迷，进入了一个新阶段、新高度。城市凝聚力大大增强，海外人才、技术、项目急剧增加。"

深圳的自主创新活动经过多年的发展，已经成功地摸索出了一个完整的、成熟的区域创新模式：以产业为基础，以市场为导向，以企业为主体、以企业家为核心，以政府为环境，以院校为支撑，以公共研发体系为平台、官产学研资介相结合。许多领导、专家和学者几乎不约而同地认为：深圳的自主创新活动能够取得成功，关键是摆正了政府与企业的关系和位置。

4．政府的角色。

深圳是创新文化的居所：崇尚竞争，勇于探索，敢为天下先，求新求变求异，血液里流淌着创新细胞。甚至市政府也不例外，成为创新体系的主要编织者。2006年度广东省科技进步特等奖"深圳市区域科技创新体系建设"的项目成果总结，清晰地表达了深

圳市对政府在区域科技创新体系中的角色的认识：

角色之一，政府是创新战略的领导者。在深圳区域科技创新体系构建中，深圳市政府发挥了领导者的作用。从“三来一补”转向高新技术，从以依赖外资转向自主创新，从产业发展战略转向城市发展战略，每一重大战略转型变化，政府的主导意识都是非常清晰的。

角色之二，政府是创新体系的构建者。在政府的积极参与下，深圳形成了合理的区域创新体系：政府部门——法律环境、政策环境、基础设施环境和文化环境的营造者。大学、科研院所——知识创新的主体。以基础研究、战略高技术开发储备、前沿技术开发为主。企业研发机构——技术创新的主体。以应用研究、技术开发和实验为主。各类科技中介——律师、会计师、资产评估师、技术交易、知识产权保护等。以促进技术转移、技术扩散为主。

角色之三，政府是创新政策的制定者。由于在分配制度和人才政策上实现了突破，深圳吸引了大批高素质的创新人才。颁布以“22条”为代表的系列政策，有力地推进发展和完善高新技术产业发展。2004年“一号文件”，率先提出了建立和完善深圳区域创新体系。2004年“一号文件”的政策体系，实现了从产业发展战略向城市发展战略转变。

角色之四，政府是创新环境的营造者。市场环境：聚集、整合、有效配置创新资源。产业环境：构建和完善创新链条，促进产业发展。法制环境：保护创新成果，维护创新秩序。基础设施环境：提供支撑创新的公共平台和公共服务。

角色之五，政府是创新文化的倡导者。血液里流淌着创新细胞，创新、创业精神是城市文化的基本特征。崇尚竞争、勇于探索、敢为天下先、求新求变求异的创新文化。开放、宽容、兼收并蓄的创新氛围。

角色之六，政府是创新规律的遵循者。市场主导，市场配置。

发展高新技术产业，走自主创新之路，深圳本来并无多少先天优势可言，然而深圳硬是杀出了一条血路。它在不同阶段出台的

50多部针对性强、操作性强的政策，就像改良后的“基因”，激活了人才、技术、资金、中介等自主创新的“元素”，它们排列组合裂变出巨大的创新“核能”。原科技部部长徐冠华对深圳的这一做法给予了高度评价。他在一次全国两会上发表意见说：“深圳市委、市政府的定位非常明确。政府的作用是要创造一个好环境。这是最聪明的做法，也是最求实的做法。在这一点上，我们应当向深圳学习。”

• 创新的沃土，成功的家园

上海市长徐匡迪院士来深圳参观后也说：“深圳经济特区建立之初，那里没有科研院所、没有大学，但近年来高新技术产业发展很快。为什么？因为有许多敢于冒风险的年轻人到那里去，他们不想吃‘大锅饭’，而是凭自己的技术，白手起家。他们的思想观念也不同，没有条条框框，企业的技术人员不追求职称，他们想的是不断开发新产品，去开拓市场，取得经济效益。”1996年9月，经科技部批准深圳市政府决定在深圳科技工业园的基础上，将原有的几个小区统一规划，设立总面积达11.5平方公里国家高新技术产业园区，并相继出台一系列优惠政策，扶持和鼓励高新科技产业的发展。经过几年的发展，深圳高新区已形成了以电子信息产业为主导的“家园式”产业结构群，被誉为高科技人士“创新的沃土，成功的家园”。

根据深圳市和广东省科技主管部门的总结汇报材料，深圳正在成为在海内外有影响的国家创新型城市①。

企业成为技术创新的主体：研发机构设立比例（90%），研发人员集中比例（90%），研发资金来源比例（90%），职务发明专利出处比例（90%）。

自主创新型企业梯队：（1）华为、中兴；（2）产值过亿元的308家；（3）高新技术骨干企业1400家；（4）全市从事高新技术产品研发生产的企业30000多家。

科技创新的企业人才结构：（1）企业家；（2）技术领军人物；（3）从事研究开发的科技人员10万多人；（4）高新技术企业职工60多万人。

创新体系的高端——具有较强创新能力的研究院群：中科院先进技术研

① 引自2006年度广东省科技进步特等奖项目“深圳区域科技创新体系建设”，汇报材料和深圳高新技术产业开发区网站发布信息。

究院、深圳清华大学研究院、虚拟大学园、深圳大学城、深港产学研基地、国际创新研究院、深圳检验检疫技术研究院。

高新技术产业的三层结构：（1）优势产业：通信、软件、数字视听，光机电一体化、电子元器件，计算机及其外设、二次电池；（2）新兴产业：生物医药、集成电路，第三代移动通信、汽车电子、半导体照明，新型平板显示、数字内容、再生能源、环保；（3）幼苗产业：下一代互联网、新型功能材料、信息安全，射频识别（RFID）、高性能计算机、网络电视（IPTV）。

具有较强竞争力的高新技术产业集群：计算机及外设制造产业群、通信设备制造产业群、软件及集成电路设计产业群、充电电池产业群、平板显示产业群、数字电视产业群、生物医药产业群。

高新技术产业第一展——“高交会”：高新技术产业对外开放的“窗口”，高新技术成果转化和交易的平台，技术产权交易与资本市场对接的桥梁，市场化的科技创新投融资体系。

创造知识产权的“高地”：国内专利申请量年均增长30%以上，发明专利申请量占专利申请总量的40%以上，企业申请专利量占专利申请总量的90%以上。

抢占标准化战略制高点：制定《深圳市标准化战略实施纲要》。创建“国家高新技术产业标准化示范区”。实施技术标准研制资助计划，推动企业参与国内外标准研制。

保护知识产权的“高地”：打造“全方位、全过程、全社会”的知识产权保护体系。在“一号文件”及知识产权、工商、版权、文化、质监、海关、公安、检察、法院等部门出台的配套政策中，制定了保护知识产权的具体措施。制定《深圳市知识产权战略纲要》，积极推进“国家知识产权试点城市”建设。

高新技术产业产值持续增长，高新技术产业对经济发展的贡献不断增加。自主创新的高产田：高新区成立于1996年9月，面积11.5平方公里，是国家重点支持的五大科技园区之一。2005年高新区工业总产值1367.58亿元，是建区之初的13.7倍；工业增加值260.13亿元；出口87.46亿美元。2005年高新区每平方公里土地实现工业总产值118.92亿元。自主创新“种”出名副其实的“高产田”。

强大的研发创新能力，良好的产业配套环境，使高新技术产业已成为深圳最重要的支柱产业。

产品产值：2006年，深圳高新技术产业保持高速增长。高新技术产品产值6306.38亿元，上年增长29.1%，其中拥有自主知识产权的高新技术产品产值3653.28亿元，增长29.4%，占全部高新技术产品产值比重57.9%。

高新技术企业：到2006年底，全市从事开发、生产高新技术产品的企业有2000家，比上年增长20.7%。

民营科技企业：在深圳16万多户企业中，民营企业近10万户，占六成以上，资本规模超过千亿元，仅次于上海和北京，成为经济社会发展的重要力量，是未来最具潜力的一大阵营。

科研实力：全市从事高新技术产品开发的企业3万多家。2006年具有自主知识产权的高新技术产品产值达到3653.28亿元，占全市高新技术产品产值57.9%。

外资研发中心：深圳外商投资独立法人和非独立法人性质的研发中心共计87家，涉及投资总额17.70亿美元，注册资本13.21亿美元。

科技成果与专利发明：深圳专利申请和授权量逐年快速增长，发明专利的比重不断提高。2006年专利申请量增长42%，达到29728件，居全国第二；其中发明专利申请量及PCT国际专利申请量已跃居全国第一。

二、城镇科技创新示范：东莞石龙镇

镜头画面：石龙镇现代化建设科技创新示范工程汇报

石龙镇镇区陆地面积11.37平方公里，是东莞面积最小的镇。镇域内，每平方公里创造地区生产总值3.4亿元，每平方公里出口8721万美元，每平方公里实现税收总额4450万元。在国家统计局的“2006年全国小城镇综合发展水平1000强”评价中，石龙镇高居第19位。

1. 现代化历程。

2006 年 7 月 1 日。“石龙镇科技创新与社会主义新城镇建设研讨会”在石龙镇凯悦五星级宾馆举行。时任镇长冼周恩慷慨激昂地介绍石龙的发展历程。

石龙镇，面积 11.37 平方公里，是东莞面积最小的镇。改革开放前，石龙镇虽然建设了以火柴厂、农机厂、印刷厂等为代表的轻工企业，但整个经济和社会发展步伐比较缓慢，产业水平和人居环境都比较落后。

在 20 世纪 70 年代末和 80 年代，石龙镇和珠江三角洲东岸的许多镇域一样，沐浴开放改革的春风，大力发展来料加工业和镇办企业。到 1985 年，石龙镇共引进了“三资”企业 21 家，发展乡镇企业 34 家，民营企业 77 家。

石龙服装首先脱颖而出。它生产了中国第一批出口美国市场的服装产品。我国一些国家领导人置备出国礼服也曾挑选石龙服装。连美国前总统卡特访华时所穿的衬衣也是石龙制造的“地球”牌衬衣。这些令石龙人骄傲。

服装、水泥、五金、机械、食品、造纸、电池等传统制造业的较大规模聚集，使它成为珠江三角洲地区重要的制造业基地。这一时期，镇域科技发展主要以“拿来”为主，以学习模仿为主。技术人员几乎是清一色的兼职的“星期六”工程师。他们开展个体化、零散化、短平快的产学研结合技术咨询服务。

进入 20 世纪 90 年代，建立社会主义市场经济体制和发展高新技术，因为邓小平视察南方谈话发表，不折不扣地成为广东人的主流思想。政府比过去任何时候都更多地整合资源、实质介入支持经济发展的科技工作。1993 年，广东省委、省政府颁发了《关于扶持高新技术产业发展的若干规定》。随后东莞市委、市政府适时作出了“开展第二次工业革命，实施产业转型，推动经济增长方式转变”的决策。“第二次工业革命”的目标是实现三个转变：产业结构从劳动密集型工业向技术密集型工业转变，增长方式从“数量型”经济逐步向“质量型”经济转变，经济体制从“政府主导型”经济向“市场主导型”经济转变。石龙镇在推进“第二次工业革命”的过程中，以加速技术创新为突破口，在产业选择上进行战略调整。

1996年6月，在前期开展单项星火技术开发和培育支柱产业的基础上，石龙镇获批建立国家级星火技术密集区。这标志着石龙镇产业发展转上了更加注重技术含量的轨道。以此为契机，在产业选择上采取收缩战略，突出了电子信息和生物医药两大支柱产业，明确了在新一轮外商投资热潮中以技术含量高的产业为主导的发展方向。

2. 工业化科技创新。

以国家级星火技术密集区建设为新起点，石龙镇拉开了跨越式的现代化城镇发展之路。结合镇域内科技资源实际，根据产业竞争和社会发展的需求，石龙镇采取引进、消化吸收、再创新和技术集成创新的方式，有计划地组织了一批具有战略意义的综合性科技创新工程和科技攻关专项计划，研究开发关键和共性技术和创新产品，推动先进技术的集成和应用。

石龙镇紧跟国家和广东省科技创新工作主旋律，政府有意识地推动、实施了工业化科技创新工程、信息化科技创新工程及绿色化科技创新工程等三大重点科技创新工程，以承担国家和省级重大科技计划项目为抓手，以重点项目为突破口，有力推进了镇域科技创新实践，创造性地组织实施了一批具有重大主导意义的科技创新专项计划（见表7－1）。这些重大科技计划类型，体现了国家和广东省在各个经济社会发展阶段的科技创新战略重点。

1996年6月，石龙镇召开大会，认真贯彻全国星火计划工作会议（1996年）精神。会议指出，建立星火技术密集区是星火计划向更高层次上规模、上水平的客观需要，是农村发展规模经济，向农村工业化、乡村城市化、农业现代化方向迈进的迫切要求。作为一项集经济、社会和科技发展为一体的社会系统工程，密集区建设不仅涉及到科技事业自身发展的组织管理、引导示范，而且涉及到经济与科技结合，经济与社会的综合协调发展方面的改革和新机

制的建立。

表7－1 石龙镇实施的重大主导项目

主导项目	启动时间	批准部门
国家星火技术密集区建设	1996	科技部
国家信息化试点城镇建设	1999	信息部
广东省专业镇技术创新试点单位建设	2000	广东省科技厅
广东省制造业信息化工程试点示范镇建设	2001	广东省科技厅
星火计划农村小城镇现代化示范镇建设	2002	科技部
广东省城镇化技术集成应用试点建设	2003	广东省科技厅
广东省“绿色制造、清洁生产”科技示范镇建设	2003	广东省科技厅
广东省“数字广东”推进计划试点	2006	广东省信息产业厅

根据东莞石龙镇镇政府的总结汇报材料（2007）。

在承担国家星火计划项目和建设国家星火技术密集区过程中，石龙镇强调技术集成与创新，促进本地科技进步、企业科技创新、产业优化升级和城镇现代化。

石龙镇及时成立了“石龙国家星火技术密集区建设领导小组”，由镇委书记、镇长和主管科技的副书记任正副组长，负责全面规划、协调和领导星火技术密集区的建设工作。领导小组下设办公室，配备专职人员，并制定国家星火密集区建设规划，修订与完善“科技兴镇”规划，进行镇域科技经济综合开发的示范。

石龙镇实施国家星火技术密集区建设的重点内容包括：一是推动先进适用的技术推广应用，发展现代农村经济，推动传统产业转型调整，加快石龙镇工业化、城镇化进程。二是培育“一个母体”，强化“两个联合”，推动乡镇和民营企业技术创新。“一个母体”指通过扶持企业建立技术研发中心，构建了技术创新“母体”，现已有20%企业建立了企业办研究机构。“两个联合”即“校镇联合”和“校企联合”，推动产学研结合从科技人员个体行

为转变为有组织的整体合作对接。三是政府以项目和环境为核心，把宏观目标化解为具体项目，大力营造鼓励创新的环境，结合实际扶持、帮助、服务企业发展生产，从申报科技项目、申请项目贷款和各种资讯等各个方面为企业提供优质服务；加强知识产权保护工作，改善企业技术创新软环境，为企业技术创新工作的开展保驾护航。

经过努力，石龙镇国家星火技术密集区成为广东实施星火计划的一面旗帜，取得了显著成效，示范带动效应明显：

一是实施了一批重大科技项目，取得一批科技成果。1996年以后，科技攻关项目的数量和质量逐步提高。积极培育“两自”企业（自有品牌和自主技术），效果显著。到2006年，销售收入超亿元的企业有14家，超50亿元的有2家。广东华南药业集团、广东钜龙电力设备有限公司、广东巨龙科技信息有限公司先后自主研制开发了新药“复方血栓通胶囊”、“心痛舒喷雾剂”、非晶合金干式变压器、医院信息管理系统等一批国内技术领先的新产品。广东钜龙电力设备有限公司10年多来累计取得科技成果6项，成果转化为85%，总投资5700万元，累计实现产值6亿多元。

二是促进产业结构优化升级，电子信息产业发展成为支柱产业。1996年后，石龙镇以建设星火密集区为突破口，依靠科技进步加快“第二次工业革命”，加快产业转型，推动电子信息产业逐步取代传统产业成为石龙镇的第一大支柱产业。石龙电子信息产业不断集聚壮大，逐步发展成为以数码复印机、激光打印机、自动变焦照相机、数码相机、电脑整机为主的电子信息产品生产基地。

三是星火密集区建设综合指标评价居全省首位，示范带动效应显著。1998年12月，依据科技部《星火技术密集区和区域性支柱产业评价指标体系（试行）》，广东省科委组织专家对广东省星火密集区“九五”实施情况进行综合评价，石龙镇的考评得分96.53分，名列全省五个星火技术密集区之首。石龙镇结合本镇实际提出来的发展思路和具体措施获得了充分的肯定。

在石龙，粤港关键领域重点突破项目是工业科技创新的自然延

续。2007 年 9 月 15 日，东莞首个中标“粤港关键领域重点突破项目”的新产品——“聚合物动态流变测试与表征系统”顺利通过专家鉴定。该项目研制历时 3 年，这也是东莞首个通过鉴定并且正式投入市场的重点突破项目。该项技术将提升国内高分子材料的研发水平，打破我国多年来高分子及其复合材料测试设备依赖进口的局面。

3. 专业镇特色产业技术创新。

经过国家星火技术密集区建设，石龙镇的产业逐步形成了以电子信息产业为主导的格局，电子信息产业集聚初步成型。为推动产业结构持续升级优化，石龙镇实施专业镇技术创新工程，大力提升支柱产业自主创新能力，推动电子信息产业集群化发展和升级。

2000 年 11 月，石龙镇被省科技厅确定为广东省首批专业镇技术创新试点，成为广东省电子信息专业镇。

专业镇技术创新工程主要内容包括：一是营造优良环境，推动产业发展。建设技术先进、功能完善的专业镇信息网络平台，构造较好的“硬”环境。在搭建高效实用的信息网络平台的同时，重点建设石龙科技创新中心，提高技术创新公共服务能力。二是推动企业尤其是电子信息企业技术创新工作，建立健全企业研究开发体系。通过政策和“点火工程”，引导企业设立工程研究开发中心，提升企业自身的自主创新水平。三是引入风险基金，扶持电子信息企业尤其是软件企业做大做强。四是开展科技招商，加快形成电子信息产业集群。

专业镇技术创新工程，提升了石龙镇信息技术开发和应用水平，强化了电子信息产业的支柱产业地位和市场竞争力，取得显著效益：

一是石龙镇软件企业的技术创新和市场竞争力不断增强。如东莞市开普互联信息有限公司开发出一系列具有自主知识产权的互联网应用支撑软件产品与解决方案。2002 年承建“澳门特区行政暨公职局基建整合平台”项目。2003 年又继续承建“特区民政总署综合服务中心一站式电子政务”等四个项目。广东巨龙信息科技有限公司是广东省唯一通过卫生部和广东省卫生厅评审的最大的开发医院信息系统的专业公司。该公司开发的拥有自主知识产权的“巨龙医院信息系统（JL—HIS）”是全国仅有的七个通过卫生部评审，准许在全国各类医院推广使用的软件之一，该系统还被科技部列为2000年国家级火炬计划。公司的另一自主开发的主要产品“巨龙医学影像归档及通信系统（JLPACS）”也获得“计算机软件著作权登记证书”并已推向市场，取得了良好的经济效益和社会效益。公司的产品已在全国10多个省市、250家大中医院推广应用。东莞市卓博信息科技有限公司从事软件开发，人才交流信息平台运营，主导产品为卓博人才网站（www.jobcn.com），主要的产品功能是为企业及求职者个人提供招聘与求职的网络信息平台。取得4项计算机软件著作权登记证书，把信息服务行业工业化，为全国性的数字化人力资源综合解决方案供应商。卓博信息科技有限公司完成了从人才资源网站到专业提供人力资源管理解决方案的战略转变，www.jobcn.com网站稳居全国人才网站排名前四名，创造了网站经营低投入、高产出的佳绩。东莞市龙信数码科技有限公司成立于2005年3月，公司拥有自主知识产权的“社区管理信息系统V1.0版”，该产品在石龙镇得到全面应用，大大提高了业务部门的管理水平和工作效率，受到国家、省、市信息化专家的一致好评，并于2006年被推广应用到东莞市社区管理信息系统中。

二是推动石龙镇进入了全球电子信息产业网络。石龙镇信息化技术应用水平的提高，电子信息专业镇技术创新服务综合平台的建设，大大改善了石龙镇电子信息产业投资发展环境，促使在石龙投资的世界500强企业及国内知名企业，如京瓷集团、柯尼卡美能达、拓普康、利富高、三协精机、北大方正等纷纷增资扩产。1999—2003年，世界500强企业京瓷集团投资的京瓷科技工业园、柯尼卡美能达公司海外最大的生产基地柯尼卡美能达工业城、北大方正年产能力300万台的电脑整机生产基地以及生产微型马达的日本三协精机新厂区相继在石龙镇落成并投入使用，生产规模成倍增长，带动石龙镇迅速融入全球电子信息产业链。

三是推动形成了以石龙镇为中心、以终端产品为主的电子信息产业集群。石龙电子信息制造业迅速发展，并带动了光学、电子、五金等上下游产业的发展，与珠三角建立了密切的分工协作网络，形成了具有一定国际竞争力的地方特色产业集群。自 2000 年 11 月实施专业镇技术创新试点工作以来，石龙镇电子信息业发展迅速，2000 年电子信息产业产值 15.51 亿元，只占全镇工业生产总值的 55.6%。到 2006 年，电子信息产业产值已达到 132.9 亿元，占了全镇工业生产总值的 85%。石龙已成为以数码复印机、激光打印机、自动变焦照相机、数码相机、电脑整机为主的电子信息产品生产基地，形成了较完整的电子信息产业集群。石龙镇电子信息产业所需原材料大部分从国内购入，主要来自珠三角，也有部分来自台湾、日本及其他地区。如东莞方正科技电脑有限公司，除硬盘与 CPI. J 外，90% 以上的零部件均分布在以石龙为中心 80 公里的范围之内。又如柯尼卡美能达，工场的零部件供应商就有 350 多家，约 300 家在中国，零部件本地调用比率为 84%。

2006 年，在国家统计局的“2005 年全国小城镇综合发展水平 1000 强”评价中，石龙镇列为中国千强镇的第 59 位。2005 年，石龙镇电子信息业占工业总产值比重达 85%，每平方公里国内生产总值和税收总额分别达 33012 万元和 3316.7 万元，指标居发达地区东莞市各镇之首，处于国家领先水平。

2007 年，在国家统计局的“2006 年全国小城镇综合发展水平 1000 强”评价中，石龙镇高居第 19 位。石龙镇每平方公里创造地区生产总值 3.4 亿元，每平方公里实现税收总额 4450 万元，每平方公里出口 8721 万美元，人均地区生产总值 56131 万元，每万千瓦时耗电产生 GDP5.9 万元。

2006 年 1 月，广东省科学技术厅组织有关专家对东莞市石龙镇承担的“广东省专业镇技术创新试点”项目进行了验收。专家组一致认为：石龙镇在专业镇技术创新试点期间，建立了较完善的创新平台，包括：研究开发平台、信息平台、服务平台、人力资源平台以及文化平台。特别是信息平台的建设，在省已经批准的 50

多个试点镇中，成绩突出，信息基础设施、企业信息化等方面都取得了优异成绩，体现了石龙镇作为国家首个信息化试点城镇的特点。石龙镇的研究开发平台和服务平台的建设也取得了很大的成绩。在推动企业创新、建立产学研体系、发挥中介机构的作用等方面成效突出，石龙专业镇建设达到或超过了预期目标。

2006年7月，张德江书记在一份有关石龙的调研报告上批示："石龙镇是树立落实科学发展观，建设社会主义现代化小城镇的好典型，其经验值得总结宣传。"

4. 信息化科技示范。

在实施专业镇技术创新试点的同时，石龙镇积极推进城镇和制造业信息化工程，实现了电子信息专业镇技术创新和信息化两项工作的相互支持、相互促进，以信息化带动了新型工业化和城镇现代化发展。

2002年，石龙镇启动了广东省制造业信息化工程试点示范镇建设计划，以信息化带动新型工业化，提升了产业竞争力。

石龙镇实践现代化建设科技创新工程经历了"三次跨越"（1996年以来）

第一次跨越：

标志：建设国家星火技术密集区

重点：技术密集型产业、先进技术

成效：国家星火密集区建设成为全镇产业升级的一面旗帜

经验：紧跟国际先进水平，较早在全国高起点建设镇域国家星火技术密集区，为产业升级提供科技支撑

第二次跨越：

标志：建设国家信息化试点镇、广东省专业镇技术创新试点工程

重点：城镇信息化、电子信息产业集聚化

成效：改变了人们的思维方式，逐步形成电子信息产业集聚

经验：以制造业信息化工程为龙头，建设专业镇技术创新平台，拉动工业规模快速扩张

第三次跨越：

标志：建设国家星火计划农村小城镇现代化示范镇、省"绿色制造、清洁生产"科技示范镇

重点：自主创新能力、科学发展

成效：提升了全镇自主创新能力，形成两大支柱产业

经验：综合建设镇级科技创新平台，优化科技创新环境，提升科技竞争力，引领城镇现代化建设。

石龙镇建设广东省制造业信息化工程试点示范镇的主要内容包括：一是探索和建立基层制造业信息化建设模式，加强信息化基础设施的建设，营造一个有利于推进制造业信息化的社会环境。二是建设制造业信息化应用示范体系，围绕一些关键技术开发与推广应用，增加企业试点范围，扩大示范效应，促进信息技术的普及应用。三是建设制造业信息化技术服务体系，加大培训力度，实施制造业信息化的人才战略。

通过实施制造业信息化工程，石龙镇将信息技术普及推广到各个行业，降低了企业经营成本，提高了企业生产、管理和科研效率，增强了产业技术创新能力和市场竞争力。制造业信息化主要进展和成效包括：

一是制造业信息化规模和水平大幅提升。目前，全镇规模以上企业都使用了电脑办公，企业电脑拥有率达100%；89%的企业已经使用企业内部网（Intranet）；53%的企业使用计算机辅助设计（CAD）；56%的企业应用MRP或ERPII；89%的企业通过不同的方式上互联网，拥有各类专线的占46%；78%的企业设立了信息机构或专人管理企业信息工作，主要负责企业内部网络的搭建，维护以及应用系统的开发与维护。

二是培育了一批制造业信息化典型企业。全镇先后认定华南药业集团、东莞市方正科技电脑有限公司等镇内20家企业为石龙镇企业信息化试点企业，通过它们开展基于不同层次信息技术应用的典型示范，加速了全镇制造业企业信息化进程。广东华南药业集团通过制造业信息系统，使财务结算周期缩短一半，仓库不再积压陈货，减少大量仓管员、核算员的劳动支出。广东电动工具厂先后建立了“巨RP企业资源规划系统”，进行计算机联网管理并应用CAD进行产品设计，2003年该公司被石龙镇评为信息化工作先进单位。

三是建立了比较完善的信息化技术服务体系。石龙镇已经建立了比较完善的信息化技术服务体系，成为东莞市唯一的省级中小企业信息化培训基地，形成了一支专业化的信息化技术服务队伍。

2006年开始建设石龙镇电子信息产业集群电子商务公共服务平台，该平台以基于WEB2.0理念的“互动商务”模式为基础整合企业内部和外部商务过程，提供信息发布，信息撮合、支付和企业商务资源管理和各类咨询等服务，为企业提供低门槛、便捷的电子商务服务平台。

在实施城镇化技术集成应用试点工作过程中，石龙镇重点突出信息技术的应用，集成应用了关键信息化技术，构建了完整的技术链，建设了公共信息平台、信息传输网络和基础数据库，大大提升了城镇建设、规划和管理水平。

城镇化技术集成应用试点工程主要由两个国家和两个省科技重点项目组成：1999年国家信息化试点城镇项目、2002年星火计划小城镇现代化建设示范镇项目、2003年广东科技计划“广东省城镇化技术集成应用试点”项目及2006年广东省“数字广东”推进计划试点项目。主要内容包括：一是信息技术集成与应用，建设公共信息平台。二是建设传输网络和基础数据库。三是开展政府上网工程，推动政务公开。四是建成覆盖全镇的石龙社区服务信息平台。五是建立GIS地理信息系统。

数字社区提供了方便、快捷的社区服务。根据“统一规划、统一标准、统一软件、统一管理”的原则建设石龙数字社区，使过去“上面千条线下面一根针”的复杂局面转变为“社区一条线服务千根针”，切实减轻了社区居委会工作的负担。依托96993社区服务热线和社区服务网站构建的社区服务信息系统，全镇居民获得更加方便、快捷、优惠、优质的信息服务，推动信息资源开发利用的网络化、社会化和商品化，创造广阔的就业机会，形成新兴的社区服务产业。

基于GIS技术的《石龙城建规划图文一体办公自动化系统》为城市规划、建设、管理提供多层次、可视化的信息依据和辅助决策支持。国土资源分局建立了数字化地形地籍测量系统，强化地籍资料数字化管理，实现土地利用动态检测，为石龙建设GIS系统提供基础数据。镇民政办于2005年10月完成了最新的全镇地名勘查

并建立地名数据库，属性数据包括：行政区、街、路、旅游景点、单位、河流、居民点等，内容包括建筑物、历史源等。为具体落实“数字广东”推进计划试点项目建设，石龙镇数字市政项目已经启动，该项目内容包括一次普查（全镇地下管线和市政设施部件普查），两个系统（地下管线和市政设施管理系统、基础地理信息建库系统），涉及四类地理信息专题数据：1∶500地形图、综合地下管线、城市部件和市政设施业务信息，并利用成熟的GIS技术、数据库技术、网络技术等构建城市管理平台，将石龙的基础空间设施和资源进行量化的管理，最终为城镇的现代化、专业化、精细化管理提供决策支持。

5．科技创新特色。

经历科技创新，石龙镇实现了产业结构的战略性调整，完成了从低技术、劳动密集型、资源密集型主导的传统产业向附加值较高、知识密集型的电子信息制造业主导的高新技术产业的转变，完成了以“三来一补”为特征的低层次的国际合作向合资、合作形式的国际合作的转变，完成了从以单纯的产品生产和装配向生产与研发结合的转变。同时，对镇属制药等产业进行产权改革、企业重组，逐步形成规模经济，使医药产业成为石龙的支柱产业，形成了石龙本地高新技术企业群和外资跨国公司在石龙设立的企业群“平分天下”的产业格局。

石龙镇科技创新示范是具有强烈中国特色的珠江三角洲发展时代背景下，通过科技创新支撑城镇现代化建设所取得的重要实践，中国特色十分鲜明。最重要的特色和经验是：紧跟国家世界科技发展新理念，矢志不移和坚持不懈地将科技创新战略有机地融入到小城镇现代化建设的全方位、全过程中；从实际出发，建立健全创新机制，找准创新结合点，营造创新环境，走出了一条符合小城镇发展要求、顺应全球产业转移和现代科技发展趋势的镇域科技创新路子。石龙镇是国家和广东省在不同发展阶段实施科技创新重大战略的一块“试验田”，一口“探油井”，它积累的经验，对于全国、全省不同地区、处于不同发展阶段的小城镇依靠科技创新促进经济社会发展都有积极的借鉴意义。

• 科技创新实效性

石龙镇科技创新示范实践表明，镇域科技创新不能一味追求“高、精、尖”，而是要在突出“先进、适用”的基础上进行重点领域的自主创新，强调科技创新要符合和满足当地产业、经济和社会发展的实际需求，要能够转化为现实生产力和产生实在的经济社会效益。石龙镇根据小城镇在不同发展阶段的经济社会实际，采取动态发展的科技创新策略，对科技创新的重点、方式和目标进行动态调整，始终做到与经济社会需求相互吻合。

在改造提升传统产业阶段，石龙镇积极建设国家星火技术密集区，大力引进先进技术设备和改造老企业，推动生产线改造，促使一些手工作坊向现代工厂转变。同时，注意扶持科技先导型示范企业，引导乡镇企业向技术密集型产业发展，为农村产业和产品结构的调整做出示范。

在发展电子信息专业镇和推进信息化阶段，石龙镇顺应新型工业化发展和经济社会信息化需求，实施专业镇技术创新、制造业信息化和小城镇信息化等创新工程，以点带面，以面促点，完成了一系列以信息技术为主的研究开发和技术集成应用项目，聚集了一批高新技术企业，形成了电子信息产业集群，提升了产业和城镇的信息化水平。

通过有计划地规划、实施一批具有重大主导意义的科技创新专项计划，走出了一条科技兴镇的新路子。2006年，平均每平方公里创造地区生产总值3.4亿元，每平方公里实现税收总额4450万元，这些指标高居东莞各镇区的第一位，在广东省乃至全国乡镇中也处于领先水平。

石龙镇科技创新，始终把握小城镇科技创新需求，添加适当超前的发展理念，并依靠外部技术和智力支持，建立相应的专家咨询和科学决策机制。石龙镇长期聘请科技、经济和社会发展等领域的专家组成决策智囊团。这样，科技创新才能成为经济建设和社会发展工作的有机组成部分，才能做出成效和特点。

• 建立产学研结合机制

石龙镇科技创新示范实践表明，小城镇普遍面临科技实力不强、科技人才不足、产业基础较弱等问题，科技创新既不能闭门造车或完全依靠自身积累按部就班地发展，又不能完全依靠外部力量，放弃自主技术创新能力的培

育和发展。应通过建立“核心+圈层”的创新网络，形成小城镇“以我为主，海纳百川”的科技创新格局，将镇域科技创新活动镶嵌到更高层次的创新平台中，在区域和国家的创新链条中占据合适的生态位，获取必须的科技创新要素，进而增强镇域科技创新的生命力。

石龙镇面积狭小，缺乏大学和科研机构，科技创新基础条件比较薄弱。但是，石龙镇能够坚持以我为主的战略定位，以培育自主技术创新能力和满足当地经济社会发展需求为核心，明确重点和目标，广泛集聚各个圈层的科技创新资源和成果，最终取得镇域科技创新工作的成功。

通过实施不同层面的科技创新计划项目，将国家、省、市和镇等各级科技资源整合到石龙镇的镇域创新体系中。长期以来，石龙镇积极主动承担了国家星火技术密集区、省级制造业信息化和专业镇技术创新等系列重大项目，推动小城镇的科技创新活动进入国家和省级的层面，使得其发展视野、创新思维和科技资源能够超越镇域空间的局限。

通过推进产学研各个方面的紧密合作，将外部科研机构的创新力量和科技成果注入到石龙镇的企业中。石龙镇突出当地企业的技术创新主体地位，以企业作为开展产学研合作的核心，形成联系广阔的创新协作网络，以多种方式引进外部的成果、人才和信息，使得科研开发直接面对市场，产生良好经济效益。

• 外源技术内源化

石龙镇科技创新示范实践表明，在经济全球化与经济地域集聚化并行发展的背景下，镇域自主技术创新与对外开放并不矛盾，“三来一补”企业集聚并不一定就排斥当地的科技创新，外源型经济比重大的地区（如广东及我国其他沿海经济发达地区）可以对“三来一补”等外来企业进行引导和改造，采取以土地、资金入股等方式建立中外合资形式的深层次国际合作，或者加强产业配套能力、发展产业集群体系和改善区域创新环境，有效地促进外资企业生产和研发的本地化，并借助这些企业的海外母公司的全球网络，带动镇域科技创新活动进入全球科技大循环，形成内外源企业协同创新的“杂交”优势。

石龙镇将镇域科技创新置于全球视野中，坚持以消化吸收再创新为主要途径，通过承接国际产业和技术转移，将国外先进技术引入石龙镇的主导产业并实现本地化再创新，促进了外源企业创新的本地化。同时，大力扶持发展民营科技企业，依托镇域技术创新网络和产业集群分工协作网络，实现内外源技术创新的相互融合和相互促进。

一是引导外资企业开展本地化技术创新活动，使之成为镇域科技创新体系的有机组成部分。在发展电子信息产业过程中，石龙镇抓住产业国际转移的机遇，引进了京瓷光学、京瓷美达、柯尼卡美能达等一批外资企业。石龙镇非常重视企业的技术溢出和示范作用，但并不被动地等待外资的技术供给，积极推动“三来一补”企业转型，使其产业配套大部分实现了本地化、技术创新局部实现了本地化，有效地引进了一批国外先进技术，产生明显的技术溢出效应和二次创新成效。例如，世界500强日本京瓷株式会社于1999年在东莞市石龙镇成立粤龙办公设备制造厂进行来料加工生产，到2001年改组成立中日合资公司“京瓷美达办公设备（东莞）有限公司”，逐步发展成为高新技术企业。至2007年，全镇共有中外合资企业17家，合资合作企业投资额已占全镇外商投资总额的85%，外资企业“植根性”明显提高，有力推动和促进了民营企业的科技进步与创新发展。

二是石龙镇着重推动内外源企业协同发展，在产业链上形成相互配套，在创新上相互学习，以外促内，促进了当地民营科技企业技术创新能力的提高。鼓励民营企业在承接外资企业的订单的同时，不断适应和学习外资先进的发展理念，推动形成自身的技术创新发展思路。鼓励民营企业采取合资合作的方式，加强对外资的吸收消化再创新，加快与外资企业在技术、产品和工艺等方面的融合步伐。例如，东莞泽龙线缆有限公司在与韩国三星、日本三菱和三洋电机等跨国大企业的配套协作中，加快了自有技术的研究开发；元典科技公司与微软公司共同研发推出了中国首台便携式影音播放器PVP，集视频播放MP3播放、数码相机、摄像机、录像机、录音笔和数码伴侣功能于一体，后又增加了全球定位系统等功能，当时居该行业领先水平。京瓷光学、方正科技电脑等企业都在加工装配工厂的基础上建立了研究开发机构。

• 营造科技创新环境

石龙镇科技创新示范实践表明，在建设创新型国家的进程中，乡镇政府在推动基层科技创新中可以扮演重要的角色，应该“有位、有为”，成为倡导、组织镇域科技创新的第一推动者，乡镇政府的作用重点在于引导树立“科技兴镇”发展理念，提供科技创新公共服务，营造良好的技术创新环境。一方面，乡镇政府要紧跟国家和省的科技创新战略要求，积极制定出台相关

配套政策措施，将国家和省的重大部署落实到乡镇，落实到基层。另一方面，乡镇政府要找准当地经济社会发展的科技需求，突出自身特色，组织优势力量，主动申请承担各级科技创新工程和科技计划项目，争取上级科技创新资源注入镇域经济中，推动乡镇成为国家和全省科技创新工作的有机组成部分。

在科技创新示范过程中，石龙镇着力营造四大创新环境："鼓励创新"的投资环境、"宜于创业"的人才环境、"尊重创新"的社会环境和"保护创新"的法制环境，较好地发挥出了镇级政府的公共服务功能。

一是营造"鼓励创新"的投资环境。石龙镇政府深刻理解科技创新在地区发展和全面建设小康社会的重要地位和作用，及时抛弃"消耗资源、污染环境、破坏生态、低水平重复建设"的传统发展思路，坚持以信息化带动工业化，以工业化促进信息化，加强技术创新，发展高新技术产业，走出一条科技含量高、经济效益好、资源消耗低、环境污染少、人力资源优势得到充分发挥的新型工业化新路子。例如，通过加大财政科技投入，逐步加大资助创新的力度；通过建立风险投资机制，为产学研合作和科技成果产业化提供融资担保和风险投资。

二是营造"宜于创业"的人才环境。石龙镇支持和鼓励企业通过技术入股、技术分红、期权等激励机制吸引人才、留住人才；积极创建研发平台、技术创新基础条件平台和科技中介平台，为创新创业人才提供施展才华的舞台；建立有效的激励机制和多层次的奖励制度，鼓励科技人员投身技术创新。

三是营造"尊重创新"的社会环境。石龙镇各级领导干部带头学习现代科技知识，坚持用科学精神指导工作，坚持开展经常性、群众性和社会性的科普活动，宣传科学思想，提倡科学方法，在全社会进一步形成爱科学、学科学、用科学的良好风尚，创造"人尽其才、才尽其用"的创新文化氛围。

四是营造"保护创新"的法制环境。石龙镇政府大力宣传知识产权保护知识，重点抓好大中型企业和高新技术企业知识产权保护培训工作；加强知识产权保护服务，提高产品开发的起点，避免低水平重复建设。

• 技术市场化经营

石龙镇经验表明，在区域和企业自主创新过程中，要注重采用现代技术经营的意识和手段，推动技术转移主体之间的合作经营，培养技术型的企业家和市场型的科研人员，促进技术创造、加速技术扩散与转移，推动企业的技术应用，从而实现技术的市场和社会价值。

技术经营的实质是经营技术，推动技术向商品的转化，实现科技成果的市场价值。一方面，石龙镇的科技创新工作着眼于以市场机制引导创新资源和技术成果的整合和应用，使技术不滞留在高校、研究院所和企业内部，而是成为商品化和利润增长的一个要素。石龙镇重点围绕市场和社会发展需求进行科技的集成应用和自主研发。根据发展信息技术支柱产业的需要，引导企业开展国际合作和交流，在竞争中获得发展，并把自主研发与引进、消化吸收相结合，防止低水平重复，注意技术的集成，在医院信息系统、企业信息化和电子政务信息系统等方面研究开发出一批国内领先的高新技术主导产品。根据社会发展和走新型工业化道路的需要，灵活选择和开发相关的清洁生产技术，开发新产品70多项，并产生良好的经济社会效益。

另一方面，石龙镇在创新实践中成长出了一批既懂技术又懂经营的复合型人才。在广东华南药业集团、东莞泽龙线缆有限公司、广东钜龙电力设备有限公司和东莞市开普互联信息有限公司等高新技术企业，既有一批技术型的企业家，又有一批市场型的科研人员。通过技术经营理念的树立，企业家的自主创新思维方式从技术推动转变为市场拉动和需求拉动，企业战略与技术经营策略逐步相互结合和匹配，促使企业形成了比较明确和有效的技术开发路线。同时，科研人员根据市场需求，形成了较好的技术评价能力，能够比较准确把握企业或项目必要的技术是什么，如何快速获得，如何研发改进，如何形成商品等关键问题。

石龙镇现代化建设科技创新实践，为当地提供了强大的可持续发展的源动力，为当地率先实现社会主义现代化奠定了坚实的基础。今后，石龙镇将坚持以科学发展观为指导，按照中共广东省第十次党代会提出的今后五年“全省实现宽裕型小康，珠三角地区率先基本实现社会主义现代化”的宏伟目标，根据中共东莞市第十二次党代会提出的“推动经济社会双转型、建设富强和谐新东莞”的发展战略，在更高的起点上，继续大力实施科技创新示范工程，增强自主创新能力和综合竞争力，推动经济又好又快发展，构建节约型和环境友好型社会，促进社会和谐进步，加快把石龙镇建设成为经济发展、科技进步、管理先进、镇风文明、生态良好、生活富裕的现代化新城镇，在我国的社会主义新农村建设、小城镇化现代化建设和乡镇基层科技创新中更好地发挥先行示范作用，为珠江三角洲率先实现现代化、创新发展模式做出更大的贡献。

三、向自主创新“转型”：广州科学城与广州大学城

镜头画面：广州科学城

“改革开放以来，广东干了两件事：吸引有钱的人到这里来投资办厂，吸引没钱的人到这里来打工。现在和将来，我们想干另一件事：吸引全球最有智慧的人来这里创业。”东莞一位干部的话，说出了广东各地尤其是珠三角建设创新型广东的想法。

“改革开放以来，广东干了两件事：吸引有钱的人到这里来投资办厂，吸引没钱的人到这里来打工。现在和将来，我们想干另一件事：吸引全球最有智慧的人来这里创业。”东莞一位干部的话，说出了广东各地尤其是珠三角建设创新型广东的想法。

广州是广东的省会，更是深深理解自己肩负的使命。市委书记朱小丹表示，在新的历史起点上，广州经济社会发展能否在原有基础上有力地启动新一轮发展，关键在于创新。广州将着力集聚更多的国际国内创新资源，着力于为中外各类科技创新企业和研发机构的发展营造良好的环境，着力于构建更加完善的自主创新体系，把广州建设成为全国一流的创新型城市。

两座“新城”在广州横空出世，可以充分体现广州、广东的“转型”思路。一座是在广州东北部熠熠生辉的广州科学城，另一座是在小谷围岛上拔地而起的广州大学城。两座城都风景绝佳，两座城都是大手笔：大学城投资逾300亿元，聚集了广东10所高校和10多万学子。科学城占地37平方公里，吸引了上千个研发机构、各类工程中心。在广东决策者心中，这两个加起来不到60平方公里的地方，在某种意义上已成为实现广东模式转型的重要载体之一。它们以及它们所代表的科学教育文化，是广东新一轮战略构想中的核心竞争力所在。

1. 广州科学城。

1998年12月28日，广州科学城正式奠基启动。根据当时的规

划，广州科学城是广州高新技术产业开发区中的核心园区，是广州市科技创新和高新技术产业发展的重要基地，是21世纪的标志性科技工程、未来广州最适宜创业发展和生活居住的现代化生态园林城市的样板区、现代化新型城区和休闲旅游景点。自从创新型城市提出后，加速构建和完善区域科技创新体系已成为广州科学城的使命。广州科学城的建设目标被进一步定位为打造成具有国际竞争力的核心科技园区、广州市实现创新型城市发展战略的重要载体。科学城应推动区域自主创新和高新技术产业化，努力营造一种有利于科技创新的环境。

科学城的发展方向：以高新技术研究、开发和高新技术产品产业为基础，培育科技创新环境，促进广州产业结构的协调发展；具有高质量生态环境，完善的城市基础设施，高效益的投资创业软环境，以产、学、研为主，辅以配套少量高级住宅的多功能现代新型城区。重点产业发展计算机及软件产业、生物医药产业、光电子产业、新材料产业、环保设备产业等。

自奠基启动以来，广州科学城创造了由政府引导、企业运作，科技含量、社会氛围以及市场要素等组成的自主创新发展模式。广东省、广州市的重大科技项目如广东光谷、广东软件园、广东科学中心（大型现代化主题公园）、广州国际企业孵化器、留学人员广州创业园、国家863计划项目成果转化基地（与科技部合作）均选址科学城。

1998年，一批海外归国留学人员来到广州科学城，共同创建了广东威创日新电子有限公司，主攻高清晰、大屏幕数字拼接墙领域。目前在他们的管理队伍中，一半以上是留学归国人员。2005年9月，温家宝总理在广州考察时参观该公司，欣然题词“引领未来，世界名牌”八个大字。

广州科学城内迅速发展，聚集了国家、省、市、区及民营等多层次、多种体制的孵化器，它们以广州科学城科技创新基地为核心与龙头，组成了包括广州国际企业孵化器、广东软件园、智通信息产业园、中科院广州生命与健康科学研究院等在内的广州科学城科

技创新孵化平台。各孵化器根据各自不同的特点，偏重于不同的产业方向。其中，广州国际企业孵化器、中科院广州生命与健康科学研究院主要为生物医药类项目提供孵化服务；广东软件园、智通信息产业园以电子信息产业类项目的孵化为主，广州科学城科技创新基地则定位为综合性孵化器，电子信息、生物医药、新材料、新能源等产业项目都可入驻孵化。广州科学城科技创新孵化平台内的各孵化器在优化硬件环境的同时，致力于软环境的建设。广州科学城科技创新孵化平台已成为社会科技创新服务资源的聚集区、优秀高新技术企业的发源地和现代科技型企业家的诞生地。

2001 年 4 月，为加强对广州开发区各类孵化器资源的管理，广州火炬高新技术中心成立，后被科技部认定为国家高新技术创业服务中心。广州火炬中心的功能定位：统筹广州开发区的科技孵化资源；构建区域科技创新体系；积极引进高新技术项目；贯彻国家和地方的各项科技扶持政策；为科技型中小企业提供综合性的孵化服务；积极推进光电子、生物医药、纳米新材料以及其他高新技术成果的产业化。至 2004 年，广州火炬中心已经成为一个管理上覆盖留学人员广州创业园、广州科学城科技创新基地、国家 863 计划及科技攻关计划项目（广州）产业化促进办公室、广州科技园；服务上覆盖广州国际企业孵化器、广东软件园、智通信息产业园等其他区属孵化器资源的综合性、集团化的孵化器。

目前广州火炬中心拥有的孵化器资源包括：[①]

留学人员广州创业园，成立于 1999 年 8 月，由广州开发区管委会投资创办，是广东省国家级留学人员创业园。创业园发起并承办了首届留学人员广州科技交流会，至今连续举办 11 届的留交会已经成为广州的“城市名片”。

广州科学城科技创新基地，由广州开发区管委会在广州科学城投资 2. 5 亿元人民币建成。基地总建筑面积 8. 1 万平方米，由孵化服务大楼、国际会议中心及光电子、生物医药、纳米新材料三个专

① 引自广州火炬中心网站发布的资料。

业孵化器组成。广州科学城创新基地实行智能化管理，完善的配套设施能满足企业在商务、融资、信息、咨询、市场、培训等全方位的需求。广州科学城创新基地内设有公共服务区和投资促进区，为企业提供工商、税务、会计、审计、法律、专利、技术产权交易、管理咨询、企业诊断、市场推广等专业服务；引进国有、民营、上市公司、外资等经济成分的风险投资机构、融资租赁机构、科技担保公司、资产评估公司、银行、证券机构等一系列与企业资本运作相关的机构，实现资金、项目的零距离对接，为在孵企业提供专业的融资服务。

广州国际企业孵化器，占地4万多平方米，项目总投资1.45亿元人民币，建筑面积为3.3万平方米，于2002年12月26日落成并投入运营。可容纳100余家中小科技型企业。至2004年6月份，已进驻企业42家，其中外资企业4家。

广东软件科学园，由广东省科学技术厅投资建设，占地500多亩，建成有智能综合楼、软件基地、孵化器、培训中心、建筑面积研发中心场地共10多万平方米。广东软件科学园是“广州软件园”三大实体园区之一，也是为国家软件产业基地之一。广东软件科学园的建设宗旨是构建共性技术支撑体系和产业配套服务平台，使之成为广东省软件基础共性技术研发基地和软件产业资源整合的平台。

智通信息产业园，成立于1999年7月，建筑面积为2.4万平方米，由香港智通软件集团公司和广州开发区合资兴办，投资总额1.2亿港元，注册资本为6000万港元。智通信息产业园的主营业务是生产和加工接入网络、通讯系统设备及支撑通讯网络的新技术设备，研究、开发计算机软件，提供信息及信息技术咨询服务。

至2004年，广州科学城已累计投入130多亿元于基础设施环境建设。世界排名前500强跨国公司已有74家在这里投资设厂，包括美国宝洁公司、辉瑞集团、美标中国卫生洁具有限公司、卡夫食品有限公司、艾利（荷兰）有限公司、德国IKA公司、三菱电机株式会社、施耐德集团、住友商事株式会社、BHP公司、赛沃

纳如·韦智力集团、太平加集团有限公司、安利太平洋有限公司、LG情报通信株式会社、爱立信电信有限公司等，在内的高新区孵化器集群已成为广州乃至华南地区最重要的科技研发引擎。

科学城内建有各类孵化器6个，面积80万平方米，有在孵企业项目590个，累计成功毕业的323个。同时，高新区引进科技风险投资公司20多家，风险投资总额达30多亿元；引进了30多家中介服务机构，提供从研发、孵化、中试，直至生产全过程的服务。高新区管委会共投入专项科技扶持金近5000万元用于支持科技项目发展，资助的规模和范围逐年扩大，带动了全区各类研发投入超过16亿元。广州科学城累计引进5家国家级研发机构，20家省、市级研发机构及一批跨国公司研发中心，引进各类科技人才2.3万人，其中留学人员570多人。

2007年1月8日，微软、英特尔、IBM和百事高等4家国际顶级高科技企业在科学城举行项目投资签约仪式，正式落户广州科学城，项目总投资超过4亿美元。当天落户科学城的重大科技创新项目包括微软（中国）产业基地、广州国际数据安全解决方案中心、广州IBM软件创新中心、百事高工业设计和创意中心、南海海洋工程研究开发中心以及基因药物国家工程研究开发中心。同日，国家科技部领导宣布，落户广州高新区的广州机械科学研究院、广州金发科技有限公司、广东威创日新电子有限公司等三家企业被评为国家首批创新型试点企业。国家信息产业部有关领导为“国家软件与集成电路公共服务平台（CSIP)”、“方欣SOA创新中心”授牌。

这标志着广州科学城的建设发展跃上了一个新的台阶，广州市自主创新能力得到有效增强。广州科学城已初步营造了一种有利于科技创新的环境，成为一个具有国际竞争力的核心科技园区和广州市实现创新型城市发展战略的重要载体，有力地推动了区域自主创新和高新技术产业化。

2. 广州大学城。

广州大学城规划建设于“十五”期间，地址在广州番禺区北端小谷围岛及其南侧珠江对岸扩展地区。规划范围约43.3平方公里，可容纳学生18万~20万人，总人口达35万~40万人（包括村镇人口），相当于一个中等规模的城市。目前进驻的大学有中山大学、华南理工大学、暨南大学、广东工业大学、广州大学、广东外语外贸大学、广东药学院、广州中医药大学、广州美术学院、华南师范大学、星海音乐学院等11所大学。

建设广州大学城是广东省委、省政府，广州市委、市政府推动高等教育实现跨越式发展、增强经济发展后劲的重要举措，是拉动广东高等教育历史性跨越的引擎。第一年于2006年9月开学，大学城就已达到15万人的办学规模，创造了中国高等教育发展史上的一大奇迹。它依照全新的教育理念规划，成为各高校调整专业结构、扩大招生规模、提高办学质量、创新管理模式、建设一流高校的重大机遇。有了这座城，广东高教便有了长袖善舞的空间，11所高校也随之开始了以教学推动科研改革、搭建跨学科高水平前沿性研发平台的试验，探索社区型、开放式大学的管理模式。

广州大学城已成为广东的新地标，接待了一批又一批来自世界各地的考察学习团体。前来考察的温家宝总理连声说："条件太好了！太美了！"教育部部长周济盛赞：广州大学城是广东省、广州市大发展的缩影，是广东教育大发展的缩影，没有见过这么好的大学群体，广东高等教育已实现了跨越式发展。

广州大学城是以大学为核心和主体，以有机联系网络（包括开放式办学、校际学术与教学协作、资源共享、后勤社会化等等）为基础，是学、研、产、住一体化的综合性城市区域。通过其核心功能（高教科研）、基本职能（大学产业集群）、服务及辅助功能以及延伸功能，广州大学城完善了一系列产业链，形成了与城市中央商务区、休闲商务区相对应的中央智力区。

从地区定位来看，广州大学城综合发展大学的三大功能，成为全国的重要科教节点之一，是珠三角地区乃至华南地区的高级人才培育中心、科学研究与交流中心、创新中心与产业化基地，也是广州地区的科教核心和中央智力区。广州大学城被定位为国家一流的大学园区，华南地区高级人才培养、科学研究和交流的中心，学、

研、产一体化发展的城市新区，面向21世纪适应市场经济体制和广州国际化区域中心城市地位、生态化和信息化的大学园区。作为高层次人才培养基地、领先水平的科学研究基地和广州的文化胜地，广州大学城将极大地推动广州市经济、科技和文化的发展。

四、农业龙头企业拉动县域经济发展创新篇：温氏食品集团与清新

镜头画面：温氏食品集团

> 温氏食品集团拉动了清新县域经济的发展。它率先建立了高校、研究所持股加盟企业的有效合作模式，形成了“公司+基地+科研机构”紧密型农业产业化产学研科技创新体系。该体系以企业为主体、科研机构为技术依托，以产业化技术开发为重点，以利益共享的合作机制，促进了科技成果产业化。

提起清新县，人们很自然联系起温氏食品集团。在广东，温氏食品集团成了农业龙头企业拉动县域经济发展的榜样。

2005年，由广东温氏食品集团有限公司为第一主持单位完成的“农业龙头企业产学研科技创新模式与示范项目成果”获广东省科学技术奖科技进步特等奖。通过该项目实施，清新建成了全国最大的优质肉鸡生产基地、瘦肉型猪安全生产示范基地、对虾饲料生产基地和海水鱼虾种苗繁育基地，极大地推动了畜牧业和水产养殖业的科技进步和行业发展。2008年1月，黄松德副总裁在温氏集团公司召开的2007年度总结暨干部大会上宣布，集团全年实现上市肉鸡5.3亿只，肉猪181.7万头，肉鸭680万只。集团总销售收入117亿元，农户获利11.35亿元，户均获利3.1万元。听到这一消息，许多人为之震惊。

1983年，粤西新兴县勒竹镇榄根村温北英创建广东温氏食品集团有限公司。公司从当初的七户八股8000元资本起家。公司成

立以后，逐步创新经营模式，规模不断壮大。它是在国内首创“公司+基地+农户”的农业产业化经营模式，使当地农户迅速脱贫致富，产生良好的社会影响和示范效应。1999年，温氏集团被广东省人民政府评为“农业龙头企业”。2000年及2002年被农业部等部委评定为“全国农业产业化重点龙头企业”。2001年度温氏种猪被评为“中国国际农业博览会名牌产品”。

在发展过程中，温氏集团率先建立了高校、研究所持股加盟企业的有效合作模式，形成了“公司+基地+高校（研究所）”紧密型农业产业化产学研科技创新体系。该体系的突出特点是，以企业为主体，以高等院校与科研院所为技术依托，以农业科技与产业化技术开发为重点，以风险共担、成果共有、利益共享的合作机制，实现了高校、科研院所“人才、技术、信息”与“企业、基地”等资源的有效整合，取得了显著成效，促进了科技成果产业化。形成了优质肉鸡、优质肉猪、优质水产品和动物保健品四大产业化关键技术体系，解决了畜禽业和水产养殖业产业化经营的关键技术问题，获得了一批拥有自主知识产权的先进技术。公司在创新投入方面每年不断扩大，硕果累累，取得国家级家禽新配套（品）系4项，国家级肉猪新配套系1项，国家专利4项，新兽药证书及生产批文若干项。公司主产品均通过国家无公害产品或绿色食品认证，“华农温氏I号猪配套系肉猪”获广东省名牌产品证书。

2002年，集团公司被认定为广东省高新技术企业。2002年7月，在原广东温氏食品集团养猪公司的基础上，由广东温氏集团、华南农业大学科技实业发展总公司、新兴食品集团等共同出资成立广东华农温氏畜牧股份有限公司。它以种猪育种和肉猪生产为主的专业化公司，在册员工超过1300人。作为广东省原种猪场和国家瘦肉型猪生产技术示范基地，主要选育和生产长白、大白、杜洛克和皮特兰纯种猪及皮杜、皮大杂交公猪，长大、大长母猪；肉猪主要生产杜长大、皮长大和皮杜长大等杂优猪。公司育种资源丰富，选育种猪品系包括丹系、美系、法系、台系等，成功引进了大批法国原种猪，它们适应性强，品质优异。该公司发挥与高校全面合作

的技术优势，产业化经营的规模优势和股份制企业良好的运作机制，继续大力发展养猪产业，成为一个在国内外有重要影响力的种猪育种和生产基地，年产种猪 8 万头以上。

2004 年，温氏集团获得人事部及全国博士后管委会批准设立温氏集团博士后科研工作站，并被认定为国家星火计划龙头企业技术创新中心。2006 年成为首批广东省科技创新型试点企业之一，温氏品牌被评为 2006 年度广东省优秀自主品牌。

2006 年 11 月，专家组在集团副总裁温志芬等陪同下来到温氏科技园考察。专家组先后对 P3 实验室、信息化研究中心、生物育种研究中心、动物疫病研究中心、SPF 鸡实验动物中心等地进行了实地考察，随后听取了温氏研究院组建方案。方案从组建研究院的背景、已有的工作基础、研究院的总体方案设计、研究院的建设模式、研究院的运行管理等五个方面详细说明了温氏集团建立研究院的可能性。方案指出，大型企业集团设立研究院是国家创新体系建设的重要内容。研究院争取在成立后的两年时间内使研究院固定资产达到 1 亿元以上。年度科技投入不低于 5000 万元。专家组通过质疑、听取答辩和讨论，最后一致通过了“广东省温氏集团研究院”组建方案。专家论证会意见指出，温氏成立研究院，对强化现代农业建设的科技支撑，推动广东省乃至全国农业产业化、农业工业化及农业产业信息化建设具有重要的现实意义。专家组对温氏能够拥有先进的实验设备、完善的科技人才梯队和领先于同行的信息、养殖技术表示了赞赏。“广东省温氏集团研究院”组建方案的通过，标志着温氏将成为继 TCL 之后广东省第二家拥有企业研究院的企业集团。

2007 年初，科技部火炬计划高新技术产业开发中心公布了“2007 年国家火炬计划重点高新技术企业”名单，温氏集团公司名列榜中。根据《国家火炬计划重点高新技术企业认定条件和管理办法（试行）》的有关规定，要求入选企业的主导产品技术水平在国内处于领先地位，企业在本行业中有较大影响，对行业技术进步有促进和带动作用；企业有良好的经营业绩；领导班子科技意识强，研发实力比较雄厚，管理科学、规范。对入选国家火炬计划重点高新技术企业，省、市政府将根据国家有关规定，在政策、资金等方面给予重点支持，这将为集团公司的科研开发、产业化建设等各方面的发展创造更为有利的条件。同时，这一荣誉的获得，也是对集团公司近几年所取得成绩的充分肯定，对树立企业形象和强化品牌建设具有重要的意义。

温氏集团通过资金、劳力、场地、技术、管理等要素的优化组合，通过产学研结合，建立以高新技术为依托的良种繁育体系，实现规模经营，符合当前我国农村生产力发展水平要求，对发展农村经济、促进农业产业结构调整、带动农民脱贫致富、推进我国农业产业化进程，均有重大影响。它现已发展成为一家以养鸡业、养猪业、养牛业为主导，兼营食品加工、动物保健品的跨行业、跨地区发展的大型畜牧企业集团，目前已在省内外建成30多家养殖分公司，是广东省农业龙头企业，和全国农业产业化重点龙头企业之一。同时也取得了巨大的经济效益，累计利税达40亿元，带动了8万养殖户、农户增收共37亿元。集团公司还获得了全国精神文明建设先进单位、广东省先进集体、广东省优秀民营企业、广东省民营科技企业等荣誉称号。集团公司董事长兼总裁温鹏程被评为全国劳动模范，是第九届、第十届全国人大代表。

五、国民经济与社会信息化系统工程：佛山南海区

镜头画面：2001年度广东省科学技术进步奖颁奖大会

南海率先在国内开展“电信、电视、计算机三网融合试验”，在关键技术上有突破；率先建成了系统完善、技术先进的信息化基础设施，实现了“村村通光纤，户户可上网”的信息化局面；建立了全市统一的信息交换平台，实现异构数据库之间的数据交换，在五金、纺织、陶瓷、金属等支柱产业中实现电子商务。

佛山南海区（原南海市）政府主导的“国民经济与社会信息化系统工程”项目，是在中国基层地区信息化启蒙阶段率先开展的一项科技探索与实践。它是一项全方位、宽领域、纵深化的国民经济与社会信息化系统工程，从推进机制的创新到系统管理的创新，从传统产业的信息化到信息产业化，从社会信息化到促进全民观念的更新和整体素质的提高。项目成果在信息化建设模式、创新体系和运行机制方面具有系统性和先进性，创造了显著的经济和社会效益，对推动广东省乃至全国的信息化建设具有示范带动作用，受到了国际社会的关注。2001 年，该项目获广东省科学技术进步奖特等奖。

1995 年，南海市政府启动“国民经济与社会信息化系统工程”项目。

在推进信息化过程中，该项目实施以“一把手”工程为特征的领导机制，以“点面结合、三级联动”为特征的推进机制，以资源优化配置和共享为特征的管理机制，以多元化、社会化投资为特征的投入机制，以市场和环境牵引为特征的智力引进机制，建立了全方位的、全面的信息化创新体系。

项目以运用信息技术为切入点，采取“政府推动、行业整合、层面覆盖、过程渗透”的措施，在多个重要行业中实施“抓两头促中间”的改造提升传统产业的模式，大力推进企业信息化。率先建立农村管理信息系统，实现了农村镇（区）和村两级机构的资源规划、人口、党务政务村务、社会事务、财务等方面的综合、实时、在线管理，以信息技术带动传统产业，从而使 2000 年全市信息产业产值达到 90 亿元，“九五”期间，GDP 年均递增 13. 6%，5 年全市累计 GDP 达 1355. 79 亿元，实现财政收入 207. 79 亿元，为促进经济发展起了积极的推动作用。

南海区人民政府率先在国内开展“电信、电视、计算机三网融合试验”，在关键技术上有很多突破；在国家、省的多项网络建设试点城市建设工作中，取得了多方面的成果——率先建成了系统完善、技术先进的信息化基础设施，实现了“村村通光纤，户户可上网”的信息化局面；建立了全市统一的信息交换平台，实现异构数据库之间的数据交换，在五金、纺织、陶瓷、金属等支柱产业中实现电子商务。在系统工程建设中全面运用了各时期世界先进的信息技术，为信息技术的应用和全方位试验，积累了成功的经验。

项目创造性地构建起“横到边、纵到底、网络化、扁平化”、“市—镇—村三级同步”的政府运作与社会管理信息化体系；率先建立精神文明信息中心，并通过全方位推进文化、教育、卫生等领域的信息化；通过各种形式的信息化培训，全方位、大规模的各种形式的信息化培训，提高了全市的信息化意识，初步呈现出信息化社会和“学习型社会”形态，成为国内推进社会信息化的典型，并受到国际社会的关注。同时，留住了人才，带旺了人气。科技创业中心、软件加工区、知识产权服务中心等功能区的设置为佛山市信息产业的快速发展提供了配套的服务体系，全市国民经济与社会信息化工程更为信息产业提供了无限的商机与挑战。

第八章
小春硕果已含生
——高新技术传捷报

长期以来，人们形成根深蒂固的思维定式：一提起中外专利纠纷，所能想到的图景总是很单调：胜利方总是外企，而倒霉方总是中国企业，在DVD、数字电视、数码相机、手机等多个技术领域，中国企业总是处于被动挨打的局面。但这样的情景却为深圳一家名为朗科的高新技术企业所改写。在许多业内人士看来，朗科案在中国IT领域无疑具有里程碑式的意义。尤其在目前“自主创新”的氛围下，对于正从“制造型”向“创新型”转变的国内企业而言，这一事件所带来的影响无疑将更为深远，也让更多的人看到广东高新技术发展的辉煌成就与远见卓识。

高新技术产业已经成为广东省第一经济增长点，并催生出具有自主知识产权的核心技术。

——高新技术实力劲飞扬：中国的世界品牌全国共7个，广东占4个，分别是华为程控交换机、中兴程控交换机、格力空调、中集集装箱。广东拥有中国名牌产品和中国驰名商标总数分别为221个和84件，分别占全国的16.5%和10.4%，数量均居全国第一。

——电子信息：华为、中兴公司已经掌握部分第三代数字无线通信（3G）的核心技术。华为公司GT800数字集群系统被正式列入国际标准。深圳朗科公司的闪存盘技术成为全球基础发明专利，日本和欧美的企业已经开始向朗科支付专利费。

——生物医药：世界上第一个基因治疗药物在广东深圳诞生，吸引全世界目光的是深圳赛百诺技术有限公司研制成功的“今又生”重组人p53腺病毒注射液，1毫升的液体包含了1万亿个重组病毒颗粒。在深圳湾畔赛百诺，一座零下20摄氏度的冷冻库里珍藏着这种抗癌新药，它可以有效杀灭肿瘤细胞，使无数癌症患者重燃生命的希望。基因治疗技术是生命科学皇冠上的一颗明珠、癌症治疗领域的一座珠峰。从1943年人们开始认识DNA这种遗传物质开始，近60年来，各国科学家付出了巨大的努力，在巨大的医疗需求和治愈重大疾病的潜力推动下，一旦世界上第一个基因治疗产品被商业化推出，基因治疗行业将迅速形成一个巨大的市场。赛百诺这匹深圳高科技黑马早早地意识到这点，并将目标坚定的锁定在这一高科技产业化制高点上。他们一项项的摸索，一个个的尝试，最终成功跨越并摘取了基因抗癌药物的桂冠。

一、激越之启：20世纪80年代中期

镜头画面：深圳科技工业园

> 1985年7月，深圳科技工业园在深圳经济特区正式成立。从此，点燃了广东发展高新技术产业的第一把火炬，诞生了中国第一个高新技术产业开发区。在这里，深圳市对高新技术企业实行“先征后返”的税收扶持政策。

1．深圳科技工业园。

改革开放至20世纪80年代中期，开了眼界的广东人，越来越向往智力密集型、知识密集型、资本密集型的新技术产业。

两方面的因素促进了广东人对高技术、新技术产业的憧憬慢慢变为现实。一是以电子信息产业为代表的高新技术产业在全世界蓬勃兴起，国际产业转移与技术转移的趋势加快。另一是国家和省出

台有关激励性政策。

1985 年 3 月，在《中共中央关于科学技术体制改革的决定》和国务院批转原国家科委的《关于新的技术革命与我国对策研究的汇报提纲》中明确提出，要在全国选择若干智力资源密集的地区，采取特殊政策，逐步形成具有不同特色的高新技术产业开发区。1985 年 4 月在原国家科委报国家原财经领导小组的《关于支持发展技术新兴产业的请示》中提出了在北京中关村、上海、武汉东湖、广州石牌等地试办新技术产业开发区的设想。

广东省委、省政府对原国家科委开办新技术产业开发区的设想给予了积极的响应，提出要以此为契机加快工业结构的转型，加快广东的发展。

1985 年 7 月，深圳科技工业园在深圳特区正式成立。从此，点燃了广东发展高新技术产业的第一把火炬，诞生了中国第一个高新技术产业开发区。

深圳科技工业园由深圳市与中国科学院共同创建，占地面积 11.5 平方公里。占尽天时、地利、人和的环境，深圳科技工业园一直得到各界的青睐和精心呵护。在政策方面，政府对园区内的新科技企业和项目在土地使用、海关、住房等方面给予统一优惠政策，对税收扶持的高新技术企业，属于深圳市规定的税收政策实行“先征后返”的操作方式。园区实施了多项改革措施，政府在科技专项经费中安排资金补贴，有力推进了科技产业化进程，成为中国发展高新技术产业的主要基地。中兴通讯等一批高新企业相继在深圳科技工业园创建或落户。部分后来还在深圳证券交易所上市，发挥了领头羊的作用。

受深圳科技工业园的激励，1988 年，广东省人民政府颁发了《关于 1988 年到 1990 年广东省高技术、新技术产品开发计划实施纲要》，拉开了广东大规模发展高新技术产业的序幕。1991 年，省委、省政府召开全省科技工作大会，作出了《关于依靠科技进步，推动经济发展的决定》，要求全省有重点、有步骤地推进高新技术产业的发展。国务院批准设立广州和中山国家级高新技术产业开发区，深圳科技工业园被确认为国家级高新技术产业开发区，珠江三角洲高新技术产业带被批准成为全国三个高新技术产业带之一。广东开始规划和扶持建设省级高新技术产业开发区，培育和认定省级高新技术企业（集团），全省高新技术产业发展全面启动。

• **深圳高新技术产业开发区**

1991年，经历6年发展的深圳科技工业园升级，被认定为第一批国家级高新区——深圳高新技术产业开发区，占地面积11.5平方公里。

自成立以来，深圳高新技术产业开发区实现了产业和创新两方面的高速发展。产业创造价值方面，2005年高新区实现工业总产值1368亿元，高新技术产品产值1324亿元，出口创汇87.46亿美元，平均每平方公里创造工业总产值118.96亿元。在创新方面，截至2006年6月14日，深圳高新区共申请专利6126件，其中发明专利申请4353件，占专利申请总量的71%；发明专利授权累计1339件，占深圳市发明专利授权总量的55.5%。深圳高新区在占全市0.6%的土地上创造了全市14.3%的工业总产值和超过50%的专利拥有量，成为名副其实的高新技术产业高地。

高新区成立以来，坚持体制创新、机制创新，成功探索出独具特色的“开放式”的管理体制。这是一个内和外顺的管理体制，最大特色是“开放式”，即不中断政府各部门对高新区的行政许可链条，不改变政府各部门对高新区的管理职能和权限，不把高新区作为一个独立的行政区单独划分出来进行管理。高新区行政管理机构作为市政府的派出机构依照《高新区条例》的规定，代表市政府履行管理职能，组织制定高新区总体发展规划、产业规划、土地利用规划和建设规划，行使对入区项目和企业资格以及项目用地的行政许可权。这种管理模式很好地调整了市、区两级政府、市政府各部门之间的权责划分和利益关系，充分调动了方方面面的积极性，形成合力共建的氛围，保证了高新区的健康快速发展。

一批拥有核心竞争力的企业迅速涌现，企业成为自主创新的主力军。目前，高新区从事高新技术产品开发的企业有1800多家。赛百诺、大族激光、迈瑞、朗科、腾讯等企业在高新区内由小变大，由弱变强，通过自主创新发展成为本领域的龙头企业。在重点领域核心专利的支撑下，中兴通讯等重点企业拓展海外市场的步伐大大加快，海外市场的销售额迅猛增长，逐步跻身于国际主流通信设备制造商行列。2006年深圳高新区科技经费投入总额为

61.94亿元，其中92.2%的经费来自企业。部分企业的研发经费达到销售额的5%以上，有的高达10%。

官产学研资介在深圳高新技术产业开发区得到很好相结合。通过体制机制创新，推动创新要素合理流动和高效使用，初步建成以市场为导向、产业化为核心、企业为主体、国内外大学和研究所为依托、辐射周边地区、拓展国内外、“官产学研资介”相结合、自主创新公共技术平台和服务平台比较完备的区域创新体系。以虚拟大学园为载体，吸引了44所国内外知名院校进驻，利用大学的有效人才、有效技术，在有效的环境下，形成有效贡献。建成了市级以上企业研究中心24家、市级以上技术中心13家、企业博士后工作站16家。由政府兴办的软件园、IC设计产业化基地、虚拟大学园孵化器、生物孵化器，由海内外风险投资机构创办的企业孵化器，由大学等创办的院校孵化器，由政府、留学生协会共同兴办的留学生创业园构成的孵化器群构成了强大的孵化器群落，成为中小企业成长壮大的摇篮。区域创新体系的建立与完善推动高新区成为深圳市乃至珠三角的创新基地。

深圳高新技术产业开发区着力构建产生具有辐射带动效应的产业链条。高新区产业规划注重产业的合理分工与布局，招商选资时重点向对产业链形成和完善具有关键意义的企业或研发机构倾斜。目前以高新区为研发中心、周边地区为配套形成四个比较明显的产业链：计算机产业链、通讯设备制造产业链、数字电视产业链和生物医药产业链。由于深圳高新区企业处在产业链的高端和关键环节，带动了周边地区的产业发展和集聚，形成了产业簇群。如高新区的计算机产业，带动了1500多家深圳企业从事计算机产业研发和生产，辐射珠江三角洲企业多达3000多家。再如，高新区聚集了一大批上规模的生物医药企业，初步形成从检测试剂、生物疫苗、生物芯片、生物药物到基因治疗药物的产业链雏形，生物医药企业和产品双双超过百家，在全国产生了重要影响。

建设国际一流科技园区才是深圳高新技术产业开发区的真正目标。国家高新区已经走过十几年的发展历程，进入了二次创业的新发展阶段。2005年9月13日，温家宝总理在纪念深圳经济特区成立25周年的大会上指出，深圳今后要着力抓好创新发展模式、增强自主创新能力等7个方面的重点工作。深圳高新区清楚地认识到国家对我们的殷切期望和自身肩负的重大使命，客观地分析了国内外产业发展趋势和规律，提出坚持走自主创新、持续发展的道路，最终实现建设国际一流科技园区的目标。

今天，底气充足的深圳高新区不再以创造产值为主要目标，而将主要工作转到完善区域创新体系、构建自主创新公共服务平台、营造自主创新良好环境、保护知识产权、创新发展模式、增强自主创新能力方面来。它正在全面落实国家和深圳市委、市政府赋予高新区的各项使命，提升职责和能力，创新管理与服务，努力将高新区建设成为基础设施更完善、创新体系更发达、创新创业氛围更浓厚、社会环境更和谐的科技园区，成为集约化、高效益发展的模范，在深圳市的改革创新和高新技术产业发展中发挥辐射和带动作用。

作为决策部门，深圳市政府对深圳高新技术产业开发区提出了新要求：

以建设创新型城市为契机，建设国际一流科技园区。2006年初深圳市颁布第1号文件《中共深圳市委、深圳市人民政府关于实施自主创新战略建设国家创新型城市的决定》，提出建设国家创新型城市的目标。以贯彻落实该《决定》为契机，高新区制定了涉及7个方面的18条配套实施政策，踏出了建设国际一流科技园区的坚实步伐。2006年6月，与北京、上海、西安、武汉、成都高新区联合发表《建设世界一流高科技园区创新宣言》，决心做自主创新的倡导者、践行者和示范引领者，担当建设创新型国家的先锋，努力建设国际一流科技园区。

加快研发资源聚合速度，提高自主创新能力。深圳高新区以大学为主体的研究院多，企业研发中心多，国家重点实验室多，研发创新的资源非常丰富，同时，大批的中小企业更是充满创新创业冲动，具备了原始创新和集成创新的良好基础条件。在今后一段时间内，充分发挥高新区自主创新要素的聚合载体作用，加速自主创新要素向园区的聚集、流动和高效使用，实现从产业集聚到研发集聚，从高新区制造到高新区创造的历史性转变。在完善产业链条、做大做强重点产业的基础上，把发展重点转移到培育自主创新能力上来。培育一批拥有核心技术、关键技术、创新能力强的企业迅速成长壮大。具体而言，要做好四项工作：一是整合资源，搭建通用技术创新平台和专业技术创新平台。加大政府投入和资金支持力度，对市政府在高新区投资建设的各类研发机构实行资源、机构、资产、功能整合，完善体制，优化功能，集中专业，提高利用水平，形成高新技术研发新机制。二是继续大力扶持国内外知名高校和科研院所在高新区内的国家大学科技园建设产学研基地，构筑研究院群。同时，通过建设重点实验室平台，争取在2～3年内集聚30～40家国家重点实验室研发中心。三是继续大力吸引自主创新型企业在高新区设立技术开发中心和企业研究院，构筑研发机构群。四是进一步建设完善政府、

大学和企业创办的各种类型的孵化器，构筑孵化器群。总之，充分发挥官产学研资介相结合的交互作用，使自主创新主体和相关要素在高新区高度集聚、快速发展，为深圳市的自主创新创造技术源和企业源。

实施知识产权战略，创建知识产权创造和保护高地。知识产权战略不仅仅是指知识产权自身的工作，要从全球视野、国家安全、民族利益、产业发展的高度认识知识产权工作的重要性，要动员全社会的力量，运用行政的、民事的、刑事的、舆论的等全方位的方法和手段，对知识产权创造、运用、管理的各个环节予以保护。现在深圳是“国家知识产权试点城市”，正在创建自主创新型城市，深圳高新区已被国家知识产权局批准为“国家知识产权试点园区”。下一步要在高新区建立完善的知识产权工作体系和工作制度，形成良好的工作机制，使高新区的知识产权工作在全市发挥示范作用。在未来3年内，力争区内2/3以上的高新技术企业普遍建立知识产权工作制度；90%以上的高新技术企业负责人受到知识产权培训，园区的专利申请量要占全市的30%以上，其中发明专利申请量要达到园区申请总量的50%以上，专利申请量的增幅高于全市平均增幅10%以上；并推荐10家园区企业为国家知识产权试点企业，培育一批知识产权大户和自主知识产权产品产值大户。

加大投入力度，为企业提供优质的公共服务产品。向社会提供公共服务产品是市政府的职责，完善的基础设施和配套服务是优质公共服务产品的构成条件。10年来，市政府先后投入约32亿元，初步建立了现代化的高新区创新体系的硬件设施，如虚拟大学园、生物孵化器、留学生创业园等。今后，将进一步加大投资力度，通过建设软件大厦，为软件企业提供产业咨询、产品测试、人员培训等公共服务；通过建设国家重点实验室平台和国家大学科技园的基础设施，吸引更多的高端研发实验人员来高新区从事研究创新，并为其提供“人才驿站”服务；通过扩大国际科技商务平台规模，拓展服务功能，将其建设成为高新区参与国际合作与交流，支持园区企业实施“走出去”战略的载体；通过改造园区基础设施，实施产业置换，整治园区环境和社会治安，进一步优化产业生态、环境生态、人文生态“三态合一”的创业环境；通过建设高新区更加先进的信息网络和创新的信息服务为企业提供从市场拓展到企业管理全方位的信息化服务产品，以降低企业营商成本。

资源共享，共建深港创新圈。深港两地科技资源互补性强、合作便利，在自主创新方面有着巨大的合作空间。一直以来，深圳高新区与香港的联系极为密切，不仅香港的几所著名大学成为深圳虚拟大学园的成员院校，深圳

高新区的金蝶、腾讯等企业在香港上市融资，而且深圳高新区还与香港生产力促进局、香港科技园和香港数码港有着广泛深入的合作。2007年以来，高新区与香港方面合作交流的力度进一步加大：深圳高新区与香港科技园之间的“公务直通巴士”开通，两地之间人员往来大大便利；3月，与香港科技园、西安高新区在深圳签署三方跨区域创新科技合作备忘录，旨在推动“深港创新圈”和西部大开发的互动，促进科技、人才与产业化方面的技术支持、资源共享和市场开拓。今后将进一步完善双方合作机制，促进两地研发机构、科技人员、公共服务等创新要素的合理流动和利用。借鉴香港生产力促进局培育中小企业的经验，推动高新区及全市企业实现产业升级。吸引香港高校在高新区设立研发机构和实验室，共担费用，共享成果。总结高新区企业在香港成功上市的经验，推动深港两地中介机构合作，共同为到香港上市的企业提供服务。充分利用香港国际金融中心、现代服务业发达的优势，为深圳高新区活跃的科技自主创新活动服务，将深圳高新区建设成为深港创新圈中创新资源最为集中、创新活动最为活跃的区域。

2. 珠三角高新技术产业带。

珠江三角洲高新技术产业带是由科技部于1991年批准的3个国家级高新技术产业带之一，是一个依托交通干线融合、集散人口、产业、城镇、物流、能流、信息流的线状空间地域综合体，这种独特的空间地域综合体带动着区域经济系统的迅速发展。

珠三角高新产业带范围与珠江三角洲经济区相同，包括广州市、深圳市、珠海市、佛山市、江门市、中山市、东莞市、惠州市区以及惠阳、惠东、博罗，肇庆市的端州区、鼎湖区以及四会市、高要市，总面积4.17万平方公里，常住人口4077万，分别占全省土地面积的23%和全省总人口的47%，财政税收占全省的90%。

从珠江三角洲高新技术产业带的基本结构形态来看，它以广州、深圳两个中心城市为龙头，以高新技术产业开发区为结点，沿珠江两岸，把中心城市、其他城市、乡镇、高新区和高新技术企业沟通起来，形成点线相连、互相交织的网络型连片城市群。这个城市群人口与产业高度聚集，城镇化水平约为72.7%，在技术上、经济上紧密联系，生产上互相协作，逐步形成一个具有独特优势和发展潜能、以高新技术及其产业为主导、辐射能力强的城市群。

珠江三角洲高新技术产业带建设步伐日益加快，已发展为我国目前高新技术产业规模最大、发展速度最快、产品出口额所占比重最高的高新技术产业带。高新技术产品产值约占全省的94%，占地区工业总产值的23%，已成为世界电子信息产业相对集中的一个重要区域。产业带内创新资源相对密集，集中有广州、深圳和中山3个国家级高新技术产品出口基地，41所高等院校，52家省级以上科研机构和86个省级以上重点实验室，12个国家“863”成果转化基地，1个国家级和5个省级的大学科技园。全省85%左右科技人员集中在这一地区。全省组建的180家省级以上工程技术研究开发中心，有135家落在产业带内，占总数的75%，其中50家省重点工程技术研究开发中心有46家在产业带内，占92%。此外，还吸引了一大批国内高校、研究院所和海外留学人员进来创新创业，对促进广东产业结构优化升级和社会、经济持续发展起到重要作用。

珠三角已成为高新技术企业和高新技术产品生产企业的密集带，沿珠江两岸，聚集了大量知名的高新技术企业，初步形成了以电子信息、新材料、生物医药和光机电一体化等四大高新技术领域为主的高新技术产业集群，并逐步出现新能源和环保产业，产生了一大批如惠州TCL、德赛、深圳华为、中兴通信、佛山科龙、美的、广州金鹏、南方高科、肇庆风华等著名企业和自主品牌。

• 广州高新技术产业开发区

广州高新技术产业开发区于1991年3月经国务院批准成立。高新区区域面积37.34平方公里。广州高新区一开始就十分重视高起点规划，高标准进行大规模的基础设施建设，已初步形成了比较完善的道路、交通、供水、供电、电信、邮政等公用服务设施。区内实行“一区多园”的发展模式，由广州科学城、天河科技园、黄花岗科技园、民营科技园、南沙资讯科技园和广州生物岛组成。目前，高新区已认定高新技术企业近700家，天河科技园、黄花岗科技园、民营科技园特色产业化园区实现营业总收入400亿元，占高新区总收入的41%。从业人员总数114287人，大专以上学历人员24463人，

硕士3608人，博士520人，从业人员中从事科技活动的23343人。

广州高新区重点发展电子信息、生物医药和新材料特色三大产业，并着力营造较为完善的高新技术产业链，注重进区项目的合理布局，重点引进大型高新技术产业项目、外资研发机构和具有自主知识产权的国内科技企业。通过搭建平台、整合资源，建立一条从研发到中试再到产业化的完整的创新链，让企业在区内孵化、在区内成长、在区内即可实现产业化。先后开展了“国家电子信息产业基地”、“国家生物医药产业基地”、“国家火炬新材料特色产业基地”、“国家网络游戏动漫发展产业基地”的申报和建设工作。

目前，电子信息产业形成了天河软件园软件、广州科学城信息制造和黄花岗科技园信息服务业为龙头的电子信息产业基地。软件产业稳步健康快速发展，其中，以互联网和无线信息服务为主体的软件企业发展最为迅猛，成为园区经济快速增长的引擎。网易公司、好易联都为超亿元的软件企业。天河软件园被列为十大国家软件产业基地之一，实现软件总收入200亿元。广州科学城拥有金鹏电子、京信和光宝等一批大型信息电子制造业项目。黄花岗科技园的信息技术及其服务业最为突出。

生物医药企业研发能力不断增强，技术水平不断提高。广东海赛特科技公司的“蛇床子总香豆素在治疗银屑病药物中的应用”是国家863计划项目，该项目技术获得国家发明专利，并申报PCT国际专利。广州威尔曼公司的头孢系列抗生素产品具有自主知识产权。广州万孚生物公司的多项基因检测产品获得美国FDA认证，实现大批量出口，形成了以中科院生物医药与健康研究院、暨南大学国家基因医药工程中心等为代表的高水平生物医药研发集群。以中山大学达安基因股份有限公司、广州市香雪制药股份有限公司、先灵（广州）药业有限公司、广州康臣药业有限公司、三菱制药（广州）有限公司、扬子江药业等企业为代表的区内产业化药业企业。

新材料特色产业基地的建设，吸引了一批企业的集聚。近几年，正在形成以精细化工、冶金、环保为特色的产业集群，成为广州市新材料产业发展的主力军。区内新材料企业生产的产品均为采用世界上技术较为先进的生产技术，产品涉及新材料产业的各个领域。重点骨干企业包括：烨联钢铁有限公司、金发科技、珠江钢铁有限公司、广洋高科技股份有限公司、广州市未来之窗建筑材料有限公司、广东南方特种铜材有限公司等。

区内各类研发机构是一道靓丽的风景，集中了一批国家、省、市及企业技术开发机构，包括中科院生物医药与健康研究院、国家基因药物工程研究

中心等一批国家级研发机构，迪森热能等省级研发机构，广州市微生物研究所等市级科研机构在广州科学城设立了成果产业化示范基地。同时还有杜邦粘胶剂研发中心、广州爱立信软件研发中心、汇丰银行中国软件开发中心、美国 Array 公司广州研发中心、荷兰 MAAS 设计研发中心等国外知名研发机构。

研发机构一方面注意在引进国内外技术，并进一步开展集成创新、引进吸收消化再创新。由牛津大学华人学者发起成立的广州泰默生物技术有限公司，在牛津大学及斯坦福大学发明的 MHC—肽四聚体技术的基础上，发明了新的 MHC 四聚体技术，并具有自主知识产权，申请了国家发明专利。

另一方面，研发机构非常重视原始创新。拓普公司承担完成的科研成果“应用 siRNA 策略防治 SARS 疾病研究”在人类防治 SARS 疾病研究中取得突破性进展，其原创技术在国际医学界顶级刊物《自然医学》发表，被国内外媒体报道 1500 多次，影响广泛。珠江钢铁公司利用引进的生产线和相关工艺技术，大力进行二次开发，形成了一批核心技术，其中高强度集装箱板全面替代了进口产品。

一批创新型企业在专利创造、产业化和“标准”方面取得了出色的成绩。目前，广州高新区是国家知识产权局批准建设国家知识产权试点园区。知识产权试点园区的建设，进一步带动具有自主知识产权的高新技术产业的发展。在第九届中国专利奖评选中，高新区企业获得了 1 个金奖，3 个优秀奖的好成绩。中山大学达安基因股份有限公司的“一种荧光 PCR 定量检测方法”发明专利，获得中国专利金奖。这也是广州市首次获得国家级最高荣誉。2005 年广州高新区申请专利数达 1945 项；授权的专利达 811 项。

留学人员回国创业企业已成为高新区培育自主知识产权的一个新亮点。部分留学人员企业通过专利技术的产业化而发展壮大，走出了孵化器，如荷力胜（广州）蜂窝制品有限公司、洁特生物制品有限公司、朗圣制药有限公司。大力开展专利资助和推进专利技术及科技成果的产业化，“达安基因”、“珠江钢铁”、“京信通信”、“迪森”、“金鹏”、“威创日新”等科技企业，成为专利创造的大户和专利产业化的典型。具有自主知识产权的高新技术产业得到进一步发展。中山大学达安基因股份有限公司的“一种荧光 PCR 定量检测方法”发明专利，占有了国内基因检测试剂 70% 的市场。2005 年珠钢专利产品的销售收入占到企业销售额的 75% 左右。“威创日新”公司近年来申请专利 50 多项，其拥有自主知识产权的高清晰度显示屏幕约占国内市场份额的

23%。区内企业将专利技术转化为国家、行业标准，实现了公司经济跨越式发展，如飒特公司在产品转化为国家标准后，年销售额由1000多万元突破过亿元，京信公司的无线直放站产品保持50%以上增长率，2005年突破20亿元。

广州高新区得到了许多外商投资企业的青睐。它们成了区内科技创新的有机组成部分。在区内规模外商投资企业中，有51家企业建立了独立或非独立的研发机构。法国埃尔夫公司投资建立了独立的研发机构，从事化工材料的开发。台湾光宝电子公司投资500万美元，设立了以网络科技为主体的独立研发机构，该机构一方面为集团公司服务，另一方面也积极开拓国内服务，如为深圳市财政局研发的财务管理系统软件，提高了管理效能。

外商投资企业科技创新活动主要体现以下特点：投资于高新技术领域的科技型企业的科技创新活动意识强。该类外资企业一般设立有研发部门或独立的研发机构。研发能力较强，如投资1000万美元的泰凌科技研发中心有限公司以欧美市场为目标，主要从事分布式空调及其相关产品的开发，所研发的产品在欧美市场具有较强的竞争力，并相继取得了中国专利；外商投资企业在开展研发活动的过程中，逐步形成了以本地科技人员为主体的科技骨干人员；外商投资企业开始注重加强与国内的大学、科研机构合作。区内科技型外商投资企业在公司内部人才无法满足研发的需要时，或从公司长远发展需要，逐步加强了与国内大学、科研机构的合作；国内的科技创新政策促进了外商投资企业科技创新活动的开展。目前国家有关的科技政策对外商投资企业在科技创新活动中起到了引导和促进作用。知识产权创造和保护制度的完善，提高了区内外资企业科技创新的积极性。在高新区首次认定的11家区知识产权示范企业中，有3家是外商投资企业。

在国家促进科技创新的有关政策体系框架下，广东省和广州市政府及有关部门针对园区和企业遇到的困难，不断完善科技创新政策，从科技项目的研发、科技成果的转化与产业化、专利的扶持与保护、科技创新与科技成果产业化的奖励等方面制定的一系列政策，使科技创新政策体系逐步完善。通过政策对科技项目配套的引导作用，吸引了一批社会资金对成果产业化项目的投入。广州铭康生物制药公司的项目——治疗脑血栓（TPA）产品，经过近6年的研究，取得了阶段性成果，获得国家新药临床批文，新的投资者经多方考察，在了解我们的科技项目配套政策，提供产业化的软、硬件环境后，决定投资1.4亿港元在区内实现产业化。

在政府扶持下，广州高新区重点打造五大科技创新平台，重点抓好科技孵化器资源整合和科技研发平台建设。依托区内科技企业孵化器，为各类科技企业提供全方位、深层次、高品质的孵化服务，为中小企业特别是初创企业营造孵化、培育良好的发展平台。由区火炬创业服务中心牵头协调，统筹利用区内孵化器资源，使各孵化器在场地、服务项目开展、公共研发平台等方面实现资源共享，进一步降低入驻企业在孵化阶段的运作成本。一批孵化企业实现了批量化生产，正步入高速成长期。建立研发平台，大幅度地降低企业研发投入成本。

利用社会资源建立科技研发平台取得非常好的效果。园区与30多家大学、科研机构建立项目合作双向互动机制，与32家国家和省级重点实验室建立研发资源共享机制。政府通过政策鼓励企业在研发中使用网络内的仪器设备，并给予补贴。在电子信息、生物医药和新材料3大重点高新技术产业领域内，建立3个科技研发平台。

二、政策助飞：1992年

镜头画面：中兴通讯A股在深圳证券交易所上市

> 中兴通讯高速成长于20世纪90年代。得到深圳高新技术产业开发区政策的扶持，中兴的程控交换、移动通讯和接入设备实现了关键领域的技术突破。1997年，中兴通讯A股在深圳证券交易所上市，开启了中兴通讯的新时代。

1992年邓小平到南方视察，给非公有制经济和外向型经济发达的广东，带来无限的生机，也为广东全省形成一致认识，从政策上发挥特区“特”点，支持高新产业发展提供了重要的契机。

1993年7月17日，广东省委、省政府颁发了《关于扶持高新技术产业发展的若干规定》。规定提出，加快全省高新技术产业的发展，加快高新技术的商品化、产业化和国际化，加快传统产业的改造，带动全省国民经济上新台阶。按企业化、商品化、市场化的要求，建立以企业为主体、以高新技术开发为依托、以市场为导向的高新技术产业发展的运行机制，发展不同经济形式的高新技术企业，培育高新技术企业主体。省有关部门要按照既坚持高标准又放宽搞活的原则，认真做好高新技术企业的认定工作。经国家科委和省科委认定的高新技术企业、项目、产品，均可享受高新技术产业开发区有关高新技术企业的优惠政策。

经国务院和省政府批准的国家级和省级高新技术产业开发区管委会，受所在市政府的委托，对区内建设发展事项可行使市一级的管理权限。鼓励兴办个体、私营、股份合作高新技术企业，并享受国有、集体高新技术企业在税收、人员和产品进出口、银行贷款、建设用地等方面同等优惠的政策。优先批准高新技术企业发行债券、股票和股票上市，鼓励以股份合作形式兴办高新技术企业，成立广东省股份制科技创业投资公司。全省在“八五”期间筹集3亿~5亿元作为高新技术产业风险投资基金，由省财政筹集拨款1亿元，产业带各市县财政拨款2000万元。各级新增加的高新技术产业风险投资基金，实行有偿使用，增值资金用于技术开发和高新技术项目的贷款贴息、风险损失补贴。高新技术企业可提取利润的2%~5%作为风险基金。省、市各专业银行及广东发展银行，每年从新增贷款规模中划出不少于10%作为高新技术产业政策性专项贷款，实行优惠利率，用以支持高新技术产业的发展。高新技术企业及项目流动资金贷款，自有资金比例可降至10%。企业基本建设自筹资金部分，不受存足半年才能使用的限制。高新技术企业经同级财政部门（“三资”企业经税务部门）批准可实行快速折旧的方法，缩短折旧年限，所计提折旧可由企业自主支配用于发展生产；可按销售收入的1%~3%补充自有流动资金；企业可根据承受能力及实际需要提取技术开发费，并列入成本。

《关于扶持高新技术产业发展的若干规定》认定为高新技术的企业，所得税减按15%税率征收；其中出口产品产值达到当年总值40%以上的，减按10%的税率征收。新开办的高新技术企业，从获利年度起，所得税免征3年，减半征收3年。对经认定有生产高新技术产品的企业，经同级财政部门批准，对该产品获得的利润

可享受所得税减免政策。在高新技术产业开发区内设立的直接为发展高新技术产业服务的企业，经省科委和国家级高新技术产业开发区管委会批准，可以享受高新技术企业的优惠待遇。高新技术产业开发区之外的新办高新技术企业亦可享受上述有关待遇。科研机构和企业自行发明、研制并经省辖市以上鉴定的专有高新技术，技术转让费（包括技术咨询、技术服务和技术培训等）年净收入在50万元以下的免征所得税，超过50万元的部分按适用税率征收所得税；高新技术企业进行技术咨询、技术验证、技术服务、技术开发、技术出口所取得的收入免征营业税。生产高新技术产品的企业为生产出口产品而进口的原材料和零部件，免领进口许可证，不受配额限制。高新技术企业用于高新技术开发需进口的样机、样品（包括种子、种苗等）、试剂、小量集成电路、仪器、设备等，凭省或计划单列市、经济特区科委的批准文件，工业性试验方面的凭计划部门的文件，经海关审核后可免征进口关税和进口环节产品税、增值税。高新技术企业和科研机构进口为拆解、试验用的高新技术产品（包括种子、种苗等）、样品、样机等，海关凭省或计划单列市、经济特区科委的审批文件审核后可免税放行。国家级及省级高新技术产业开发区内征用耕地面积在100亩以下、其他土地200亩以下，可由所在地市人民政府委托开发区管委会审批，按开发区建设总体规划进行开发。

文件还决定，放宽用人政策，鼓励培养和引进人才，充分发挥科技人员的积极性。从省外调入有中、高级职称和国家级重大发明的人才或有特殊技能的高级技工，劳动人事部门应照顾实际需要，优先审批。出国留学获得硕士以上学位、学有成就的人员，无论是自费或公费留学未回而逗留国外者，凡愿意回来领办、创办高新技术企业、项目或到高新技术企业工作的，均予欢迎，并保证他们来去自由、个人生活用品携带入境自由（包括自用小汽车）、个人所得合法收入汇出自由。公安、外事、外汇管理部门和科委应按规定帮助办理和落实。对推动全省高新技术产业发展有突出贡献的科技人员实行重奖，由省政府发给荣誉证书和资金。此外，受益单位还

可连续三年按项目年增税后利润的10%以内提取报酬，由项目带头人提出处理方案，由企业决定。有突出贡献的科技企业家，由受益市、县政府给予重奖，所得奖金免征个人收入调节税。

《关于扶持高新技术产业发展的若干规定》的颁发，标志着广东高新技术产业进入了一个全面推动、持续高速发展的新阶段。

1993年经报国务院批准，在深圳、广州、中山的基础上，惠州、佛山、珠海成立国家级高新技术产业开发区。稍后，广东省人民政府分别批准设立了汕头、东莞、江门、肇庆等4个省级高新技术产业开发区。

1995年，第二次全国科技大会召开。广东省委、省政府颁发了《关于加速科学技术进步若干问题的决定》，明确要求大力加速高新技术成果产业化，坚定不移地把高新技术产业作为全省经济发展的导向。

1997年，省委、省政府颁发了《关于进一步扶持高新技术产业发展的若干规定》，设立了高新技术发展专项基金，进一步推动全省高新技术产业的快速发展。

1998年，省第八次党代会提出了实施“科教兴粤”发展战略，把发展高新技术产业作为第一经济增长点，做出了《关于依靠科技进步推动产业结构优化升级的决定》，成为举国关注之焦点。

体制创新促进了科技创新。始于《关于依靠科技进步推动产业结构优化升级的决定》的广东科技体制改革，将科研院所“逼”到市场中去的决心，结束了这种科技游离于经济之外的现象。让“两张皮”在一夜之间成为全省乃至全国科技界的流行语。《关于依靠科技进步推动产业结构优化升级的决定》对增创广东发展新优势，建立科技创新机制，走出一条科技与经济紧密结合的新路子，充分发挥科技进步对经济建设的推动作用等进行了全面部署，使广东高新技术产业进入了高速发展期。

1999年，根据广东经济发展规律，时任省委书记李长春又提出“六个一”工程，在全省率先掀起了新一轮科技体制改革和科技创新。在广东，上上下下都已认识到科技进步在率先基本实现现

代化中的关键地位。

人才和科技投入一直是90年代激励政策的重要组成部分。广东不断推陈出新激励科技人员投身创业的政策：在早年轰动全国的重奖科技功臣、技术入股、简化出入境手续基础上，建立留学人员创业园、博士后流动站和高新技术企业孵化器，引得大批海外留学人员来粤创业。作为经济强省的广东曾经不是科技强省，在"九五"期间，科技综合实力已跃居全国4强。

在科技资金投入方面，2000年全省人均科技经费和地方财政科技经费分别是1997年的4倍和2.4倍。全省风险投资业务机构已有130多家，资金总额120亿元，初步形成了多元化、多渠道的科技投入体系。

通过深化科技体制改革，加强科技创新，充分发挥科技进步对经济建设的推动作用。广东省科技创新的环境日益改善，科技综合实力不断增强。至"九五"期末，全省高新技术产品产值达2846.81亿元，与1997年相比，年均增长36.63%，增速居全国第一。至2001年，广东专利申请量占全国的50%，2001年技术成果交易额达到350亿元。全省共拥有1137家高新技术企业，157家国家级和省级工程技术开发中心，新产品开发建设速度是以前的10倍。科技实力明显增强，科技进步对经济发展的贡献率达到45%，出口量占全国的47.9%。2001年公布的《中国区域创新能力报告》认为，广东是企业创新能力最强的地区之一，企业创新能、大中型企业研发投入和产业国际竞争力等三项指标居全国首位，区域创新能力居全国第三位。

- **中兴通讯**

中兴通讯成立于1985年，高速成长于20世纪90年代。得到深圳高新技术产业开发区政策的支持，中兴的程控交换、移动通讯和接入设备实现了关键领域的技术突破。1997年，中兴通讯A股在深圳证券交易所上市，开启了中兴通讯的新时代。2004年12月，中兴通讯作为中国内地首家A股上市公司成功在香港上市。

中兴通讯是国家重点高新技术企业、技术创新试点企业和国家863高技术成果转化基地，承担了近30项国家863重大课题，是通信设备领域承担国家863课题最多的企业之一，公司每年投入的科研经费占销售收入的10%左右，并在美国、印度、瑞典及国内各地设立了14个研究中心。目前，中兴通讯是全球领先的综合性通信制造业上市公司，是近年全球增长最快的通信解决方案提供商之一。

在市场经济的洪流中，中兴通讯以满足市场（客户）需求为目标，为全球客户提供创新性、客户化的产品和服务，帮助客户实现持续赢利和成功，构建自由广阔的通信未来。凭借在无线产品（CDMA、GSM、3G、WiMAX等）、网络产品（xDSL、NGN、光通信等）、手机终端（CDMA、GSM、小灵通、3G等）和数据产品（路由器、以太网交换机等）四大产品领域的卓越实力，中兴通讯已成为中国电信市场最主要的设备提供商之一，并为100多个国家的500多家运营商及全球近3亿人口提供优质的、高性价比的产品与服务。

早在1995年，中兴通讯即按照高新技术产业的行规，积极推进国际标准和知识产权战略，及时启动了国际化战略。这是中国高科技领域最早并成功实践"走出去"战略的标杆企业。中兴通讯国际市场"十年磨一剑"，已经相继与包括和记电讯、法国电信在内的众多全球电信巨头建立了战略合作关系，并不断突破发达国家的高端市场。

"三流企业卖力气，二流企业卖产品，一流企业卖技术，超一流企业卖专利"，中兴通讯深深认同这一高新技术企业的特有的竞争文化。

基于对标准及其与专利之间关系的深刻认识，中兴通讯股份有限公司以高昂的热情参加国际、国家和行业标准化组织的活动。在近几年国内通信行业标准研究几百个项目中，中兴通讯参与了其中90%以上项目的研究。中兴通讯还积极参与ITU、3GPP、3GPP2、CDG等国际标准组织的活动。中兴通讯是中国通信标准化协会CCSA的成员。在2001年4月，又成为3GPP2的独立成员，连续承担数届3GPP2的年度大会，扩大了在该标准化组织中的影响。与此同时，中兴通讯积极参与或独立制定相关的行业标准，比如交换机、IMT-2000、GSM/CDMA、SDH/DWDM、数据产品、通信电源等行业的技术、设备和测试标准，逐步从行业标准的跟随者向行业标准的制定者与领导者转化。

作为一家以技术求发展的高新技术企业，中兴通讯一直坚持将知识产权

战略贯穿到整个公司运作过程中，从研发到市场、从产品到项目，都同知识产权工作有机结合。与此同时，在高速的国际化进程中，充分利用各个国家的知识产权保护制度，使得知识产权制度成为公司市场拓展中的护航者，成为公司长期发展的核心动力。

20世纪90年代中期，中兴以多年积累的知识产权工作成果为基础，拟定并实施知识产权战略，坚持“专利布局”、“质量核心，数量适度”、“知识产权国际化”，逐渐形成“战略—战术—基础实务”三个层面的完整的企业知识产权战略，加速了中兴通讯知识产权工作向更高层面的推进，为公司整体发展战略的推进提供了强大的动力和支持。

在中国企业中，中兴通讯的知识产权工作一直走在前列，成为中国高新技术企业和知识产权保护的先行者之一。2001年被国家知识产权局和国家经贸委选为专利工作试点企业，2002年荣获国家知识产权局颁发的“优秀专利试点企业”称号，2003年获得广东省历史上第一个“中国专利金奖”（另有两项专利获得优秀奖称号），2004年荣获国家知识产权局颁发的“全国优秀专利试点企事业单位”称号。

截至2005年，中兴通讯累计完成国内专利申请已经达到3582项，其中3119项为高质量、高价值的发明专利申请；同时进行了超过340项的国际专利申请、超过300项的国内外注册商标和超过200项的计算机软件登记。在2004年国家知识产权局发展研究中心完成的《中国手机行业知识产权调查报告》中显示，中兴通讯手机专利在国内企业已经稳居榜首。2005年荣获信息产业重大发明奖和两个中国专利优秀奖，中兴通讯法律部还荣获国家知识产权局颁发的“全国专利系统先进集体”的巨大荣誉。

中兴通讯的知识产权战略以“发展”和“保护”为核心，从研发到市场、从产品到项目，都与知识产权工作有机结合，真正做到在公司的各个层面重视知识产权工作。长期坚持不懈地实施知识产权战略，为公司建立起一个强有力的无形资产支撑平台，为公司的研发及市场拓展提供全方位的服务，并为公司创造更多价值。

中兴通讯的知识产权战略效果这么好，很多企业都非常关注它是如何操作的。在一份上报资料中，中兴通讯清楚地描述了它的知识产权战略：

完善知识产权管理架构，健全知识产权管理体制。公司采取集中管理与分散管理有机结合的方式来设置知识产权管理架构，形成一个完善的知识产权管理体系，使知识产权工作的触角延伸到每一个部门，并有效贯彻执行知

识产权战略的实施。与此同时，还建立一整套知识产权管理制度和知识产权网络平台，有力地推动了知识产权工作的有效开展。通过全方位、多层次、专题式的培训，从高层领导到基层员工，从研发到市场，全面提高员工的知识产权意识，知识产权意识已经深入人心。

坚持“专利布局”的专利申请策略，有所为有所不为。与国内很多企业不同，中兴通讯在专利质量和数量之间，更为重视申请专利的技术质量，不单纯追求数量，在保证专利数量适度增长的同时，积极进行国际专利申请；在开展专利申请工作时，坚持专利与技术研发工作紧密结合，做到产品未动，专利先行，充分发挥专利的“护身符”和“摇钱树”的作用。将70%知识产权资源投放在具有发展前景的项目和产品上，把其余30%用于成熟产品的改进升级方面；在局部领域或部分产品上发挥优势，集中力量攻占技术制高点，努力寻求申请基础性发明专利。

充分尊重他人知识产权，也充分注意对他人知识产权的保护。从项目立项，到产品研发，再到市场拓展，都进行有效的知识产权分析，充分保护对他人的知识产权，并同其他企业进行友好的技术和知识产权合作，形成共赢局面。

积极实施商标发展战略，创造中兴通讯的世界品牌。在制度上、流程上、规划上全方位推进，建立完整的商标发展规划，以此为基础，规范并管理公司商标的使用，有效控制商标许可程序，避免品牌损失，努力创造世界一流品牌！

将专利战略、商标战略、商业秘密保护战略、知识产权运营战略有机结合，形成立体的、全方位的、同企业经营战略有紧密配合的知识产权整体战略，为中兴通讯的长期发展创造更多的价值。

技术标准与知识产权的有机结合。除参与标准制定，使得标准和知识产权形成互相紧密结合，进一步推动整个公司向产业链的更高层次发展。

灵活运用国际知识产权游戏规则。积极面对“入世”所带来的挑战，同时也积极寻求“入世”所带来的机遇。中兴通讯采取了“突围”加“包围”的策略。在个别技术点上寻求突破，占据技术制高点，积极申请基础性专利，增加在专利许可证贸易谈判中的筹码；对于不掌握基础性专利的技术领域，采取改进专利申请策略。通过多种多样的知识产权策略，以及细致有效的工作，形成自有技术在海外和国内的严密的保护网络，对公司无形资产进行最大范围的保护。有效利用WTO规则，在同国际通讯巨头的竞争中胜出，创造

中国的世界品牌，从优秀的企业迈向卓越的企业。

• 珠海格力电器

珠海格力电器（珠海格力电器股份有限公司）成立于1991年。在90年代，良好的政策环境和独特的创新思维，使它连续多年保持稳步健康发展，从一个年产不到2万台的不知名的空调小厂，一跃成为今天拥有珠海、重庆、巴西、合肥四大生产基地、员工超过28000人、家用空调年产能力超过1500万台，商用空调年产值达50亿元的知名跨国企业，是我国家电行业中的大型专业化空调生产企业和全球产销规模最大的空调企业。1995年至今，格力空调产销量、销售额、市场占有率一直居全行业第一。2000年至今，格力电器连续6年进入"中国上市公司纳税100强"，排在家电行业的首位。格力电器已累计缴纳税近35亿元，历年均是珠海市和广东省的纳税大户。2005年，格力电器家用空调的全球销量突破1000万台，实现销售收入182亿元，实现利润5.1亿元，成为名符其实的"世界冠军"。

它创造的"格力模式"最大特点是贴近市场，在技术、营销、管理等方面不断创新，强化品牌拉动和产品的市场竞争优势。

公司重视技术投入与创新，占领空调技术制高点；视自主创新和高新技术产业化为生命，始终把企业发展的首要途径锁定在不断提高自主创新和高新技术产业化能力上。每年投入技术方面的资金占销售额的比例超过3%。一方面，格力电器长期坚持培育技术人才，为空调产品和技术的创新与发展提供保证。目前，格力电器共有各类空调技术人员近2000人。另一方面，格力电器投入巨资引进先进的技术研发设备，建设了170多个专业实验室，是当前世界规模最大、技术水平最高、测试范围最广的专业空调研发中心。格力实验室通过了国内外多家权威认证机构的审核，先后获得了"国家认可实验室"、"中国家电所认可实验室"、"中国质量认证中心现场检测实验室"、"国家压缩机制冷设备质检中心认可实验室"、"ATDC全国空调测试数据比对中心实验室"和"美国UL最高等级实验室"、"德国TUV认可实验室"、"加拿大CSA认可实验室"等称号。

高投入使公司在空调产品的研发水平上始终处于行业领先地位，每年均可以向市场推出100多个极具竞争力的新产品。取得各种专利技术700多项，自主研制开发出20大类、400多个系列、7000多个品种规格的空调产品。另一方面，对技术的高投入也使格力电器逐步掌握了空调的核心技术和最尖端技术，占据世界空调技术的前沿阵地。在家用空调方面，早在2001年，就成功研制出“数码2000”高端空调产品，这款分体挂壁空调拥有智能化人体感应、一氧化碳自动检测等先进技术，代表了国内空调行业的最高技术水准。在中央空调方面，成功攻克了变频“一拖多”技术，摘取了空调界“皇冠上的明珠”。2005年8月，首台拥有自主知识产权的大型中央空调——离心式冷水机组正式成功下线，打破了“美系”企业对大型中央空调的技术垄断，填补了中国大型中央空调技术空白。同年11月，超低温热泵数码多联机组宣告研制成功，该技术有效解决了我国北方寒冷地区的冬季集中供热和采暖效果差的难题，大大提高了中央空调的冬季制热和节能技术水平，被建设部评定为“国际领先”技术。

格力电器非常注意大力扶持上游企业，带动配套行业发展。一台空调需要成千上万种零配件，为格力电器配套的厂家有500多家，每年的采购金额达150多亿元。这些配套厂家遍布珠海、广州、深圳等珠三角地区，延伸到长江三角洲地区，乃至全国各地。格力电器通过自身产能的扩张，带动了这些配套厂家的发展壮大，促进了空调配套行业的发展。格力电器把供应商看作合作伙伴。公司专门成立了外管部，通过公开招标、提高进入门槛、加强管理和技术支持等手段，促进合理竞争，提高配套厂家的管理水平和员工素质。

• 深圳富士施乐

富士施乐高科技公司（深圳）有限公司，是深圳高新技术开发区在20世纪90年代吸引国际知名企业在粤创建的现代化高科技大型企业。1995年，国际知名企业日本富士施乐株式会社斥巨资在深圳创建现代化的高科技大型企业，注册资金3800万美元，投资总额5900万美元，现有职工近4900人。

1995年，公司通过了激光打印机高新技术项目认证和OPC感光体高新技术获得项目认定。公司始终立志于新产品的科研开发，采用世界尖端生产技术，生产出满足世界激光打印机高端市场的优质产品，相继正式投产了CRU和激光打印机生产线，其中投资2000万美元的激光打印机“心脏”——感光鼓（即OPC）生产线是中国唯一全程生产感光鼓的生产线。产品全部出口到包括欧美、东南亚及日本在内的海外市场。

公司现已拥有激光打印机，复印机，集打印、传真、扫描、复印四大功能于一体的多功能数码激光复合机，暗盒及相关零部件的开发与生产制造的

全套技术设备。先后通过了ISO9002及ISO9001：2000版国际质量管理体系认证，ISO14001环境管理体系认证，OHSAS18001职业安全卫生管理体系认证。公司在取得经济效益的同时，也获得了巨大的社会效益，自成立以来共获得了90多项奖项，被授予"全国外商投资双优企业"、"广东省高新技术产品出口超亿美元先进企业"、"深圳市高新技术企业"、"深圳市外商投资先进技术企业"、"深圳市工业百强企业"（2005年位列第14名）、"国家环境友好企业"等荣誉称号。

公司先后在北方交通大学、哈尔滨工业大学、西安交通大学、广东外语外贸大学等全国多所大中院校设立了"富士施乐奖学金、奖教金"，在敦煌捐建"富士施乐希望小学"。

• 比亚迪股份有限公司

比亚迪股份有限公司是高新技术民营企业，创立于1995年，经历了90年代的大发展。公司持续运用先进的品质体系对产品设计和制造工艺进行持续改进，使产品品质日臻完善。公司在国内同行业中率先通过了DNV ISO9001、QS9000国际质量认证以及ISO14001环境管理认证。凭借完善的产业格局与遍及全球的销售网络，公司不断为客户提供快速的服务和有力的技术支持。

至2005年，公司已成为全球第二大充电电池生产商，在深圳、北京、上海和西安建有四大生产基地，厂房总面积超过700万平方米；并在美国、欧洲、日本、韩国、香港、台湾、天津、厦门等地设有分公司或办事处，现员工总数已超过90000人。公司年销售总额64.9亿元，利润总额6.2亿元，纳税总额6.5亿元，出口创汇55000万美元。

公司现拥有IT零部件制造和汽车制造两大产业群。IT零部件产品主要包括二次充电电池（锂离子、镍镉、镍氢）、液晶显示屏模组、塑胶壳、键盘、柔性电路板、摄像头、振动马达、储存卡、充电器等；汽车产品主要包括800cc～2400cc的各种高、中、低端系列燃油轿车以及汽车模具、电动汽车等。公司产品主要销往欧洲、美国、日韩等国家和地区。

2002年7月31日，公司在香港主板发行上市（股票代码：1211HK），创下了54支H股最高发行价纪录。2003年1月22日，公司收购了西安秦川汽车有限责任公司（现更名为比亚迪汽车有限公司），意在成为全球头号电动汽车制造商和全国最大的汽车制造商。2005年9月22日，比亚迪旗下精品车型F3在山东上市，获得了消费者的一致认可。

- **惠州三星电子**

惠州三星电子有限公司是合资高科技企业，创建于1992年，由韩国三星电子株式会社、三星（中国）投资有限公司、韩国BLUE TEK CO；LTD及惠州市地产总公司合资兴建。

在90年代高速发展基础上，公司于2000年10月，成立数码研究所。研究所的成立成为三星电子在中国投资的唯一具有独立设计、开发数码产品能力的工厂，每年研制开发80个以上新产品。公司MP3技术、MP4技术、迷你组合音响技术、DVD家庭影院技术、显示器（LCD、CDT）技术均达国际先进水平。2006年科技研发人员达160多人。

公司主要生产经营激光影音系列产品、激光机芯产品、数字式录放机、显示器、彩色电视机的生产和销售及上述产品的售后服务。投资总额5270万美元，注册资本3389.9万美元。产品95%外销，主要销往40多个国家和地区。2005年，实现出口销售收入7.99亿美元，实际缴纳税额1.4亿元。2006年，实现出口销售收入6.45亿美元，实际缴纳税额共1.6亿元。

公司被授予2002—2006年度广东省高新技术企业、2003—2006年度广东省“两个密集型企业”、2005年度中国“500强企业”、2005年度广东省大型出口企业“二等奖”、2006年广东省100强企业。1997年通过ISO9002认证，2002年通过ISO9001认证，2005年通过ISO14001认证（环境CQC），2006年通过ISO18001安全健康职业管理体系认证（CQC）。

三、创新华章：跨越2000

镜头画面：广东省技术创新工作座谈会

2000年，省委、省政府召开全省技术创新工作座谈会，颁发《贯彻〈中共中央、国务院关于加强技术创新，发展高科技，实现产业化的决定〉的通知》，进一步贯彻落实《中共中央、国务院关于加强技术创新，发展高科技，实现产业化的决定》，一口气列出31件配套办理事项，制定20多个《实施方案》，并检查督办，促成了良好的政策环境。

在即将跨入21世纪之际，中共中央、国务院颁布《关于加强技术创新，发展高科技，实现产业化的决定》。该决定认为当今世界，科学技术日新月异，以信息技术、生物技术为代表的高新技术及其产业迅猛发展，深刻影响着各国的政治、经济、军事、文化等方面。在以经济实力、国防实力和民族凝聚力为主要内容的日趋激烈的综合国力竞争中，能否在高新技术及其产业领域占据一席之地已经成为竞争的焦点，成为维护国家主权和经济安全的命脉所在。但是，我国科技与经济脱节的问题还没有从根本上得到解决。科技向现实生产力转化能力薄弱、高新技术产业化程度低，依然是制约我国经济发展的一大障碍。

决定要求深化改革，从根本上形成有利于科技成果转化的体制和机制，加强技术创新，发展高科技，实现产业化。在推进技术创新和高新技术成果商品化、产业化的工作中，要把市场需求、社会需求和国家安全需求作为研究开发的基本出发点，强化企业的技术创新主体地位，充分发挥市场机制在配置科技资源、引导科技活动方面的基础性作用，推动大多数科技力量进入市场创新创业。以改革为动力，深化经济体制、科技体制、教育体制的配套改革，推进国家创新体系建设，为高新技术成果商品化、产业化提供有效的体制保障。要突出高新技术产业领域的自主创新，培育新的经济增长点，加速传统产业的技术升级，注重电子信息等技术与传统产业的嫁接。要进一步扩大对外开放，把自主研究开发与引进、消化吸收国外先进技术相结合，防止低水平重复，注意技术的集成，形成更多的自主知识产权。

该决定中的重要亮点是，要深化体制改革，推动应用型科研机构和设计单位转为科技型企业、整体或部分进入企业、转为中介服务机构等。促进技术创新和高新科技成果商品化、产业化。促进企业成为技术创新的主体。高新技术企业每年用于研究开发的经费要达到年销售额的5%上。国家支持和鼓励大型企业集团提取一定数量的资金，集中用于共性、关键性和前沿性重大科技问题的研究开发和产业化的投入。

该决定提出要加强国家高新技术产业开发区建设，形成高新技术产业化基地。增强为各类企业转化高新技术成果提供服务的功能，营造吸引、凝聚优秀科技人员和经营管理者创新创业的良好环境，成为技术创新、科技成果产业化和高新技术产品出口的重要基地，在区域经济发展中发挥辐射和带动作用。国家选择少数有基础、有条件、有优势的国家高新技术产业开发区，实行扶持政策，鼓励大胆探索，率先建立新的投融资机制和激励机制，尽快形成在国际上有影响的高新技术产业化基地，对全国高新技术产业开发区建设和高新技术产业发展提供有益的经验。要支持发展多种形式的民营科技企业。要培育有利于高新技术产业发展的资本市场，逐步建立风险投资机制，发展风险投资公司和风险投资基金，建立风险投资撤出机制，加大对成长中的高新技术企业的支持力度。引进和培养风险投资管理人才，加速制定相关政策法规，规范风险投资的市场行为。优先支持有条件的高新技术企业进入国内和国际资本市场。在做好准备的基础上，适当时候在现有的上海、深圳证券交易所专门设立高新技术企业板块。

作为改革开放排头兵的广东，对《中共中央、国务院关于加强技术创新，发展高科技，实现产业化的决定》的精神理解是深刻的。早在一年前，1998年9月23日，中共广东省委、广东省人民政府颁发了《中共广东省委、广东省人民政府关于依靠科技进步推动产业结构优化升级的决定》。

《中共广东省委、广东省人民政府关于依靠科技进步推动产业结构优化升级的决定》提出，增创广东发展新优势，关键是增创科技新优势，推动产业结构优化升级。落实科技是第一生产力的思想，重点是紧紧围绕大力发展高新技术产业和以高新技术改造传统产业这个中心环节，促进产业结构升级换代，全面提高全省经济整体素质和综合竞争力。择优扶持50家省重点发展的工业大企业或企业集团办好工程技术研究开发中心，并以此为依托聚集一批高素质的科技人才，抢占同行业技术制高点。

《中共广东省委、广东省人民政府关于依靠科技进步推动产业

结构优化升级的决定》决定，工程技术研究开发中心的建设以企业投入为主，省财政对每个中心的支持从50万元提高到200万元，作为国家注入的资本金，主要用于技术研究开发。省优先推荐这些企业发行股票并上市。鼓励企业研制开发新技术、新产品、新工艺、新设备。凡列入国家和省级计划的新产品，自销售之日起，国家级新产品和省内首次生产的发明专利产品3年内，省级新产品和实用新型专利产品2年内，所得税和增值税地方分成部分由同级财政全额返还企业。通过技术创新、技术改造发展壮大支柱产业。加快建设和重点发展电子信息、电器机械、石油化工等三大支柱产业。应用高新技术改造提高纺织服装、食品饮料和建筑材料等三大传统支柱产业。扶持汽车、医药和森工造纸等一批有发展潜力的产业。在微电子、生物技术、新材料、海洋技术、新能源及环保等领域，培育与形成一批高新技术企业和产品，促进支柱产业不断优化升级。

加快科研机构改革步伐，使绝大多数科研机构和科技人员投入经济建设主战场为社会创造财富。技术开发型科研机构要逐步由事业法人变为企业法人，成为科工（农）贸一体化经营的科技型企业，或进入大企业和企业集团成为企业的研究开发机构，或与企业相互参股投资改造成股份制企业。大力发展民营科技企业，重点扶持高新技术产业发展，带动产业结构优化升级。加快珠江三角洲高新技术产业带建设步伐，加快国家和省级高新技术产业开发区的建设，使之成为高新技术产业的先行区、新经济体制的试验区、现代化城市建设的示范区。授权高新技术产业开发区管委会行使市一级有关经济管理权限。中外合作合资企业依照规定减免税期满后，被认定为先进技术企业的，可按税法规定的税率延长3年减半征收所得税。

加强对引进技术消化、吸收、创新。促进企业成为科技开发投入的主体。企业研究开发（包括委托开发）支出的费用，按实际发生额计入成本，年增幅在10%以上的，可再按实际发生额的50%抵扣应税所得额。研究开发经费占当年销售收入的比例，一般工业企业不得少于1%，大中企业不得少于2%，省50家重点企业集团、工程技术研究开发中心依托企业、高新技术企业、技术创新优势企业不得少于3%，实行工效挂钩的企业，年终考核时技术开发投入可视同实现利润。省和广州市、深圳市要先行试点建立科技风险投资公司和“国家重大科技成果产业化投资风险担保基金”，资金由政府拨款、非银行金融机构和企业投资三方面组成，按现代企业制度方式运作。

2000年，广东省委、省政府召开了全省技术创新工作座谈会，颁发了《贯彻〈中共中央、国务院关于加强技术创新，发展高科技，实现产业化的决定〉的通知》，进一步贯彻落实《中共中央、国务院关于加强技术创新，发展高科技，实现产业化的决定》，加快全省科技创新和发展高新技术产业的步伐。广东又一口气列出31件配套办理事项，制定20多个《实施方案》，并检查督办，促成了良好的政策环境。

2002年，广东省第九次党代会再次提出实施“科教兴粤”发展战略。2002年前后，又增加了佛山、阳江、河源、梅州、清远、揭阳等6个省级高新技术产业开发区。至此，广东省高新技术产业开发区达到了16个，成为全国高新区最多的省份。广东高新技术产业开发区工业总产值的年平均增速达到30%以上，其他各项经济指标亦持续保持快速增长。

2003年，胡锦涛总书记到广东视察，要求广东要大力发展高新技术产业，为走新型工业化道路，增强发展后劲和提高国际竞争力提供强大的技术支撑。这是广东高新技术产业进入一个从大到强的提升期的重要信号。

由科技创新带来的科技事业大发展，带动了广东产业结构的优化升级，实现国民经济的跨越式发展。专家分析，在“十五”期间，广东将加强高新技术向传统产业的辐射和渗透，令电器、机械、石化、纺织、服装、食品、饮料、建材、医药、冶金、商业等传统产业得到全面改造和提升。珠江三角洲一位著名企业家说：“迄今为止，广东已经有包括我们企业所在的125家生产传统产品的企业被改造成了高新技术企业，在‘十五’期间，这股优化升级的潮流必将更加汹涌澎湃、势不可挡，广东的经济发展也必将实

现从‘结构调整’向‘素质提高’的跨越!”

改革开放之初因“三来一补”而率先发达的珠江三角洲，如今已逐步演变成一个高新技术产业带，成为全球电子信息产业相对集中的重要区域。目前，这个闻名世界的产业带内已有一批技术产业开发区、高新技术产品出口基地、国家级软件园、大学科技园、国家“863”高新技术成果转化基地。它们不仅规模之大蔚为壮观，还为广东创造了92%的高新技术产品产值及3/4的国内生产总值。

在高新科技的“珠三角浪潮”中，广东涌现出珠海、南海等率先实现现代化示范市和国家技术创新示范市。其中，南海市在1995年就启动信息系统工程的城市，不断地将信息技术注入传统产业，并把信息化渗透到国民经济和社会管理的各个领域和层面。目前，全省多个城市都在大力推进国民经济和社会发展的信息化，向“数字城市”、“创新型城市”前进。新技术产业成为广东的第一经济增长点。

2005年10月，中国共产党广东省第九届委员会第七次全体会议通过了《中共广东省委关于制定全省国民经济和社会发展第十一个五年规划的建议》。几乎同时颁发了《中共广东省委、广东省人民政府关于提高自主创新能力提升产业竞争力的决定》，提出实施自主创新战略，使广东成为国家重要的高新技术研究开发基地和成果转化基地。加快建设富有活力、开放竞争的区域自主创新体系；大力加强集成创新，形成新型平板显示器、3G及4G移动通信系统、数字广播电视、微纳米制造技术与机械系统、新一代汽车等一批产业带动性强、关联度大、优势资源集成度高的战略产品；围绕九大工业产业、高新技术产业等，重点在消费类电子、软件与集成电路、生物与新医药、重大装备制造、先进制造、新材料、节能与新能源、环保与资源综合利用、现代农业、现代服务业等十大关键技术领域实现突破。继续推进关键领域重点突破工作。实施知识产权、技术标准和名牌战略，引导和支持产业集群和重点城市创立区域品牌。特别要求深圳要发挥体制机制、资本市场和高新技术产业密集等优势，着力推进技术集成创新和高新技术产业化，成为高新技术研发基地、成果转化基地和技术产权交易中心。广州要发挥产业、科技、人才综合优势，着力提升原始创新能力、核心技术攻关能力和科技创新服务能力，努力成为全省自主创新的主要策源地、聚集地和辐射中心。要着力引进发达国家和国内重点地区的优秀人才，特别是带技术、带项目、带资金的优秀创新人才。

2006年9月，广东省委、省政府在深圳召开全省自主创新现场会。两个月后，印发《广东省促进自主创新若干政策》，提出积极支持、协调有关方面参与创业板市场、代办转让系统和柜台交易市场的建设和试点，支持有关非上市公众公司开展证券发行和交易试点，推动高新科技企业充分利用多层次资本市场体系加快发展。支持有条件的高新技术企业在国内主板和中小企业板上市。建立健全促进自主创新的政府采购制度。加大产学研合作专项资金的投入。

• 华为：下一代电信网络解决方案供应商

华为是全球领先的下一代电信网络解决方案供应商。产品和解决方案涵盖移动（HSDPA/WCDMA/EDGE/GPRS/GSM，CDMA2000 1X EVDO/CDMA2000 1X，TD－SCDMA 和 WiMAX）、核心网（IMS，Mobile Softswitch，NGN）网络（FTTX，xDSL，光网络，路由器和 LAN Switch）、电信增值业务（IN，mobile data service，Boss）、终端（UMTS/CDMA）等领域。营销及服务网络遍及全球，为客户提供快速、优质的服务。截至2005年底，它的 U－SYS 系统已经成为全球50多个国家和地区的70多个运营商建设了超过350个软交换商用系统，包括英国、德国、美国、加拿大、俄罗斯、巴西和中国等。

基于不断的技术创新和管理创新，华为系列产品和解决方案在国际市场上成绩斐然：华为交换机连续3年全球第一（32%，Dittberner 数据），智能网用户数全球第一，NGN 出货量全球第一（28%，Dittberner 数据），光网络产品全球第四（9.1%，RHK 数据），宽带产品全球第二（17%，RHK 数据），综合接入产品全球第三（4.7%，Gartner 数据）。3G 跻身全球第一阵营，而在 NGN、IP DSLAM、NG－SDH 等新产品的市场拓展中，华为抢占了国际市场建设的第一波，从而巩固了自身的国际品牌和国际市场地位。华为公司紧紧抓住网络技术中的关键，形成了系统架构、硬件、软件、芯片核心技术体系。

目前，华为在超长距DWDM、MSTP、NGN、综合接入、IP电信网、IP DSLAM、智能网、信令网等领域，处于世界领先地位，在智能光网络ASON、核心骨干路由器、交换机、WCDMA、CDMA、3G终端等领域，进入了世界先进的行列。

在核心技术上，华为的产品都是以自主开发的芯片为基础。华为目前已经开发出近100种ASIC芯片包括3G核心芯片，设计水平为0.13微米，自主芯片年产量达到1100万片，极大地降低了系统成本。业内公认，近年来华为所涉及的3G领域都已经达到国际先进水平，R4软交换技术等甚至已经处于全球领先地位。

华为的成功，大部分源于市场（客户）导向的产品及解决方案，以及始终注重对研发的投入。以3G产品为例，华为的3G产品从1995年开始进行原型机的设计和研究，到1998年进入开发阶段，2000年进入测试阶段，2004年年底终于部署了6个WCDMA商用网络，并突破了西欧市场，前后经历了整整10年的时间。在核心技术的突破上，持之以恒的研发投入是关键，目前累计的3G研发投入已经超过50亿元。即使在最困难的IT低谷时期，华为也保障了销售收入10%以上的研发投入。目前，华为在全球设立了包括印度、美国、瑞典、俄罗斯以及中国的北京、上海等多个研究所，40000名员工中的48%在从事研发工作，截至2005年底已累计申请专利超过12500件，连续数年成为中国申请专利最多的单位。

华为每年将不少于销售额的10%投入研发，长期注重知识产权的积累和保护，建立有专门的专利组织，通过设立专项奖鼓励员工申请专利。据国家专利总局统计：华为是中国申请专利最多的单位，其中的85%属于发明专利，专利申请连年高于100%增长，年度专利申请量突破2000件，近4年内获5项国家科技进步奖，TELLIN智能网荣获一等奖，光网络获两项二等奖，GSM获一项二等奖，NE系列高端路由器获一项二等奖。

从1997年起，华为开始系统地引入世界级管理咨询公司，建立与国际接轨的基于IT的管理体系。在集成产品开发（IPD）、集成供应链（ISC）、人力资源管理、财务管理、质量控制等诸多方面，华为与Hay Group、PWC、FhG等公司展开了深入合作。经过多年的管理改进与变革，以及以客户需求驱动的开发流程和供应链流程的实施，华为具备了符合客户利益的差异化竞争优势，进一步巩固了在业界的核心竞争力。

华为坚持在自主开发的基础上进行开放合作，现在已经与TI、摩托罗拉、英特尔、AT&T、ALTERA、SUN、微软等世界一流企业广泛开展技术与市场方面的合作。

自主创新和研究投入孕育出华为公司不断推出的创新的产品和解决方案。

TELLIN智能网系统，获2002年度国家科学技术进步一等奖。该系统创新性地通过对于交换机的控制，无需修改交换网络，即可快速实现各种业务和特性。可以满足CDMA运营商对于CDMA/CDMA2000 1X/1X EVDO/EVDV的智能业务需求，也可以为GSM/WCDMA网络提供智能业务。

OptiX（tm）Metro 3000产品，获2002年度国家科学技术进步二等奖。该产品是STM-16级别多业务混合传输设备。它集TDM、以太网技术于一体，是华为适应城域网的发展现状和需求而研制的新一代综合业务光传输产品。它继承了OptiX系列光传输设备配置灵活、兼容性好的特点，是华为公司在光纤通信领域的又一突破。Metro3000主要应用在城域网络中的汇聚与接入层，为现有SDH设备向宽带城域光网络设备过渡提供了完善的解决方案。

OptiX（tm）Metro光传输系统，获2004年度国家科技进步二等奖。OptiX（tm）Metro 5000是华为公司针对新时期网络特点推出的STM-64级别的METRO SDH产品。系统采用多ADM（MADM）设计，满足各种复杂网络的组网需求，有效地实现业务调度、管理，并在宽带数据业务处理能力、网络和电路的保护能力等方面达到了业界领先的水平。

以软交换为核心的U-SYS技术，获2005年度国家科技进步二等奖。NGN技术，是电信网络从窄带TDM承载技术到宽带IP承载技术发展的重要转变，是支持固网运营商转型的重要技术。NGN技术的规模应用，可以较大降低运营商的运维成本，并在多媒体等新业务提供方面具备以往网络不可比拟的优势。

C&C08程控交换机，获首届“中国世界名牌产品”称号。截至2005年底，华为U-SYS系统已经成为全球50多个国家和地区的70多个运营商建设了超过350个软交换商用系统，包括英国、德国、美国、加拿大、俄罗斯、巴西和中国等。华为面对通信发展的变革趋势以及用户的需求，依靠自己雄厚的技术力量，自主开发了新一代大容量C&C08数字程控交换机。C&C08按照“多网并存、互联互通、保护投资、平滑过渡”的思路，有力地支持电信网向数字化、综合化、智能化、宽带化和个人化方向发展。C&C08交换机可提供丰富的PSTN、ISDN业务并且可提供个性化的集团用户行业化解决方案。

下一代网络解决方案，帮助华为获得Frost&Sullivan颁发的“亚太最佳下

一代网络设备供应商”称号。华为 U-SYS NGN 解决方案是融合话音、多媒体，面向固定、移动的统一解决方案。U-SYSTM 网络解决方案支持固定移动、话音多媒体的统一建网，提供对 3G 核心网络及业务的支持，使得 NGN 成为真正融合的网络；提供系列化的完整的 NGN 解决方案，系列化的 TMG 和 AMG 支持运营商根据各种网络规模建设需要来组网；支持完整的话音业务，包括新国标业务、商业网增值业务，提供多媒体消息类增值业务及移动融合业务，并提供开放的第三方业务开发接口；提供针对集团用户的话音、多媒体综合通信方案：如广域 Centrex、U-Path 企业通信助理等，方便集团用户业务定制和管理，实现企业的多媒体会议、即时消息类应用；高可靠网络安全性设计，采用专利技术 NetKeeper，提供完整的 NGN 网络安全解决方案。

SmartAX 系列宽带接入设备，被业界著名咨询公司 Frost& Sullivan 授予“2004 年亚太最佳宽带设备提供商”奖项。SmartAX 宽带接入设备保持 DSLAM 全球第二的市场份额，并在新一代的 IP DSLAM 和 ADSL2 + 应用中保持全球第一。目前全面突破欧洲市场，成为全球除北美地区外各地区主流宽带接入设备供应商。采用先进的体系架构，具备面向未来业务所需要的带宽性能和管理手段，推出以 IPTV、Triple - play 为代表的宽带业务端到端解决方案，为运营商运营提供有力地支持。

ViewPoint 8069 新型视讯终端，获得汉诺威工业设计论坛颁发的国际大奖 iF DesignAward，被授予 TopSelection 等级。ViewPoint 8069 高清视讯终端是华为新推出的新一代摄像机一体化视讯终端，支持 H. 263/H. 264（MPEG - 4 Part 10）编码技术和 4CIF 高清晰图像分辨率，最高可以提供 8M 会议带宽，为用户提供 DVD 画质的高清晰图像。

在无线领域，华为已经从一个“追随者”蜕变成为第一集团供应商。2005 年被 Frost&Sullivan 评得“亚太最佳无线设备供应商”大奖。目前，华为 GSM 移动软交换应用超过 2000 万线，占全球软交换市场份额 35%，在 2G/3G 切换配合方面居于业界领先地位。华为 WCDMA UMTS 端到端解决方案，提供了一个高起点、高质量的 UMTS 端到端网络，通过产品形态与不同需求相结合的差异化解决方案。华为是 CDMA2000 解决方案的全球领先供应商，是 3GPP/3GPP2 的独立成员和 IA450 协会董事会成员。

● 深圳大族激光：中小企业板上市

大族激光由成立于 1996 年的大族实业公司发展而来，注册资本 24078. 6

万元，总资产99229万元。深圳市大族激光科技股份有限公司是2004年首批在深圳证券交易所中小企业板上市的八家企业之一，深市股票代码002008，沪市股票代码609008。

公司主要从事激光加工设备的研发、生产和销售，是亚洲最大、世界知名的激光加工设备生产厂商，是国内最大的激光信息标记设备制造企业，激光信息标记设备的销售台数为世界第一，广东省20家装备制造业重点企业之一。同时也是深圳国家科技成果推广示范基地重点推广示范企业，被国家发改委认定为国家高新技术产业化示范工程项目的实施单位。公司承担建设的主要科研项目被科技部火炬高新技术产业中心认定为“国家级火炬计划项目”，2006年公司被评为国家火炬计划重点高新技术企业。

2005年，全年公司共实现合并主营业务收入5.56亿元、主营业务利润21964万元、净利润6046万元，分别比上一年同期增长36.14%、34.64%和30.28%。2005年共生产各种设备3174台，比上年同期增长34.78%，销售设备2950台，产销率92.94%。其中，销售各种工业激光设备2568台，比上年增长34%。2006年公司的各项经济指标又在2005年的基础上继续保持30%以上的增长速度。

通过不断的技术创新和产品创新，以产品良好的性价比优势实现了高端激光加工设备的进口替代，打破了国外产品对高端市场的垄断局面，为国家节省了大量外汇，为众多企业节约了成本。

四、高新版图：科技园和开发区

镜头画面：广东科技孵化器

至今，全省有高新技术产业开发区达到了16个，形成了以广州和深圳为龙头，珠江三角洲高新技术产业带为核心，高新技术产业开发区为重点，带动东西两翼和山区发展的高新技术产业发展格局。

从1985年成立深圳科技工业园开始，广东高新技术水平不断提高，高新技术产业规模不断壮大，广东高新版图与各类科技产业

园区一起不断完善，并成为广东促进技术进步和增进自主创新能力的重要载体、带动经济结构调整和促进经济增长方式转变的强大引擎，成为高新技术企业走出去参与国际竞争的服务平台，成为自主创新的倡导者、践行者和示范引领者，建设创新型国家的先锋。

广东创建科技产业园区，一般都选择在思想比较开放、对外开放条件好、信息灵通、商务往来频繁的地区。园区均拥有一批科技创业人才和有一批高技术含量和高附加值为特征的高技术企业，有一个以上的孵化器或技术创新中心，提供技术、管理、市场拓展等专项服务，扶持企业技术创新，支持高技术创业。有一个由政府、企业界与学校和科研机构参与的，新型、高效、精干又廉洁的管理机构，有充裕的资金或多种获得低成本资金的渠道。

其中，经国务院或省级人民政府批准建立的高新技术产业开发区，与国际上的科学技术工业园区大体对应，是促进高新技术及其产业的形成和发展的重要区域。国家和省级政府赋予它们通过实施高新技术产业的优惠政策和各项改革措施，推进科技产业化进程，成为发展高新技术产业的主要基地。

至今，全省高新技术产业开发区已达到了 16 个，形成了以广州、深圳两个中心城市为龙头的珠三角高新技术产业带，是我国高新技术产业规模最大、发展速度最快、产品出口额所占比重最高的高新技术产业发展区域。珠三角高新技术产业带以高新技术产业开发区为结点，沿珠江两岸，把中心城市、其他城市、乡镇、高新区和高新技术企业沟通起来，形成点线相连、互相交织的网络。这个网络形成了任何一个内地某个区域或单一力量都不能比拟的综合体性优势。

除高新技术产业开发区外，广东省的高新技术特色产业基地还包括 863 计划产业化基地、国家 863 软件专业孵化器、科技部特色产业基地、集成电路产业化基地、高新技术产品出口基地、大学科技园。

1. 国家 863 计划成果产业化基地。

2000 年 1 月和 6 月，科技部根据《国家 863 计划成果产业化基地认定办法》（暂定），分两批共认定了51家企业作为国家863计划成果产业化基地。其中，广东的深圳科兴生物制品、风华高科、深圳雷地科技、深圳开发科技、深圳飞通光电子、广州中望商业机器、深圳桑夏计算机与人工智能开发公司、广平化工、深圳海王药业共9家企业通过了认定，占全国总数的17.6%。2001年，科技部认定了第三批国家863计划成果产业化基地，广东珠海高凌信息科技、深圳市中兴通讯、广东潮州三环3家企业获得认定。

至2003年，科技部共认定了153个“十五”国家863计划成果产业化基地。其中，广东风华高科、珠海高凌信息科技、潮州三环（集团）、广平化工实业、广东恒兴集团、湛江海洋成果产业化基地、深圳市中兴通讯股份、深圳飞通光电、深圳开发科技、深圳海王生物药业、深圳市桑夏高科技、深圳科兴生物制品、深圳雷地科技实业、金碟软件、深圳丹邦科技共15家企业或区域获得了认定，约占全国的1/10。

广东通过建设国家863计划成果产业化基地，形成了一批高技术产业及生长点，为广东的经济发展注入了新的动力和活力。例如，海王生物所承担的国家海洋“863”生物工程发展项目系列课题中的首项产业化成果“海王金尊”，迅速占领市场，为该企业成为生物医药的龙头大企业积聚了宝贵的原始资金和良好的市场声誉。该公司还与中国预防医学科学院病毒学研究所、北京金瑞龙生物技术有限公司联合研制开发国家一类新药基因重组戊型肝炎（HEV）疫苗，市场前景广阔。

2. 科技孵化器。

广东科技孵化器是以促进科技成果转化、培育中小科技企业为宗旨的社会公益性科技创业服务机构，主要功能是以科技型中小企业为服务对象，为入孵企业提供研发、中试生产、经营的场地和办公方面的共享设备，提供政策、管理、法律、财务、融资、市场推广和培训等方面的服务，以降低企业的创业风险和创业成本，提高企业的成活率和成功率，为社会培养成功的科技企业和企业家。

广东的科技孵化器于1991年开始创办，先后发展培育了一批以集成电路设计、软件、生物医药、新材料、光电子的专业技术孵化器，建设了一批火炬创业园、大学科技园、科研机构创业园、留学人员创业园等多种形式孵化器。在推进过程中，注重形成孵化网络体系，以科技企业孵化器为核心，有效连接技术创新成果源头、各类专业化中介服务机构，以及风险投资、技术市场、企业等，形成多层次、多功能孵化器网络。

至今，广东省各类科技孵化器总数达到41家，其中国家级高新技术创业服务中心7家。场地面积100多万平方米。在孵企业3000多家，累计毕业企业2000余家。

经过多年的发展，通过孵化器这个“高新技术企业摇篮”培育的科技型中小企业得到了快速的成长，不仅涌现出一大批成熟的毕业企业，为广东高新技术产业发展提供了源源不断的后备力量，而且一批毕业企业已经成为高新技术产业发展的中坚力量，科技孵化器已经成为广东高新技术产业发展的重要因素。

表8－1　　广东省各类科技孵化器名单

	国家863软件专业孵化器（1家）
1	广东软件科学园：国家863软件专业孵化器广东基地
	国家级或省级孵化器（高新技术创业服务中心）（9家）
1	广州市高新技术创业服务中心（国家级）
2	深圳市科技创业服务中心（国家级）
3	深圳市南山区科技创业服务中心（国家级）
4	广州火炬高新技术创业服务中心（国家级）
5	深圳市北大港科招商创业有限公司（国家级）
6	深圳虚拟大学院孵化器（国家级）
7	珠海高新技术创业服务中心（国家级）
8	珠海高科技成果产业化创业服务中心（省级）
9	珠海南方软件园创业服务中心（省级）

续表

	科技企业孵化器（31家）
1	广东珠海高科技成果产业化示范基地
2	中山火炬高技术创业中心
3	中山技术市场
4	中山民科园孵化器有限公司
5	佛山市顺德高新技术产业孵化基地
6	汕头市博士后创业园留学人员创业园
7	广州市高新技术创业服务中心
8	广州国际企业孵化器有限公司
9	广州市海珠区高新技术创业服务中心
10	广州市芳村高新技术创业服务中心
11	广州市留学人员创业（海珠）基地
12	广州市荔湾区留学生科技园
13	广州火炬高新技术创业服务中心
14	珠海高新技术创业服务中心
15	珠海南方软件园发展有限公司
16	深圳市龙岗区科技创业服务中心
17	深圳市北大港科招商创业有限公司
18	深圳集成电路设计创业发展有限公司
19	深圳市留学生创业园有限公司
20	深圳市福田区高新技术创业中心
21	深圳市南山区科技创业服务中心
22	盐田区科技创业中心
23	中国科技开发院
24	深圳清华大学研究院
25	深圳市罗湖区高新技术创业中心
26	深圳市宝安桃花源科技创新园

续表

27	深圳市佳利泰孵化器管理有限公司
28	中国科技大学（深圳福田）产学研基地
29	深圳高新区生物孵化器有限公司
30	深圳市科技创业服务中心
31	深圳虚拟大学管理服务中心

• 大学科技园

科技部、教育部从2001年开始启动大学科技园工作。至今，广东省已有华南理工大学科技园、深圳虚拟大学科技园、中山大学科技园3家国家级大学科技园，以及暨南大学科技园、华南农业大学科技园、广州中医药大学科技园和深圳大学科技园4家省级大学科技园。

它们通过建立科学规范的管理体制和运行机制以及多元化的投融资渠道，进一步完善高新技术企业孵化和培育等各项服务功能，培育出了一批具有自主知识产权和国际竞争力的高新技术企业和企业集团，培养了大批复合型创新人才和科技企业家。

华南理工大学科技园：园区规划占地43.3公顷，其中，主体园区13.3公顷，位于华南理工大学北区校园内，规划建筑面积175000平方米，预算总投资3亿元人民币。园区面向广东省、广州市的高等学校、科研单位、企业和技术持有人以及海外企业全方位开放，主要在电子信息、新材料、生物工程、环境保护、机电磁光一体化等领域支持创办新型企业，扶持高新技术及其产品的产业化。华南理工大学科技园有限公司拥有包括华南信息技术有限公司、华工电脑网络工程公司、华南理工大学软件研究开发中心、万孚生物制药有限公司、华金合金材料实业有限公司和华南理工大学计算机应用研究所等在内的多家下属全资或者控股企业以及4个工程研究中心（包括2个国家级工程研究中心）。

中山大学科技园：1998年，中山大学与广州市海珠区政府合作开发建设了海珠区产业科技园，积累了一定的园区建设经验。2001年，在多方调研的基础上，该校成立了科技园建设的工作班子，积极开展相关工作。2003年，学校与海珠区政府达成协议，共同建设中山大学－海珠科技园，该园于同年被认定为广东省大学科技园。2004年11月，中山大学－海珠科技园一期工程落成，二期工程奠基建设。经过几年来的建设，中山大学科技园已初步建成了孵化园区、中试基地和研发平台3个功能区。科技园在园企业105家，其中科技企业77家，中介服务机构与培训咨询机构28家，在生物医药、电子信息、新材料、新能源和环保新技术领域已成长起一批极具发展潜力的经营企业或研发基地。

暨南大学科技园：暨南大学科技园从1999年开始筹建，于2002年12月通过了认定，成为省级大学科技园。科技园依托暨南大学的优势学科，以生命科学院、医学院、药学院和7家附属医院为特色的研发体系可为入园企业提供强大的技术支持，同时科技园为各界企业提供专业化的链式服务模式，企业间通过优势互补，可以降低企业投入成本，形成大产业和生物制药产业链，实现社会化、专业化的产业分工，增强配套功能，逐步形成了具有相当规模的生物医药产业基地。已成为医药高新技术和成果的孵化器，各种适合市场需求、科技含量高的项目将源源不断的投向市场。

华南农业大学科技园：华南农业大学科技园是广东省唯一的“农业大学科技园”，采取“一园两区”的架构，共规划用地面积280公顷，其中增城园区260公顷，校本部园区20公顷。增城园区的三通一平及灌溉、排涝、防洪系统已完成，并已投入使用，建设面积1000平方米。

广州中医药大学科技产业园：广州中医药大学科技产业园于2000年年初进行规划，3月份开始建设，包括科技园、产业区两部分。科技园位于广州市龙归镇，计划用地15公顷，计划投资2亿元。园区技术核心包括国家中药GAP、GLP、GCP中心/基地，国家中药现代化技术工程中心、现代中成药技术工程中心以及GMP中试基地、国家主要现代化产业基地（华南基地）、国家中药规范化种植基地（GAP）检测与认证中心、广州市中药现代化产业示范基地（225工程项目）以及一批中药新药开发项目，构成理想完备的中药现代研创体系。产业区横跨种植业、制造业与社会服务3个产业领域。中药种植产业包括德庆、河源、清远等基地，面积达18万亩；生产制造业包括筹建中的合资药厂、参股药厂等；医疗服务与相关健康产业除原有医疗机构外，新建产业包括祈福医院、第三附属医院、肿瘤医院、连锁大药房公司等。

• 深圳虚拟大学科技园

深圳虚拟大学科技园是为吸引和促进国内外名校、科研院所来深进行科技成果转化、高层次人才培养和创业型企业孵化而建立的高科技园区。该园

以深圳虚拟大学园为依托，以深圳清华大学研究院、深港产学研基地、深圳国际技术创新研究院等为启动区，以高新区填海六区为产业化基地，把国内外知名高校群体的人才、技术、信息等综合智力优势与深圳的社会资源优势、创业机制和氛围相结合，并辅以深圳市的金融投资机构、中介机构，按照市校共建模式组成。该园是遵循“一园多校、市校共建、统一设计、统一建设、政府引导、各方融资、按需分配、产权分割、租买相兼、共享资源”的原则，结合各院校的实际需求和发展规模而统一规划建设起来的，成为各院校自筹资金建设和政府、社会资金建设的风格协调的单元集群。园区规划建设用地22.6公顷，净用地15.4公顷。

3. 高新区发展的特色。

经历20余载，广东深深地感受到发展高新区的好处和力量，这是广东高新区发展的特色。

劳动效率比较高。广东省高新区以仅占全省0.3%的土地面积，实现工业总产值占全省15.7%的比例，发展速度和效益都明显高于全省平均水平。以工业总产值计，全省高新区企业的人均劳动生产率为56.75万元。其中国家级高新区企业该指标达到77.28万元；以工业增加值计，全省高新区企业的人均劳动生产率为11.84万元，其中国家级高新区企业该指标达到14.67万元，广东省高新区在发展高新技术产业，增强技术创新能力，完善技术创新环境、促进传统产业改造、引进人才、带动广东省经济增长等方面均取得了显著的成绩，并呈现出良好的发展态势。

产业结构调整的重要载体。广东省高新区坚持高起点、高技术、高效益发展科技产业，有力地促进了该省产业结构、产品结构和出口创汇结构的优化升级。2005年，广东省高新技术产品产值3275.40亿元，占区内工业总产值的58.88%，占全省高新技术产品产值的30.66%。各高新区高新技术产品产值占所在地市百分比普遍在20%以上，成为名符其实的高新技术产业高地。广州高新区结合自身特点，明确发展重点，积极打造产业链，形成了各具特色的优势产业，产业发展呈特色化、集群化的局面，一批产业集群正在形成。如深圳高新区的通信设备制造、软件产业、生物制药，广州的电子信息、生物制药、新材料，珠海的集成电路、软件产业，惠州的手机、高清电视，中山的健康产业，佛山的数码光学产业等，这些产业高新技术相对密集，具有一定的规模，逐步形成具有地方特色的创新产业集群，成为当地经济重要的增长点。

孵化成长了一大批中小企业。广东省高新区集聚了近万家各类科技型企业。广州高新区金发科技、金鹏信息、迪森热能、高科通信等仅仅以几万元、几十万元的资产创业，在短短的几年、十几年的时间里，迅速成长为产值数亿元甚至十几亿元规模的大型高新技术企业。以华为、中兴、TCL、科龙等为代表的高科技龙头企业，已经成为广东高新区乃至全省自主创新的排头兵。

城市发展的重要新区域。广东省各市对高新区园区建设工作高度重视，高起点规划建设，市政配套设施不断完善，不断加大环境建设的投资力度，大部分园区开展了创建ISO14000国家示范区活动。“十五”期间，广州高新区坚持高起点、高标准规划和建设“广州科学城”。广州科学城基础设施完成投资100亿元，完成土地开发12平方公里，已初步建成国内一流的生态科技园区。广州国际生物岛首期工程已完成投资10亿元，过江隧道、地铁等重大基础设施项目已经动工建设。东莞松山湖科技产业园区坚持高起点规划、高标准建设、高水平管理松山湖，对松山湖优良的生态环境，实行保育性开发利用，最大限度地维持原有的自然景观，融山、水、园于一体，突出园区生态特色，合理布局行政、商务、生产和生活等功能区，成为人与环境、产业与生态和谐发展的区域。

经历了20余载的广东高新区发展，还有力地推进了广东的自主创新。

高新区普遍成为广东自主创新重要基地。广东省高新区通过鼓励企业加大科技投入，推动产学研合作，吸引优秀人才前来创新创业等方式，大大提高了高新区企业技术创新的积极性和能力。2005年，高新区企业R&D投入121.91亿元，比上年增长13.15%，约占全省R&D总额的48.7%。广东省国家级高新区建有研发机构的企业数506个，省级以上企业工程中心75个，省级以上企业技术

中心26个。至2005年底，累计承担国家级科技项目数600多项，省级科技项目1000多项。

高新区内自主创新体系不断完善。广东省高新区构建了一批广东有基础和迫切需求的科技创新平台，已启动建设的平台有广东软件研究公共创新平台、广东集成电路设计中心（广州、深圳）、广东生物医药公共创新平台、广东数字媒体研究院等。搭建了以大学、科研机构、企业研发中心、工程技术中心、企业孵化器、科技中介机构、大学科技园为依托的创新平台，形成了研发、中试、生产的产业链，创建发展了形式多样化的企业工程中心。

高新区自主知识产权增多。截至2005年底止，16个高新区累计专利申请量21434件，其中发明专利8248件，占38.5%；累计专利授权量9677件，其中发明专利2375件。其中2005年专利申请6054件，比上年增长56%，发明专利申请1607件，比上年增长81.8%。广州高新区专门成立了知识产权局，通过专利形成了一些国家标准，甚至国际标准，占领高新技术制高点。深圳高新区具有自主知识产权的高新技术产品产值超过50%。

高新区积聚了一支高素质的人才队伍。广东省高新区良好的发展机遇，有效的人才激励机制和高质量的生活环境吸引了来自国内外的大量优秀人才。2005年，该省高新区从业人数为980426人，创造了大量的就业机会；区内从事科技活动人员数107660人，占全省40%左右；企业大专以上学历人员358852人，占从业人员总数的36.6%；硕士以上学历人数21292人，比上年增长49.5%；留学归国人数1344人，比上年增长43.1%。

• 中山火炬高技术产业开发区

中山火炬高技术产业开发区于1991年3月经国务院批准成立。东临珠江口，与深圳、香港隔海相望，南倚珠海、澳门。

自创办以来，常年聘请区内外专家院士组成顾问组，对高新区的科技、产业，以及社会经济进行咨询。2001年以来高新区出台了《中山火炬开发区博士津贴暂行规定》、《中山火炬开发区科技创新基金管理办法》、《中山火炬开发区博士津贴管理暂行办法》等一系列吸引人才、支持科技创新的政策措施。每年由区财政对区内的博士发放津贴，增强对学科带头人和高级人才的吸引力，初步形成了“产业洼地、人才高地”的格局。2005年高新区发放博士津贴41万元。对于自带高科技项目和资金到高新区创业，并在科技创新方面取得突出成绩的留学博士，重点给予高等级津贴。对每家优秀留学生创业企业分别给予10万元的创业基金支持。

由于高新区是在没有大院、大所、大校的背景和辐射条件下发展起来的，所以高新区一直以来都十分重视和大院、大所、大校开展广泛合作，主动跳出开发区，积极用自己强大的产业为科研机构把科研成果转化成现实生产力提供机会，从而借用外力提升高新区科技水平。区内企业和中山大学、中国药科大学、电子科技大学、暨南大学、中国电子研究院、西安交通大学、武汉大学、湖南工业大学等60多家国内外科研院所开展了合作。

高新区按照分类聚集、重点突破的原则，将全区分为国家健康科技产业基地、中国包装印刷生产基地、汽配工业园、中国电子（中山）基地、中国技术市场科技成果产业化（中山）示范基地。每个基地聚集一个主题产业，从而使全区形成五大支柱产业：生物医药、包装印刷、汽车配件、电子信息、精细化工。高新区坚持精心打造五大工业园区，着力培育五大主题产业。

开发区通过公共服务体系、科技创业体系、研发创新体系、中介服务体系、现代物流体系和人才培训体系等六个子体系，构筑坚实的支撑高新技术产业发展的创新体系。“十五”期间，全区累计投入科技活动经费约25.6亿元，实施国家级科技计划87项，省、市级科技计划300余项，获得省、市科技进步奖36项，各级各类科技经费资助超亿元。

高新区下属5个全资的工业总公司，分别负责一个国家级基地（园区）的园区开发、科技创新、招商引资等工作。各总公司在发展的过程中还积累了近100亿元的区属集体资产和物业，具备了较高的资产和资本运营能力。

高新区五大总公司均围绕五大主题产业，成立行业技术中心，为园区企业提供公共研发平台。高新区拥有中炬高新（集团）股份有限公司博士后科研工作站、中山医科大学博士后工作站中山基地、暨南大学合作实验室以及企业创办的各类专业研发机构52家，其中，国家级工程（技术）中心2家，省级工程（技术）中心4家，市级工程（技术）中心46家。各企业研发机构正由单一的研发功能向研究开发、技术服务、高新技术项目引进、科技成果转化和传统产业改造等多功能方向发展。在高新区的总体框架内，形成中国

电子（中山）基地、国家健康科技产业基地、中国包装印刷生产基地、中国高新技术产品出口基地、中国技术市场科技成果产业化（中山）示范基地和国家火炬计划中山（临海）装备制造产业基地等6个国家级产业基地。依托五大产业集群建立专业孵化器，形成以创业中心（含专业孵化器）为核心，火炬创业园、各特色产业园相衔接的科技孵化体系。2005年，火炬创业中心正式被科技部授予“国家级创业服务中心”。

建立符合五大主题产业的科技孵化体系。高新区的科技孵化体系由创业中心统一政策、统一指导、统一协调，创业中心综合孵化器与五大总公司专业孵化器上下联动，互相结合，互相推进，形成良好的创新创业环境，吸引了一大批留学人员、科研院所、高级人才到高新区发展。区创业大厦8400平方米的孵化场地已入驻了30多家创业企业和来自美国、加拿大等国家和国内科研院所的20多位学科带头人和博士，与武汉大学、暨南大学、湖南工业大学展开项目转移和孵化合作。

开发区已形成了以临港经济和高技术产业为特色，以电子信息、生物医药、包装印刷、汽车配件和化学工业等五大主题产业为支柱，以技术密集和科技人才密集为支撑的区域科技创新体系、现代制造业体系和现代物流体系。

截至2005年底止，区内共有401家企业，规模以上企业达300家，其中，收入超亿元的有76家，收入超十亿元的有5家，有1家上市企业；省级高新技术企业51家，国家级高新技术企业2家，高新技术企业的数量占区内企业数量的13%；其中当年新投产企业18家，当年新开工企业18家。从业人员总数为64429人，从事科技活动人员12484人，大专以上学历人员33721人，本科学历人员8437人，硕士468人，博士63人，留学归国人员561人。

开发区2005年全年实现工业总产值513.99亿元，占所在地市工业总产值的23.19%；实现工业增加值100.38亿元，占所在地市工业增加值的21.18%；出口创汇总额达35.81亿美元，占所在地市出口创汇总额的29.33%；高新技术产品出口额27.16亿美元；年度招商引资合同金额为2.81亿美元；年实际上缴税收19.6亿元；高新技术产品产值达37亿元，占所在地市高新技术产品产值的60.5%。

2005年，区内企业R&D投入总额12.06亿元，比上年增长8.5%，R&D投入占工业总产值的0.23%；建有研发机构的企业有30家，省级以上企业工程技术研究开发中心3个，省级以上企业工程技术中心1个，孵化器5个。

高新区自创建以来，自主创新能力、产业聚集能力和区域综合实力不断

提升，各项经济指标快速增长。2005年，全区实现生产总值133.2亿元，工业总产值514亿元，完成出口创汇35亿美元，税收收入19.6亿元。

截至2005年底止，开发区累计承担国家级科技项目87项，省级98项，市级215项；累计专利申请数684件，其中发明专利申请63件，实用新型专利申请279件，外观专利申请342件；累计专利授权数339件，其中发明专利授权10件，实用新型专利授权156件，外观专利授权173件。

• 珠海高新技术产业开发区

珠海高新技术产业开发区于1992年11月经国务院批准成立，是全国53家国家级高新区之一。高新区毗邻港澳由南屏科技工业园、三灶科技工业园、新青科技工业园、白蕉科技工业园及珠海科技创新海岸等“四园一海岸”组成。

高新区在财税、土地、水电、资金和人才引进等方面享受一系列优惠及特惠扶持政策。政府在投入方面给予政策性倾斜，以降低投资成本；企业所得税地方留成及企业营业税、增值税实行减免或奖励返还；为企业提供科研项目孵化、中小企业创业支持，提供企业贴息贷款资金支持；风险基金和创业基金机制促进科技成果在高新区内产业化；政府采购时优先购买区内企业产品；为高新区内工作的留学归国人才及其他高级人才在工作环境、住房、入户、子女入学等方面提供特别优惠。

与深圳相比，珠海经济总量不足，经济发展质量不高。针对这一状况，在市政府的指导下，高新区在产业规划上实行“梯度布局”，即根据珠海高新区属下5个园区分布于全市不同区位的特点，结合珠海的城市规划和产业规划，对不同的园区确定不同的产业发展重点。根据北部地区高校和科研院所聚集的特点，珠海高新区把位于珠海北部的科技创新海岸确定为自主创新环境建设的重点园区。

2000年，高新区主动与科技部汇报，促成珠海市政府与科技部共同创建科技创新海岸这一有着鲜明时代特色的自主创新基地。科技创新海岸位于珠海市东北部，与珠海大学园区同步建设，重点发展软件研发、集成电路、生物医药和其他先进制造业的定位，积极发掘和利用大学园区资源，大力推进各类创新创业基地建设，同时大力支持公共服务平台和公共技术平台建设，营造出创新创业的良好环境。金山软件、德豪润达电器等一批创新型企业纷纷落户并发展壮大。如德豪润达电器公司拥有一支300余名工程师组成的研

发队伍，平均每3天就推出一款新产品，共拥有160多项国家专利和30多项国际专利。随着众多创新型企业的聚集和壮大，科技创新海岸和珠海高新区已经成为企业自主创新的摇篮，成为珠海市实践科学发展观的先行示范区。

2004年，高新区重新组建了珠海高新技术创业服务中心。中心根据企业发展阶段的不同需求和珠海市的产业发展导向，推行了“点、线、面”服务新模式。对于成长比较快、发展潜力大的企业，推行“点对点”的服务模式，为其提供多方位的支持服务，助其成为行业的领先者、排头兵。对于市重点行业，推行“点对线”的服务模式，服务的重点放在行业的引导和资源的共享方面。相继建立了珠海市生物医药技术平台、清华科技园（珠海）信息与光机电实验室、珠海市科学仪器设备共享平台、珠海市科技成果公共服务平台、珠海民营科技园生物医药新型制剂研发中心、珠海中小型企业信息化服务平台项目等多个公共行业技术支撑平台和公共行业信息服务平台。对于初创型的科技企业，中心推行“点对面”的服务模式，针对初创型的科技企业的特点，创建了珠海民营科技园科技型初创企业创业基地，把一批种子期的科技型小企业集中在科技型初创企业创业基地内，提供“保姆式”的服务。在硬件支持方面：开辟独立的办公单元区、公共商务服务区、公共会议区、公共资料查寻区和公共多功能区。在软件支持方面：为初创期的企业提供秘书、通讯、邮政、打字、复印、会议、资料查寻、保安等基础服务；采取有效经济手段引进知识产权、人力资源、财务管理、法律服务、工商代理、企业商业策划、合作推广、管理咨询、信息平台等中介机构，为创业企业提供深度孵化支持，开展创业辅导、企业家沙龙、政策研讨等活动，为创业企业提供创新基金的支持等。通过自主创新服务体系的建设，珠海高新区催生了一大批有竞争力的高科技企业，推动了高科技的产业化。仅创业中心孵化基地就有国家级火炬计划项目10个，国家重点新产品项目7个。2005年被科技部认定为国家级创业服务中心和科技型中小企业创新基金创业项目服务机构。

珠海高新区以科技创新海岸为基地，加大孵化基地和公共平台的建设力度，一批自主创新基地和公共技术平台已逐渐形成规模。主要的创新基地有作为唯一地级市入选的国家软件产业基地—南方软件园，广东省集成电路设计与生产基地，广东省高科技成果产业化示范基地，广东（珠海）民营科技园，广东中小企业服务中心创新基地，留学生创业园，国家高新技术创业服务中心，国家火炬软件产业基地等。主要的公共平台有：南方软件检测中心，集成电路设计中心，位于清华科技园（珠海）的信息与光机电实验室、生物医药实验室、环境保护实验室、网络应用实验室、新型药物制剂工程实验室、电子封装推广中心、片式元器件研发中心、电子设备制造研发中心（简称“五室三中心”）等。对于已投产企业，高新区积极引导其转变增长方式，提高自主创新和可持续发展能力，由单纯的生产加工型向生产研发型转变。如松下马达公司设立了与日本本部同步、服务全球的设计研发部。东信和平智能卡、溢多利生物科技、德豪润达电器等公司设立了国家级或省级工程技术中心。时代经典、珠光汽车等公司与大学合作设立了教学实践基地。

珠海高新区采取“官助民办”的形式，支持社会资本投资建设创新创业孵化基地，再由政府统一包装推出，并采取房租补贴、税费优惠等措施，支持孵化基地投资主体自行招商。在这种模式的促动下，迅速诞生并壮大了一批专业化孵化基地。如以留学生创业为特色、人事部授牌的珠海留学生创业园，与省科技厅和市科技局等共建、以扶持中小民营创新型企业为特色的广东（珠海）民营科技园，以公共技术平台建设为特色的清华科技园（珠海），以风险投资创业为特色的广东珠海高科技成果产业化示范基地，以集成电路设计研发为特色的广东省集成电路设计与生产基地，以软件研发为特色的南方软件园。截止到2005年底，全区孵化总面积25.41万平方米，在孵企业258家，累计毕业企业79家，在孵企业员工近7769人。

至今，区内共有企业1000多家，其中规模以上企业366家，收入超亿元的企业55家，上市企业3家，省级高新技术企业55家。从业人员总数为116219人，其中从事科技活动人员8976人。2005年，区内工业总产值642亿元，其中高新技术产品产值437亿元，占所在地市的高新技术产品产值的70%。出口创汇58亿美元，占所在地市出口创汇的54%；上缴税收14亿元。

区内建有研发机构的企业有40家；省级以上企业工程技术研究中心3个，省级以上企业工程技术中心1个，孵化器4个。累积专利申请量1255件，其中2005年度专利申请量为430件；累积专利授权量888件，其中2005年度专利授权量为227件。2005年，区内企业R&D投入总额11亿元，其投入与工业总产值的比例为1.7%。重点企业研发机构有珠海真绿色技术有限公司国家农产品保鲜技术研究中心、珠海东信和平智能卡股份有限公司广东省智能卡工程技术研究开发中心、广东德豪润达电气股份有限公司广东省智能小家电工程技术研究开发中心、中国工商银行软件开发中心。

国家软件产业基地、南方软件园、广东珠海高科技成果产业化示范基地、留学人员创业园、哈工大新经济资源开发港、清华科技园、托普软件园、广

东珠海民营科技园等大型企业孵化器及产学研基地逐步走向成熟。区内产业特色明显，以“南方软件园”为主体的软件园是国家软件基地，2004年7月珠海高新区软件园通过了“火炬软件产业基地”认证。

● 惠州仲恺高新技术产业开发区

惠州仲恺高新技术产业开发区于1992年11月经国务院批准成立。经过十多年的开发建设，仲恺高新区已建设成一个产业布局合理、功能齐备、基础设施配套完善、管理机构精简高效、服务优质、环境幽雅、初具规模的现代化工业区。区内主要生产各种激光光头、高级音响、彩电、电话机、手机、液晶显示屏、VDO导航系统、锂离子电池等，已经形成以电子信息、通讯产品、新材料、光电一体化为主导的产业框架，成为国内外重要的电子信息产业生产基地。园内经济和产业具有两大特点：一是高、新技术产业特点鲜明，其电子产品销售量居国内排名前列；二是大企业效应鲜明，TCL、华阳集团、LG电子等是高新区主要支撑点。

高新区管委会实行“一个窗口对一个企业”的“一站式服务”，企业从立项、报建到投产，所有手续都由高新区管委会统一审批或代为办理，限定办理时限，投资程序简便，办事高效、快捷。制定了多种符合实际情况、有利于吸收外资、有利于本地产业发展的优惠政策，包括民营企业政策、内资企业政策、外商投资企业税收优惠政策、高新区所得税政策等等。同时为了营造尊重知识，尊重人才的氛围，提升高新区的吸引力和凝聚力，实施各种办法和措施，对高学历优秀人才在住房、消费等方面给予优惠。

区内拥有留学生创业园、软件园、生物科技工业园；区内重点研发机构有TCL集团有限公司技术中心、惠州市德赛集团有限公司技术中心、惠州市华阳集团有限公司技术有限中心、广东集团有限公司技术中心、TCL移动通信研发中心、TCL王牌电器研发中心。

截至2005年，美国、英国、法国、德国、意大利、日本、韩国、葡萄牙、澳门及台湾、香港等国家和地区的300家中外企业在区内投资，其中包括SONY、LG、SIMENS、HAGER、ALCAM、TCL、金山、华阳、德赛等国内外知名企业。区内规模以上的企业112家，收入超亿元的企业38家，收入超十亿元的企业8家，收入超百亿的企业2家，上市企业3家，省级高新技术企业46家，国家级高新技术企业2家，高新技术企业比例为16%，当年新投产企业12家，当年新开工企业16家。区内从业人员总数为91000人，其中从事科技活动人员535人。从学历来看，大专以上学历6092人，本科学历835人，硕士学历230人，博士学历27人，留学归国人数226人。

2005年，全区工业总产值569亿元，占所在地市工业总产值的32.1%；其中高新技术产品产值518亿元，占所在地市的高新技术产品产值的78%；工业增加值103.8亿元，占所在地市工业增加值的22.5%；出口创汇46.5亿美元，占所在地市出口创汇的43.6%；其中高新技术产品出口额为37.8亿美元；上缴税收9.95亿元；年度招商引资合同金额达1.19亿美元。

高新区拥有国家级技术中心3家，省级工程技术中心5家，有研发机构的企业有33家，先后获批为国家（惠州）视听产品产业园、广东省仲恺激光头特色产业基地和广东省知识产权试点区。2005年，区内企业R&D投入总额9.11亿元；累积承担科技项目68项，其中国家级16项，省级38项，市级14项；累积获得科技成果31项，其中国家级科技成果1项，省、市级各15项；累积专利申请量1073件，累积专利授权量为425件。2003年，广东东方电讯科技有限公司的智能型电度计量收费管理系统和TCL王牌电器（惠州）有限公司的数字音响电视装置获广东省专利优秀奖；2004年，惠州TCL移动通信有限公司获第八届中国专利奖优秀奖；2005年，惠州市TCL电脑科技有限责任公司的电脑机箱获第九届中国专利金奖。

高新区以提升企业自主创新能力为着力点，总结了TCL集团、德赛集团、华阳集团等特色鲜明的企业自主创新模式。

TCL集团是最先建立面向国际市场竞争科技创新系统的大型国有企业之一。集团科技创新系统的核心是TCL集团技术中心，拥有8个通过国家和国际认证的实验室和1800余名高素质的研发人才，拥有一支具备国际水准的研发团队。截止到2005年底，集团共累计申请专利1200多件，国内外已经注册的商标有418件，尚在申请中的有295件。另外，TCL的彩电、手机、电话机、台式电脑荣获中国名牌产品称号；TCL的彩电、洗衣机、空调、电脑（包括笔记本电脑）、电话机、DVD视盘机、照明灯具成为国家免检产品。2005年，TCL集团共研发出新技术、新产品200多件，平均每3天有2件新产品面世，产品涉及多媒体、移动终端、数码电子、通信、空调、家电等领域，获得省市以上技术创新奖13项。随着TCL的全球研发平台的创建，TCL的技术研发和工业设计水平迅速提升到全球领先水平。

德赛集团是一家大型省重点企业集团，先后引进了菲利浦、西门子、通用电气、花旗、日本东芝、香港金山等著名跨国公司的先进技术和现代管理，

依托企业内国家级工程技术中心，以及与清华大学、天津大学联合成立的博士后工作站，通过产学研相结合，开发推出了以“德赛”为母品牌、“德赛数码龙”为副品牌的通讯终端、数码视听、新型电池、电工照明、光电精密部件等科技产品，产品先后通过了美国UL、FCC、FDA、德国TVV－OS、欧洲CE以及国际CB等权威认证。由德赛新能源研究院刘建华博士带领的科研团队研发的圆柱形锂/二硫化铁电池，2005年经科技部评审，已列入国家重点新产品计划，该产品属国内首创，填补了国内技术空白。德赛电话、DVD、VCD、电池、电工、LED真彩显示屏等产品在市场激烈的竞争中，不仅赢得了较高的国内市场份额，同时出口量也持续增长。

华阳集团2003—2005年连续3年入围中国企业500强，2004—2006年跃居中国电子信息100强前列，是全球最大的DVD激光头生产基地和DVD机芯制造商之一，特别是该集团生产的车载液晶显示屏（ALL IN ONE）一体机，在美国市场实现单机销量排名第一，在欧洲、东南亚地区的销量也是名列前茅；“FORYOU”品牌被评为“中国最具价值品牌”。依托集团的综合实力，经过近几年的快速跨越式发展，华阳在国内汽车音响市场异军突起，一跃成为中国汽车电子的巨子，并迅速向国内汽车音响龙头老大靠近。经两年的研发华阳已大批量推出GPS车载卫星导航产品，将世界最先进的全球定位系统（GPS）、地理信息系统（GIS）和车辆资源信息化管理系统（TELEMATICS）完美结合，它具有卫星导航、车辆防盗、车载娱乐、智能通讯、快速上网等功能，是专为汽车用户量身定做的车载导航产品，开创了车载导航的新时代。

华阳集团自1993年成立以来，就走了一条引进技术、模仿制造、消化吸收再创新之路。创业之初华阳人利用属下信华公司与世界一大批跨国公司建立起来的良好合作关系，在企业资金、技术、人才都还十分薄弱的条件下，迅速做出“二次创业”并前瞻性战略决策。经过十多年的探索和发展，通过引进、消化、吸收、再创新，现已初步形成“生产一代、储备一代、研制一代、构思一代”技术创新格局，成为了以电子信息和新材料两大产业为主导的大型高新技术集团企业，是国内唯一拥有从激光头、机芯到整机设计及制造能力的大型汽车音响企业，是国内率先挑战日韩汽车电子跨国巨头，掌握全球最先进的GPS卫星导航技术和其他众多汽车电子尖端技术的汽车电子产品生产商。

在建立企业技术创新体系，树立创新典范带动发展的同时，惠州高新区还积极扶持民营企业特别是民营科技企业加大研发投入，推动民营科技企业与国内外企业进行技术交流与合作，不断开发新技术、新产品；通过基金支持、创业投资等，大力扶植科技型中小企业的技术创新活动，培育了一大批具有创新活力和良好成长潜力的科技型中小企业。

• 佛山国家级高新技术产业开发区

佛山国家级高新技术产业开发区于1992年12月经国务院批准成立。位于广佛都市圈的核心位置。园区既有各类产业用地，也有商贸、科研、管理服务中心，高新区的物流、商贸、联检、金融、通信、住宅等各种服务设施配套齐全，会计、税务、商标等经济鉴证类服务市场发育成熟，基础教育、劳动技能培训等教育设施完善。

高新区提供“一条龙”服务体系，提供个性化、全方位的服务，拥有国家火炬精密制造基地和创新孵化体系、高校产业化基地工作。园区以一流的投资环境吸引海内外资本纷至沓来，区内已形成了以电子信息、光机电一体化、数码光学器件、新型家电、汽车配件、新材料产业簇群，至今已有4家世界500强企业在高新区投资。

2005年6月，高新区顺利通过了国务院有关部委的批准，成为第三批正式通过审核的国家级高新技术产业开发区。9月份，中环联合（北京）认证中心审核通过了佛山国家级高新区ISO14001环境管理体系，提升了环境管理水平。

至2005年底，区内共有93家企业，规模以上企业75家，其中，收入超亿元的29家，收入超10亿元的9家，有1家上市企业；省级高新技术企业36家，国家级高新技术企业1家，高新技术企业的数量占区内企业数量的40%；其中当年新投产企业8家，当年新开工企业8家。从业人员总数为53936人，从事科技活动人员10326人，大专以上学历人员10845人，本科学历人员5724人，硕士828人，博士51人，留学归国人员134人。

2005年，高新区全年实现工业总产值383.41亿元，占所在地市工业总产值的7.02%；实现工业增加值70.86亿元，占所在地市工业增加值的5.78%；出口创汇总额达22.58亿美元，占所在地市出口创汇总额的13.42%；高新技术产品出口额21.54亿美元；年度招商引资合同金额4.7亿美元；年实际上缴税收9.67亿元；高新技术产品产值331.42亿元，占所在地市高新技术产品产值的26.1%。

2005年，高新区内企业R&D投入总额8.835亿元，比上年增长18.1%，

R&D 投入占工业总产值的 2.3%。截至 2005 年底止，建有研发机构的企业有 13 家，省级以上企业工程技术研究开发中心有 5 个，省级以上企业工程技术中心有 3 个；累计承担国家级的科技项目 38 项，省级 28 项，市级 22 项；累计获得省级科技成果 20 项，市级 65 项；累计专利申请数 1119 件，其中发明专利申请 145 件，实用新型专利申请 509 件，外观专利申请 465 件；累计专利授权数 558 件，其中发明专利授权 27 件，实用新型专利授权 242 件，外观专利授权 289 件。

五、高新阵营：高新技术改造传统产业和特色产业基地

镜头画面：东莞服装生产企业

CAD 技术在广东省机械、纺织、建筑等领域的应用逐步从普及推向系统集成的层次。一批传统产业的企业通过移植、嫁接提升技术，已发展成为高新技术企业。高新技术的发展为传统产业提供了技术和成果，传统企业的改造和提升又为高新技术发展提供了市场和空间。

1. 改造传统产业。

伴随广东高新技术的逐步发展，高新技术在对广东产业升级和改造中表现出越来越重要的地位和作用。特别在对传统产业的改造提升上，高新技术显示了巨大的作用。

广东省利用高新技术改造传统产业主要集中在三个层面上：一是用高新技术改造生产工艺设备；二是提高产品的技术水平和产品档次；三是从传统产业中分离出一部分，按新的运行机制开发高新技术产品，培育高新技术企业。根据全省产业结构调整及优化升级的需要，在大企业中积极推广应用 CAD/CAM 技术和 CIMS 工程。1998 年，已有广船国际等 9 家企业列入国家 CIMS 应用示范点，至今，进入国家级试点的企业单位达 14 家以上，其中科龙集团公司

获准为国家CIMS重点应用工程试点。CAD技术在广东省机械、纺织、建筑等领域的应用逐步从普及推向系统集成的层次。一批传统产业的企业通过移植、嫁接提升技术，已发展成为高新技术企业。高新技术的发展为传统产业提供了技术和成果，传统企业的改造和提升又为高新技术发展提供了市场和空间。

纺织服装、食品材料和建筑材料是广东四大传统产业，广东省有意识逐步利用高新技术改造他们。

纺织服装是广东省三大传统产业中的第一大产业，1998年工业总产值1164亿元，占全省工业总产值的11.9%。当前，计算机辅助设计（CAD）技术在广东省纺织服装行业得到了广泛应用，全省有500多家服装生产企业采取CAD进行产品设计和开发，提高了广东省服装的设计水平和产品质量，促进了服装产品的出口，使广东省服装出口占全国的30%以上。西樵布艺制板公司，利用电脑设计，使一种新布料的开发，从研制到出产品只需要5天时间，大大提高了劳动生产率，为西樵2000多家纺织业商家拓展出全新之路，从靠“仿”为主到用“脑”织布，在新一轮市场竞争中再占先机。

目前，广东化纤行业和非织布行业90%设备具有80年代末及90年代初的先进水平，涤纶、锦纶、丙纶高速纺、聚酯熔体长短丝直纺、空气变形、涤纶腈纶纺丝直接成条、双组分复合纺、纺粘法无妨布、水刺法无妨布等先进技术工艺和设备水平在国内同行中处领先地位。广东的纯棉精梳纱、气流纺纱、色织布、系列牛仔布、印花装饰布已具有自己的品牌，形成了一批在国内外有一定知名度的纺织、印染、服装企业。1997年，在广东省纺织服装工业企业中有高新技术企业23家，高新技术产品产值2.7亿元，占同行业的0.3%。

食品饮料工业是广东省第二大传统产业，1998年工业总产值772亿元，占全省工业总产值的7.9%。广东省食品饮料、包装机械行业通过引进国外先进技术并加以消化、吸收、创新，制造出具有接近国外先进水平的技术装备。广东轻工机械集团有限公司制造

的2000瓶/时和36000瓶/时啤酒灌装生产线、广州人民机器厂生产的速食面及米粉生产线、汕头轻工机械厂生产的高频电阻焊制罐线等，大大提高了广东食品工业技术装备的整体水平。食品工业依据高新技术，改造传统工艺，开发新产品，在国内同行中占有较强优势。如发酵工程技术、膜过滤技术、高效二次抽真空技术、计算机检测和控制技术等高新技术都已在食品行业中得到应用。如珠江啤酒集团利用膜过滤技术生产瓶装纯生啤酒，深圳金威啤酒公司的6万瓶/时瓶装生产线具有大型高效率的二次抽真空技术等都达到了当今国际先进水平，有力地支持了企业的新产品开发。1997年，在全省食品饮料工业中有高新技术企业26家，高新技术产品产值12.86亿元，占同行业工业总产值的1.6%。

建材工业是广东省三大传统产业之一，1998年工业总产值567亿元，占全省工业总产值的5.8%。用清洁生产技术改造建筑陶瓷锅炉及生产工艺，在佛山市得到了政府部门的支持，并在一些企业应用示范，促进了广东省高附加值、高技术含量的新型装饰装修材料的发展，使广东省新型装饰装修材料开发在国内处于龙头和窗口地位，推动了建材行业产品结构的优化、升级。

高新技术在农业上的应用重点是用基因工程培育、开发动植物优良品种，为现代农业的发展培育高产、优质抗病虫害的水稻、蔬菜、瓜果新产品，开发生产高效、低毒的农药、兽药、动植物生长调节剂等。两系杂交水稻的研究是国家“863”高技术发展项目，历经10年的研究而取得显著成果。近几年在肇庆市进行了大面积推广，起到了很好的示范作用。植物细胞培养及工厂化生产技术在广东省也发展很快，香蕉、花卉等试管苗技术得到大面积推广，高新技术在农业中的应用促进了农村经济的发展，提高了农业产业化的水平。

2. 火炬计划特色产业基地。

火炬计划特色产业基地是在实施国家火炬计划项目的基础上，以一批产业特色鲜明、上下游关联度大、技术水平高的若干高新技术企业为骨干，依托当地特色资源和技术优势建立起来的特色高新

技术产业集群。它与科技园区和专业镇的区别在于：一是在空间上具有相对的开放性，不同于科技园区的空间局限性；二是在行政管辖上，不局限于某个特定级别行政区划，不同于专业镇一般属于镇级行政管辖；三是在产业集群的形成过程上，大都是以市场为导向自然形成，不同于科技园区的人工集聚；四是在认定条件上，强调以高新技术特色产业带动、骨干企业为龙头，对企业自主创新能力提出较高的要求，而专业镇则侧重于产业的集聚程度和规模。

“广东省对建设基地的总要求是以建设产业集群与创新集群为目标，以发展区域特色优势产业为宗旨，以自主创新能力建设统领特色产业基地工作。”时任广东科技厅副厅长李兴华说：“我们从管理、规划、平台建设和产学研合作四个方面推进基地在广东省的高速优质的发展。”特色产业基地通过“引导、示范、集聚、创新”，构建新型技术产业集群，是发展高新技术产业和区域优势产业的一项创举。

广东火炬计划特色产业基地建设，源于科技部于1995年发布了《国家火炬计划特色产业基地认定条件和办法》。2004年，广东省科技厅发布《广东省火炬计划特色产业基地认定和管理办法》。至2007年，建成科技部部属特色产业基地65个，其中科技部高新司新材料特色产业基地2个，国家级火炬计划特色产业基地19个，省级火炬计划特色产业基地44个。它们包括广州软件园、深圳软件园、珠海软件园、湛江海洋产业基地、佛山新材料产业基地、佛山精密制造产业基地、佛山自动化机械及设备产业基地、佛山电子电器产业基地、顺德家用电器产业基地、江门纺织化纤产业基地、江门新材料产业基地等。

广东省认定的省级火炬计划特色产业基地有中山绿色健康食品特色产业基地、郁南电池机械特色产业基地、罗定电子配件特色产业基地、阳江五金刀具特色产业基地、茂南高岭土特色产业基地、肇庆四会玉器设计制造特色产业基地、云浮云安硫化工特色产业基地、云浮新兴禽畜生物制品特色产业基地、韶关乳源铝箔特色产业基地等9家单位为新的省级火炬计划特色产业基地。

“特色产业基地已成为广东经济持续高速增长的新亮点。希望各地科技部门的领导对特色产业基地的发展建设高度重视起来。尤其在目前国家不在审批高新区的政策环境下，特色产业基地可以助发展一臂之力。”在2007年4月19日召开的“广东省特色产业基地现场经验交流会”上，时任广东省科技厅副厅长李兴华一番话得到了与会者的普遍认同。

“从广东省的特色产业基地的发展来看，几年来，各地紧紧围绕当地产业特色，发挥资源优势，特色产业基地建设取得了重要进展。有几组数据可以充分表现广东省特色产业基地的发展：2006年，广东省特色产业基地工业总产值达4930亿元，约占全省工业总产值的10%；基地的高新技术产品产值1650亿元，占特色产业基地工业总产值的30%，占全省高新技术产品产值的11%。与此同时，各特色产业基地占当地经济总量的比重逐步加大，有些基地已占到当地工业总产值的30%以上。”

• 新兴县不锈钢制品特色产业基地

2005年4月，新兴县通过了广东省科技厅专家组的论证评审，成为火炬计划不锈钢制品特色产业基地。

新兴县目前拥有不锈钢制品企业38家，全县年加工量超过8万吨，年产值达38亿元，外贸出口1.7亿美元，企业产品95%以上出口，出口量占广东省的45%，在欧美市场的占有率达50%，已形成产业特色鲜明、产业关联度大、技术水平较高的高新技术企业群体。

新兴县的不锈钢制品行业起步于20世纪80年代中期，经过改革开放多年的发展，新兴县总结出依靠科技推进县域经济发展的战略规划。自此运用“科技”精心扶持不锈钢制品产业发展。改革多年来，该产业从无到有，从小到大，从弱到强，逐步发展成为全县的工业支柱产业。如今，全县有不锈钢制品企业30多家，配套生产厂家30多家，拥有凌丰、三A、百利丰、万事泰、欧亚、宝鼎等年产值超亿元的不锈钢制品龙头企业。新兴县的不锈钢餐厨具在欧美市场的占有率达50%，全县10多家企业已通过了ISO9000：2000版认证，一些企业还通过了NSF等欧美准入认证，成功申请的不锈钢制品专利有50多项。三A集团的“AAA”商标、凌丰集团的“LINKFAIR”商标被

认定为广东省著名商标，两家企业的产品成为广东省名牌产品。

它展示了，火炬计划特色产业基地（简称“特色产业基地”）主要是某一地域内，在实施国家火炬计划项目的基础上，以一批产业特色鲜明、上下游关联度大、技术水平高的若干高新技术企业为骨干，依托当地特色资源和技术优势建立起来的特色高新技术产业集群。广东国家火炬计划特色产业基地在科技部火炬中心的指导下，在广东省委、省政府的支持下，大力发展高新技术产业，通过实施火炬计划项目，基地建设取得了显著的经济和社会效益。

新兴的实践证明，通过新型技术产业集群的构建，使得鲜明的产业选择性和空间上的相对开放性、企业及产业发展的有效集聚性，已成为政府集成优势资源、发展特色高新技术产业和区域优势产业的重要载体；特色产业基地已经成为促进区域经济持续发展的重要增长点，在地方经济中扮演着越来越重要的角色，成为区域经济持续高速增长的亮点。在基地建设过程中，地方根据具体情况和资源优势，通过统一规划和资源集成，使基地建设成为当地产业结构调整和优化的重要助推器。从实际操作来看，各地始终把技术创新和科技成果转化作为基地建设的关键内容，通过有效整合地方各类资源，集成国家、省、市各类科技计划，把基地作为各类科技计划优先支持的载体，显著提高了基地企业的自主创新能力和综合竞争能力。特色产业基地已经成为科技管理部门服务于地方经济的重要工作抓手，推动了科技与经济结合。

• 佛山建筑卫生陶瓷产业基地

纵向延伸，上下游产业链的配套发展，促进产业集聚，正是佛山建筑卫生陶瓷产业基地廿余年风风火火闯世界的制胜之道。

佛山是中国规模最大、实力最强的建筑陶瓷生产基地，也是占世界建筑卫生陶瓷1/4产量的“世界工厂”，其产业基础雄厚，辐射力广，具有一大批竞争力强的企业，在不断发展中涌现了诸如鹰牌、东鹏、新中源、钻石、蒙娜丽莎等多家陶瓷行业的知名企业，更拥有7个“中国名牌产品”，占全国建陶行业中国名牌产品7成之多，而集群品牌“佛山陶瓷”也已同时成为了一个世界知名的区域品牌。

基地生产技术装备在国内一直保持领先地位，这来源于基地在引进国外先进技术和装备的基础上消化吸收，并不断对引进的技术进行改进和再创新，其工艺技术不断提高，新技术日新月异。同时，基地还在产品研制上处于全

国领先地位，其中，瓷质耐磨抛光砖技术达世界领先水平，新产品更是不断地推陈出新。

基地现已经形成了庞大的专业市场体系和强大的装备、配件、辅料、人才信息等组成的配套体系，陶瓷墙地砖年产量已达16亿平方米以上、卫生洁具陶瓷产量达1300万件套，分别占全球生产总量的25%和4.8%，占全国的50%和16%以上。佛山陶瓷行业销售值更超过400亿元，税收高达10亿元。同时，基地拥有规模以上企业312家，5亿元以上产值的企业48家，占区域高新技术产业总产值的16.7%；佛山陶瓷专业市场总面积超过100万平方米，年销售额逾100亿元；建筑陶瓷出口逐年快速增长，2004年佛山陶瓷行业出口值达50亿元，佛山陶瓷出口已经遍及世界150多个国家和地区，已成为佛山市外贸的一大亮点。

根据产业链条延伸机理，基地产业上、下游之间存在极大的关联度。产业关联度大，企业之间就可以相互促进、取长补短，降低生产成本，使产品在市场上具有竞争力，同时在宏观方面提高区域竞争力。如浙江温州标牌产业就已经衍生出18道工序、每一道工序都由独立的中小企业承担，从而聚集了成百上千家企业。上下游产业配套模式与此类似，在基地内部，各企业通过市场完成整个上下游产业链的相互配套。

产业链的不断延伸和完善是专业镇产业族群从诞生到发展的核心，也是其招商引资、吸引同类企业到本地落户最有吸引力的方面。在专业镇产业族群中，一般有两条链条构成产业族群：一是服务于产业发展的服务链：包括传统的产、供、销、科研、金融、中介服务等；二是传统的产业链，它包括产业纵向配套延伸和横向的关联拓展。而产业纵向配套延伸即包括向前生产零配件，配套件，也包括向后生产深加工产品。

随着陶瓷行业的发展壮大，相关配套的产业如陶机、原料、配件，甚至专业媒体也相应发展壮大。佛山市以力泰、科达等为主的陶瓷机构设备制造业，陶瓷压机占全国80%，抛光砖压机占85%，其中力泰的陶瓷压机产销量已列世界第二；大鸿制釉、大宇制釉、华山制釉等一批著名色釉料生产企业打造出全国最大的陶瓷色釉料生产基地，生产、销售量占了全国的50%；还有辊棒、耐火材料、模具、配件、筛网等几百家产品配套企业使基地已经形成了一个完善的供应服务网络配套体系。同时，由于产业的聚集效应，研发人才、销售人才、策划人才、生产技术人才的市场比较发达，基地已成为陶瓷产业人才集散地。

3. 特色产业基地之亮点。

广东特色产业基地逐步形成了以政府引导、营造环境，市场化的适合自身发展的运营模式。在管理上，采取“政府引导协调、企业自主经营、中介机构全方位服务”的管理模式；在技术支撑上，构建特色产业技术创新平台，推动产学研合作，促进行业的技术升级。

政府引导：政府主要负责整个基地发展战略和发展规划的制定，通过制定系列的配套政策、建设优良的投资环境、政策环境，培育法律、科技、成果转化、工商、出口等专业的服务机构，吸引高技术企业和高技术人才到基地创业。

企业运作：基地的建设和招商引资过程全部实行企业运作，企业也是科技研发的主体，通过在企业组建工程研发中心，开发具有自主知识产权的产品，改造传统产业。

规范服务：根据基地建设和企业发展的需要，组建行业创新平台，为进入基地的企业提供科技成果转化、人才引进、知识产权保护等优质、简便、快捷的服务。

具体而言，“三个”结合推动广东特色产业基地管理升级：

一是坚持基地建设与管理创新相结合，各特色产业基地结合自身实际，加强管理创新，逐步摸索出各具特点的、适合当地特色产业发展的管理模式，成为地方科技部门服务经济建设的有力支撑，推动产业基地不断完善创新体制和机制。如中山临海装备制造特色产业基地，首创“基地+公司”的管理模式，实行政府指导、企业化管理，提高基地管理和服务水平。

二是坚持基地建设与公共支撑平台建设相结合，佛山精密制造研究院、中山装备制造研究院、东莞虎门服装研究设计中心等，都对当地的特色产业基地起到重要支撑服务作用。佛山建筑卫生陶瓷特色产业基地，投资6000万元采用省市区三方共建的模式建设基地公共技术创新平台，成为佛山陶瓷产业发展壮大的有力依托。江门开平纺织新材料特色产业基地，由市政府划拨1亿元资产与中国纺织协会共建纺织服装技术创新中心，该中心成为江门纺织新材料

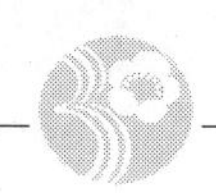

特色产业基地技术研发、信息交流和技术培训的主要机构。

三是坚持基地建设与创新环境建设相结合，各特色产业基地纷纷出台相应政策，完善创新创业环境。

广东特色产业基地建设发展已呈现五大新亮点①：

一是特色产业基地经济总量快速增长，有力地促进了区域经济的发展。全省 65 个国家级、省级特色产业基地的经济增长幅度，明显高于当地经济增长的平均幅度。与此同时，各特色产业基地占当地经济总量的比重逐步加大，有些基地已占到当地工业总产值的 30% 以上。如湛江海洋特色产业基地的工业总产值，2006 年已占湛江市工业总产值的 33%；阳江五金刀具特色产业基地 2006 年工业总产值占了全市工业总产值的 31%。

二是特色产业基地依托高新技术，成为区域自主创新的有效载体。例如，国家级肇庆金属新材料产业基地，内有高新技术企业 19 家，占全市高新企业总数的 17.7%；承担了国家级火炬计划项目 12 项，占肇庆市历年来承担国家级火炬计划项目总数的 21.2%；同时还建有国家级工程中心 1 个、省级工程技术研发中心 10 个。这些科技项目的实施和研发中心的建立，对提升基地的技术创新能力和产业竞争力起到了极大的作用。该基地现已初步形成了以有色金属材料、稀有金属材料等为主导的金属新材料产业集群。2006 年该基地共有金属新材料类企业 482 家，销售收入超亿元的企业有 12 家，共实现工业总产值 54.58 亿元，成为肇庆市的支柱产业之一。

三是特色产业基地不断完善和延伸产业链，有效地推进了区域产业结构的优化升级。例如，国家级顺德家用电器产业基地是全国最大的空调器、电冰箱、热水器、消毒碗柜等家电生产基地，也是全球最大的电风扇、电饭煲和微波炉供应基地。随着家电产业的快速发展，该基地已突破行政区域界限，产业链不但分布在顺德各镇区，而且覆盖到了南海、中山的部分镇区，甚至产业链的一些环节

① 据《科技日报》，2007 年 4 月 28 日。

扩散到了东莞、江门等珠江三角洲区域。

不久前认定的中山家电配套省级特色产业基地，涵盖了中山北部的南头、东凤、小榄、黄圃等邻近顺德的相关产业，是中山市家电配套企业最为集中的地区，其中南头镇就吸引了350多家家电配件企业，大部分是专为顺德家用电器企业生产配套产品的中小企业。

四是特色产业基地的产业竞争力不断增强，形成了一批具有国际影响的自主名牌。据统计，截至2006年底止，全省特色产业基地内的中国名牌产品达到60多个，占全省名牌产品的30%左右。全省特色产业基地共有规模化企业4000多家，年产值超过亿元的企业约500家，超10亿元的企业60多家，上市企业50多家，高新技术企业1000多家（占全省高新技术企业总数的1/4）。具有自主知识产权的高新技术产品产值，占特色产业基地工业总产值的30%。广东软件产业以广州、深圳、珠海特色软件产业基地为依托，实行强强联合，推动软件产业迅速崛起。广东软件产业已形成一定的规模，在国内占有重要的地位。国产软件在许多领域取得突破，在基础软件、支撑软件以及应用软件方面，都已经拥有了具有自主版权的技术，特别是在应用软件方面，市场占有率不断提高，电信、金融、税务、医疗、办公自动化等软件品牌在国内处于领先地位。新材料产业方面，佛山、江门新材料产业基地聚集了一批名牌产品和知名企业。大力发展生物和有机类新材料、无机类新材料、金属新材料和纺织化纤材料，包括：生物医学新材料、有机高分子材料、光电子信息材料、高性能金属材料、磁性材料、陶瓷材料、特种涂料及特种化学品等门类。

各特色产业基地的一批龙头企业，如美的电器、风华高科、国星光电、广东鸿图等公司通过自主创新，积极开发自主知识产权的新产品，自主创新能力居国内同行业领先水平。

五是特色产业基地的覆盖面不断扩大，带动了东西两翼和山区经济的发展。位于粤西廉江市的省级智能型节能电饭煲特色产业基地，抓住珠三角地区产业链转移的机遇，加快建设步伐，2006年

的工业总产值出现大幅度增长，达到23亿元，同比增长70%。阳江五金刀具省级特色产业基地，积极采取各种措施，与经济发达地区和国内著名院校在产业、资金、人才上形成良性互动，2006年完成工业总产值103亿元人民币，比上年增长30%。

• 中山小榄：建设产业公共技术服务支撑平台

与企业创新成长于企业创新文化不同，特色产业基地的创新更加依赖集群的创新环境。通常可以从两个方面来看待创新环境：一方面是软环境，它主要包括有利于创新的价值观和制度保障；另一方面则是"硬环境"，这与特色产业基地以产业链为核心的创新网络相关，它主要包括支持创新的创新服务、技术中介、知识产权服务、金融与信用服务、信息服务等等，而这些是产业集群创新必不可少的必要条件，是对创新不可或缺的重要支撑。以国家火炬计划中山小榄金属制品产业基地为例，我们可以清楚地看到这种环境建设的力量。

在国家火炬计划中山小榄金属制品产业基地在创建过程中，体系的力量显露无遗。

小榄基地建设，"硬环境"重点抓住了产业公共技术服务支撑平台，使特色产业基地的公共技术服务支撑平台成为创新环境的"硬环境"的主要组成部分，它和集群内其他创新的支撑机构共同构成了创新环境体系。

技术服务，奠定高水平的创新起点。根据广东特色产业基地建立的实践，技术服务的内容通常包括产品检测和认证、企业认证、模具开发等内容，高水平的技术服务容易催生高水平的技术创新。小榄生产力促进中心和汉信现代设计制造技术服务中心都是广东在特色产业基地和专业镇成立较早的技术服务机构。小榄生产力促进中心是小榄镇政府借鉴先进国家的做法及香港生产力促进局的成熟运作经验2001年成立的技术服务机构，旨在为企业提供科技、经济、人才、政策方面的信息服务，提供诊断和改善经营的管理服务，提供人才和技能培训服务，组织企业与研究开发机构间的交流合作，协助企业建立技术依托，组织新产品和新工艺的开发与应用，示范和推广，协助企业开拓国际合作渠道，促进科技进步，提高生产力。中心建立以后，引入了广州电科院环境技术研究所设立小榄办事处，为企业提供产品检测、管理体系认证、技术咨询服务。而汉信现代设计制造技术服务中心则是为了解决金属制品企业突出的共性问题而建立的，其主要任务是帮助金属制品企业解决产品研发，特别是快速成型、快速模具制作等方面遇到的难题。目前，汉信每年为200多家企业设计新产品80个，制作各类产品快速模型首板2000多件，为企业降低约1/4到1/3的可视成本，使得过去只能在香港、台湾、新加坡和美国才能提供的高素质设计制造服务，现在在小榄就可以提供，从而推动小榄金属制品产业向更精更深的专业化方向发展。

信用担保，推动金属制品企业技术创新。小榄金属制品产业的主体是中小企业，而中小企业融资难是当前集群发展的共性问题，资金问题是集群企业发展的主要障碍。一般情况下，企业融资渠道主要是依靠银行融资，而中小企业与银行合作通常渠道不畅、效率很低。针对中小企业融资难问题，小榄于2001年5月投资4000万元人民币成立了小企业创新发展信用担保有限公司（以下称“担保公司”），与银行合作，为具有市场前景和发展条件的中小企业解决融资难的问题，尤其对有发展潜力、对发展产业集群有重要意义的金属制品企业给予重点资金扶持。担保公司注重担保形式的多样性，注重抵押财产管理的组合性，以充分利用好企业自有资源来拉动银行信贷投放，并及时把成熟企业的扶持资金转向其他成长型企业，充分发挥对金属制品企业的推动扶持作用。担保公司着力于小榄传统金属制品行业的技术提升，把支持技术改造和科技创新作为我们工作的重点，截至2005年底止，先后对44家金属制品及相关企业提供2.2亿元的资金扶持，小榄镇的中小企业解决资金担保共计总额10亿多元，直接拉动小榄镇工业销售值50多亿元，带动小榄金属制品产业的快速提升。

中介服务，补充地方产业服务能力。为了帮助本地金属制品企业应对经营与发展过程中面临的各种各样的问题，补充政府职能的不足，政府积极鼓励和扶持中介服务企业进驻小榄，补充金属制品产业的服务配套能力，直接服务于金属制品企业，为企业在商品信息流通、出品贸易、物流运输、财务管理等方面提供服务。其中主要的机构有智得商品信息流通服务部、中山市广勤贸易有限公司、百得船务有限公司、业信会计咨询服务公司等机构。

信息服务，为金属制品企业提供最新资讯。小榄的信息服务主要由小榄生产力促进中心和“中国（小榄）五金制品产业基地网”完成。前者通过数码资讯、专业刊物等多种渠道获取科技信息和市场信息，为企业撮合商机，并先后编印了《小榄工业特刊》、《锁具博览》、《锁具采购指南》、《小榄名优产品展示》等刊物，通过参展、交流，达到信息资源共享。后者则开设了行情资讯、展会信息、供应商数据库、最新商机、材料报价、金属制品搜索等

栏目，为企业提供产品宣传，供求信息，新技术推介，为客商寻找厂家，为厂企寻找商机。进一步地，小榄实施的“千家五金企业商务e工程”，将信息服务拓宽到企业销售领域，帮助企业通过电子网站开展网上营销、技术服务和信息咨询，实现产品、服务、信息一体化，拓宽生产要素的流动和交易范围。它有效解决大多数企业网站目前存在的信息孤立、咨询静态，效益不明显、维护困难等问题，实现资源优化组合、共享，借此使小榄的金属制品企业和产品更加容易、快速走向全国、走向国际，推动小榄金属制品企业发展，为打造小榄成为全国金属制品产业基地夯实基础。

4. 民营科技园区。

广东民营科技园是指以民营科技企业为主，主要从事技术创新、促进科技成果转化、发展高新技术产业等活动，为民营企业提供信息、技术、中介等方面服务，经省科技厅认定的科技产业园区。民营科技企业是广东内源型高新技术产业发展的主力军，在国营、集体、民营、“三资”及联合经济等多种经济成分并存、共同推动高新技术产业发展的新格局中占有重要分量。

2002年，广东省政府提出在全省有条件的市县（区）构建一批省级民营科技园的要求。2002年5月，广东省科技厅制定了《广东省民营科技园管理办法》，规范广东省民营科技园的建设和管理。中共广东省委、广东省人民政府专门颁发了《关于加快民营经济发展的决定》，并决定由省财政从2003年起5年内，在原有基础上，每年增加安排科技三项经费5000万元，重点用于扶持民营科技企业关键技术、共性技术的研发和中试，省级民营科技园的规划、论证和技术创新中心建设、专业镇技术创新中心建设、省民营科技企业工程技术研发中心建设和民营企业知识产权保护工作。

根据《广东年鉴》记载，至2005年，全省已有科技部重点联系民营科技园3家、省级民营科技园11家，全省18个地市共建立了各级民营科技园20个。从2002年起省财政厅的专项园区建设经费到2005年底已安排科技计划项目118个，项目资金2945万元。据统计，2005年全省14家科技部重点联系民营科技园、省级民营科技园的工业总产值达988亿元，技工贸总收入910亿元，利润总额74亿元，上缴税金61亿元，出口创汇20亿美元。园区内共有企业3380家，其中高新企业943家，从业人员超30万人。

民营科技园发展的主要特点有：

第一，培育了一批创新型骨干企业。园区的建设和发展吸引和聚集了大批科技型的民营企业，近年来这些民营科技企业在数量不断增多的同时，规模和质量有了很大的提升，高科技、产业化、集团化发展趋势明显，园区内相当一部分企业为省级以上高新技术企业和行业龙头企业。

第二，发展了一批重点产业。依托当地产业基础，充分发挥园区创新要素高度集聚、创新能量不断积累的优势，整合资源，培育形成了一批在当地经济发展中能够起支撑作用的新产业，促进当地产业结构调整和优化升级。

第三，营造了企业创新的环境。重视创新服务平台和信息化建设，为园区内的企业提供科技、信息、人才、知识产权等各方面的服务，对帮助企业解决在发展中遇到的各种困难起到重要作用；通过不断改善园区投资环境，加强了园内外企业以及客户之间的沟通和联系。

第四，成为了当地自主创新的主体。根据各自实际情况加强园区创业服务中心、新技术产业化孵化中心和区内科技企业工程技术研究开发中心等建设，逐步形成了特色技术创新平台，为企业的技术创新提供了良好的基础和有力的支撑，成为区域创新体系的建设主体和培育高新技术企业的孵化器，促进了当地高新技术产业的发展。

第五，凸显了产学研结合载体的功能。大力支持区内企业开展各种方式的产学研合作，并积极发挥纽带和桥梁的引导作用，帮助建立企业与高校及科研院所产学研一体化的合作机制，成为高新技术成果转换的基地，促进科技成果转化为现实生产力。

第六，发挥了积极的示范作用。通过加强民营科技园建设的各项工作，推动了当地科技和民营经济的发展，成为当地发展高新技术产业和推动科技进步的示范园区。

第九章
直挂云帆济沧海
——知识产权保护应势而起

作为一种智力成果的所有权，知识产权自诞生以来就像一位手执神奇魔棒的人间天使——她鼓励创造、赞美创新；她从不吝于钦赐，哪里有思考，哪里就有她的微笑；哪里有智慧，哪里就有她的身影。

《中国专利法》从 1985 年开始实施，然而广东的专利工作在历经了好几年的启蒙期之后，才伴随着新世纪的征程真正完成起航。从专利试点之日起，知识产权工作便不断突破以往技术保密的种种藩篱，以其垄断的形式确保着因创造带来的私人利益的最大化，从而成为了广东科技人才的高效催化剂，在改革开放的 30 年间，激励着广东人才源源不断地作出创造性贡献。在知识产权的保护大伞下，一批批科技型企业应运而生，一片片科技园区逐渐遍布了南粤大地，一所所高校与科研院所干劲十足地探索着产学研结合的新道路——30 年来，科技与经济在知识产权这驾马车的拉动下，辟出一路光芒！

“今天创造未来”，这是 2001 年首个“世界知识产权日”的主题。树立尊重知识、崇尚科学和保护知识产权的意识，营造鼓励知识创新和保护知识产权的法律环境，这是全世界知识产权工作的宗旨，更是广东发展的新命题之一。随着经济全球化的浪潮，涉外知识产权纠纷等挑战也逐一涌现，如何进一步组织重大科技攻关，如何获取自主知识产权，如何利用失效专利资源，如何加强知识产权中介服务体系建设……新形势下，知识产权工作任重道远。

一、知识产权保护缓慢起航

镜头画面：1985年4月1日《中国专利法》实施

> 知识产权制度的思想居然在包括广东在内的中国大陆经历了相当长时期的启蒙时期。专利法实施后一段时间里，广东的专利工作的影响十分有限。1985—1990年，广东省受理专利案件仅为71项，审结专利案件为45项。

17世纪中叶法国学者卡普佐夫最早提出“知识产权”一词。从此，它给人类带来了翻天覆地的变化。

知识产权是智慧财产权，是产权者对其智力劳动成果所依法享有的专有权利，是脑力劳动者建立诚信秩序，获得物质回报和精神成就的重要保证。产权是一种垄断权，使私人利益最大化，因而是比科技成果奖励、奖金更大的收益，更能激励人才作创造性贡献。产权所有者可以出卖自己的产权，也可以自己利用形成实业。爱迪生是发明大王，但更是知识产权的拥有大户。贝尔发明了电话，并成立世界驰名的贝尔电话公司。诺贝尔依靠他的专利建立了不朽的诺贝尔奖。

上面这种思想和实践的智慧，居然在包括广东在内的中国大陆经历了相当长时期的启蒙时期。

《中国专利法》于1985年4月1日开始实施。在这之前，举国强调的是从国家安全考虑的技术保密。1983年广东省政府颁布有《广东省科学技术保密细则》。技术保密目前在国内仍然十分流行。1995年11月、1997年7月，深圳和珠海两市人大先后通过了深圳经济特区和珠海市的《企业技术秘密保护条例》。1999年广东省九

届人大在颁布施行了《广东省技术秘密保护条例》。

但知识产权制度远远超过技术保密。根据知识产权制度，专利发明人拥有对专利的私权（垄断权，使私人利益最大化），但与公众利益不矛盾：专利申请项目在审查时要求发明者公开技术秘密，这有利于提高公众的创新水平。这与技术秘密不同。技术秘密不公开，但不受专利保护。知识产权不仅仅是保护的问题，更是值得开发的优质创新资源。如果专利发明人不使用该专利，他可以出卖自己的专利。在国际上，利用专利是利用国际科技资源的重要组成部分。强化知识产权制度，还可以激发知识产权拥有者持续投入，因为发明人发明核心专利后，别人可以在他的基础上发明外围专利，包围核心专利，进而出现交叉许可，共同促进行业技术的发展。

专利法实施后一段时间里，广东的专利工作的影响十分有限。1985—1990 年，广东省受理专利案件仅为 71 项，审结专利案件为 45 项。

在广东省的早期知识产权工作中，政府的主导作用是显而易见的，突出体现在一系列法律文件的颁布和实施。1986 年 7 月 30 日，广东省人大常务委员会通过了《广东省技术市场管理规定》。1996 年 9 月 25 日，广东省人大常务委员会通过《广东省专利保护条例》。该条例是全国第一部专利保护方面的地方性法规，强化了专利行政执法的手段和力度，较大地改变了广东专利申请发展迅速而专利保护工作滞后的现象。这个法规在立法技巧和立法内容上都有独到之处，明显改变了专利管理机关在执法工作中手段无力，措施刚性差，执法软弱的现象，使加强执法力度不再是一句空话。

1998 年 12 月 31 日，广东省人大常务委员会第 7 次会议通过《广东省技术秘密保护条例》。1999 年 7 月 30 日，当时广东省科委颁发了《广东省科学技术计划知识产权管理办法》。2000 年 9 月 21 日广东省科学技术厅、广东省知识产权局联合颁发《关于加强我省高新技术产业开发区知识产权工作的通知》，敦促各高新区认真调查本区知识产权工作现状，如实填报《广东省高新技术产业开发区知识产权工作现状调查表》。2000 年 7 月 27 日，省九届人大第十八次会议通过《广东省技术市场条例》。

• 广东省专利试点

2000年初，国家知识产权局和国家经贸委联合下发了《关于开展全国企（事）业专利试点工作的通知》，要在全国范围内开展专利试点工作。实际上，广东省早在1996年就开展专利试点工作。1997年确定了首批12家，1999年确定了第二批27家，2000年又确定了第三批25家。试点工作迅速产生明显的成果。据广东省知识产权局公布的材料，至2000年底，64家省试点企业累计申请专利3935件，累计授权2694件，仅2000年就申请1266件，授权794件，分别占全省企业申请量和授权量的12.7%和10%。专利技术的实施为企业带来了巨大的经济效益。2000年64家省试点企业总销售额达1176亿元，创汇13亿美元，其中专利产品销售额达787亿元，占企业总销售额近2/3，创汇4亿美元，占企业总创汇近1/3。专利产品在省专利试点企业的销售额中所占的比例越来越大，占60%以上的企业有29家，占80以上的有20家，甚至有6家100%的是专利产品。

企业作为全省专利工作的主体，为广东成为全国专利大省做出了巨大的贡献，而64家省专利试点企业作为全省企业专利工作的先锋，更是带动了全省企业专利工作的开展。仅2000年，全省企业专利申请量9988件，同比增长19.3%，占全省专利年申请量的47.3%，占全国企业专利申请总量的约1/4，保持了在全国领先的地位。

省专利试点企业不仅仅是在专利申请的数量占优势，其专利申请的质量有更好水平的发挥，技术含量较高的发明专利申请仅2000年就有434件，占全省发明专利申请量的近1/4，其中有10家企业的发明申请量占企业总申请量的50%以上。

试点工作的开展，涌现出一批专利大户。《广东省知识产权年鉴》提供的数据表明，历年累计专利申请量100件以上的有10家，2000年专利申请量100件以上的有4家。其中，像华为、美的等老专利试点企业的专利工作一直遥遥领先。华为公司的知识产权部专职工作人员多达30多人，2000年就申请专利222件，其中发明177件，占公司当年申请的80%，这充分体系出华为公司雄厚的技术力量；美的公司2000年申请也达到了155件，至2000年底累计申请专利457件，在国内家电行业稳居第二。而科龙等一些老专利试点企业又焕发出新的活力，2000年申请专利124件，同比增长70%，其中发明专

利23件，同比增长360%。中兴等一批新的专利试点专利工作迎头赶上，2000年申请专利200件，其中发明150件，至2000年底累计申请专利380件，其中发明280件。这些创新能力强的专利试点企业的专利工作已初具规模，与国际知名企业的差距正逐步缩小。

二、初结丰硕成果

镜头画面：广东发明专利

> 引人注意的是，广东申请国外专利从零起步，迅速增长。在20世纪90年代以前，广东在国外申请专利数量为零，但在20世纪90年代后期快速增加。截至2004年底止，美国授权专利的申请人属于广东的共有153件，其中2001—2004年一共获授权专利100件。

广东知识产权工作战略，以专利工作为核心，逐步向外扩展，根据《广东自主创新能力研究》报告，广东专利申请量从1985年的286件，上升至2004年的52201件，发展速度十分迅速。专利授权量从1985年的1件到2004年的31446件，实现了专利工作的巨大飞跃。

2004年，广东专利申请量占全国的14.8%，专利授权量占全国的16.5%，均比第二位高出1倍以上。广东专利申请量与授权量从1995年开始连续10年占据全国各省、市首位。

在2004年广东获授权的专利中，发明专利占6.2%，实用新型占29.6%，外观设计占64.2%，外观设计专利占大多数。

引人注意的是，广东申请国外专利从零起步，迅速增长。在20世纪90年代以前，广东在国外申请专利数量为零，但在20世纪90年代后期快速增加。截至2004年底止，美国授权专利的申请人属于广东的共有153件，其中2001—2004年一共获授权专利100件，占了获授权总量的2/3。

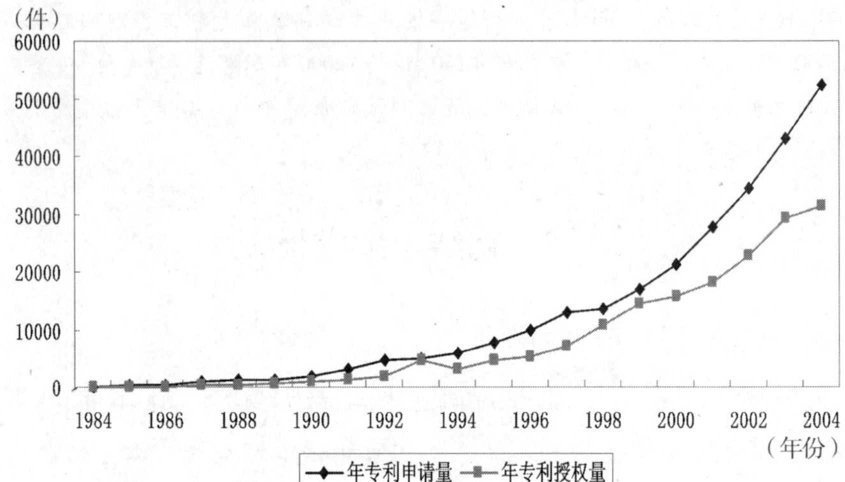

图9-1　广东历年专利申请授权情况

引自《广东自主创新能力研究》，2005。

技术标准是知识产权工作的重要组成部分。广东企业参与国际技术标准，首先从申请国际技术标准认证开始，并迅速受到企业的热切关注。一方面是为企业进入国际市场做准备，另一方面是为了证实企业自身的管理制度、质量管理手段等的合理性，在普遍缺乏诚信的企业群中建立可靠的信任度。根据统计，至2003年，全省通过采标（即采用国际标准和国外先进标准）的企业4592家，通过采标的产品5736种。

作为国家"重要技术标准研究"专项首批四个试点城市之一，深圳市对技术标准研究可谓不遗余力。它在全国率先推出技术标准研制资助管理办法，政府累计向企业投入专项资助经费达1800万元。同时，建有华南最大的技术标准文献库，参与国家、行业标准制定340余项。华为、中兴、海川等三家单位为国家"重要技术标准研究"专项试点企业。

广东企业显示出非常积极的参与标准制定的热情。通过加强行业内联合，企业努力将本企业的专利纳入国内、国际行业技术标准中，构筑我国技术标准体系。如中兴通讯公司高度重视行业标准化

工作，近两年国内通信行业标准研究组共立项256项，中兴通讯公司参与了其中90%以上项目的研究，其中牵头起草的就有100多项，在移动通信、传输与介入、网络交换、IP等领域的标准研究占据了领先地位。该公司立足国内标准研究，积极参加国家标准制定工作，进而提升为国际标准，以在国际化市场环境中拓展生存空间。

商标是一项传统而基础性的工作，在广东发展具有明显的阶段性。在计划经济体制时期，广东商标发展缓慢，到1979年全省仅有注册商标1921件。在改革开放以后的前13年，企业逐步走向市场，商标逐渐得到消费者和生产者的认可。到1992年，广东有效注册商标达27450件，比1979年增长13倍。1992年以后，广东商标事业不断跃上新台阶。截至2004年底，广东累计有效注册商标达28万多件，占全国1/8。广东的商标申请量与注册量连续10年居全国首位。

进入20世纪90年代，广东商标工作进一步发展为商标战略。许多企业致力于培育、保护著名商标和驰名商标，提出要以名牌战略促进企业的技术创新、产品结构调整和经营机制转换，促进企业集团和支柱产业的形成和发展。根据广东省工商行政管理局和《广东自主创新能力研究》的资料，从1997年至2004年，广东省著名商标委员会先后认定了8批共746件广东省著名商标。其中，中山沙溪的服装行业中，名牌企业（包括著名商标、名牌产品的拥有主体）的产值占该地区经济总量的2.9%；古镇的灯饰行业中，名牌企业产值占地区经济总量的3.1%；佛山陶瓷行业中，名牌企业产值占该地区行业经济总量的15%左右。

三、齐头并进

镜头画面：中山大学与广东恒兴合作建设“863”计划“海水养殖种子工程基地”

知识产权已成为产学研各主体的核心工作。近年来，在产学研合作过程中，许多高校都已将知识产权工作的业绩列入职称评聘与年度业务考核指标体系，并纷纷建立健全了对知识产权工作的激励制度。

1. 科技型企业。

科技型企业是广东改革开放以后逐步发展壮大的。特别是在产业结构调整和优化升级中，高新科技企业和民营科技企业占据着越来越重要的位置。目前广东高新科技企业和民营科技企业的技术经济活动已覆盖了国民经济的主要行业。就知识产权工作而言，广东民营科技企业的知识产权创新成效显著，涌现出一批像华为、中兴、TCL等依靠创新技术，开发创新产品，提高产业竞争力的高新技术企业。

根据“2004年广东自主创新能力研究”课题组研究，除个别年份外，广东民营科技企业的专利申请量及其占全省比重连年上升，专利授权数以及专利实施数稳步增长。国内专利申请量前100名的科技企业中，广东占了25%以上，其中华为、鸿富锦、中兴位居前六名，而这三家企业的发明专利量在国内企业中还分别名列第二、三、四位。其中华为的专利申请2176项，在全国的国内企业排名第二。中兴、科龙、美的等企业作为广东专利工作试点企业，均进入了全省专利申请量的前10位。在国外申请专利中，至2004年底至，美国授权专利的申请人属于广东企业的共有153件，其中2001—2004年一共获授权专利100件，占获授权总量的三分之二。

通过消化创新和集成创新是广东民营高新技术企业知识产权的主要来源。TCL集团在20世纪90年代中期的新产品开发大部分只能从国外引进和模仿，通过几年的引进消化和自主创新，已经逐步自主研制出超平彩电、音响电视、HDTV等一系列新产品。2003年初，只有日韩等少数企业掌握PDP（等离子）驱动电路核心技术，

TCL通过对LG的产品进行测试、分析，制定出自己的研发方案，在国内率先完成了PDP驱动电路和控制器的自主设计。以华为、中兴为代表的通信制造业企业则通过集成创新，成功打破了国外公司的垄断，现拥有全线通信产品的自主知识产权。在程控交换机、SDH/DWDM传输设备、移动通信设备上占据优势地位，在3G技术、光纤网络、核心交换路由器、IPv6等方面紧跟国际发展前沿，并开始参与国际标准的制定。

一直以来，广东电子及通信设备制造企业一枝独秀，拥有发明专利1145件，占全国的54.5%；电子计算机及办公设备制造企业拥有发明专利85件，占全国的31%；医药制造业企业的专利44件，占全国的9.6%。电子及通信设备制造企业的专利申请增长十分迅速，由1995年的19项增长到2002年的2114项，增长超过100倍。在2004年全省四大高新技术领域中，电子通信设备制造企业的专利申请量最高，

广东省重奖中国专利奖获奖企事业单位实施办法

第一条　为贯彻落实《中共广东省委、广东省人民政府关于加快民营经济发展的决定》，激励我省广大企事业单位发明创造的积极性，提高我省自主知识产权和核心技术的拥有量，制定本办法。

第二条　省政府重奖每届我省获得中国专利奖的企事业单位，凡广东省辖区内的获奖企事业单位，均享受本办法规定的各种奖励措施。

第三条　凡获得中国专利金奖的，予以每项100万元的一次性奖励；凡获得中国专利优秀奖的，予以每项50万元的一次性奖励。

第四条　省财政设立每两年一届“中国专利奖奖励”专项预算。

第五条　每届中国专利奖公布授奖决定后，省知识产权局将我省获奖企事业单位名单报送省财政厅，由省财政厅确认并核拨奖励资金。

第六条　省政府每两年召开一次“广东省重奖中国专利奖获奖企事业单位奖励大会”，在会议上表彰我省获得中国专利奖的企事业单位，颁发奖金，并在我省主要报刊上公布获奖专利项目和获奖单位，进行广泛宣传。

第七条　获得省政府重奖的企事业单位，应将部分获奖奖金用于奖励获奖项目中的专利发明人或设计人以及对该项专利技术实施做出实质性贡献的单位和个人。具体办法由省知识产权局制定。

第八条　本办法自发布之日起生效。

占93%；其余三个领域的专利申请量总共只有7%。

2．高校与科研院所。

高校与科研院所所创造的知识成果，在知识产权保护制度中占据着不可替代的重要位置。从我国实施专利制度以来，广东部分高校相继出台了知识产权保护的规章制度。如中山大学于1988年制定了《中山大学高校专利工作管理办法》，2000年进一步制定了《中山大学高校专利基金管理暂行办法》，决定对发明和实用新型专利申请有关费用给予资助。华南理工大学于1999年出台《关于加强我校知识产权保护工作的决定》，进一步加强学校专利保护和管理工作，加大奖励力度，同时将专利成果纳入教师科技工作考核、职称评聘指标体系。汕头大学采取了严格的管理措施，对学校承担的各级政府部门下达的纵向任务以及企事业单位委托的横向项目，要求项目负责人与校科研处签订校内责任协议书。其他各高校纷纷效仿。在全省27所理工农医科本科高校中，有6所高校成立了知识产权管理办公室或建立了专门的知识产权工作机构，其他高校也指定了知识产权管理机构。高校和科研机构知识产权宣传工作

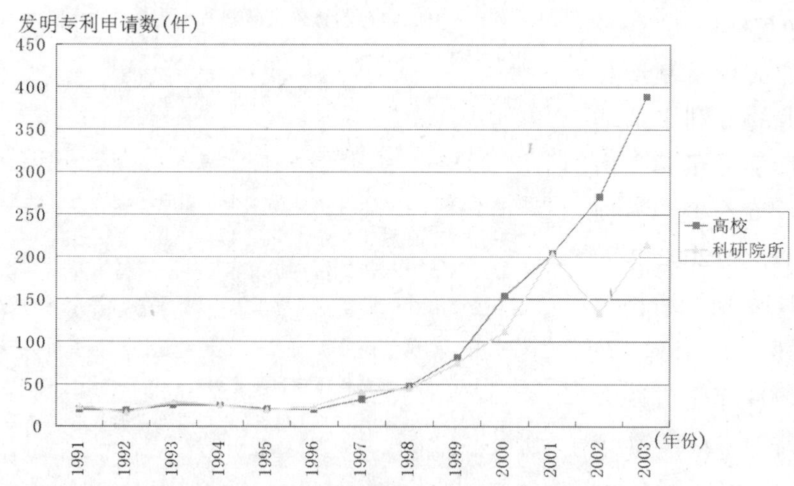

图9－2　广东省高校与科研院所历年发明专利申请情况图

引自《广东自主创新能力研究》(2005)。

进一步加强，知识产权保护和应用意识普遍提高。为全面提升高校知识产权工作，广东省知识产权局和省教育厅联合出台了《广东省高等学校知识产权管理规定》，在规定中明确要求高校加强知识产权运营促进科技成果转化，强化激励机制，应当向成果的主要完成人支付报酬，或分配部分的股权收益。

高校和科研院所制定专利工作管理办法，落实管理机构和管理人员，普及专利知识，有力推动了知识产权工作的开展，并取得了显著的成效。根据广东省知识产权局统计，2003 年全省高校专利申请量为 532 件，同比增长 38.5%，其中发明专利申请量为 389 件，同比增长 43.5%；2003 年广东省科研院所专利申请量为 299 件，同比增长 54.1%，其中发明专利申请量为 215 件，同比增长 60.4%。

广东省高校和科研机构知识产权创造日益增多，专利申请量持续快速增长，使知识产权的产学研合作具备了良好基础。截至 2002 年年底止，全省高校已累计申请专利 1723 件，在全国各省、市高校中排名第七，其中发明专利 1010 件，占 58.6%，在全国各省、市高校中排名第六。2002 年全省高校专利申请量为 384 件，在全国高校中排名第六，与 2001 年相比增长 25.9%，其中发明专利申请量为 271 件，同比增长 32.8%。2000—2002 年广东省高校申请专利达 926 件，其中发明专利申请 629 件，占 68%，专利申请量的年均增长率为 27.3%，发明专利申请量年均增长率为 32.7%。除了专利申请外，广东省高校计算机软件著作权登记和商标注册也已起步。截至 2003 年 10 月止，计算机软件登记申请已有 51 件，注册商标也已有 7 件。2004 年广东省自然科学研究机构专利申请量为 181 件，专利授权量也达到了 136 件。这也说明，广东高校和科研机构知识产权工作已从单纯的专利工作逐渐向全方位发展，产学研合作基础不断加强。

高校和科研院所通过实施或转让专利，在工业、农业以及各个社会发展领域，都已有一批专利技术转化为生产力，取得较为显著的经济效益和社会效益。中山大学的专利产品“体外反搏器”，不仅已在国内4000多家医院应用，上百万病人得到治疗，而且已出口至欧洲、美国、南亚等国家和地区，获经济效益3亿多元，创汇达1000多万美元。“中高浓度纸浆少污染漂白的方法与装置”项目是华南理工大学负责完成的，已在国内多家造纸厂推广使用。该校的“高性能钢铁基粉末冶金材料的制备、成形及其应用”项目，已形成规模生产，新增经济效益1亿多元。

3．产学研结合。

改革开放以来，知识产权合作的载体建设逐步完善成为广东知识产权实践的重要特色之一。产学研知识产权合作关系由松散转为紧密，由分散走向集约。全省逐步建立了以企业为核心、产学研结合的技术创新体系，在知识产权转化方面初步形成了利益共享、风险共担的产学研一体化运行机制。至2005年，在全省已建成300余家由企业或由高校、科研机构和企业共同参与组建的工程技术开发中心或技术创新中心，在19个地级市陆续建成了119个各具特色的专业镇，还有一批大型企业与高校、科研机构建立起全面合作的、稳固的技术联盟以及一批大学科学园区和其他各类科技园区、开发区内集聚了省内外一大批知名高校、科研机构，使广东省产学研结合逐步走上了紧密型、集约化的发展轨道。

产学研合作创造和应用知识产权的模式呈现多元化趋势。目前主要有以下四种模式：第一种模式，产学研合作开发。以项目为纽带，通过委托开发、共同开发等形式，共同产生和应用知识产权，建立长期稳定的合作关系。第二种模式，共建产学研相结合的技术开发实体或科工（农）贸一体化经济实体。或是高校和科研院所与企业联合建立工程技术研究开发中心、中试基地、示范基地等，或是组建股份制科技经济实体。第三种模式，高校、科研机构创建科技园区。第四种模式，政产学研联合协调模式。这是在政府部门的直接参与和推动下，实现产学研全面合作。在实施科技发展计划中，省科技厅实施了省市联动共同推进专业镇（区）建设和推动县域经济发展的一系列措施，进一步推动了政产学研结合向着更加深入的方向发展。

知识产权已成为产学研各主体的核心工作。近年来，在产学研合作过程中，许多高校都已将知识产权工作的业绩列入职称评聘与年度业务考核指标体系，并纷纷建立健全了对知识产权工作的激励制度。

据《广东省知识产权年鉴》统计资料，2000—2002 年广东省 27 所理工农医本科高校共实施或转让专利 145 件。其中，2002 年就有 60 多件专利技术实施或转让。

中山大学与广东恒兴集团有限公司合作建设科研基地，开展凡纳对虾（俗称“南美白对虾”）SPR 品系选育等一系列技术研究，使这家公司在不到 6 年的时间里发展成为一家集饲料生产、海水种苗繁育、水产养殖、水产品加工、科研开发及进出口贸易为一体的跨地区、跨行业的高新技术民营企业，建成了我国第一个国家“863”计划“海水养殖种子工程基地”，极大地提升了企业的竞争力。广东温氏食品集团有限公司是华农动物科技学院技术入股的企业，他们坚持“公司 + 农户 + 基地 + 高校”的模式，陆续建立健全了 10 大技术的综合开发体系，使企业由生产经营型发展成为科技产业型。2004 年公司销售收入达 55. 46 亿元，带动合同农户 29500 户，带动农户增收 4. 73 亿元，平均每户增收 16034 元。

• 战绩：知识产权战略显成效

根据国家知识产权局公报，2007 年广东省专利申请量和授权量连续 13 年位居全国首位，专利结构不断优，有如下特点：

广东省发明专利申请量 23 年来首次超过实用新型专利申请量，占全省专利申请量的比例超过四分之一，达到了 26. 1%，全省专利申请结构不断优化。

珠三角地区领跑全省专利申请。2007 年，广东省深圳市专利申请量突破 3 万件，达 35811 件，连续两年超过北京，仅次于上海；同期，深圳市发明专利申请量为 19198 件，连续两年超过北京及上海。佛山、东莞、广州专利申请量均超过 1 万件，分列全省第二、三、四位。其中，深圳华为、中兴是广东省乃至全国知识产权战役的企业“明星”。其通过自主研发创新，申请专利，不断拓展属于它的广阔“疆土”。

企业创新主体地位不断突出。2007 年，广东省企业申请专利 42701 件，同比增长26.6%。其中，发明专利申请20296件，同比增长31.3%，发明专利申请占企业专利申请量的47.5%。广东省企业专利申请量及发明专利申请量继续位居全国第一。

PCT专利申请连续六年保持全国首位。2007年，广东省通过PCT途径申请国外专利2646件，同比增长52.9%。

四、让知识产权飞得更远

镜头画面：省委理论学习中心组第四十七期广东学习论坛报告会

2007年12月27日，新任省委书记汪洋出席省委理论学习中心组举行第四十七期广东学习论坛报告会。报告会邀请中南财经政法大学校长吴汉东教授作了“实施知识产权战略与建设创新型国家”的专题报告。专题报告会反映了新一届广东省委领导对知识产权战略的高度重视。

随着我国加入世贸组织和广东对外开放不断深化，众多企业在参与国外市场竞争时，不仅要应付反倾销等问题，还要面临专利侵权诉讼、技术壁垒等知识产权问题的挑战。世界贸易组织《与贸易有关的知识产权协议》对其成员的知识产权保护水平提出了更高的要求，并且引入了以贸易报复为主要手段的统一的争端解决机制，知识产权保护情况已成为国际贸易的先决条件之一。

知识产权从个人层面来看，是知识财产私有的权利形态，是有别于传统财产所有权的一种新型权利；从政府视野来看，是公共政策的制度选择，是一个地区走向现代化的必然选择；从国际意义上讲，是国际贸易体制的基本规则，是各国和地区自身发展、制度选择的结果，也是遵守国际条约、履行“入世”承诺的需要。随着经济全球化的深入发展和知识经济的蓬勃兴起，知识产权制度在经济社会发展全局中的地位和作用得到了显著提升。知识产权资源日

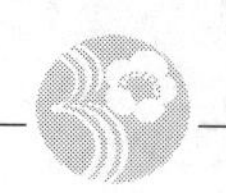

益成为经济社会发展的战略性资源，知识产权发展水平日益成为衡量一个地区综合实力、发展能力和核心竞争力的战略性标志。加快知识产权发展，已成为促进科技进步、经济发展和文化繁荣的战略选择。

2005 年 8 月 19 日，广东省政府决定成立由主管副省长宋海任组长，34 个部门组成的“广东省知识产权战略工作领导小组”，开展全省知识产权战略的研究及制定工作。领导小组下设办公室，办公室设在省知识产权局。2007 年 4 月 11 日，省长黄华华主持召开广东省政府常务会议，审议并原则通过《广东省知识产权战略纲要（2007—2020 年）》，要求在修改并充实内容后，报经省委常委会议审定，以省政府名义印发。2007 年 5 月 11 日，中共广东省委、省委常委会议审议并原则通过《广东省知识产权战略纲要（2007—2020 年）》。2007 年 11 月 6 日，广东省人民政府发出《印发广东省知识产权战略纲要（2007—2020 年）的通知》，正式颁布并实施知识产权战略纲要。

纲要指出，知识产权制度是市场经济条件下激励创新、鼓励竞争的一项基本制度，是科技创新、体制创新的重要制度，全省必须坚定不移地确立和实施知识产权战略，从全局和战略高度谋划和推进知识产权发展。这是提高自主创新能力的必然选择，是实现科学发展的内在要求。至此，实施知识产权战略已成为广东省贯彻落实科学发展观，提高自主创新能力、建设创新型广东的重要内容。

2007 年 12 月 27 日，新任省委书记汪洋出席省委理论学习中心组举行第四十七期广东学习论坛报告会。报告会邀请中南财经政法大学校长吴汉东教授作了“实施知识产权战略与建设创新型国家”的专题报告。专题报告会反映了新一届广东省委领导对知识产权战略的高度重视。

• 遭遇涉外知识产权纠纷

美国东部时间 2006 年 2 月 10 日，深圳市朗科科技有限公司把美国存储市场排名第二的 PNY 公司告上了法庭。朗科控告美国 PNY 公司侵犯了其在美国

申请的专利，该专利是闪存盘、闪存MP3及其他闪存移动数码产品的基础性专利。朗科要求PNY公司停止其侵权行为，并赔偿由此给朗科造成的经济损失。这是继2004年诉索尼胜利之后，朗科第二次将国际厂商告上法庭。但不同之处在于，朗科诉索尼尚在中国境内，但这次告状却是远赴美国本土，依仗的武器是其在美国取得的专利权。

深圳市朗科科技有限公司（Netac Technology Co.，Ltd.）是一家由留学归国人员创办的高新科技企业。公司成立于1999年5月，现有员工数百人。朗科公司推出的以优盘为商标的闪存盘（OnlyDisk）是世界上首创基于USB接口，采用闪存（Flash Memory）介质的新一代存储产品。闪存盘，是中国在计算机存储领域属于中国人的原创性发明专利成果。它的缔造者——深圳市朗科科技有限公司亦因此而驰名中外。1999年，该公司在世界上率先成功研制出了新一代移动存储器——闪存盘，取名“优盘”。并分别于2002年7月在中国获得闪存盘发明专利（专利号：ZL991 17225.6），2004年12月在美国获得权利范围相同的发明专利，专利号为US6829672。

被称为“闪存盘之父”的朗科总裁邓国顺在四年闭门造“盘”后善于运用专利“大棒”保护自己的核心技术。“朗科所掌握的自主知识产权，就是进军国外市场的门票。”邓国顺认为。的确，朗科拥有的自主知识产权赢得了国外诸多公司的认可，其国际化的进展非常顺利，其内外兼修策略也收到了良好的效果。在成立之初的1999年下半年，朗科的全部销售额为120万元，而2000年即达4000万元。2001年朗科的销售额超过亿元，2002年全年销售额超过了2亿元人民币。2003年，尽管经历了SARS及闪存芯片供需紧张的双重打击，朗科的业绩仍然高速增长。2004—2006年，朗科用不断前进，刷新一项项纪录。

1. 努力创造自主知识产权。

《广东省知识产权战略纲要》特别强调强化企业创造知识产权的主体地位和作用，培育一批拥有自主知识产权和较强国际竞争力的龙头企业。《纲要》要求到2010年，广东省知识产权优势企业达到300家，知识产权示范企业达到50家。探索开展自主知识产权企业、产品认定工作，制定扶持自主知识产权企业、产品的发展措施。大力扶持企业创建省级以上名牌产品、中国驰名商标和省级著名商标。积极扶持版权作品创作项目，继续做好“版权兴业”

重点企业的认定、扶持和资助工作。在合资合作企业中倡导发展自主产权的商标，在合资合作产品中倡导使用商标的本土化。大力发展自主知识产权，围绕九大支柱产业、高新技术产业、现代服务业、现代农业、文化产业等产业，组织行业性联合科技攻关，努力获取一批促进产业发展的共性技术和关键技术，形成一批行业自主的知识产权。继续培育和发展一批省级知识产权试点、示范单位和区域。积极创造条件，争取将更多城市、园区、企事业单位列入国家级知识产权试点、示范行列。制定全省商标发展规划，实施自主品牌建设工程。依托专业镇和产业集群，发展一批具有较高知名度和影响力的集体商标。着力开发具有岭南特色的民间文化资源，在挖掘整理民间文化和开展非物质文化遗产保护工作的同时，注重创新并形成版权。培育若干“版权兴业”示范基地，积极发展版权产业链，形成版权产业群。鼓励集成电路布图设计登记，积极推进集成电路设计产业化基地的建设。指导和帮助企业提高保护商业秘密的认识和能力。制订优良植物新品种选育保护计划，培育和推广具有地域优势的植物新品种。鼓励地理标志的申请，推动地理标志的开发。

提高高等学校与科研机构知识产权创造能力是《广东省知识产权战略纲要》强调的另一重点。它要求引导高等学校和科研机构建立健全知识产权工作机构与管理制度，有条件的高等学校和科研机构应设立知识产权工作专项资金。高等学校和科研机构要将知识产权量化指标纳入科研开发或教学实践工作的评价、考核体系，形成以市场为导向的新型研究开发机制。鼓励和引导高等学校、科研机构与企业通过委托开发、技术协作、共同研发等形式开展技术合作，构建产学研知识产权联合体。到2010年，全省知识产权示范高等学校和科研机构达到10家。

• 科技园区知识产权

2000年6月，省科技厅、省知识产权局联合发出《关于在我省高新技术产业开发区深入开展知识产权工作的通知》。2001年，省科技厅、省知识产权局、省环保局确定了中山火炬、惠州仲恺、珠海、佛山和汕头5个高新技术产业开发区为“知识产权管理制度与环境建设试点示范区”，2002年又将广州高新区确定为试点示范区。2002年6月4日，省政府颁发了《广东省高新技术产业开发区管理办法》，要求“高新区所有区内企业、事业单位应加强知识产权保护”，使广东省高新区的建设逐步进入法制化的轨道，促进高新技术园区和高新技术产业更加深入、持续、稳定和健康的发展。各试点区管委会针对专利、商标、版权、技术秘密等知识产权的管理和保护制定了一系列的规范性文件。同时，各区管委会加强了对区内企业建立制度的指导，各区重点企业建立了知识产权管理制度，在专利和商标的申请、管理、保护、激励发明人（设计人）、信息利用等方面做出详细的规定。

《TCL集团股份有限公司专利管理办法》共11章49条，涉及专利工作任务、机构人员、专利申请、专利实施、专利保护、专利资产管理、进出口中的专利工作、专利文献利用、奖励和费用等专利管理工作的各个方面和细节，全面而具体。经过努力，高新区知识产权拥有量明显提高，2000年6个区专利申请总量仅为333件，开展工作3年后，2003年的总量上升到838件，增加了1.52倍，商标拥有量到2003年也达到680件。

• 知识产权优势企业群

2007年6月26日，在深圳市知识产权工作会议上，赛百诺、大族激光等20家深企获评深圳市“知识产权优势企业”。至此，继华为、中兴等10家企业2006年首批获得这一殊荣之后，深圳已有30家“知识产权优势企业”。统计数据显示，近3年来，除驰名商标、版权等知识产权快速增加外，深圳专利申请在质和量上迅速提升：2004年和2005年，专利申请量分别突破1万件、2万件大关；2006年，专利申请量又达2.9万件，跃居全国大中城市第二。在最具“含金量”的发明专利申请方面，深圳2006年申请量达1.45万件，一举由全国第三跃居全国第一，PCT国际专利申请量为1604件，继续排全国第一位。

知识产权优势企业和龙头企业是让深圳快速跃升成为全国知识产权产出重镇的最大支撑力量。根据深圳市知识产权局公布的报告显示，2006年，深圳的专利申请人主要为企业，包括华为、中兴等在内的全市发明专利申请“20强”，已撑起全市专利申请量的“半壁江山”——其专利申请量已占全市总申请量的49.9%；其提交的发明专利申请，更占到了全市发明专利申请总

量的83.1%。其中，仅华为一家，2006年一年就申请各种专利5736件，位居全市第一。

对“知识产权优势企业”每家予以30万元奖励，是深圳市知识产权部门为推动深圳专利申请继续保持快速增长的举措之一。它激励“知识产权优势企业”加速在专利及品牌等知识产权领域的产出。

2. 组织重大科技攻关获取自主知识产权。

在广东科技发展计划中，历来重视重点领域和优先主题，对重点技术领域进行规划和布局，集中科技资源进行重大攻关，实现重点技术的自主知识产权化。实施重大专项主要针对行业核心技术的突破，组织集成行业相关技术，形成自主知识产权链，开发具有高度技术相关性和产业带动性的重大战略产品，形成配套产业，带动新的产业群体，形成新的经济增长点。省政府有关部门每年选择若干经济建设和产业发展中重要高科技装备、产品和关键技术，在高起点引进基础上，组织消化、吸收和再创新，掌握其核心技术，获得自主知识产权，并转化为技术标准，抢占行业制高点，大幅提升产业竞争力。

1995年以来，全省共实施国家级、省级科技项目9700多项，其中，省集中科技经费10亿多元，带动全社会科技投入上百亿元，重点组织实施了软件、集成电路、网络、通信、智能交通、先进制造技术与制造业信息化、生物技术药物、电子新材料与元器件、纳米材料、新能源、中药现代化、海洋资源开发利用、清洁生产、食品安全、农产品深加工与保鲜等26个重大科技专项，自主研究开发出一批重大成果。共申请专利2000多项，其中发明专利500多项。获得省级科技成果1920项，获国家级奖励42项；通过科技成果转化，开发出国家级新产品327个，可计算新增经济效益达5000多亿元。2005年粤港两地联合投入5亿元，在信息与通信、新材料、生物医药及医疗器械、精密装备制造关键技术、农产品深加工技术及食品安全、环保与清洁生产关键技术等6个领域开展联合招标，进行专项科技攻关。这批关键技术攻关带动了企业和社会100多亿元的投入，可获得一批拥有自主知识产权的关键技术。

3．利用失效专利资源。

从专利申请和保护，到国际知识产权资源的利用是一次知识产权认识的巨大飞跃。广东高新技术产业界已经重视失效专利的利用问题。通过利用失效专利，广东医药制造企业开发了多项具有市场竞争力产品，扩大了医药产业规模。电子通信设备通过充分利用国内外失效专利，在原有专利成果的基础上开发出许多新的具有外国授权专利。利用失效专利的成果是高新技术企业尤其是大企业开展知识产权创新活动和产业化的重要必备手段。

省政府对此非常重视，在《转发省科技厅关于进一步加强我省科研计划项目研究成果知识产权管理意见的通知》中，修改和完善了科技计划管理制度，在各类科研计划管理办法中增加有关知识产权管理的具体要求和内容，把知识产权的取得、保护和运用，作为科技计划管理的重要内容。有关主管部门多次开展失效专利检索培训班，以进一步推动企业重视失效专利的利用。广东省专利信息中心等知识产权信息服务机构也加大了失效专利数据库建设力度，这无疑为广东省高新技术企业充分挖掘无效专利信息的价值创造了更好的条件。

4．加强知识产权中介服务体系建设。

1985年，随着《专利法》的实施，广东省成立了第一批事业单位性质的专利代理机构，共8家。随着专利事业的发展，专利代理队伍不断壮大，至2000年底，全省专利代理机构发展到25个，专职专利代理人131，兼职专利代理人63人。期间，顺应市场经济发展的要求，全省于1993年成立了第一家合伙制专利代理机构—深圳睿智专利事务所，并在随后的7年里，先后共成立了6家合伙制和有限责任制代理机构，这些代理机构的成功运作为全省专利代理机构的脱钩改制探索了经验。

2000年，根据国务院、广东省人民政府和国家知识产权局的要求，广东省专利代理机构在全国率先实行脱钩改制。至2002年初，全省专利代理机构全部完成脱钩改制，代理机构建立起面向市场、自主经营、自负盈亏的适应市场经济的新体制。改制后的代理

机构共 24 家，其中合伙 9 家，有限责任公司 15 家。

在新的体制和机制下，专利代理机构得到快速发展。截至 2005 年底止，全省共有专利代理机构 64 家，专职专利代理人 369 人。64 家代理机构中，合伙制 33 家，有限责任制 31 家，并有 11 家代理机构获得涉外代理资格。知识产权中介服务机构不仅承担了全省专利申请量的约 70% 的代理业务，并为委托人代理专利撤销、专利无效、专利诉讼、专利许可贸易中介、专利文献检索服务等，协助管理机关宣传普及专利法，为广东省专利事业发展做出了巨大贡献。

全省知识产权服务机构逐步完善。“十五”期间，广东省一直把知识产权信息服务机构建设作为促进技术创新的一项基础设施建设来抓，以完善系统、形成网络、提高效率为方针，不断完善知识产权服务机构建设。目前，全省广州、深圳、汕头、佛山等市及部分县（市、区）已建立知识产权服务中心，开展知识产权服务工作。

加强知识产权中介服务体系建设，是广东省科技领域知识产权发展战略的重要内容。通过加速知识产权公共科技服务信息平台建设，提供知识产权信息跟踪、查询、咨询服务，形成布局合理、技术先进、体系完备、共享高效的公共支撑服务体系。加强各专业信息网的互联和整合，让科技中介机构及其从业人员能够以较低成本获取信息，降低科技服务成本，提高效率和效益。全省建设了一批生产力促进中心、科技服务中心和科技中介服务机构，重点扶持发展 200 家专业镇技术创新中心、20 家行业创新中心，建立特色产业研发基地和行业生产力促进中心，促进知识产权和科技成果的转化和产业化，逐步形成特色明显、竞争力强的明星品牌。

广东生产力促进中心企业是一家重要的科技中介服务机构。在有关部门的支持下，它于 2004 年在它的服务网站设立了企业知识产权在线咨询服务平台，利用平台介绍知识产权法中主要的著作权法、专利法、商标法、反不当竞争法、知识产权主要国际公约等基本知识和企业知识产权管理制度、企业经营中常见的法律纠纷与处理方法等实务知识，同时建立民营科技企业知识产权工作在线咨询服务，为民科企业提供难题解答和实质性的咨询服务。广东知识产权局积极推进重点行业、企业专题数据库建设，大力推广专利信息分析应用软件，向90家省知识产权优势企业、专利试点企业发放专利信息分析应用软件。

• 广东省企业知识产权工作会议暨2005年广东专利奖奖励大会实录

2005年7月5日，首次全省企业知识产权工作会议暨2005年广东专利奖奖励大会和2004年广东省知识产权试点区域、优势企业授牌仪式，在广州珠岛宾馆举行。荣获2005年专利奖的共有49个项目，其中“一种无粘结剂温压粉末及其用途”等10个获金奖项目、“冲压焊接成型离心泵及其制造方法”等39个获优秀奖项目，获奖单位45家。在获奖单位中，企业占了近90%，其中70%的奖金项目落在高新技术企业。在国内专利申请量前100名企业中，广东省占了1/4，华为、鸿富锦、中兴分别列第二、三、四位，广东省以企业为主体的技术创新体系和创新机制正在不断形成和完善。

第十章
天时地利更人和
——开放合作促发展

都说世有伯乐，然后有千里马。对广东来说，中国留学人员广州科技交流会可谓伯乐之一。该协会吸引了来自不同的专业、就读于不同国家的众多留学生，融百家之长，汇各色文化之精。其任务之一就是鼓励和介绍在创业的留学人员与在高校和科研院所的留学人员及国内专家学者进行科技交流，探讨企业从技术、产品、文化管理等方面的提升。值得一提的是，该协会举办的中国留学人员广州科技交流会（留交会）在海内外反响相当巨大。许多海外留学人员将其视为“中国迎接二十一世纪高科技挑战的誓师会”，并赞赏广州具有吸引“天下之才为我所用”的远见卓识，以及重视人才、发展高科技的战略气魄和眼光。

与此有异曲同工之处的是深圳所举办的中国国际高新技术成果交易会（高交会）。在促进科技成果向现实生产力转化方面，高交会从诞生之始就承担了光荣的“破题”使命。它率先提出“成果交易与风险投资相结合”的交易形式，不仅组织了万余项高水平的参展项目，而且邀请具有技术需求的境内外企业、风险投资机构、中介机构、金融机构参会，设立了投资商展和中介服务机构展，从而成为中国科技第一展，越来越多的国际科技领先者将高交会视作进入中国市场的最佳切入点。

除了这两大“绣球会”，广东省的各类国际科技合作与交流也如火如荼，全面开花。有政府间的国际科技合作，充分利用了国家给予的优惠政策以及得天独厚的地缘优势，开展与港、澳、台等地的合作，并以此辐射东南亚，进而扩展到与其他国家，形成了省际之间、城市之间科技合作与交流的友好关系。也有民间国际科技交流，通过与国内外开展合作研究开发，为培育高新技术企业提供技术来源和技术储备。

中国人自古就懂得，和为贵，合则赢。精明的广东人把这一点发挥得淋漓尽致。也许，广东创新的重要“秘密”就在于其不拘一格的开放姿态吧！

一、中国留学人员广州科技交流会

镜头画面：第10届广州留交会

留交会10年，已发展成为中国规模最大、最具影响力的海外留学高端人才与科技交流的国家级平台，是迄今为止中国最大的海外留学人才与高科技项目信息交流平台。一大批海外留学人员通过留交会这个平台走上了回国效力、创业发展的成功之路。至2007年，在广州创业服务的回国留学人员约15000名。

留学生是非常特殊的群体。他们具有熟悉中国和国际的双重背景。

改革开放以来，我国在海外的留学人员数已达50多万（1998年），并且这一群体正不断地增加和扩大。从80年代初期就开始有不少学有所成的学子报效祖国。鼓励出国留学、学习国外先进的科技文化知识，是国家培养人才的重要途径，而学成回国报效祖国也是广大留学人员的心声，并且部分已看到中国高速发展带来的个人发展机会。

广东鼓励海外留学人员回国参加科研领域、经济领域的建设，起于20世纪80年代中后期。当时广东率全国之先跨出海外揽才的第一步，第一个推出了海外留学人员“为国服务，来去自由”的新政。面向21世纪世界潮流，经历市场经济和高新技术的洗礼，广东人认识到进一步解放思想，扩大开放的重要性，及时注意到了这个特殊的群体。

于是成立留学人员广州创业园和中国留学人员广州科技交流会的设想由广州经济技术开发区、广州高新技术产业开发区管委会提出而浮出水面。当时主管科技副市长林元和极力促成此事。

几乎同时，1998年初黄镰从澳大利亚悉尼大学学成回国后，在广州市海珠区政府、中山大学和美国跨国企业BF－Goodrich的支持和协助下，首先创办了中山大学化妆品实验应用中心。后于1998年12月建立了广州新高化妆品有限公司。

1998年8月3日，在广州市科学技术协会等的支持下，由一批黄镰式的广州地区学有所成的归国科技精英倡议，广大留学回国科技工作者及留学生热烈响应，广州留学回国科技工作者协会正式成立。成立该协会的目的是团结广州及其周边地区留学归来的科技工作者，组成具有整体优势的一支生力军，充分调动他们的积极性，发挥他们的聪明才智，把他们在海外所学知识、技术运用到科技进步与经济发展中去，并通过协会，加强与国内外专家学者，科技团体及企业的联络，促进对内对外科技、经济的交流与合作。同时，架起沟通广大科技人员与政府之间的桥梁，维护他们的权益，反映他们的心声，协助政府做好留学生、进修生的吸引接收、安置等方面的工作，鼓励更多的海外学子回国服务。黄镰当选广州市留学回国科技工作者协会副秘书长，全面主持协会工作。

该协会一开始就与众不同。其成员包括来自不同的专业及就读于不同的国家，融百家之长，汇各色文化之精。留学人员思维活泼，见广识多。怎样保持其活力与发挥其专长是协会工作的重点，围绕这些问题，协会广泛征求会员的意见，积极组织会员开展不同层面不同方向的研讨和活动。学会的重点工作之一就是鼓励和介绍在创业的留学人员与在高校和科研院所的留学人员及国内专家学者进行科技交流，探讨企业从技术、产品、文化管理等方面的提升。

由在穗留学人员发起，经过紧张的筹备，第一届中国留学人员广州科技交流会拟于1998年12月28日至30日在中国商品交易会广场隆重举行。会议由广州市人民政府主办，广州留学回国科技工作者协会积极参与，由广州经济技术开发区、广州高新技术产业开发区管委会和留学人员广州创业园（筹）承办。

时间、地点的选择包含特别的意义。12月28日至30日刚好在圣诞节之后，国外往往放假。这非常有利于邀请国外留学人员回国。中国商品交易会是广州的重要标志。它是中国沟通海内外的重要桥梁。在中国最封闭的时候，它仍然保持着开放，是广州开放气质的最好体现，并且代表未来发展的趋势。

各级领导和社会各界高度重视、积极支持第一届留交会的筹备。中共中央政治局委员、广东省委书记李长春为大会作了专门批示。广东省委副书记、广州市委书记黄华华担任大会组委会名誉主任，广州市市长林树森担任主任，他们都亲自指导留交会的筹备工作。

1998年12月28日，中国留学人员广州科技交流会如期召开。[①] 第一届留交会共收到海外留学人员报名材料404份，实际到会的留学人员303人。留学人员来自27个国家和地区，其中来自美国120人，日本43人，西欧46人。提交的项目200多项，涉及机械、电子、交通、通信、新材料、农业、计算机、生物医疗、环保、金融、教育等领域。参会的国内单位达到375个，人数达1428人，包括8所高等院校，18家科研单位和160多个机关的部门和各地企业。第一届留交会共接洽项目479个，接洽人数1448人，签订合作意向6个，合计金额500多万美元。

留交会的举行在海内外引起较大反响。许多海外留学人员自发

① 资料引自中国留学人员广州科技交流会材料和广州留学回国科技工作者协会网站。

写文章、写信，对广州举办这种形式的会议给予充分的肯定和很高的评价，认为留交会“是中国迎接二十一世纪高科技挑战的誓师会”，赞赏广州具有吸引“天下之才为我所用”的远见卓识，反映了广州重视人才、发展高科技的气魄和战略眼光。

留交会通过经贸洽谈、投资研讨、项目发布、人才引进、技术交流、参观介绍、代表座谈等多种途径和方式，使海外留学人员与国内企业、科研机构、高等院校进行了广泛的交流，会议取得了圆满成功。这次留学人员科技交流会有三大特点：

一是会议规模比较大。从留学人员参会的情况看，到会的留学人员达到303人，分别来自27个国家和地区。从布展、参展的摊位情况看，展位供不应求。本次交流会参加研讨会的人员非常踊跃，原定200人的会议报告厅，一再加位，人数达到350人。

二是会议层次比较高。参加会议的大部分留学人员都是学有所长的专门人才，学历层次比较高，有很多还是国内外著名的专家学者。博士占与会留学人员总数的75.9%。参加交流会的国内知名高校和科研单位，有中国科学院及所属部分研究所、国家信息产业部第七研究所、中山大学、华南理工大学等。同时召开的风险投资研讨会都是由国内外一批知名的专家学者发言，比如：美国麦肯锡公司高级顾问莫元武博士；美国帕伯斯公司亚洲业务部主任施展阳博士；美国纳斯达克股票交易市场驻华首席代表黄华国博士；国际华人科技工商协会主席李大西博士；清华大学杜胜利博士；美国哈佛大学研究员、中国人民大学金融研究中心主任刘曼红博士等。

三是会议成果比较多。交流会上一共接洽项目479个，包括“快速免疫诊断试剂盒”、“全套计算机设计、分析和虚拟现实仿真系统”，技术转让项目“混合电动汽车”、“快速体温计”、“汽车安全距离警报系统”、“可锁式民用警报器”等。

举办留交会，对于发掘海外智力资源，为国服务，探索建立海外人才资源与国内经济建设相结合新机制，找到了一条好的途径。通过有效的宣传，进一步激发了广大留学人员的爱国热情，使广州中心城市的地位更加显著。

1999年8月，留交会余兴未消，留学人员广州创业园广州开发区西区高调成立。它由广州开发区投资创办，与教育部、科技部合作共建。后于2001年8月被科技部、教育部、人事部和外国专家局联合认定为国家留学人员创业园建设示范点，是国家级留学人员创业园。

受第一届留交会成功的影响，第二届留交会于1999年12月28—30日在广州市广东美术馆举办。与第一届相比，这届中国留学人员广州科技交流会规格更高，办成了世纪之交我国高科技成果交流的一次盛会。

“智力广交会”初步形成。教育部、科技部、人事部和广州市人民政府一致同意联合主办中国留学人员广州科技交流会，开创了“三部”与地方政府共同办会的先例，使留交会“面向海内外、服务全中国”的宗旨得到充分的体现。

内容丰富，盛况空前。第二届留交会以“迈向21世纪的高新技术成果项目洽谈和高层次人才交流”为主题，吸引了来自世界27个国家和地区近500名留学人员和他们带来的600余项最新科技成果。全国40多所著名大学，10所著名科研院所，30个省市政府代表团，10个开发区和高新区，4个国家人才市场，10家境内外风险投资公司，42家大型企业，也带着他们的成果项目和人才供求信息，前来寻求项目合作和人才招聘。大会共设500个展位，17项各种内容的发布会、推介会和座谈会，为海内外留学人员和国内科技界提供了一个成果推介的大舞台。

成果丰硕，收获良多。本届留交会共洽谈项目641项，参加洽谈人数2419人次，分别来自美国、日本、英国、加拿大及其他国家和地区；签约项目18个，累计投资金额24.44亿美元。

影响深远，享誉海内外。“三部”领导和广东省委、省政府对大会给予了高度的评价。全国部分著名高校及参会的各省市代表团纷纷反映这次交流会既满足了留学人员回国创业需求，也满足了各地发展高新技术产业的要求。他们对广州市兴建科技园、生物岛、创业园等科研开发基地的举措表示非常赞赏。此外，海内外各有关

传媒也非常关注留交会的进展。美国《侨报》和《世界日报》等报刊就发表专栏文章介绍留交会。《人民日报》、《南方日报》、《广州日报》、中央电视台、《亚太经济时报》、《澳门日报》等传媒也对大会作了大量报道。

中国留学人员广州科技交流会已形成品牌。每年12月28—30日回广州成为留学人员的节日。

2000年12月28—30日，第三届中国留学人员广州科技交流会召开。主办单位仍为中华人民共和国教育部、科技部、人事部和广州市人民政府。部分驻外使领馆的教育和科技参赞参加了交流会的有关活动。应邀参会的国内省市政府代表团有42个，高等院校、科研机构、开发区、高新区、创业园和各类企业1000多家。据初步统计，在三天的交流会上，平均每天有6000人进场交流和参观。除了举办大型展览和洽谈外，还举办了不少专题会议和论坛。专题会议有：留学人员成果汇报会，政策发布会，人事厅（局）长座谈会，驻外使领馆教育、科技参赞座谈会，创业与风险投资推介会，生物技术项目推介会。论坛有：生物技术论坛，信息技术论坛，高校校长论坛，青年科学家论坛，广东光谷论坛。这些专题会议或论坛主题鲜明，各具特色，信息量大，成为本届交流会的亮点。交流会召开之前，组委会邀请中央电视台、《光明日报》、《广州日报》等媒体作采访报道并发布广告。与此同时，还在《世界日报》、《侨报》、《人民日报·海外版》、《神州学人》等媒体上刊登新闻或广告。在交流会期间，有40多家新闻媒体的200余名记者到场采访，其中有3家中央媒体，10多家外地媒体，5家境外媒体。中央电视台、新华社、《人民日报》等几十家新闻媒体约180名记者到场采访。

2001年12月28—30日，第四届中国留学人员广州科技交流会召开。官方评价是一次高科技与高层次人才交流的盛会，是我国加入WTO后第一次全国性、大规模的海内外精英集会。第四届交流会，留学人员报名2623人，实际到会1500人，是前三届的总和。大会组织了10场省、市、企业政策、投资环境推介会，有16个

省、市、企业通过电视等媒介进行推介展示。举行了一系列高层次学术论坛和报告会：包括广州创业环境论坛、生物与医药论坛、纳米技术专题论坛、人才战略、知识管理论坛、高技术企业（项目）与风险投资交流论坛、信息技术研讨会等。组织了留学人员代表座谈会、驻外科技、教育外交官座谈会、新年联欢晚会等联谊交流活动以及广州“中变”半天游、珠江夜游、广州创业环境考察、电影晚会等，累计参加活动人数1630多人次。

2002年12月28—30日，第五届中国留学人员广州科技交流会召开。中国科学院加入主办单位之列。留学人员参加大会交流的总数比以往任何一届多，其中有22个留学人员社团组团参加，这些留学人员来自美国、英国、澳大利亚、加拿大、日本等32个国家和地区，其中有博士、硕士学位以上的占85%，留学人员带来的项目1369项，涵盖了生物医药、新材料、新能源、光电子科技、环保技术、电子信息技术、农业科技等新、高技术领域。此外，教育、金融管理项目也有一些。已经回国创业、服务的海外留学人员带来了他们的创业、服务成果204项，参加本次大会展示交流；在国际教育展区，有来自加拿大、英国、澳洲、法国、德国、日本、南非、瑞典、新加坡等国家的22家高校参加了交流展示，包括悉尼大学、墨尔本大学、瑞典皇家工学院等国际知名学府。国内各地参展踊跃，展位超过400个，为历届之最。其中，省市政府团41个，高等院校53家，科研院所52所，高新技术开发区和留学人员创业园共18家，科技风险投资公司、金融机构15家；在人才招聘区，有近30家“全国500强”企业如上海大众汽车、西安杨森、TCL、康佳、中石油等以及大批高新技术企业、“三资”企业设点招揽海外专才，提供适合留学生选择的职位1000多个。

交流会期间，参观和参加交流展示活动的达到10万人次，留学人员提交项目1369个，配对项目1201个，开展项目洽谈2976项次。五届留交会的基本特点：

1. 因为中国科学院正式加盟成为留学人员广交会的主办单位，有力地提升留学人员广交会的科技品位，进一步扩大留学人员广交

会在世界科技领域的影响。

2．拓宽了大会交流的学科领域，专业涵盖了自然科学、工程技术、社会科学、管理科学、法律学、现代农业科学、商业贸易乃至国内新兴热门的现代物流业等专业领域。

3．交流会首次开设留学人员创业成果成就展和国际教育展。留学人员创业成果展，一方面展示归国留学人员创业服务的风采，一方面让他们的后来者预见自己的发展前景，留学人员创业成果展其实正是对我国各地区改革开放、吸引人才、发展经济的软硬环境的直观展示。国际教育展邀请了澳洲、法国、德国、英国、日本等国部分知名高校参展，让这些国外高校向国内特别是广州地区的准留学生提供咨询，与国内高校开展校际交流，在“请进来”与“送出去”双向交流互动上作了有益的尝试。

4．组织全国500强企业、民营科技企业、广东省各地专业镇到本届留学人员广交会参加交流，让这些企业和专业镇与代表科技前沿的海外留学人员直接“碰撞”。

5．第一次为西部地区设立专场活动，中西部13个省区提出500多个项目，40多个职位需求，留学人员广交会突现其作为全国范围人才平台的功能。

2003年12月28—30日，第六届中国留学人员广州科技交流会召开。在中华人民共和国教育部、科技部、人事部、中国科学院和广州市人民政府主办的基础上，北京、上海、长春、杭州、武汉、成都、西安、苏州等八大城市政府作为协办单位加盟。第六届留学人员广交会，留学人员报名2081人，实际到会的留学人员1532人，留学人员科技社团16个，他们来自23个国家和地区，其中取得硕士以上学位的占了91%，带来项目1137项。首次单独设展的留学人员广交会国际教育展，吸引包括澳大利亚悉尼大学、墨尔本大学、加拿大温莎大学、新西兰林肯大学、英国华威大学等大学在内的48家国外高校和教育机构参加了交流展示。八大协办城市和黑龙江等41个政府组团，55家高等院校，60所科研院所，26家高新技术开发区和留学人员创业园，专业镇和一批企业参加了大会

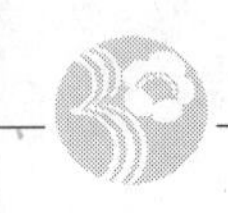

的展览和交流，展览面积4.5万平方米。大会组织了光电子与纳米电子技术研讨会，光电子院士论坛，生物医药论坛，教育部留学人员回国创业论坛，中国中小企业走向国际论坛，教育部“春晖计划”支持西部专场以及中科院广州生物医药与健康研究院揭牌仪式暨生命技术与生物医药学术峰会等九个系列论坛和学术研讨会，加上各省、市、专业镇和企业推介会，25场电子信息、生物医药、农业、环保、新材料、机电一体化、化工项目推介会和留学人才推介会，共383个项目和5618人参加了推介会。国际教育展在展览现场举办了11场与教育相关的专题推介会和座谈会，各参展单位利用展会平台，进行充分展示和推介，并就院校间国际合作等问题展开广泛的探讨。由教育部主办，留学人员广州创业园等单位协办的“教育部留学人员回国创业论坛”采取互动的方式让台上台下嘉宾可以随心交流，场内座无虚席。

从总体交流效果看，留学人员广交会作为全国最大规模和层次最高的留学人才与科技交流平台的地位进一步确立。体现在：品牌效应已经显现出来，留学人员广交会成了海外留学人员回国创业和为国服务的主要通道。八大城市加盟协办，协办机制的建立，形成了全国协力打造永不落幕智力广交会的格局；留学人员广交会服务越来越规范；为推动人才“进”与“出”双向流动而首次单独设展的国际教育展获好评。

2004年12月28—30日，第七届中国留学人员广州科技交流会召开。会上文科类专业留学人员比例明显提高。香港生产力促进局首次组团参加留交会。大会组织了“留学回国工作成就展”，“建国55周年科技成就展”，生物医药论坛，教育部留学人员回国创业论坛，科技部系列专场报告会，全国留学服务中心年会，中国中小企业走向国际论坛，先进制造技术报告会，海洋产业发展报告会，“创业在中国”留学人员代表座谈会，教育科技外交官座谈会以及电子信息、生物医药、新材料、机电一体化、化工、环保项目及人才推介会39场。上万个留学人员岗位需求信息在会上发布。与会的海内外代表通过实时的面对面交流，能够沟通和获取大量信息，

从而寻求合作的机会。

第七届留交会上，广州首创科技难题招贤。市政府引导投入2000万元配套资金推出13个项目向留学人员求解，引起了参会海内外代表高度关注。96名留学人员现场揭榜，至2006年，90%以上的难题找到解决方案并进入了难题攻坚或成果验收阶段。

第七届大会难题招贤项目包括：（1）移动通信行业欠费追缴管理系统中心建模分析；（2）纳米材料发散和稳定技术在内墙涂料中的应用；（3）提高聚合物锂离子电池容量、稳定性、安全性的新技术；（4）软交换系统中多媒体应用的研究；（5）气囊搬运万吨级沉管管节技术研究；（6）黑猩猩的人工授精及精液保存的研究；（7）广州石井河污染底泥的原位治理技术的研究；（8）广州地下燃气钢制管网安全评估体系的研究；（9）低成本高保真音响无线模块开发；（10）高装饰环氯磨石地坪材料的开发；（11）次氯酸钠消毒体系高效稳定剂的开发；（12）膀胱癌特异性组合标志物检测试剂盒；（13）高效无卤阻燃剂的合成。

2005年12月28—30日，第八届中国留学人员广州科技交流会召开。香港贸易发展局和欧美同学会加盟协办。中国移动、中国电信、华为、TCL、eBay、广东广新外贸集团等知名企业参加了大会展览交流。百家国内外高等院校和知名教育机构参加了国际教育展。大会共征集了13000多项人才岗位信息对外发布。现场网上点击配对近万人次。教育部主办了留学回国创业投融资论坛、高校校长沙龙、驻外教育外交官座谈会、深化留学服务与海外高层次留学人才引进论坛、“春晖计划”支持西部专场等活动。科技部组织了国家“十五”科技成就展、新时期中国科技发展战略报告会以及驻外科技外交官座谈会。人事部主持召开了全球海外留学人员社团代表座谈会。中科院组织本系统重点科研攻关成果暨重大科技成就展，并组织了以“建设中国特色的医药研发创新之路和生物医药与健康产业新技术与发展方向”为主题的生物医药论坛。此外，7家中国海外科技园与全国的8家国际企业孵化器在本届留交会上联袂组展。

广州市政府联合厦门市政府在大会上推出22项科技难题招贤。仅广州推出的14个科技难题涉及资金总额就达1.2亿多万元，涉及领域包括城市环境保护、安全优质供水、特效艾滋病防治新药研发等，都是国内同行目前难以解决的难题。133名留学人员现场揭榜，13个难题签订了合作协议，其中10个难题通过专家评审，并进入实质性合作阶段。厦门市通过难题招贤活动，也网罗了一大批留学人员前往考察落户。

2006年12月28—30日，第九届中国留学人员广州科技交流会召开。坚持“开放、务实、创新”的工作方针，留交会与时俱进，坚持明确的高新科技产业（事业）发展和人才需求导向，着力吸引海外留学高层次人才和高水平项目，不遗余力地推动海外留学人员回国走上自主创新和科技创业的成功之路。第九届留交会，举办了23场专题活动，其中有由教育部发起组织的首届“‘春晖杯’中国留学人员创新创业大赛”，教育部“春晖计划”实施10周年纪念专场活动，科技部创新中国专场报告会，教育部留学回国创业投融资论坛，中科院新能源与可再生能源论坛，生物医药论坛，高新科技与绿色中国论坛，海外高层次人才与新花都发展论坛，现代自动化技术与应用论坛，驻外教育外交官座谈会，大学校长沙龙以及主要为留学人员提供项目推介平台的生物医药项目推介会、光机电一体化项目推介会、新能源与环保项目推介会、农业项目推介会等，深圳市、苏州市和江阴市政府等在大会期间组织了创业投融资及政策推介专场，吸引了许多有兴趣前往的留学人员和国内单位关注，教育部还提供了从各地高校征集来的近万个岗位需求信息在大会网站发布，由广州市发改委、人事局、软件办和留交办共同组织的广州动漫与软件专业人才招聘专场，迎来了广州地区223家动漫企业进场招揽人才，成为本届留交会人气指数颇高的活动之一。会后，90.8%的参会企业表示，到场应聘的人才素质很高，企业的收获很大，希望明年能够继续参加。为使海内外参会代表更为全面地了解广州的科技事业发展和创业投资环境，大会继续开辟广州大学城、广州科学城以及花都空港物流产业基地、白云生物医药产业

园、海珠科技园、天河软件产业基地6条参观考察专线以及珠江夜游、新年音乐会、电影招待会和交流酒会等丰富多彩的交流活动，丰富了交流内容，增进了“海归”对广州的了解，增强了“海归”来广州创业服务的信心。第九届留交会两天的会期，仅留学人员广州创业园共与50多个留学人员科技项目签订了合作意向，目前已有8个项目落户该园区。

最近召开的中国留学人员广州科技交流会（第十届）于2007年12月25日在广州白云国际会议中心隆重开幕。第三届广州留学人才推介会、广州市第二届软件动漫、汽车产业人才招聘会同时举行。来自世界各地的1500多名中国留学人员，来自国内近60个地方政府代表团以及各地高校、科研院所、企业机构的3500多名代表参加了这次盛会。

第十届留交会上，一批在外国科学院、工程院担任院士、在全球500强企业担任首席科学家、国外知名大学担任终身教授的海外高层次留学人才等目前国内亟须的学科（专业）带头人和领军人物，在留交会系列高端论坛上开展学术交流并与国内寻求合作。美中医药开发协会、加拿大中国专业人士协会、旅美中国科学家工程师专业人士协会、在芬华人科技联合会、全英学生学者联合会、全法学生学者联合会、在日华人汽车工程师协会等15个海外留学人员专业团体组团到会。

第十届留交会亮点之一：众多高职位热盼“海归”。留交会加大了引进和合理配置大批海外留学人才的工作力度。目标是：吸引3～5名院士或相当于院士水平的海外华人顶尖科学家；吸引3～5名担任发达国家名牌大学校长或国家重点科研机构、项目主要负责人的科技领军人物；吸引5～8个在相关专业领域处于国际领先地位的创新科技团队到留交会上来交流；重点吸引一大批当前国内现代服务业发展亟须的高层次专门人才。

留交会10年来，秉承“面向海内外，服务全中国”的办会宗旨，已经发展成为中国规模最大、最有吸引力、最具影响力的海外留学高端人才与科技交流的国家级平台，是迄今为止中国最大的海外留学人才与高科技项目信息交流平台。

留交会每年吸引来自世界各地1000多名中国留学人员以及一批具有一定影响力的海外专业社团携带项目与会交流，其中不乏资深的研究人员和管理精英，专业涵盖电子信息、生物医药、光机电一体化、新材料、新能源、环保技术、城市规划、交通以及管理、金融、法律、咨询、人文教育等。全国多个政府组团、数十家留学人员创业园及一批科研院所、高新企业、各类机构参展参会。大会发布的人才招聘岗位吸引了留学人员的极大关注，一批留学人员由此找到合适岗位。自2004年推出难题招贤活动以来，90%以上的难题找到了解决方案。大会网站实时更新国内人才项目需求、难题招贤信息和留学人员人才项目信息，实现常年的信息发布、后续跟踪和配对服务。

随着大力推进自主创新策略的实施，人才需求量将非常巨大，海外留学人才必将成为其中的中坚力量。经过多年的努力，留交会已成为中国最大的留学人才资源库，最大的海外留学人员项目信息库，是各地政府宣传留学人员创业政策、引进海外智力以及国内企业、高校、科研院所招聘高端人才和寻求项目合作的重要渠道。

中国留学人员广州科技交流会举办十年来，本着“开放、务实、创新”的精神，致力于吸引和凝聚海外留学优秀人才，在国内需求单位和海外留学人员之间打起了高端人才与科技项目信息交流的桥梁，成为全国规模最大、海内外影响最广的人才与科技交流盛会。

留交会对于深入贯彻实施科教兴国、人才强国战略，促进科技事业特别是高新技术产业发展发挥了重要作用。留交会作为我国获取海外留学高端人才的最佳平台，激发了留学人员回国创业的热情，在增强自主创新能力，建设创新型广东、创新型中国中充当重要角色。通过留交会这个平台，吸引越来越多优秀的海外留学人才回国在广东、全国开展科技创业和从事创新实践。一大批海外留学人员通过留交会这个平台走上了回国效力、创业发展的成功之路。至2007年，在广州创业服务的回国留学人员约15000名，从事科

技创业的留学人员1500多人，创办留学人员企业1100多家。

二、中国国际高新技术成果交易会

镜头画面：第八届中国国际高新技术成果交易会

> 高交会跳出了单纯的成果和产品的展示与交易，将优质的科技成果集中起来形成资源优势，吸引海内外的需求者，制造出一个市场；将高科技产业化过程中所需的技术、资金、市场等诸要素及信息、评估、咨询等中介服务纳入交易平台，运用市场手段配置各类社会资源和生产要素，促进了科技成果的转化和产业化。

1999年，深圳迎来建市20年。作为节日的重要贺礼是中国国际高新技术成果交易会（简称“高交会”）经国务院批准，由商务部、科学技术部、信息产业部、国家发展和改革委员会、教育部、中国科学院和深圳市人民政府共同主办，由农业部、中国工程院协办。高交会的基本定位是国家级、国际性的高新技术成果交易会，每年秋季在广东深圳举办。总体目标是以高交会为平台，为高新技术产业发展提供支持与服务，探索“高交会—技术产权交易—创业板市场”一条龙科技创业新模式，形成以技术产权交易与创业投资为核心的新型资本市场，构筑符合国情并具特色的中国科技成果交易体系，促进高新技术与产品的进口和出口。

金秋十月，首届高交会隆重开幕。国务院总理朱镕基专门前来主持开幕式，并发表了热情洋溢的讲话。会议期间，共有2856家中外知名企业和机构、4150项高新技术成果参加了展示和交易。除“三部一院”外，全国31个省、自治区、直辖市、港澳台地区和农业部，以及北京大学、清华大学等22所著名高校均派出了强大阵容。来自美国、加拿大等26个国家的402家高科技企业、大学、研究所、金融机构和一批国际风险投资机构齐集深圳。首届高交会参观人数达到30万人次，成交金额65亿美元，实现了大规模、高水平、国际性的既定目标。首届高交会被誉为深圳乃至全国发展高新技术产业的一个里程碑。①

高交会，在全国较早地引入了风险投资的概念，率先提出“成果交易与风险投资相结合”的交易形式，不仅组织了万余项高水平的参展项目，而且邀请具有技术需求的境内外企业、风险投资机构、中介机构、金融机构参会，设立了投资商展和中介服务机构展，创下了64.94亿美元的成交额。

第二届高交会于2000年秋召开。与第一届高交会相比，第二届高交会在许多方面取得了新的进展，呈现出新的特点。

一是各地踊跃参展，积极利用高交会的舞台推动地方经济的发展。全国31个省、自治区、直辖市和5个计划单列市都由政府组团参加本次高交会，精心组织了大量高水平的技术、项目参加交易，许多省、市及时把握高交会提供的招商引资机会，组织了各种形式的项目推介会、投资环境介绍会、招商引资会等，收到了很好的效果。

二是国际化程度进一步提高。第二届高交会吸引了更多的外国政府和高科技跨国公司、风险投资机构参加，英国、美国等11个国家和地区的政府组团参加了本届高交会；44家从事高新技术产业的国际知名跨国公司到会参展，比上届增长57%。外国政府和客商的积极参与，既带来了先进的技术和产品，又带来新的管理思想和理念，进一步扩大和加深了中国和世界的经贸合作与科技交流。

三是成果交易特色进一步突出。与会的中介机构和投资商数量大幅增加，共有1300多家海内外投资商参加了本次高交会，比首届增加了38%。同时，高交会还专门开辟了商业配对洽谈区，组织了高新技术成果拍卖会，取得了良好效果。拍卖会共拍卖成果24项，成交金额1.09亿元人民币。高交会不仅在推动交易方面取

① 本节资料主要参考中国国际高新技术成果交易会网站材料。

得了丰硕的成果，同时还通过举办高层次的论坛等一系列活动，向全社会普及了新知识，传播了新观念，使科教兴国的思想更加深入人心。

四是高交会“落幕”与“不落幕”交易的结合机制进一步完善。高交会专门组建了常设的交易机构，成立了高新技术产业与风险投资联盟和全国第一家股份制高新技术产权交易所，不断完善高交会专业网站的功能，常年提供技术和项目交易的全方位服务，并引入大量的投资商、风险投资机构常年介入技术交易过程。这些措施将使“落幕”的高交会和“不落幕的高交会”形成互为补充、互相促进的良性对接。

第二届高交会，对科技成果转化的多种途径和形式进行了初步探索，尝试地举办了高新技术成果拍卖会，在国内首创了高新技术项目配对活动，按照“落幕与不落幕的高交会相结合”的思想，成立了“技术产权交易所”，建立了网上常设交易系统，使日常的项目征集、评审、包装、撮合交易与会期的展示、交易、洽谈互为补充，成交额达到85.4亿美元。

第三届高交会同样是在金秋季节（2001）举行。与前两届相比，国际化更加凸显，中国、美国、英国、加拿大、德国、法国、俄罗斯、瑞典、澳大利亚、日本、韩国等37个国家和地区参加。其中10个国家由政府组团参加。中国7个部（委、院）和31个省（直辖市、自治区）、4个计划单列市、港澳台地区及北大、清华等30所著名高校组团参加。INTEL（英特尔）、CANON（佳能）、EPSON（爱普生）、CISCO（赛思科）、NEC、三星、三洋、西门子、奥迪坚、威图等41家跨国公司参加了展示和交易。包括3位诺贝尔奖获得者在内的61位国内外著名经济学家、科学家、企业家、政界人士在第三届高新技术论坛上发表精彩演讲。参观洽谈人士超过30万，成交金额达104.18亿美元。

第三届高交会，不断完善成果交易形式，积极探索建立以技术产权交易和创业投资为核心的新型资本市场，将高交会的优势与各省市的科技、人才、信息资源结合起来，在北京、湖北等地开展了异地项目配对洽谈活动，并推出了创业型企业投资洽谈活动，实现成交额104.18亿美元。

2002年召开的第四届高交会，由“高新技术成果交易”、“高新技术专业产品展”、“中国高新技术论坛”和“不落幕交易”四大部分组成。外经贸部副部长魏建国、科技部副部长刘燕华、信息产业部办公厅副主任周宝源、国家计委科技司副司长许勤出席新闻发布会。第四届高交会由来自40个国家和地区的88个团组、3691家参展商、1124家投资商（其中外商260家）、42家跨国公司将参加本届高交会，参加展示与交易的项目7749个，国外有17个国家和机构独立组团参展，比上届增加6个团组，为历届最高。白俄罗斯、丹麦、印度、以色列、捷克、日本等国首次由政府组团参加高交会；IBM、西蒙、英特尔、NTT、索尼、京瓷、爱普生、西门子、威图等跨国公司将参加本届高交会的专业展，比前三届多；外经贸部、信息产业部、科技部、国家计委、中科院、农业部、工程院等部委和34个国内省、自治区、直辖市、计划单列市以及独立组团的27所重点高校将带着他们精选的最新科技成果和项目在高交会上亮相。

第四届高交会继续坚持“高层次、高规格、权威性”的宗旨，邀请了包括两位诺贝尔奖获得者在内、来自12个国家和机构的28位国外精英，与国内34位科学家、企业家、政府官员同台演讲，分别就“高新技术与经济发展”、“未来信息技术”两大主题发表真知灼见，“两院院士论坛”、“经营管理大师峰会”将就网络、信息、通信、新材料、宏观微观管理方面的热点问题，给来宾介绍最新研究成果和管理经验。

第四届高交会有“三大亮点”：

科技与资本结合更紧密。100多个海外创业投资机构进入高交会，首次推出中国企业海外上市咨询洽谈活动，为国内高新技术产业与海外证券交易机构之间架起沟通的桥梁。包括伦敦、东京、纳斯达克、多伦多、悉尼等地的6家“全球十大证券机构”在内的10家证券交易所将齐聚深圳，与中国企业开展“面对面”的直接

对话与洽谈。如此众多的证券交易机构集中参加一项针对某个市场的咨询活动，这在中国乃至全球都是十分罕见的。

“留学生创业”系列活动更火热、更成熟。2002 年有近千名留学生报名参加高交会，经筛选后安排 290 多人、378 个项目参展；哈佛大学、斯坦福大学、东京大学、多伦多大学、牛津大学、滑铁卢大学等 6 所世界名校的留学生还自发组团归国参展；与此同时，在高交会期间，“留学人员高新技术成果展示与交易”、“留学人员创业大会”、“留学人员项目发布会”等系列活动将先后举行。

展会服务更突出个性化。本届高交会首次安排了 super—SUPER 活动（Service unique for presidents and executives' relationship），为中外政府要员、跨国公司 CEO、著名科学家推出极富个性化的套餐服务，安排国内省长、市长、大学校长与国外政要、跨国公司 CEO、著名科学家等进行不同形式的交流与会晤，举行高级别的“圆桌会议”，协助海外组团、展商联络洽谈对象等。

第四届高交会，继续推动科技与资本的更紧密结合，在继续深化、完善高新技术项目配对和创业型企业投资洽谈活动的基础上，又创新推出了中国企业海外上市咨询洽谈活动，帮助科技创新企业利用国际资本市场加快自身成长和业务拓展。由此形成高交会的梯次“产品”，满足了科技成果转化过程中不同阶段的需要。成交额达到了 121.6 亿美元。

第五届高交会在 2003 年金秋相逢。经过五年的发展，中国国际高新技术成果交易会已成为国际科技交流与合作的舞台；高水平高新技术成果展示的窗口；“官、产、学、研、资”结合的桥梁；高新技术成果产业化的路径；高新技术产品外贸出口的基地。五年来，共有来自全国各省（市、区）和世界数十个国家的 12835 家参展商和 5040 家投资商参加了盛会，总计有 42303 个高新技术项目进行了展示与交易，成交项目 5435 项，成交总额 376.12 亿美元。据不完全统计，成交项目落实率和成交金额落实率分别达到 52.44% 和 46.99%。

第五届高交会的亮点之一：展中“展”——历届高交会优秀

成交项目展面向全国各省（市、区）、高校等组团单位，征集了近500个高交会优秀成交项目，从中精选出200个进行集中展示。这些成交项目，有的属于技术转让，有的属于合作开发，还有增资扩股、成立新生产基地或研发中心，以及战略合作、开拓市场等多种合作形式。其中，钕铁氮新型稀土永磁材料、稀土大磁致伸缩材料、聚醚醚酮树脂、转基因抗虫棉等项目的产业化，不仅使我国在相关领域站在了世界前沿，而且带动了传统产业的升级与改造，还建成了一批高技术产业化基地。

优秀成交展，回顾和总结了过去的五年来，同时探索和总结了科技成果转化的机制、规律和经验，为有效地推动高新技术成果商品化、产业化、国际化提供有益的借鉴。高交会自始就致力于构筑符合中国国情、具有中国特色的科技成果交易体系。它跳出了单纯的成果和产品的展示与交易，将优质的科技成果集中起来形成资源优势，吸引海内外的需求者，制造出一个市场；同时又将高科技产业化过程中所需的技术、资金、市场等诸要素及信息、评估、咨询等中介服务纳入交易平台，运用市场手段配置各类社会资源和生产要素，促进了科技成果的转化和产业化。

第五届高交会，在参展项目的选择上更加注重先进性、实效性。有来自云南、陕西、湖南、黑龙江、贵州等省的17个“高、新、重、特、尖”科技项目成功签约成交，其中中国联通和深圳安科公司合作的“移动医疗产业项目”，深圳捷泰电子公司和清华大学微电子研究所合作的“可视电话系统级SOC芯片开发项目”，大唐移动通信设备有限公司和世代通信（深圳）有限公司合作的“TD-SCDMA基站射频收发信机芯片项目”都具有国际领先性。

2004年10月，又一次融汇全球才智、推动科技进步的国际性盛会——第六届高交会在深圳召开。42个国家和地区的115个代表团、62家跨国公司参会，4041家国内外参展商的9674个项目和1882家投资商参加了展示、交易和洽谈。国外21个国家及国际组织，中国内地的36个省、自治区、直辖市和计划单列市，31所著名高校及港澳台地区均组团参展。国外组团数、国内组团数、参展

高校数，均创历史新高。47 名国内外政界要员、知名专家和商界巨子，走进“世界科技与经济论坛”，进行了 7 场主题演讲和 10 场专题研讨会。首次推出的“人才高交会”吸引了 9 万多名各类人才到场，1050 家海内外知名企业现场招聘了 12000 余名高级人才。56 个留学生企业的高新技术项目和 24 个引进国外人才项目签约。

时任深圳市市长李鸿忠在闭幕式上发表了热情洋溢的讲话。他表示，第六届高交会落下帷幕后，高交会的另一种实现形式——“不落幕交易会”还将通过“网上展会”继续为国内外广大展商、投资商提供便捷的常年交易平台和服务。闭幕式上，第六届高交会组委会公布了高交会上评出的“优秀组织奖”、“优秀参与奖”、“优秀产品奖”、“成果转化精品奖”和“先进工作者”获奖名单，并进行了颁奖。

第七届高交会于 2005 年 10 月 12—17 日在深圳会展中心和高交会展览中心举行。总展览面积达 135500 平方米。主要内容为“高新技术成果交易”、“高新技术专业产品展”、“世界科技与经济论坛”、“super - SUPER 专题活动”、“高新技术人才与智力交流会”五大部分。与往届相比，呈现出“国际化有新突破、精品化有新内容、专业化有新举措、市场化有新探索”的特点。

高新技术成果交易由“国家高新技术成果展”、“外国政府团组展区”、“国内省市团组展区”、“高校团组展区”和“交易洽谈区”组成。商务部、科技部、信息产业部、国家发改委、教育部、中科院、农业部联袂推出“国家高新技术成果展”，展现我国在数字高清、3G、生物医药等领域的一大批国家级的科技创新成果；全国 31 个省、自治区、直辖市、5 个计划单列市和 26 所高校及港澳台参展团，均带来能够体现自主创新能力的独具优势高科技项目；与此同时，加拿大、英国、法国、德国、俄罗斯、澳大利亚、新西兰、韩国、欧盟等 23 个国家（国际组织）组团参展，不仅数量再创历史新高，而且带来的中欧伽利略计划等一批国际科技合作交流项目，也将进一步推动中国参与国际科技竞争。专设的“高新技术项目配对洽谈区、投资商洽谈区、中介服务洽谈区、海外上市咨询洽谈区”，为高新技术成果交易提供多层次、全方位、专业化的配套服务。

高新技术专业产品展由“信息技术与产品展”、“电子展”、“光电子及平板显示技术与产品展”组成。高交会高新技术专业产品展呈现出业界顶尖级企业大聚首和最前沿的技术、最新款的产品、最前瞻的观点交映的特点，国际化更高，专业性更强，参展的外国跨国公司30多家，海外参展面积比例高达35%。

“信息技术与产品展”，在通过UFI认证后，更加得到了国际专业厂商的广泛认同，以3万平方米的展览面积迎来了世界软件前三甲中的甲骨文与SAP、美国显示器行业前三名企业赛普特、全球领先的掌上视听和存储方案供应商法国ARCHOS公司及日立、富士康、明基等跨国公司与来自意大利、丹麦、德国、美国、日本等国的数百家IT企业，匈牙利信息产业部、韩国情报技术研究院、韩国KITA还组织了IT参展团。NEC、3M、泰科、京瓷、索尼、爱普科斯、阿尔卑斯、德州仪器、美国国家仪器、特瑞仕等跨国公司参加了“电子展”；美国珀金埃尔默、日本NAKAN、日本EN-PLAS、爱思强等跨国公司出展“光电子及平板显示技术与产品展”。

第七届高交会还设有“世界科技与经济论坛”、“中外企业家论坛”、“跨国公司专业技术论坛”、“会展经济国际论坛”等。“世界科技与经济论坛”以高层次、高水平、权威性而成为世界科技经济领域的高端讲坛，吸引了一大批世界商政学界高端人物。来自中国、匈牙利、罗马尼亚、马来西亚、柬埔寨、埃及、纳米比亚等国家的10位部长出席“世界科技与经济论坛”；甲骨文、日立、中兴通讯、创维、联想等5家跨国公司高层莅临“中外企业家论坛”；国际展览业协会（UFI）全球副总裁等中外会展业权威人士出席“会展经济国际论坛”；“日立环保领域新商机—循环经济论坛”、“日立高性能材料、部件及解决方案论坛”等一系列专业技术论坛，为业界人士带来最新的行业发展和市场信息。

Super-SUPER专题活动通过个性化的“菜单式”服务，为参会

的中外政府要员、跨国公司总裁、证券交易机构高层、专家学者等参会人士创造商务交流、会晤、洽谈的机会。安排有“海外上市系列活动”和“合作配对洽谈活动”。

纳斯达克股票市场公司、伦敦证券交易所、Euronext 欧洲交易所、多伦多证券交易所、美国证券交易所、东京证券交易所、香港交易及结算有限公司、新加坡交易所、韩国证券期货交易所及上海证券交易所、深圳证券交易所的高层出席“全球证券交易所峰会”，同时世界第五大交易所、总市值排欧洲第二、交易量排欧洲第一的世界首个跨国境交易所。Euronext 欧洲交易所首次参加高交会，即以此平台首次在中国进行大规模推广活动，伦敦证券交易所和新加坡交易所也举办上市推介会。基廷投资有限公司、美国第一理财证券、麦格理集团、软库金汇集团等知名中介机构与各证券交易所一道为企业跨国融资和上市提供现场咨询和服务。

通过个性化“菜单式”服务，广西、福建、海南、湖北、河北、黑龙江等省市代表团和英国、法国、加拿大、匈牙利等外国代表团，日立、中兴、比亚迪等跨国公司成功地进行高层会晤、合作洽谈、配对交流等活动。

在高交会展览中心举行的高新技术人才与智力交流会，以“人才推动科技腾飞，智力促进经济发展”为主题，安排有“城市人才战略宣传推介”、“高级人才交流”、“中高级人才交流”、“毕业生推介项目”、“留学生与留学回国人员创业园成果交易项目”等五方面的活动。全国数十所城市、上千家企业到会招聘，数十所高校到会推介，既是人才交流的盛会，也是高新技术成果展示的盛会，还是教育和人才培养机构的推介会，并且是城市人才战略、政策、环境的宣传会，呈现出国家级、国际化、大规模、综合性的特点。

2006 年 10 月 12—17 日，第八届中国国际高新技术成果交易会举行。第八届高交会共有 25 个国家、中国内地所有的 31 个省、市、自治区、直辖市、5 个计划单列市和 25 所高校以及港澳台地区组团参展参会，国内外 3728 家参展商，其中包括 65 家知名跨国公司参加了展示和交易，共展出高新技术成果9700多项。该届高交会国外组团数、跨国公司数、投资商数、专业展海外展区面积均创造了历届高交会的新纪录。

由商务部、国家发改委等部委联袂推出的“国家高新技术创新成果展”，对我国“十五”以来自主创新的国家级高精尖科技成果进行了全面的回顾总结和集中展示；本届高交会首次设立的“循环经济专馆”是我国首个循环经济领域内的大规模展览；各省市、高校团组和一大批民族高科技企业带着拥有自主知识产权的高新技术和产品参展与交易，组成了展馆内一道靓丽的风景线；“海外上市系列活动”吸引了欧洲证券交易所等10家海外著名证券交易所和18家国际知名创业投资、中介机构的参与，推动了科技与资本间的联姻；“11国部长论坛”、“跨国公司研发与技术合作论坛”、“全球CEO论坛”、“中国企业创新论坛”等一系列主题丰富的论坛、研讨会等活动高潮迭起，传播交流了科技创新的前沿信息，描绘了世界科技经济发展的新趋势。

高交会不断思索着定位，不断增添着使命。

第九届高交会于2007年10月举行，恰逢十七大期间举办，具有特殊的政治、经济和历史意义。结合十七大会议精神，第九届高交会着重突出了“推进开放创新”、“保护知识产权”、“创建和谐社会”三大主题，呈现出浓厚的“开放、创新、和谐”特色，重点展示了清洁能源、再生资源、环境、信息、现代生物技术与医药等领域具有自主知识产权的新项目，并通过“一条龙”服务加大了知识产权保护力度，有效地推动了资源节约型和环境友好型社会建设。

自主创新是最生动的“音符”。胡锦涛总书记在十七大报告中提到的第一条就是提高自主创新能力，建设创新型国家。对于经济特区在新时期的定位，十七大报告明确指出深圳等经济特区要更好发挥在改革开放和自主创新中的重要作用。作为中国科技第一展，高交会承担了创新型国家的重要助推器的角色，正在努力成为实践科学发展观示范地区的深圳，一直将“自主创新排头兵”视作责

无旁贷的选择，而高交会正体现着深圳的努力方向。

对许多深圳人来说，高交会是城市的节日。回顾高交会的历史，举办以科技为主题的大型会展是深圳发展顺理成章的需求。自高交会举办以来，高新技术产业从第一经济增长点演变成深圳当之无愧的第一支柱产业。

成为中国科技第一展，高交会成功地体现着自主创新的国家意志。促进科技成果向现实生产力转化，高交会从诞生之始就承担了光荣的“破题”使命。第一届高交会曾产生了这样的佳话：借助高交会的搭桥，东北的一家工厂和一间科研机构在千里之外的深圳实现了牵手，令人玩味的是这两个单位竟然在同一座城市，而且仅仅相临两条马路。当然，随着高交会的成长，类似的佳话已经悄然消失，取而代之的是成熟的发布制度，比如两院院士会召开推荐会公开“抛绣球”，比如民间发明者会租个展位期待“伯乐”的慧眼，比如越来越多的国际科技领先者将高交会视作进入中国市场的最佳切入点。

高交会带给深圳的，并非只是产业格局的变化，还有着发展目标的定位。建设创新型国家，这是党中央确定的国家发展战略。第九届高交会期间，科技部、广东省政府和深圳市政府签署框架协议，携手共建国家创新型城市。作为第一个确立国家创新型城市发展目标的国内城市，这标志着深圳建设创新型城市不仅进入了实质性启动阶段，而且进一步提升到了国家层面。正如十七大报告将自主创新列为加快转变经济增长方式的关键，在深圳从速度转向效益的模式之变中，自主创新和循环经济这两大抓手同样是高交会的重中之重。服务国家发展战略，促进深圳模式转变，高交会写就的是创新交响曲的华彩乐章。

对于深圳的自主创新经验，科技部曾经组织过专题调研，认为深圳的成功经验就在于引导和支持创新要素向企业集聚。在这一进程中，高交会同样是最有效的催化剂。无论是朗讯还是腾讯，高交会都曾记录下许多成功企业成长史中的关键时刻。高交会凝聚的资金流、信息流、人才流营造了深圳理想的创业环境，一大批小有名气的科技企业就是从高交会开始了腾飞之路。有着高交会树立的成功榜样，勇于创新、宽容失败成为深圳的主流价值观。十七大报告提出，要进一步营造鼓励创新的环境，使创新智慧竞相迸发、创新人才大量涌现。高交会催生的，还包括城市人文精神中的创新基因。

打造成百年品牌，深圳在本届高交会召开之际第一次亮明了长远志向。毫无疑问，无论对国家，还是对深圳，高交会始终是自主创新最生动的音符。

第九届高交会期间，36 个国家和地区的 102 个代表团、3527 家参展商、16067 个项目和 3487 家投资商参加高交会的展示、交易和洽谈，参会跨国公司达 72 家，海外参展面积达 1.37 万平方米，专业产品展海外企业参展面积比例超过 40%，参展项目数、投资商数、跨国公司数、海外参展面积均创高交会历史新高。美国、俄罗斯、法国、德国等 20 个国家和机构组团参展；中国内地各省、自治区、直辖市、计划单列市以及香港、澳门、台湾地区全部组团参展，连续四年实现了“全家福”；人才与智力交流会吸引了 500 家企业报名，筛选了 200 家企业参展，进场人数达 2.5 万人次。本届高交会参观人数共计 58 万人次，专业客户人气指数达 157.7，即每家参展商平均每天接待 157.7 位专业客户。260 家海内外媒体、近千名记者参与报道了大会盛况。

来自俄罗斯、坦桑尼亚、约旦、越南等 8 个国家的 17 位部长级官员参加了部长题词、部长论坛等活动；甲骨文、爱立信、日立环球等 7 家国际著名企业的高层出席“全球 CEO 论坛”，充分展示了世界科技的前沿动态和全球最新的科技思潮。Super – SUPER 活动内容更加丰富，纽约—泛欧、德意志、东京等 6 家全球知名证交所参加了“海外上市系列活动”，推动了我国高新技术产业与国际资本的“联姻”；中外政府、高校、跨国公司和相关机构的高层人士举行了 30 场配对洽谈活动，促进了经济、科技的国际交流与合作。各科技行业利用高交会这个国际平台，开展了形式多样的高层次活动，国标地面数字电视首次试播，手机检测中心揭牌，“炎黄

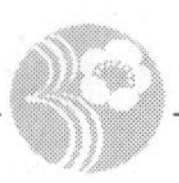

一号”发布，世纪晶源化合物半导体产业基地投产，国家高技术产业示范工程授牌，和平利用军工技术论坛、院士论坛、生物产业发展论坛、SPICE 项目展示与论坛，以及国内外政府、行业、企业组织的全球半导体大会、国际显示大会、欧洲专利申请介绍会、中俄创新技术合作会议等大量活动在会期举办，使本届高交会精彩不断。

第九届高交会新形式、新内容接连展现，是一届不断创新、不断超越的高交会。高交会首次推出旨在鼓励高新技术产品进口的“1 +3”系列活动，美国 9 个州组团参加了“美国专区”展览，近 20 家跨国公司参展，美国、英国、西班牙、意大利、中国等国家的政府官员参加了“国外产品采购政策推介会”等活动，为平衡中国对外贸易、进口高新技术与产品发挥了积极作用；由深圳、香港两地政府共同主办的“深港创新圈”展区，集中展示了“深港创新圈”合作的成果与前景；国防科工委首次组团参展，集中展示了我国国防科技领域内的民用尖端技术，使高交会涉及的行业更为广泛、产品更加丰富。2007 年 5 月还首次成功举办了高交会专业产品展分会——国际消费类电子产品展览会，对“以 10 月份综合性高交会为主体，其他时段的市场化专业分会为补充”的高交会“1 + n”发展新思路进行了积极探索。

在 3 号馆，全球知名平板显示企业“赶集”一样亮相高交会，从产业链上游的原材料、组件，到产业链中游的面板、模块，再到产业链终端的整机厂商纷纷布展。平板显示产业链、高清电视产业链、半导体产业链、手机产业链、数码产业链。中国“科技第一展”以其独特的“链式反应”魅力，激发着一批自主创新产业链大放异彩。

“高交会吸引了大批跨国公司参展。”深圳亚威资讯展览事业部总经理梁毅告诉记者，此次高交会特别设立了平板显示展区，7500 平方米的展位云集了全球 200 多家知名平板厂商。日本的帝人、殷田，韩国的新韩，台湾地区的华映等公司，均组成了强大的展团。

组委会方面还别出心裁搭建了一个“深圳平板显示产业链”展台，长城、中兴、康佳、创维等20多家代表性企业，清晰地描述了深圳平板显示产业的勃兴。“到2010年，深圳平板显示产业将成为支柱产业。”

“产业链汇集在一起，便于就近商洽。”6号馆看到云集了高清数字电视产业链，既有芯片提供商，又有高清数字机顶盒，还有高清电视机。

为表彰各组团单位和参展商取得的优异成果，经专家评审、高交会组委会研究决定，获优秀组织奖的单位共有103个，获优秀展示奖的单位共有81个，获优秀产品奖的项目共有120项。第九届高交会优秀组织奖获奖名单（103个）：

主办单位团组（共6个）：商务部、信息产业部、国家发展和改革委员会、国防科学技术工业委员会、中国科学院、农业部；

国内省市团组（共35个）：安徽省、福建省、广西壮族自治区、上海市、大连市、甘肃省、吉林省、山西省、浙江省、内蒙古自治区、广东省、云南省、宁波市、江苏省、山东省、黑龙江、北京市、厦门市、辽宁省、青岛市、天津市、贵州省、湖南省、河南省、西藏自治区、河北省、青海省、湖北省、海南省、江西省、新疆维吾尔自治区、四川省、陕西省、重庆市、宁夏回族自治区；

高校团组（共26个）：武汉大学、辽宁工程技术大学、厦门大学、山东大学、清华大学、大连理工大学、吉林大学、北京交通大学、华南理工大学、兰州大学、香港科技大学、中国农业大学、中国地质大学、中山大学、合肥工业大学、暨南大学、深圳大学、上海交通大学、南京大学、香港中文大学、哈尔滨工业大学、香港城市大学、香港理工大学、香港大学、天津大学、复旦大学；

港澳及国外团组（共26个）：比利时瓦隆区贸易发展协会、欧洲专利局、德国巴伐利亚州、德国萨克森经济促进会、黑森州、俄罗斯教育科学部、西班牙巴塞罗那城市议会、香港创新科技署、香港生产力促进局、香港贸发局、澳门生产力暨科技转移中心、奥国商务专员公署、加拿大驻广州总领事馆、中埃联合商务理事会、

未来中欧信息通信合作潜力研究（SPICE）、芬兰驻华大使馆（芬兰国家技术局）、芬兰商会南部 Ostrobothnia 地区、法国驻华大使馆广州经济处、匈牙利技术中心深圳代表处、意大利都灵和皮埃蒙特投资促进机构（ITP）、筑波市、荷兰驻穗领事馆（荷兰经济处）、PIF 波滋南展览中心、波兰驻华大使馆贸易和投资促进处、瑞典驻穗领事馆、伦敦投资局；

人才与智力交流会（共 10 个）：深圳市人才交流服务中心、深圳人才网、比亚迪股份有限公司、沃尔玛商业咨询（深圳）有限公司、深圳长城开发科技股份有限公司、德昌电机（深圳）有限公司、格兰达技术（深圳）有限公司、富士康科技集团、兄弟高科技（深圳）有限公司、锦江麦德龙现购自运公司。

第九届高交会优秀展示奖获奖名单还有：深圳市宝安区科技局、联想集团、深圳市福田区科技局、深圳市龙岗区科技局、鸿富锦精密工业（深圳）有限公司、深圳创维－RGB 电子有限公司、深圳市建筑科学研究院、深圳市罗湖区科技局、OKI Eelectronics（HK）Ltd［冲电子（香港）有限公司］、NEC Electronics HK Ltd（香港日电电子有限公司）、深圳市同洲电子股份有限公司、村田电子贸易（深圳）有限公司、北京泰德时代广告有限公司、深圳信息职业技术学院、深圳市盐田区科技局、深圳雅图数字视频技术有限公司、甲骨文研究开发中心（深圳）有限公司、深圳微软技术中心、汉王科技股份有限公司、深圳大学城、康佳集团股份有限公司、比亚迪汽车销售有限公司、深圳职业技术学院、四川九洲电器集团有限责任公司、深圳市金立通信设备有限公司、深圳市光明新区管理委员会、北京超多维科技有限公司、爱普科斯（中国）投资有限公司、深圳市南山区科技局、深圳市埃立特通讯设备有限公司、深圳中天通讯设备有限公司、深圳市伟禄科技股份有限公司、深圳易拓科技有限公司、中国电子视像行业协会大屏幕投影显示设备分会、深圳市爱迪尔电子有限公司、钜诚电子机械设备有限公司、深圳市金积嘉电子工业有限公司、深圳市中科新业信息科技发展有限公司、深圳市商讯网信息有限公司、深圳市星辰激光技术

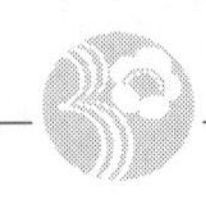

有限公司、广东瑞图万方科技有限公司、中国出口信用保险公司、浙江先芯科技有限公司、东莞市日新电线实业有限公司，以及港澳及海外团组：香港贸发局、澳门生产力及科技转移中心、德国黑森州、德国萨克森经济促进会、深港创新圈、德国巴伐利亚州、芬兰驻华大使馆（芬兰国家技术局）、欧洲专利局、波兰驻华大使馆、匈牙利技术中心、比利时瓦隆区贸易发展协会、俄罗斯教育科学部；

从1999年到2007年，高交会已成功举办九届，成为中国最大的国际高新技术成果交易市场。历届高交会由高新技术成果交易、高新技术专业产品展、中国高新技术论坛、不落幕的交易等主要部分组成，成交额逐年上升。高交会做到了五大结合：商业运作与政府推动相结合；成果交易与风险投资相结合；技术产权交易与资本市场相结合；落幕与不落幕的交易会相结合；成果交易与专业产品展相结合。

高交会形成自己的特点：

高交会具有国家级的特点。中国国际高新技术成果交易会由国务院批准举办，由中华人民共和国商务部、科学技术部、信息产业部、国家发展和改革委员会、中国科学院和深圳市人民政府联合主办，政府高度重视。党和国家领导人朱镕基、吴邦国、吴官正、李长春、吴仪、周光召、成思危、宋健、陈锦华等以及国务院部委领导，全国各省、自治区、直辖市的领导，著名高校的领导，全国各界知名人士均莅临高交会，各级政府大力支持。中国所有的省、自治区、直辖市、计划单列市和香港、澳门、台湾地区均组团参加。

高交会具有国际性的特点。每届高交会都有来自全球几十个国家的客商参加展示、交易与洽谈；美国、英国、德国、法国、加拿大、俄罗斯等近20个国家由政府组团参加。各国政府组团数量逐年增加，微软、朗讯、IBM、思科、英特尔、西门子等40余家国际著名跨国公司在高交会上展示其最新技术与产品，来自数十个国家的科技、经济精英及政府高层在高交会中国高新技术论坛发表演讲。

高交会具有高水平的特点。集中展示了一大批中国和世界最前沿的高新技术成果和国际一流的高科技跨国公司的先进技术和产品；国家三部一委一院等主办单位选送代表中国最高水平的高新技术项目参加展示与交易；大批国家重点攻关计划、国家工程研究中心、国家高技术产业化示范工程以及国家863计划等重大科技项目参加展示与交易；十多位诺贝尔奖获得者在中国高新技术论坛发表演讲，揭示世界科技发展的最前沿动态；高标准的现代化场馆和科学的管理体系为参展者提供高水平的服务。

高交会具有大规模的特点。中国31个省、自治区、直辖市及港澳台地区，还有30多所著名高校参加高新技术成果及产品展示与交易；数以万计的参展商和参展项目与数千家投资商云集高交会；每届高交会参观、洽谈人员均超过30万人次；高交会是中国最大的进口高新技术与产品交易会和国际技术交易市场。

高交会具有讲实效的特点。高交会以“促进成交”为首要特色；高交会全面促进高新技术及产品的进出口；交易活跃，成交额逐年上扬；高交会催化高新技术成果产业化，据对前几届高交会成交项目的不完全统计，占成交额68.84%的成交项目已实现成果转化；探索、创新交易形式，追求实效，不断创新推出“高新技术项目配对洽谈”、“高新技术项目拍卖会”、“创业型企业投资洽谈”、“中国企业海外上市咨询洽谈”、“super－SUPER”等活动，有效地促进高新技术成果交易及转化。

高交会具有专业化的特点。高交会为广大科技、经济、企业界人士提供专业的服务平台；高交会专业化特色突出，设有四大专业技术及产品展，为信息技术、生物技术、新材料及农业领域的业内人士提供交流、交易、洽谈的专业场所；拥有高比例的专业观众群，据智诚友邦信息咨询有限公司对第三届高交会与会观众的调查，专业观众的比例达41.87%；高水准的专业化管理与服务，高交会拥有一支高素质、专业化的人才队伍，以及中国第一家获得ISO9002质量体系认证的专业化展览企业。

高交会具有不落幕的特点。常年为参加高交会的高新技术项目及企业提供交易服务；开展网上交易及网上展览；组织高新技术项目配对洽谈活动；提供高新技术项目推介、撮合、融资、包装等服务；举办行业内的高新技术专业产品展；为中国企业赴海外上市提供咨询与服务；高新技术产权交易所提供产权交易服务；举办其他形式多样的技术交易活动。

三、国际科技合作与交流

镜头画面：中山大学专家参与丁肇中领导的阿尔法磁谱仪Ⅱ（Ams－02）探测计划项目

> 中山大学的做法是：大力推进科学研究国际化进程，促进全校科技人才、科技创新平台与国际一流学术水平的研究单位的交流，建立科学技术研究的战略合作伙伴关系；重视培养和锻炼一批具有国际视野和国际科技竞争力的科技人才，立足于国际科技前沿，扩大全校在国际主流学术圈中的学术影响。

1978年11月3日，经中共广东省委批准，广东省科委正式设置“外事办公室”，对外同时挂“中国广州对外科技交流中心”和“广东省对外技术合作办公室”两块牌子。1980年初，中国科学院广州分院、广东省科学院将办公室外事科升格为外事处。1981年9月20日广东省科学技术协会设立国际部。

1979年，中山大学代表团访问美国，这是中美建交后我国第一个出访美国的教育代表团。同年，该校第一批公派出国的访问学者前往加拿大大不列颠哥伦比亚大学和阿尔伯特大学从事合作研究。此后，中山大学先后与美、加、日、澳、英、德等国家和港澳台地区100多所（个）著名大学、学术机构和团体建立学术交流关系。1979—1994年，全校共派出600多位教师出国进修（1年以上）。仅1994年，由中山大学主办、承办的国际学术会议就达10次。

1997 年 3 月，广东国际科技合作协会正式成立。从此，广东省官方和民间的科技外事管理机构逐步健全，全方位、多层次的国际科技合作与交流日益活跃，不断取得新的成绩。

缔结友好城市，整合国际区域创新资源，是广东拓展国际科技合作与交流的重要形式。广东自 1979 年开始与国外建立友好城市关系以来，先后与澳大利亚新南威尔士州、日本兵库县、扎伊尔赤道省、美国马萨诸塞州和夏威夷州、荷兰乌德勒支省、加拿大 BC 省、瑞典斯坎那省、法国普阿蓝大区、土耳其伊斯坦布尔省、波兰西滨海省、西班牙加泰罗尼亚自治区、印度尼西亚北苏门答腊省和韩国京畿道等缔结了 17 对友好省州关系。省内 17 个城市与国外 53 个城市正式缔结了友好关系。目前全省共缔结友好城市关系 70 对。

30 年来，经过不断探索，广东初步形成了三类国际科技合作的模式：政府主导模式，高校和研究机构主导模式和民间企业主导模式。政府主导模式包括：科技会展、园区引进、专项合作等等。高校和研究机构主导模式包括：校际人才引进、交换学习和联合培养等。民间企业主导模式包括：团队引进、中介推动、资本带动等等。这三类模式在不同层次展开，有效地带动了全省国际科技合作工作的发展。先后分别与德国、加拿大、意大利的相关机构缔结了国际科技合作协议，建立了长期稳定的合作交流关系，确定了在新能源、电子信息技术、物流技术、环境保护、软件开发、农产品加工等领域发展实质性的项目合作。落实省长“洋顾问”在广州国际咨询会期间的活动，促成了德国弗劳恩霍夫促进会属下的科研机构分别与广州工业技术研究院、广州电器科学研究院联合建立国际化的研究机构等。投入配套资金继续扶持已经科技部批准的肇庆中国—巴西软件基地建设。目前广东省已与欧盟、丹麦、俄罗斯、荷兰、埃及等 60 多个国家和地区建立了科技合作关系，实施了科技合作项目 40 多项。在国际科技合作方面，推动一批政府间的国际科技合作项目，进一步拓展了利用国际科技资源，拓展国际科技合作的空间。

1．政府间国际科技合作。

广东省作为改革开放的前沿阵地，充分利用国家给予的优惠政策以及得天独厚的地缘优势，特别是发挥深圳、珠海、汕头经济特区的窗口作用，积极开展与香港、澳门、台湾地区的科技合作与交流，并以此为桥梁和纽带辐射东南亚，进而扩展到与大洋洲、美洲、欧洲、非洲，形成了省际之间、城市之间国际科技合作与交流的友好关系，广东省的国际科技合作与交流出现新中国成立以来前所未有的、全面开花的良性发展态势。

2005年，广东省科技厅组织和报批的科技出访团组有49批次、177人次。有针对性地到亚洲、欧洲、非洲、北美、南美等有关国家和地区开展科技交流、项目洽谈、合作磋商、学习考察等活动。2005年度，经省科技厅审批、报批的国际科技会议和展览会共42个，报科技部批准的9个。在国际层次上，广东省分别与加拿大国家研究委员会工业援助计划署、联邦德国弗劳恩霍夫应用研究促进协会、意大利农业研究院等签订了科技合作协议和谅解备忘录，建立了长期稳定的合作交流关系，确定了在新能源、电子信息技术、物流技术、环境保护、软件开发、农产品加工等领域发展实质性的项目合作。

2. 民间国际科技交流。

“九五”期间，广东省的民间国际科技合作坚持为科技进步服务，为经济建设和社会发展服务，促进技经结合、技贸结合，做好引进人才、技术和资金等项工作。通过与国内外开展合作研究开发，为培育一批高新技术企业提供技术来源，做好技术储备。初步形成了穗、港、澳三点一线和国内的中南、西南、华东三线一点的合作交流关系。

1996年在会议和展览方面，广东省对外科技交流中心在广州和其他国家和地区主办、承办的展览会、技术交流会和洽谈会共60多场次，交流展览项目超过5万项，参加会议和参展的公司6000多家，听会人员、参观人员超过20万人次。在技术和产品出口、国际技术合作、招商引资方面，通过展览会的形式共有100多个企业和研究所共260多人参加，参展项目400多项，签订协议或

合同项目60多项，交易、合作、销售金额9000多万美元。

1997年6月，“97广州中国计算机世界展览会”在广交会举办。这次展览会是华南地区最大规模的国际计算机专业展。参展的国内外厂商120家，展览面积8000平方米。4天的展览，共接待了参观者6万人，其中网络馆2万人。参观者中，生产企业占30%，服务业45%，计算机行业15%，政府机关、院校、媒体占6%，其他4%。

1998年3月，广东省科委组织广州、深圳、珠海、佛山和顺德等市共72个单位（其中企业37家、研究院所14家、大专院校6家、管理机构15家），360余人参加了在澳门举办的欧洲“尤里卡计划”亚洲大型洽谈会。广东省15个单位与“尤里卡”成员国的24个单位开展合作项目的洽谈，有27个项目进入实质性阶段的洽谈，签约两项，达成意向13项。6月由广东省对外科技交流中心承办了“国际有害生物综合治理研讨会”。到会代表来自中国、美国、英国、日本、加拿大、澳大利亚、菲律宾、以色列、荷兰、瑞士、埃及、南非、马来西亚、德国、泰国、印尼、丹麦、越南和比利时等19个国家和香港、台湾海外华裔学者共272人，其中国外代表60人。研讨会共提供294篇论文，其中国内214篇，国外80篇。10月由广东国际科技合作协会承办了“98中日女科学家交流研讨会”。这次研讨会日方女科学家近40人，中方女科学家100多人共160多人参加会议。这次交流研讨会上主要提交生命科学、环境保护、电子信息等方面科学论文38篇。

1999年，先后举办展览会21场，共有国内外参展企业、科研院所、大专院校近3200多家参展商参加，参展项目11万项，参观人数达30多万人次。组织科技研讨会、技术交流会约100场次，约有专业人员15000人次参加科技专业研讨会和交流会。组织专业技术考察团5个。建立了一个按20多个专业分类、80多万个科研单位、大专院校、企业公司和厂商的名录资料数据库，在国际互联网上建立广东科技展览的网站，一年内有来自世界各地的上网访问咨询客户近6万人次。

2000年，广东省对外科技交流中心举办各类型的国际科技展览会共11场，共有国内外参展企业、科研院所、大专院校近300多家参展商参加，参观人数达30多万人次。组织科技研讨会、技术交流会约100场次，约有专业人员15000人次参加科技专业研讨会和交流会。组织专业技术考察团4个。11月，“2000年东方科技论坛—通信及网络技术国际研讨会”在广州隆重举行。本次论坛吸引了一大批海内外通信及网络、电子商务等方面的专家学者参加；信息产业部、中国工程院、清华大学、北京邮电大学、中国电信、中国移动、中国联通等单位共250人出席了本次大会。

“十五”期间，民间国际科技合作与交流工作坚持“引进来”与“走出去”相结合原则，紧密围绕国家科技、经济和社会发展需求，突出重点，充分利用经济全球化带来的各种机遇，在更大范围、更广领域、更高层次积极参与国际科技合作与竞争，积极扩大和深化对外科技交流与合作，使国际科技合作工作取得了较大的进展，有力地促进了国家科技发展总体目标的实现。

此间广东省已与10多家驻港机构、外国近20家驻港机构以及近300家港澳大中小型企业及工商、金融、社团等各界机构和组织建立了密切的联系，大大增加了广东对境外合作方的了解。

2001年，广东省对外科技交流中心共举办国际科技展览会13场，组织科技研讨会、技术交流会63场，共7000多家机构单位，11400多人次的专业技术人员参加，参展客商和参观人数超过30万人次。

2002年，广东省对外科技交流中心成功举办各类国际科技展览20多场，中外参展企业3000多家，参观展览会的专业人员达30万人次以上。举办相关内容的专业技术研讨会、交流会和论坛100多场，邀请行业内资深专家学者、院士和权威人士作主题报告，参加研讨会的专业技术人员近3000多人次。

2003年，经广东省科技厅批准和申报举办的国际科技类型的展览会近40场。广东省对外科技交流中心举办各类国际科技展览20多场，中外参展企业3000多家，参观展览会的专业人员达30万

人次以上。

2004 年，广东省对外科技交流中心完成专业性的国际性科技展览会 13 场，研讨会 75 场，累计参展企业 1000 家以上，参观展会的达 100000 人次，参加研讨会 22000 人次。

“2005 中国（广州）国际标签与防伪技术暨自动识别智能卡展览会”由广东省科技厅会同德国弗劳恩霍夫物流研究院、香港生产力促进局等单位联合主办，来自中国、欧洲、亚洲、非洲等的国家和地区近 6000 人次参加了现场洽谈活动和技术交流活动。由于本届展会首次加入了 RFID 的内容，吸引了国际上 RFID 行业最具影响力的美国 SYMBNOL 公司的参展。该参展商的到来，为展会带来了世界最新的技术和产品设备，为此，展会得到了观众的高度评价。从 2004 年开始，广东省科技厅就与德国的弗劳恩霍夫应用研究促进协会举办过几场专题研讨会。2005 年的中德弗劳恩霍夫现代制造技术、物流研讨会是 2005 年广东经济发展国际咨询会期间的重要活动之一。此次研讨会由德国弗劳恩霍夫应用研究促进协会的近 20 名专家组成代表团访问广州，代表团由该协会主席汉斯—布凌格教授率领。研讨会采取主题讲演和听众参与讨论的有效互动方式，吸引了来自省内 77 家企业、高校、科研机构的近 300 名代表的参与。

• 高校向积极参与国际研究计划转变

1979 年，中山大学代表团访问美国。这是中美建交后全国第一个出访美国的教育代表团。同年，青年教师作为改革开放后该校第一批公派出国的访问学者前往加拿大大不列颠哥伦比亚大学和阿尔伯特大学合作研究，在“诱导鱼类繁殖”方面取得了重要创新成果。

此后，学校先后与美国、加拿大、日本、澳大利亚、英国、德国等国家以及港澳台地区 100 多所（个）著名大学、学术机构和团体建立了学术交流关系。1979—1994 年，全校共派出 600 多名教师出国进修留学（1 年以上），短期出国及赴港澳地区访问、研究、讲学及出席学术会议的教师达 3000 人次。1993—1994 年全校赴港澳讲学的教师 45 人次。1994 年由中山大学主办与承办的国际学术会议就达10次。“十五”期间，共举办国际会议41次，资助出国参加国际会议1529人次，承担国际合作研究项目134项。2007年，学校又承担国际合作研究项目24项。

1987年在新加坡“诱导鱼类繁殖”国际会议上被命名“林彼方法”，在此基础上，在鱼类脑垂体促性腺激素的合成与释放方面的研究取得了重要的创新成果，成功研制高活性鱼类催产剂在国内外推广应用，取得了显著的经济效益。

中山大学肿瘤中心与美国南加州大学享有“基因治疗之父”的W. French Anderson教授在中山大学肿瘤中心建立了合作实验室，进行了新药研发等多方面的科研合作；与MD Anderson癌症中心签订缔结姐妹医院的协议，开展双边会议、项目合作、人员培养及远程会议等全方位的合作。与瑞典Karolinska医学院建立了科学研究、人才培养、学术交流各方面紧密合作的战略伙伴关系。2003年3月，中山大学和Karolinska医学院两校之间签署了为期五年的科技合作协议。2004年3月，“中山大学—瑞典Karolinska医学院肿瘤合作实验室”在肿瘤中心建成和挂牌。2003年2月中山大学与瑞典Karolinska大学签订合作协议。2004年中瑞双方在校际协议的框架下，建立了“中山大学肿瘤防治中—Karolinska医学院”合作实验室，位于中山大学肿瘤中心。在人才培养方面，与Karolinska医学院联合培养博士生1名，并多次互派工作人员和博士后进行培训。共同举办双边多边会议：2002年4月主办第一届广州国际肿瘤学学术会议，2003年2月主办中瑞生命科学论坛，2006年7月主办中瑞生命科学论坛。此项合作获得了科技部国际合作奖。

2004年初，著名华裔科学家丁肇中教授领导的重大国际合作项目——阿尔法磁谱仪II（Ams-02）探测计划项目，邀请中山大学的专家参与，经科技部批准，该校加盟了与美国麻省理工学院、意大利核物理研究所、荷兰航天航空局、瑞士日内瓦大学等机构合作，共同研制硅微条轨迹探测器的热控制系统（TTCS），并计划于2008年送到国际空间站上开展试验。

2006年，朱熹平教授携手旅美数学家曹怀东在美、俄等国科学家的基础上，彻底证明了庞加莱猜想，破解了国际数学难题。

中澳中医药研究中心是中山大学与澳大利亚悉尼大学在2007年签署协议共同成立的中医药研究机构，以实现传统中医药的现代化与国际化为目的，发挥双方在人才、技术与专业等各方面的互补优势，以国际最高学术标准对中医药进行基础和临床研究，实现中药材在澳洲TGA的准入和市场流通，为

更多优质中药产品的国际化提供示范技术和方法学支持；同时中澳中心将加强和扩展中澳之间在中医药研究方面的交流与合作，为国家培养更多中医药的国际化人才；并利用多种媒体手段向全球科学界、医学界、药学界及更广泛领域宣传和传播有关中医药的信息与知识。中心将以中药的现代化和国际化为重点。

2007年，“海水鱼种苗人工繁育技术”已转让越南等东南亚国家，产生了良好的经济和社会效益。同时“基于文昌鱼的免疫起源与进化研究”与法国共同合作研究。

在国际学术交流、合作中，中山大学的主要做法是：大力推进科学研究国际化进程，促进全校科技人才、科技创新平台与国际上具有一流学术水平的研究单位的交流，建立科学技术研究的战略合作伙伴关系；重视培养和锻炼一批具有国际视野和国际科技竞争力的科技人才，帮助教师们逐步进入国际主流学术圈，立足于国际科技前沿，扩大全校在国际主流学术圈中的学术影响。此外，支持和鼓励教师们参与重大的国际合作项目，扩展视野，接触最前沿的知识和最尖端的科学技术，以达到提高教师们的科研创新能力和学术研究水平的目的，并产生一批在国际上有较大学术影响的研究成果。

加强国际交流平台建设是中山大学国际学术交流、合作的重点之一，具体包括发展和完善国际合作区域项目拓展中心，加强科技创新平台与国际知名高校的沟通与合作，推动联合实验室建设，健全I类科技创新平台与国际接轨的学术评价制度，完善其实行独立的海内外结合的学术评估和考核机制，为学校的国际合作与交流提供更大的支持。

国际学术交流、合作有力地提升了中山大学国际学术界的影响力。全校从一般性的科技国际交流起步，向全方位、高层次的科技交流转变，由被动消化吸收国际科技成果开始，向主动参与研发、积极分享世界先进科技研究成果和经验转变，由受邀参与国际合作开发项目为主，向主动积极策划发起国际研究计划转变。目前许宁生教授担任国际场致发射学会执行理事、国际真空微电子学大会执委、国际信息显示学会北京分会主席；陈小明教授担任国际知名杂志如英国《化学通讯》、《欧洲无机化学杂志》的顾问委员以及美国《晶体生长与设计》的专题编辑；孟跃中教授担任 *Res. J. Chem. Environ* 杂志的副主编和 *Macromolecules* 等多个国际杂志的特邀审稿人；章明秋教授担任亚澳复合材料协会的理事和 *Composites Science & Technology*、*Polymers & Polymer Composites*、*Express Polymer Letters* 等杂志的编委；王雪华教授担任 *Physi-*

cal Review A/B/E、*Applied Physics Letters*、*Applied Physics*、*Opt. Lett* 等刊物的审稿人；周永章担任国际数学地球科学协会评奖委员会委员等。

改革开放以来，中山大学矢志建设成为一所“居国内一流前列，具有国际影响力的高水平的研究型大学”，充分利用学校地处广东，毗邻港澳的区位优势和开放环境，不断加强与国内外著名大学、学术机构和团体的学术交流与合作，多种形式、多渠道利用国际资源，提高学校的创新能力和国际影响。

• 热带传染性病疫苗

2006年8月11日，中山大学疫苗研究所在中山三院举行了揭幕仪式，广东省副省长雷于蓝、省政协副主席兼卫生厅厅长姚志彬等出席了揭幕仪式。这是广东省第一个疫苗的研发基地，由中山大学和美国宾夕法尼亚大学合作组建，平台建设耗资2000万元，实验室面积达1300平方米，由著名的美国生物实验室设计专家设计。疫苗研究所利用目前国际上最先进的基因载体技术平台，研发威胁广东省居民健康的热带传染性病疫苗，近期重点对SARS、艾滋病、登革热、禽流感、丙型肝炎等南方多见传染病的疫苗进行研制。目前，已完成了SARS疫苗临床试验前的所有工作，将正式向药监部门申请临床试验。另外，艾滋病疫苗在老鼠等动物试验中也获得成功。

四、粤港澳台科技合作

镜头画面：粤港资讯技术在制造及服务业的应用交流会(1997)

1998年，粤港两地分别就信息技术、光机电一体化、生物制药等高新技术产品项目合作进行洽谈，签署了18项合作协议，涉及总额近8亿港元。12月，广东省科委与澳门基金会在澳门联合举办了以环保、健康和海洋为主题的首届粤港澳科技研讨会，两地共有近40名专家和学者参加。

1998年，粤港两地分别就信息技术、光机电一体化、生物制药等高新技术产品项目合作进行洽谈，签署了18项合作协议，涉及

及总额近8亿港元。12月，广东省科委与澳门基金会在澳门联合举办了以环保、健康和海洋为主题的首届粤港澳科技研讨会，两地共有近40名专家和学者参加。

1997年，进一步扩大和推进了与香港生产力促进局之间的合作与交流，共执行合作与交流项目11项；进行了香港科技及高技术产业发展研究，参与了与澳门的科技交流并促成一些粤澳项目。以广东粤港科技产业促进会的名义与香港粤港科技产业促进会在香港联合举办了“粤港资讯技术在制造及服务业的应用交流会”，出席会议的有来自粤港两地的200多位代表。还主办了5场此类交流研讨会，包括在香港举办的“粤港资讯技术在制造、服务业的应用交流会”、“现代药物研究与药政管理研讨会”、“中美先进制造技术研讨会”、“工业设计技术研讨会”和“广东国际多媒体信息及网络技术展示交流会”。

1998年4月，广东省科委组织全省有关方面参加了在澳门举办的“尤里卡计划（会合）亚洲”活动，促成了一批重要的国际科技合作项目。广东工业大学CIMS中心在澳门组建农业机器人和计算机集成制造系统研究所等5项科研项目，经过欧共体国家的严格评审，被批准列入欧洲“尤里卡计划”。这是“尤里卡计划”首次开展与中国的合作，广东省参加的项目占1998年“尤里卡计划”新批准项目总数的3.1%，占我国所获得批准项目数的71%。11月，粤港科技产业促进会与香港生产力促进局、工业科技中心合作，在香港举办'98粤港高新技术合作项目推介会。粤港两地的科技企业界代表分别就信息技术、光机电一体化、生物制药等高新技术产品方面的项目合作进行合作洽谈，签署了18项合作协议，涉及总额近8亿港元，对粤港实质性科技产业合作产生积极影响。12月，广东省科委与澳门基金会在澳门联合举办了以环保、健康和海洋为主题的首届粤港澳科技研讨会，两地共有近40名专家和学者参加，会上宣读的论文有12篇。同年，科技部在台湾首次举行大型成果展览洽谈会，广东省科委选送了18个项目参加，是各省中最多的一个，洽谈会上与台商签订了7个合同。

1999 年 5 月，“’99 广东经济技术贸易洽谈会”在香港展览馆举行。共接待来自香港、澳门、台湾、美国、日本、韩国、加拿大、印尼、新加坡、泰国、德国、巴拿马、澳大利亚等 20 多个国家和地区的公司 3000 多个，客商 8300 多人。洽谈会累计签订各种利用外资合同 1260 个，其中外资直接投资合同 698 个，投资总额 50 多亿美元，外资成交金额 35 亿美元，进出口贸易成交额超 13 亿美元。广东省机械所的“CAD/CAM 应用工程”、广东省食品所的“AK 糖和天然活性物质二十八碳醇（候鸟素）”与外商签订了项目和出口意向，金额达 300 多万美元。本次洽谈会是 20 世纪广东省在香港举办的一次大型经贸合作交流盛会，广东省委、省政府高度重视，把本届洽谈会作为实施“外向带动”战略的重大举措，列为 1999 年广东省最重要的招商引资和贸易洽谈会之一。

1999 年，针对两地普遍关心的“千年虫”问题，广东省科委与香港生产力促进局在粤联合举办了“粤港计算机两千年问题研讨会”。11 月，广东省科委与香港贸易发展促进局共同组织了一批香港信息技术行业的企业家到广东，共同举办信息技术产业合作研讨会。会上，有关部门介绍了广东信息产业发展的政策和概况及投资环境，引起了积极反响。12 月上旬，广东省科委以粤港科技产业促进会名义在香港举办了“粤港中医药产业合作科技论坛”的大型活动。

1999 年，广东省科委与省科技情报所、省台办共同开展的“粤台产业科技合作现状与发展研究”正式完成，该课题的报告得到有关方面的好评。8 月，广东省科委支持举办了“中国及邻近海域海洋科学讨论会”，大会邀请了近 30 位台湾学者来粤。会上，两岸代表不仅开展了很好的学术交流，而且还就当时在科技往来方面存在的困难和问题探讨了解决办法。广东省科委与广东省开发中心组织的“环保与能源考察团”首次实现访台，取得积极成效，这为今后进一步推动粤台合作打下良好基础。

2001 年，组织高校的科研处长以及部分分管科技工作的领导赴台考察大学科研体系以及新竹开发区，开展政策方面的对比调

研，取得了很好效果。广东团赴香港参加世界生产力大会，以粤港科技产业促进会名义举办了粤港生物医药及风险投资论坛，组织重点实验室人员到香港做实验室专题考察交流。

2002年，在广东省科技厅的推动下，与香港生产力促进局、电子信息行业协会、制造业关键技术协会等机构建立紧密联系。协助组织了粤港珠江三角洲城市规划和交通经济探讨会。安排香港咨询科技协会联合会对广东软件行业的考察访问。在科技部的部署下，支持澳门特区政府做好下一届科技周活动。

2003年，为贯彻落实粤港合作第六次联席会议的精神，广东省科技厅与香港特区政府工商及科技局共同成立了粤港高新技术专责小组，并于同年10月签署了《粤港高新技术合作安排（协议）》，2004年广东省科技厅与澳门特区政府科技委员会共同成立了粤澳科技合作专责小组，并于同年5月签署了《粤澳科技合作协议》。粤港澳的科技交流与合作从形式到组织结构上都有了更有效的保证。在此良好基础上，三地政府的科技管理高层联系密切，合作与交流非常活跃，对三地经济建设及提高国际竞争力的推动作用日益明显。

2004年，粤港两地首次开展了粤港重点领域关键技术的联合招标。经过双方共同研究，各投资1.7亿元，对电子信息、精细化工、精密制造、新能源与脱硫关键技术、电子标签、汽车配件制造等6个方面的关键技术项目，进行联合公开招标。粤方安排了43个项目，港方安排了24个项目。粤港联合招标在两地引起了良好的反响，被认为是当前粤港合作中最富有成效的举措。

充分利用CEPA安排和粤港澳科技合作协议的有利条件，利用广东的人才优势和技术优势，建立港澳科技项目的联动机制，互相促进，共同发展。2005年双方各投资2.6亿元，继续开展了粤港关键领域重点突破项目联合招标活动，同年9月在深圳联合举办了四场“粤港科技合作专题研讨会”，粤港双方有超过200人参加，取得很好的效果，各专业领域和有关部门组织的科技合作也取得积极进展。

2005年，广东省与香港特区政府创新科技署、澳门特区政府科技委员会签署了科技合作协议。“9+2”的科技厅（署）在广州签署了《泛珠三角区域合作协议》。实行科技资源的开放和共享，包括相互开放重点实验室、工程技术研究中心、中试基地等，成为建立泛珠三角科技合作平台的重要起点。开展了粤港重点领域关键技术的联合招标。在泛珠江三角洲区域合作的框架内，经过双方共同研究，各投资2.6亿元，进行联合公开招标。与香港特区政府创新科技署在深圳联合举办了4场“粤港科技合作专题研讨会”。

经过几年的探索性实践证明，CEPA提供了很好区域合作的制度性平台。它从根本改变大珠三角区域过去的运作方式和发展模式。在运作方式上，CEPA用政府间的制度性安排取代了过去的市场导向为主，企业微观活动为主体、按比较优势进行市场选择和自由竞争的功能性区域一体化合作方式。以政府介入建立体制接近、规则统一的正式制度去稳定地推动区域经济整合和一体化的发展。这种建制性的一体化合作方式，通过CEPA建立的政府间的协调机制与对话通道，可以超越市场，对有关区域长远发展前景和整体竞争力的重大战略性问题，例如经贸关系、产业布局、科技发展以及基础设施建设等，进行有效的协调和整合，使整个区域合作提升到更高的层次。在发展模式上，CEPA使大珠三角区域的合作领域超出了单纯的加工出口的范畴，全面涉及到区域内外的贸易、服务业合作、科技协调、环境保护、文化交流、教育促进等各个层面，从而使区域间经济全面融合，更有利于发挥三地的比较优势，形成全面分工合作整体竞争优势。这对以资金、技术、产品等为纽带进行厂商之间、科研机构之间以及厂商与科研机构之间的合作提供了坚实的基础。

五、泛珠三角区域科技合作

镜头画面：泛珠三角区域科技合作联席会议场景（长沙，2004.12）

> 2004 年 12 月 11 日，第三次泛珠三角区域科技合作联席会议在湖南长沙召开。会上，“9 + 2”的代表签署了《泛珠三角区域科技合作长沙议定书》，进一步确定联席会议制度：由“9 + 2”成员轮流担任联席会议主席，每年召开一次泛珠区域科技合作联席会议，通过专责小组推进科技合作各种专项工作。

泛珠三角区域合作的构想，是在粤港澳“大珠三角”区域合作不断深化发展并取得丰硕成果的基础上，由广东省首先提出来的，并得到了珠江流域的福建、江西、湖南、广西、海南、四川、贵州、云南八省区和香港、澳门两个特别行政区的积极呼应。

2004 年 6 月 1 日，首届“泛珠三角区域合作与发展论坛”在香港开幕。6 月 3 日，“泛珠”11 省区政府领导共同签署《泛珠三角区域合作框架协议》，标志着泛珠三角区域合作机制的正式启动。这是我国为适应经济全球化和区域经济一体化发展趋势而采取的一项重大举措。在《泛珠三角区域合作框架协议》中，科技被确定为落实泛珠三角区域合作的重要领域之一。

2004 年 8 月，省委、省政府颁发《中共广东省委、广东省人民政府关于加快建设科技强省的决定》，提出推动泛珠三角区域科技合作与交流，建立泛珠三角区域科技发展协作机制。通过政策协调，科技项目的联合攻关，各种研究开发中心、仪器设备的相互开放，实现科技资源的开发与共享，形成区域科技竞争优势，构建泛珠三角区域创新协作体系。

至 2005 年底，“9 + 2”省区的科技部门领导共召开了四次泛珠三角区域科技合作联席会议，每次联席会议都对泛珠区域科技合作的推进起到了实际性的推动作用。

在 2004 年 12 月 11 日在湖南长沙召开的第三次“泛珠三角”区域科技合作联席会议上，“9 + 2”的代表签署了《泛珠三角区域科技合作长沙议定书》。议定书进一步确定了联席会议制度，即由“9 + 2”成员轮流担任联席会议主席，每年召开一次泛珠区域科技

合作联席会议，通过专责小组推进科技合作各种专项工作。

第四次泛珠三角区域科技合作联席会议于2005年9月30日在香港召开。会议通过了由“9+2”共同编制《泛珠三角区域科技创新合作“十一五”专项规划》，并就该《规划》的实施落实进行了详细的探讨、分工。《规划》中明确，“十一五”期间，泛珠三角区域科技创新合作将围绕共同创建有利于区域科技合作的环境与机制、实现科技资源互相开放和共享、实现科技人才合作培养与交流、共同培育有区域特色的产业集群和共同研发具有国际竞争力的科技成果等5大基本任务，通过科技资源共享行动、合作组建科技组群（联盟）行动、联合创新科技行动和科技人才培养行动这4大科技行动中的20个重大专项，整合泛珠三角区域的科技资源，实现合作共同的总目标。8项配合《规划》所进行的专题研究也结题并编印成书，公开发行。

2005年6月21—23日，在澳门举行了由澳门特别行政区科技委员会主办、中国科学技术交流中心及泛珠三角澳门以外的其他“9+1”省（区）科技厅协办的“泛珠三角中医药论坛暨展览”。这是泛珠三角区域合作中首个较高层次的科技合作活动，活动对促进泛珠三角在中医药技术创新及产业化领域开展务实交流合作具有重要意义。

第二届泛珠三角区域经贸合作洽谈会于2005年7月26日至28日在成都市举行。广东省科教分团组织了38人赴成都参展。参加单位包括广东省教育厅、省科技厅、中国科学院广州分院、10所高校、6家科研院所，介绍172项重点项目，可合作、开发、转让的项目581项，现场签约的单位有中山大学、华南理工大学、华南农业大学、广东工业大学，分别与广西、湖南、四川、成都等省市签约意向合作，总金额为3410万元。在会上还进行了农村信息直通车的项目推介活动。

2005年6月，广东省党政代表团赴琼、滇、黔三省交流考察。广东省科技厅与这三个省的科技厅签订了科技双边合作框架协议，协议基本内容为：签约双方本着“优势互补、注重实效、互利互

惠、合作发展”的原则，加强区域科技发展的合作研究；加强两地高新技术产业与高新区的合作与交流；创造条件组织若干研究领域的联合科技攻关；加强智力合作、交流和培训；搭建合作共享平台，实现科技资源共享；发挥科技中介机构的作用，为参与双边科技合作牵线搭桥；建立合作工作机制。协议的签订，将加强广东与琼、滇、黔三省的科技合作和交流。

目前，泛珠三角科技要素流动和组合的创新网络已露出端倪。在微观操作层面形成三种合作模式。一是泛珠三角经济圈内高校（科研机构）间科技合作。这种合作模式一般是以基础研究为主的合作。泛珠三角经济圈内成员既有科技实力强的东部省份如广东、福建，也有科技实力弱的西部省份如贵州、广西等。泛珠三角经济圈内高校经自由接触、商洽，结成科研合作联合体。联合体具有共同利益，目标一致。二是泛珠三角经济圈内高校（科研机构）与企业间科技合作。三是泛珠三角经济圈内企业与企业间科技合作。企业间科技合作关系可以分为优势互补和优势加强两种类型。

在宏观层面，发展了三种合作模式。一是科技合作的梯度推移。由于技术梯度差异而存在紧密供求联系的区域科技合作大多属于这种类型。二是共性技术开发合作。其研发成果可以共享并对整个产业或多个产业产生深度的影响。三是泛珠三角经济圈内经济互动发展的科技合作。在泛珠三角经济圈内，大范围存在同质或互补性产业，且经济联系密切，并需要联合进行重大技术开发的区域科技合作适合于应用经济互动的科技合作模式。

在构建泛珠三角科技合作新机制中，突出了区域经济特点和泛珠三角区域品牌影响力，重点建设了科技合作平台、科技信息服务平台、科技条件市场平台、科技企业孵化器等。

共同打造区域合作综合信息平台是泛珠三角科技的重要组成部分。运用信息化手段，共同打造区域合作综合信息平台，极大地促进了泛珠三角劳动力的流动，人才的交流合作、资本的融通、自然资源的互补互利等，使各地区的生产要素由不平衡向相对平衡有序流动，使泛珠区域的工业资源得到优势互补、合理整合，从而使广

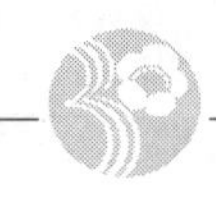

东省资源获得最优配置，拓展企业的利润空间，提升产业的竞争力。

根据《广东区域创新体系建设研究报告》的建议，现阶段推进“9+2泛珠三角区域创新协作体系”的主要着力点有：

明确提出使用共同的名称，推动和深化区域的认同感。确定将“9+2泛珠三角区域创新协作体系”作为这一地区开展紧密型科研、技术和人才合作与交流的基本框架和平台。

建立“9+2”科技主管部门首长定期会晤或联席会议制度。每年定期或不定期在11个省区轮流举行科技主管部门负责人参加的联席会议，就“9+2”科研、技术和人才的合作与交流的相关问题进行磋商，及时解决协作中的各种障碍。

设立“9+2泛珠三角区域创新协作论坛”。以论坛的形式，每年定期或不定期联合举办，选择当年的热点论题，邀请国内外专家学者、企业界精英和政府官员共同探索合作的大计。

联合开展区域科技发展战略研究。共同制定涵盖整个区域的科技发展战略、中长期科技发展和创新体系的建设规划，在指导思想上、发展战略、政策制度、科技攻关、人才交流、产业集群等方面形成协调共赢的共同体。关注并研究“泛珠三角”区域与东盟的科技合作计划及推进措施。

建立资源共享的信息平台。“9+2”省区科技主管部门联合设立“9+2泛珠三角区域创新协作体系”网站或信息库，将有关的科研、人才、市场等方面信息进行充分的交流与共享。并联合向全国乃至全世界进行宣传和推介，共同打造该体系的品牌，扩大知名度，提升竞争力。

组成区域产业协作战略联盟。围绕泛珠三角区域重点领域、重点产业，引导区域内大中型企业实行强强联合；逐步推进相互认可经行政管理部门认定的高新技术企业、高新技术成果、高新技术产品、科技型中小企业、外商研发机构、科技中介机构等，相互享受本地同等的优惠政策。

建立科技项目合作机制。鼓励和支持区域内高校、科研院所、

企业等实体联合承担国家重大科技项目。围绕泛珠三角区域特色资源和共性技术开展联合攻关。在科技项目招标中，按照公平、公开、公正的竞争原则，区域内的企业、科研机构等法人具有招标资格。

合作培养科技人才。互派中青年专家和科技管理人员到各方所属区域的相关部门学习、培训、挂职锻炼。联合开展科技合作、考察。合作实施人才培训、培养和交流计划。

实行科技资源的开放和共享。相互开放国家级和省级重点实验室、工程技术研究中心、中试基地、大型公共仪器设备、技术标准检测评价机构。联合建立泛珠三角区域科技信息网络和交易网络，形成网上技术市场，推动科技成果交易。联合举办科技博览会、交易会、项目推介会，加快区域成果转化成生产力。

协调地方性科技法规体系。按照共建科技统一市场的原则，在科技企业、科技市场、专业资格、知识产权保护、市场执法等方面，及时协调地方性科技法规、规章和政策，并提供相互之间的法律援助和仲裁互认。

第十一章
万种保持图永远
——可持续发展研究心系明天

改革开放的广东并没有驻足在那个仅仅想着“今天”的阶段，经济的热潮一浪卷过一浪，人们还是能在喧嚣中沉静下来，思考“明天”。——假如“科技”只能带来一时的富足，而终换来明日的枯萎，这样的“科技”不要也罢。因此，一个新的词语——“可持续发展”跃入了人们的视野，广东人开始孜孜不倦地需求一种“绿色科技”，一种通向永恒美好的、真正的“科技”。

20 世纪 90 年代以来，可持续发展实验区在广东呱呱坠地，它们对广东的健康发展、长远发展，意义重大。它们承担着为全省经济社会可持续发展提供科学示范、进而推动全省实现可持续发展的使命。东莞市清溪镇就是一例，它是广东第一个具有比较成熟的可持续发展实验区。在城市建设方面，清溪首先抓好城市规划，再招商投资建设；在产业发展方面，良好的生态环境，实施超前的城市建设，使清溪有准备地迎接了国际、区际 IT 产业的转移，短时间内成为我国最大的电脑产品和其他 IT 产品生产基地。清溪走出了一条环境与经济协调发展，工业化与信息化相衔接的新型工业化、城市化道路，也向世人证明了，科技创新与绿色收获，可以双赢。

此外，在社会发展领域科技计划、清洁生产与循环经济专项、软科学研究、生物种质资源库建设等方面，广东也一直没有停下探

索的脚步。聪明的广东人明白，只有心系明天，才能图得真正的幸福和长远。

一、可持续发展实验区

镜头画面：清溪镇国家可持续发展实验区

根据邓楠的意见，要在广东选择一个镇进行社会发展综合实验。后来推荐了当时中国第一经济大镇顺德桂洲镇。1992年6月确定桂洲镇为广东第一个国家级社会发展综合实验镇。由于当时可持续发展观念的不成熟，桂洲镇的领导并没有真正在思想上转向可持续发展轨道上，桂洲镇的社会发展综合实验并没有真正展开。

国家可持续发展实验区建设是在可持续发展思想指导下，努力探索经济、社会、人口、资源与环境协调发展的实践探索活动。1992年8月，原国家科委、国家体改委会同原国家计委等有关部门决定，在1986年开始的社会发展综合示范试点工作基础上，逐步建立一批社会发展综合实验区，依靠改革开放，充分发挥科学技术是第一生产力的作用，缓解人口、资源和环境对经济发展的制约，为我国城镇经济社会综合协调发展探索经验并提供示范，并力图形成一种新的发展模式和新的文明观。1995年，党的十四届五中全会首次将可持续发展确定为我国国民经济和社会发展的重大战略，提出中国要走可持续发展之路。1997年底，经国务院会议同意，社会发展综合实验区更名为可持续发展实验区。

国家可持续发展实验区是在科技部倡导下，由国家有关部委共同推动的一项地方性的可持续发展综合实验示范工作，旨在坚持可持续发展思想，依靠科技进步、机制创新和制度建设，全面提高可持续发展能力，探索不同类型的经济、社会、人口、资源与环境综合协调发展的机制和模式，为不同类型地区实现可持续发展提供

示范。

1992年，被誉为国际可持续发展里程碑的国际环发首脑会议在巴西里约热内卢召开，大会通过了《21世纪议程》。尔后，中国政府就组织力量制定了《中国21世纪议程》，国家科委开始在各种场合大力倡导可持续发展思想。同时，在广东也慢慢形成了一个研究、宣传、实验可持续发展思想和战略的队伍。

改革开放以来，广东省在推进工业化、城市化和现代化建设进程中，取得了令世人瞩目成就。可持续发展实验区建设对广东的健康发展，长远发展、意义尤其重大。它们承担着为全省经济社会可持续发展提供科学示范，进而推动全省实现可持续发展的使命。

1. 后进变先进：清溪镇。

广东省从1991年开始推进可持续发展实验区工作，业务主管部门设在省科技厅（原科委）。当时国家科委社会发展技术司根据邓楠同志的意见，要在广东选择一个镇进行社会发展综合实验。后来广东省推荐了当时中国第一经济大镇顺德桂洲镇。1992年6月确定桂洲镇为广东第一个国家级社会发展综合实验镇。由于当时可持续发展观念的不成熟，桂洲镇的领导并没有真正在思想上转向可持续发展轨道上，桂洲镇的社会发展综合实验并没有真正展开。这说明在当时推进可持续发展理念，还是有很多障碍的。

清溪镇是广东第一个具有比较成熟的可持续发展思想的可持续发展实验区。它从1993年起步，先是开始作为省级清溪镇的社会发展综合实验镇试点。1995年底，国务院国家社会发展综合实验管理办公室批准清溪镇为国家社会发展综合实验镇。

清溪镇位于东莞市东南角，南接深圳布吉，面积143平方公里，其中山地占了近40平方公里。90年代初户籍人口29000多人。在80年代，东莞许多镇因优越的经济地缘环境，通过改革开放迅速发动了农村工业化，并初步富裕起来了，如长安、虎门、石龙、中堂等等。但此时的东莞东南角却还是“春风不度玉门关”，清溪还是一个落后的山区小镇，交通不便，市场不通，资本不到，工业化进程还未启动，被人称为“鸟不下蛋”的穷地方。当时清溪镇

的领导去市里开会不好意思坐前边，就挑个“角落头”（会场角落）坐；见到市领导和发达镇领导时“垂下头”（不敢抬起头）。

90年代初，清溪镇进入工业化起飞前夜。如何发挥后发优势，把握新的发展机遇，创新发展道路和发展模式，实现后来者居上？如何描绘清溪工业化、城市化、现代化的科学、美好的蓝图呢？这不仅需要热情和渴望，还需要理性和理论指导。当时镇委书记去了一趟新加坡，看到新加坡经济发达富足，社会和谐有序，环境优美怡人，回来就提出要把清溪镇建设成为新加坡特色的发达文明的花园式城市。他的想法代表着掌握了自己命运的当地农民的渴望、理想和追求。

这是清溪镇选为省级试点的重要原因之一。在1995年正式被国务院社会发展综合实验区管理办公室确定为国家级实验镇的同一时期，清溪镇被列为国家小城镇建设试点镇、费孝通社会发展实验研究定点镇、精神文明建设示范镇等。

清溪镇的实验工作得到了各方面的支持，特别是来自国家科委社会发展技术司、广东省科委的指导和支持。费孝通及他的助手，邓楠及她的助手甘师俊，广东省科委蔡齐祥及办公室主任路平，广州市社会科学院梁桂全等形成了清溪镇社会发展综合实验的中坚力量。在可持续发展观指导下，清溪镇的实验在90年代得到了全面的展开。根据规划，清溪的实验将用十至十五年时间实现三大步飞跃。第一步，把握国际、国内产业转移的新机遇，按照可持续发展要求实施新型工业化，实现国民经济工业化全面起飞，为社会全面现代化的推进奠定强大的经济基础。第二步，在推动经济起飞后，迅速把经济发展的成果转变为社会全面进步的成果，推动各项社会事业全面发展，其中要突出全面提高人口的综合素质，形成自主创新发展能力，为土地资源在可持续发展前提下开发完毕后，推动社会经济发展转向土地资源零开发基础上依靠人的高素质和自主创新的持续发展奠定新的社会文化基础。第三步，推动清溪的发展由依赖土地、资金、劳力资源和外资转向依靠持续创新能力，最终跨越工业化，走向后工业经济时代。经过后来的实践，广东省的可持续发展规划是有充分前瞻性的。

自90年代以来，清溪镇在城市建设方面，首先抓好城市规划，再招商投资建设，突破了许多同类地区先建设，后规划，先建房，后修路的问题。在产业发展方面，良好的生态环境，实施超前的城市建设，使清溪镇迎接了90年代国际、区际IT产业的转移，在90年代短短的几年时间中成为我国最大的电脑产品和其他IT产品生产基地。清溪镇走出了一条环境与经济协调发展，工业化与信息化相衔接的新型工业化、城市化道路。

2. 绿色收获。

广东省自从1991年开始推进可持续发展实验区工作以来，实验区这颗绿色的种子正在南粤大地生根发芽，成为落实科学发展观和可持续发展理念，依靠科技进步，走新型工业化道路一支重要力量，初步探索出一条人口、资源、环境与经济协调发展的现代化道路。

在十几年的成长历程中，可持续发展实验区在广东从90年代的“星星之火”到现在的“燎原之势”。全省先后有21个行政区域申报并获省科技主管部门批准建设可持续发展实验区。其中，从建设级别看，国家级3个，占实验区总数的比例为14.3%，省级18个，占实验区总数的比例为85.7%；从建设类型看，建制镇型实验区8个，占实验区总数的比例为38.1%，街道型实验区3个，占实验区总数的比例为14.3%，县（含县级市）6个，占实验区总数的比例为28.6%，城区型实验区3个，占实验区总数的比例为14.3%，跨行政区域实验区1个，占实验区总数的比例为4.7%；从区域分布看，珠江三角洲地区13个，占实验区总数的比例为61.9%，粤东地区2个，占实验区总数的比例为9.5%，粤西地区1个，占实验区总数的比例为4.7%，山区5个，占实验区总数的比例为23.8%。

广东在推进可持续发展实验区工作期间，经历了不同的发展阶段。尤其是进入2005年以来，为更好地贯彻落实科学发展观，推动可持续发展战略在全省的实施，更好地建设资源节约型和环境友

好型社会，全省加大了实验区的建设、管理和推进力度，使得实验区管理和推进工作体系日益成熟完善。全省实验区管理部门对实验区建设和管理的工作程序、工作内容和工作体系不断创新和完善，特别是在发挥科技引导和支持的资金机制建设上实现了新的突破，力争每年都有重点、有针对性地支持部分实验区的示范项目，从而一定程度上提高了实验区可持续发展的能力建设。为更好地指导全省实验区建设少走弯路，发挥专家学者的智慧为广东省实验区建设提供智力支持，全省实验区管理部门在全省精心挑选和组建了专家队伍，搭就了让专家学者为全省实验区建设贡献才智的良好平台。此外，为更好地宣传实验区的建设成效，发挥实验区的示范作用，全省实验区管理部门及有关实验区，近年来积极联络有关媒体，在报纸、杂志开辟专栏宣传推介实验区建设和管理情况，让实验区逐渐走入公众视野，让公众更加了解和熟悉实验区，逐渐形成了一套有利于实验区健康发展的管理工作体系。

广东省建设可持续发展实验区的主要做法：

（1）与时俱进。可持续发展是对传统发展思想和观念意识的深刻挑战，是对传统发展道路和发展模式破旧立新的过程，因而可以说建设可持续发展实验区，并没有现成的经验和模式可以借鉴，需要不断地进行创新实践和探索。实验区建设是一个容纳了人口、经济、社会、环境等多种因素的平台。实验区利用这一抓手，使实验工作与大的时代背景相融合，使实验区增强时代感。广东省实验区已成为落实科学发展观、发展循环经济、建设节约型社会、构建和谐社会、建设创新型广东，全面实现小康社会的战略部署的基地、试点和先行区。

（2）加强特色建设和示范推广。在实验区选点中，政府管理部门尽可能选择在某一方面有鲜明的发展特色的地方建立实验区，比如工业、农业、旅游、资源利用、社会发展、环境治理与保护、城镇建设等。不一定现在就做得很好，但有发展潜力、有发展特色就可以。通过突出特色，分类指导，推动形成全省各具特色的实验区建设模式。根据地方实际，充分借助发挥专家的作用，帮助地方提炼、挖掘和深化，逐渐形成特色，引导实验区往特色上发展。为更好地发挥示范作用，重点建设对同类型地区有较强的示范和辐射带动作用的实验区

（3）注重发挥科技的导向作用。在创新型实验区建设中，充分发挥科技的引导和促进作用，充分发挥科学技术第一生产力的作用，依靠科技引导、构筑科技支撑平台。在实验区经济建设和社会发展中，积极支持和引导适用技术向实验区转移，通过技术的示范、集成、整合，支撑实验区建设。

（4）培育可持续发展能力。能力建设涉及多个方面，是一项社会系统工程，包括经济、社会、人口、资源、环境、城市建设等多个领域。实验区每年针对某些领域进行能力建设的实践，增强可持续发展的竞争力。

（5）建立专家全程参与的有效机制。在实验区规划编制阶段，省科技管理部门根据申报实验区的具体情况，对研究力量较弱、人才较缺乏的实验区，推荐有关专家参与实验区规划的编制研究，对申报实验区的地方进行规划编制的指导与咨询，帮助实验区把好规划编制关。在实验区示范项目建设，以及从申报、建设到验收的过程中，推荐有责任心、热爱可持续发展事业，有能力的专家全过程参与。

现今，实验区这颗绿色的种子已开始结出绿色果实。首先，可持续发展思想逐步纳入地方政府的决策管理体系中。通过推进可持续发展实验区建设，各实验区普遍树立了较强的可持续发展意识和理念，可持续发展思想已逐步纳入地方政府的决策管理体系中，成为地方政府衡量和检验科学发展的一把标尺。在政府决策、各项计划和规划的制定、招商引资及居民生活的相关领域，都基本能够按照可持续发展的思想要求，指导实验区进行经济建设，发展社会事业，加强资源与生态保护，引导实验区不断走上生产发展、生活富裕、生态良好的文明发展道路。

其次，实验区建设有力推动了发展模式的转型。可持续发展实验区是在可持续发展思想指导下的实践探索活动，是对传统思维模

式、生产方式、生活与消费模式的根本性挑战，实验区建设有力地推动经济增长方式由粗放型向集约型的转变，不断提高经济增长的质量和效益，实现经济又好又快发展；有力地推动了城市（城镇）发展和建设模式由重数量和规模向重结构功能优化的方向转变，实现城市（城镇）集约、紧凑式的发展；有力地推动了生活与消费模式的转变，努力倡导节俭的生活与消费模式，引导公众逐渐形成健康文明的生活与消费模式。省科技管理部门有意识地整合科技资源，努力向实验区倾斜，为实验区推介适用技术成果，为实验区寻求专家、学者的支持和参与，为实验区建立产学研的良好创新机制牵线搭桥。科学技术对于实验区努力改变传统工业的高消耗、单目标、单循环的生产模式，推行清洁生产，实现工业可持续发展；在积极寻求和建立农业资源开发利用与生态环境保护的良性循环机制，建立生态农业；在推进资源节约与保护，提高资源综合利用率，加大生态与环境治理等相关行业和领域都发挥了不可替代的作用，使可持续发展的实践活动得以在全省更大的范围内展开。

再次，实验区普遍树立了正确的资源环境观，社会事业获得了更加健康蓬勃的发展。许多实验区坚持资源节约与综合利用，把节约放在首位，在节约中发展，在保护中开发，努力使实验区经济建设和城市开发的各项活动遵循自然规律，不超出自然资源的承载能力，大多数实验区在节约土地资源，有效保护水资源、山林资源、森林资源等方面进行了大胆的探索和实践，逐渐建立了一套符合当地实际，切实有效的资源保护与开发机制。实验区不断加大环境保护与治理的力度，以环境优化经济增长，以环境优化城市建设，努力走出一条资源消耗小、环境污染低，经济和社会效益好的"双赢"或"多赢"的发展道路，力争为建设资源节约型和环境友好型社会做出表率。通过开展可持续发展的实验示范，多数实验区资源环境意识都得到了普遍提高，在资源综合利用和环境保护方面都采取了切实可行的行动和措施，从而使资源环境支撑可持续发展实验区发展的能力不断增强。实验区坚持经济发展和社会进步相统一的科学发展观，在促进经济快速发展的同时，大力发展教育、科技、文化、体育、社会福利和社会公益事业，努力实现经济与社会协调发展，让经济发展的成效更好地体现在社会进步领域，让实验区的建设成果在更大范围内惠及最广大人民群众；实验区不仅关注经济指标的上升，更加关注与人密切相关的人文指标的增长，以提高人的素质、促进人的全面发展为核心，推动社会文明和进步。实验区坚持以人为本的发展理念，在保护人、提高人、服务人上坚持不懈地进行探索和实践，努力为最广大人民群众提供良好的公共产品和服务，促进社会事业的健康发展；实验区在开展多种形式的劳动就业，维护社会安定，以及社会保障方面都开展了大量卓有成效的工作；实验区在寻求社会事业发展过程中，注重强调政府主导作用的发挥，充分有效地发挥政府在宏观调控、体制创新及运行保障上的影响和权威性，保证一些重大的社会发展政策得以更好地贯彻落实和实施。

• 横渡珠江

新中国成立后，广州几乎每年都会举行横渡珠江活动。1958年4月30日，毛泽东视察广州东圃棠下大队，下午3时多，在黄埔冶炼厂码头，下水畅游了一番。1958年8月17日至19日，广州市体委发动万人横渡珠江，游程从划船俱乐部至二沙头体育俱乐部，参与者有解放军、工人、农民、机关干部、教授、学生和家庭妇女等，共计10000多人。1964年8月23、24日两天，广州举行有史以来规模最大的横渡珠江活动，两天参加渡江的共有20048人，其中，最小的“过江龙”，是时年7岁的朱辉。1976年7月16日，为纪念毛主席畅游长江10周年，广州地区1.5万军民畅游珠江。

改革开放以后，珠江广州段污染日益见长，广州没有再组织过全市性的畅游活动。只有“全国游泳之乡”之称的荔湾区，在1983—1990年，每年在夏天组织畅游珠江活动，但景象已大不如前。

2006年夏天，久违的大规模横渡珠江重回人们的视线。

7月12日下午，开阔的珠江广州段江面顿时人头涌动，五颜六色的泳衣、泳帽把江面装扮得色彩斑斓，加油声、喝彩声此起彼伏。共有3500名广州市民参加了2006年度横渡珠江活动，地点在中山大学北门码头。参加者中既有逾花甲之年的长者，也有年仅7岁的幼童，场面十分壮观。广东省省长黄华

华、广州市委书记林树森、市长张广宁甚至率先下水引带队伍。

2006年横渡珠江活动，显示了广东决策者治理污染的决心和表明已取得阶段性成效，展示了他们对经济发展带来的资源环境瓶颈问题高度重视。

二、社会发展领域科技计划

镜头画面：SF－8639无氰高密度镀铜工艺

“大气与水环境控制技术”和“传统产业清洁生产技术示范”科技专项的实施，为“广东省蓝天碧水工程”及“治污保洁工程”计划的实施提供技术支撑，全面提升广东省大气与水污染控制技术的自主创新能力和产业化应用水平，为实现广东省可持续发展战略、改善大气与水环境提供技术保障。

1991年，广东省在科技主管部门设立社会发展科技计划，作为科技攻关计划的九个领域之一开展科技攻关。1995年，广东省科技厅设立社会发展处，挂靠综合计划处，加强广东省社会发展科技工作管理。

1995年4月，由原广东省计委、广东省科委牵头，组织由28个单位77位专家、学者及规划人员组成的编写组，开展了“中国21世纪议程”广东省实施方案研究，编制了《中国21世纪议程广东省实施方案研究报告》，选择了12个优先发展领域及77个优先安排的计划项目。

1999年，广东省科技厅实施科技计划管理改革，社会发展科技领域得到进一步重视，社会发展领域与高新技术（工业攻关）、农业成为广东省科技计划项目三大主线之一。

广东省社会发展科技工作主要围绕人口与健康、资源开发利用、环境保护与生态整治、防灾减灾、社会安全保障、人居环境建设、社会服务和文化事业等领域，以解决广东人口、资源和环境等领域面临的重大问题为目标，通过关键技术的突破、试验示范等工

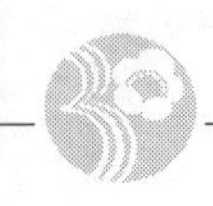

作，以全面提高广东社会发展科技的整体水平。省委、省政府十分重视从各个领域支持社会发展科技工作。2001年以来，由广东省科技厅牵头，每年召开一次社会发展科技工作省直部门联席会议，各部门加强了沟通、协作，取得了良好的效果。

1999年12月29日，广东省科学技术委员会、广东省海洋与水产厅、广东省计划委员会、广东省人民政府农业办公室联合发布《关于印发〈广东省1999—2010年科技兴海规划〉的通知》明确提出，要依靠科技进步催生海洋产业，把广东建设成为海洋经济强省；以海洋生物资源综合开发利用为突破口，加强组织海洋养殖品种的人工育苗育种技术、优质高产高效的增养殖技术、病害防治与快速诊断技术、海洋水产品的深加工技术、海洋药物的筛选开发研制技术、海洋生物资源的恢复保护与可持续利用技术等关键技术的科技攻关，提高海水养殖业、海产品加工业、海洋药业等产业的技术水平。利用高新技术改造传统产业，推动海水养殖业、海产品加工业、海洋药物制造业等产业结构的优化升级。同时加强海洋环境监测及环保技术领域的研究与开发。

2001年，广东省经贸委、科技厅、环保局发布《关于印发〈广东省清洁生产联合行动实施意见〉的通知》，明确提出要充分提高资源利用效率，减少污染物排放，加强污染预防，促进工业污染防治战略由末端治理向预防为主和生产全过程控制转变，有效开展清洁生产工作。省科技厅设立“传统产业清洁生产技术与示范工程”专项，支持造纸、食品与发酵、电镀、化工、建材、印染等传统行业实施清洁生产技术攻关及示范建设。省科技厅每年投入专项资金，支持节能、降耗、减污、综合利用等清洁生产关键技术，清洁生产示范项目，重点关键技术引进、消化、开发，支持技术攻关和示范建设。2001年12月12日，国家经贸委及时向全国转发了《关于印发〈广东省清洁生产联合行动实施意见〉的通知》。

2006年2月24日，中共广东省委、广东省人民政府出台《关于建设中医药强省的决定》，鼓励和支持中药新药开发，催生现代中药产业集群，使广东成为全国规模最大、技术最先进、竞争力最

强的中医药制造产业基地，重点支持广州生物医药国家产业基地、深圳国家生物技术与医药产业基地、佛山高新技术产业开发区中药产业园区、中山国家健康科技产业基地和珠海市生物医药产学研技术创新基地的建设。提高中药材规范化种植养殖、开发加工和经营水平。以整合科技资源为重点，围绕中药现代化重大关键性共性技术、中医药先进制造技术、具有重大医疗效果的新药开发、中医药领域关键科学问题和广东省重大疾病及健康问题，组织开展科技攻关和原创性科学研究。

自20世纪90年代以来，社会发展科技资源投入是广东省科技投入中平均增幅最快的领域，其科技发展水平也相应地得到了明显提高。其中，“九五”、“十五”期间是社会发展科技快速发展时期。省财政科技投入由1995年的200万元，增加到2005年的6900万元。

“十五”以来，社会发展领域启动了“中医药现代化”等6个科技重大专项，加快自主创新，并通过关键技术的突破为广东省经济健康发展提供了新的绿色增长点。据广东科技主管部门统计，社会发展科技专项2001—2004年度的立项项目中，共申请专利364件，授权144件，其中申请发明专利256件，授权89件，带动地方、企业等科技投入近18亿元。在科技大力支持下，广东省社会发展领域涌现了一批科技型企业。如中医药现代化建设方面的广州医药集团，海洋科技开发的湛江恒兴集团，开展清洁生产技术开发的珠江啤酒集团、广东中成化工公司等。

科技重大专项促进了海洋产业发展。“九五”以来，广东海洋经济的总产值一直稳居全国第一。2005年，广东海洋产业产值达2900亿元，占全国30%，比2000年产值翻一番。广东涉海科研力量在全国仅次于山东省，居第2位，拥有中科院南海海洋研究所、中水院南海水产研究所、珠江水产研究所、中山大学等国内著名的科研机构。广东海洋科技人才总量约占全国同类人才的1/4。全省涉海研究机构在二期国家“863计划”中承担了20%的项目，已形成具有地域优势的海洋高科技创新中心。在海洋生物技术、海洋药物、海洋新能源等技术水平居于全国领先水平。如“凡纳滨对虾和斑节对虾健康养殖模式与示范”课题，创建了一个从SPF种苗全人工繁育到集约化健康养殖全过程的滨对虾健康养殖技术模式和技术体系，建立了近几年来在国内水产养殖中居主导地位的凡纳滨对虾全人工养殖新产业，该模式的养殖单产、成活率、规格和质量达到世界领先水平，申请发明专利10件，授权6件。“藻蓝蛋白（短肽）抗肿瘤药物的研究”项目的技术成果，已应用于深圳海王公司、深圳农康生物制品公司及湛江蓝藻生物技术有限公司等单位的海藻产业化养殖中，新增产值达1.6亿元以上。

科技重大专项促进了医药产业发展。2004年广东医药制造业产值239.75亿元，技术水平和产业化水平居于全国先进行业。中医药现代化产业在科技带动下迅速发展，注重广泛运用现代技术提升传统中医药品制品水平。如“广药指纹图谱技术的研究”项目，开展抗病毒口服液、藏青果喉片、板蓝根系列产品、便秘通口服液、清热消炎宁胶囊、护心灵分散片等指纹图谱的研究，通过研究提高了该产品的技术壁垒，并形成了企业自主知识产权，产业化规模跨上新台阶，产品累计产值5.8亿，新增利税上亿元。“中药关键技术在中药标准提取物中的应用研究”采用超临界CO_2萃取技术，配合结晶分离技术，从青蒿中提取分离青蒿素单体标准提取物，2005年9月取得国家食品药品监督管理局青蒿素原料药生产批文，成功地将这一已授权的发明专利成果投入生产。

科技重大专项促进了环保产业发展。根据《广东年鉴》显示，2005年广东省环保投入预计达420亿元，比2000年增长1.5倍；废弃资源和废旧材料回收加工业产值20.37亿元。“大气与水环境控制技术”和“传统产业清洁生产技术示范”科技专项的实施，为“广东省蓝天碧水工程”及“治污保洁工程”计划的实施提供技术支撑，全面提升广东省大气与水污染控制技术的自主创新能力和产业化应用水平，为实现广东省可持续发展战略、改善大气与水环境提供技术保障。如“煤粉锅炉炉内喷钙催化脱硫技术”研究是一项完全拥有自主知识产权的新型脱硫技术，已先后为广州多家电厂和省外大型电厂运用，该技术先后列为国家火炬计划、国家重

点新产品、科技部科技成果重点推广计划、国家重点环境保护技术、国家重点环境保护实用技术示范工程。“流光放电非热等离子体脱硫技术（SNDS）”课题在世界上首次采用“等离子体半湿法”的工艺流程，不但能充分利用放电脱硫活化异相的反应机制，而且能较好实现流光放电烟气脱硫系统连续稳定的完整流程，申请发明专利5件，授权3件。广东中成化工股份有限公司承担的“保险粉清洁生产技术”，研究建立了一套完善的分区监测控制体系及清洁生产数据库管理评估体系，使该公司钠原子回收率达到了98%，硫原子回收率达到了98.5%，二氧化碳回收率达到了75%，溶剂回收率达到了98%，各种低品位能源得到了充分利用，其主要产品贸易量已占世界同产品贸易量的30%。

目前，广东省已建成一批社会发展科技工作试验、示范基地，逐步健全社会发展科技创新体系。累计已建立社会发展领域的省重点实验室41个；企业工程技术开发中心26家，基本覆盖了社会发展科技的主要领域，成为广东省社会发展科技创新的重要基地。批准成立医学科研中心12家，国家GLP和GCP中心4家，使广东成为全国的中药现代化基地（2001年被科技部批准为全国中医药现代化科技产业广东基地）和南方海洋基地（2002年科技部批准在广东建设“国家863海水种子工程南方基地”）。批准建立可持续发展实验区12家，其中国家级3家，省级9家。

省社会发展科技计划的实施，有力地推动了广东省社会发展科技工作的全面进步。1996—2005年，社会发展领域共获得省级科技进步奖励1157项，约占省级科技进步奖励总数的2/5。这些成果的推广应用，有力推动了全省社会和经济发展，大大加强了全省的可持续发展的能力建设。如：由广州呼吸疾病研究所钟南山院士主持的“广东省传染性非典型肺炎（SARS）防治研究”项目获省科学技术奖特等奖（2004年度）、获国家科学技术进步奖二等奖（2005年度）；广州中医药大学李国桥教授主持的“抗药性恶性疟防治药青蒿素复方的研发与应用”项目获国家科学技术进步二等奖；中山大学曾益新院士主持完成的“鼻咽癌分子遗传学研究”

获国家自然科学奖二等奖（2005年度）等。

• 矢志攻克地方病

鼻咽癌又被称为“广东癌”，是世界上罕见以地名冠称的恶性肿瘤。全球有80%的病例发生在中国。然而鼻咽癌的发病远不仅是在广东省，附近的广西、海南、湖南、江西、福建以及港澳、北非、阿拉斯加地区受到影响的人数达4亿之众，每年新发病例1.5万人以上。鼻咽癌的发病包括遗传、环境、EB病毒感染等因素，这种复杂性使之成为癌症研究的很好的模型。

广东学者曾益新知难而进，在鼻咽癌分子遗传学研究方面取得重要突破，并于2005年当选为中国科学院院士。

曾益新现任中山大学肿瘤防治中心主任及肿瘤医院院长，华南肿瘤学国家重点实验室主任。1992—1997年留学日本、美国。留学期间，他在抑癌基因P21的调控机制和乳腺癌易感基因BRCA1的作用机理方面获得国际原创性发现，在*Oncogene*、*Nature Genetics*及*Nature*等国际权威杂志上发表学术论文多篇。回国后，他先后获得国家杰出青年基金、863及973等国家和省市级科研基金支持。同时，他在抗癌药物研究及鼻咽癌研究方面也取得了重要的成绩，在国际肿瘤学期刊上发表论文多篇并获得国际专利，尤其是鼻咽癌易感基因的成功定位，获得国际学术界的认同，论文也发表在*Nature Genetics*。曾益新教授是肿瘤核心期刊《癌症》杂志的主编。他注重学术队伍科研思维能力及创新能力的培养，制订出有效的科研激励政策和高科技人才培养计划，积极促进与国际间的学术交流，在肿瘤学学科的人才培养、科学研究、基础建设和国际交流等方面均取得显著成绩。

• 新能源与节能产业

2003年广东新能源产业产值115亿元（风能、太阳能电池、光伏产品、热水器、生物质能、地热等），占全国第二位。广东作为我国能源消耗与消费的大省，在石油、煤矿等一次性能源资源供给以及传统能源制造业方面都不具有竞争优势，但是在新型能源利用方面面临着良好的产业发展机遇。广东的新能源与节能高新技术产业的竞争力优势有：创新主体与平台在国内具有优势。以中科院广州能源研究所、中山大学、华南理工大学等中央驻穗研发机构和高校研究队伍构成新能源技术创新平台，承担国家新能源科技攻关项目约占全国总量的1/4，180多项成果获国家、省部级奖励，获专利580多项。

此外，企业具有较强技术创新能力优势，从事新能源研究、开发和产业的人员达8000人左右，已经成为我国新能源领域的一支战略方面军。

• 清洁生产与循环经济专项

提到电镀加工业，许多自然想到镀锌、铜、镍、铬带来的污染。根据省经贸委的统计资料，广东省是全国电镀大省，也是全球电镀产业中心之一。全省拥有电镀企业1000多家，年电镀产品300多亿件，电镀面积3.34亿平方米，电镀年产值334亿元。电镀加工种类齐全，覆盖了整个行业的全部电镀加工种类，应用于机械、轻工、电子、仪器仪表等工业。

2003年起，广东省科技厅，会同广东省经贸委和省环保局，联合实施清洁生产与循环经济重大科技攻关专项。“电镀行业清洁生产”被列为技术攻关的重点对象，重点支持电镀行业清洁工艺替代、共性技术平台与示范工程，主要内容包括，在工艺方面，淘汰含氰电镀工艺（无氰碱性镀锌、酸性氯化锌工艺、无氰沉锌工艺）、三价铬电镀、钝化代替六价铬电镀、钝化、代铬工艺；在前处理工序方面，用无氰除油剂代替氰化物除油剂、生化除油工艺等；“三废”治理技术如废水处理回用技术、节能技术如集中供热等；“三废”治理的技术改造、淘汰含氰电镀工艺、用自动生产线代替手工操作、镀液在线检测和添加剂添加技术等。

通过专项科技攻关，获得了一批具有自主知识产权的成果，可以转化为巨大的经济效益和环境效益。广州在国内率先研发成功了“SF－8639无氰高密度镀铜工艺”，并申请了发明专利，成功替代原有的预镀镍工艺，提高了产品质量和生产的合格率。此项工艺首先在国内汽车铝轮毂电镀企业—东骏汽车配饰有限公司及台山国际交通器材厂进行中试，使汽车铝轮毂电镀企业首次彻底地实现了无氰电镀，从源头上杜绝了使用氰化物，降低了废水处理费用。据测算，每年为这两家企业节约4000万元镍的消耗，节约废水处理费用400万元。“SF－8639无氰高密度镀铜工艺”如能在省内电镀企业推广，可节约5亿元镍的消耗，节约废水处理费用10亿元，可提高广东电镀业的产品质量和市场竞争力。

SF－306低温高效除油粉是节能环保新产品的代表性。它在东莞国际文具公司的镀镍自动线上通过中试，除油温度从原来的70℃～80℃降到50℃～60℃，节约燃料50%以上，而且产品还是低磷、低COD除油粉，除油溶液COD比原来的降低了30%。

“SF－638无氰碱铜”是先进的减污产品，它在替代电镀业广泛使用的氰化预镀铜工艺已完成实验室试验工作，各项性能指标已达到美国EPI同类产品的水平，而价格比进口的同类产品降低60%以上。还有镀锌层三价铬钝化，它针对欧盟ROHS明文规定镀锌层不能采用六价铬钝化工艺的指令，SF－571镀锌层三价铬彩钝剂、SF－572高耐蚀三价铬蓝白钝化剂，各项性能指标超过美国某公司同类产品，产品实现钝化封闭二合一，耐蚀性更好，使用更方便。

“SF－522氯化钾镀锌技术”，由于工艺光亮性和填平性好，被东莞国际文具公司开槽用于文具代镍镀层。据厂家测算，生产成本比镀镍可降低30%。

•2001年广东省社会发展科技工作会议

2001年11月29日上午，广东省科技厅、教育厅、文化厅、卫生厅、计生委和环保局六个部门在广州联合召开广东省社会发展科技工作会议。会议围绕落实省委、省政府提出的“科教兴粤”和“可持续发展”两大战略，总结和交流“九五”期间广东省促进社会发展科技进步的成绩和经验，提出“十五”社会发展科技工作的指导方针和工作思路，推动社会发展领域科技进步，加快可持续发展创新体系的建设。

会议涉及医药、卫生、资源、环保、生态保护、人口与计划生育、海洋、体育、气象、地震、社会与劳动安全、减灾防灾等多个部门和领域的有关单位领导、专家、科技人员等近200人参加会议。科技厅、教育厅、文化厅、卫生厅、计生委和环保局六个部门的领导作了工作报告。

时任副省长李鸿忠出席会议并作了重要讲话，对加快广东省社会发展领域的科技进步，使科技渗透到全社会的各个方面提出了要求和意见：一是要从社会发展全局的角度认识“科教兴粤”和“可持续发展”战略的全局性、系统性和战略性。围绕广东省率先实现现代化的总体目标，全社会要树立科技创新的理念，营造有利于科技创新的氛围，为科技创新创造良好的环境。全社会都要应用科技，并在科技应用中受益，以达到社会文明进步与提升。科技创新需要依靠全社会、各条战线的支撑和推进，要在全社会进一步提高科技意识。二是科技作为第一生产力已经渗透到生产的各要素中，各条战线、各部门要加强协调，从系统、协调的高度，把科技进步作为推动整个社会发展的重要力量。三是要进一步深入贯彻省委、省政府1998年16号文精神，实施科技进步“六个一”工程。

省科技厅领导在会上总结了广东省社会发展科技领域在“九五”期间所

取得的主要成绩和经验，提出了社会发展科技领域的“十五”目标、指导原则和重点任务。

“九五”期间，广东省初步建立了社会发展科技创新体系：建立了社会发展科技领域相关的省重点实验室26家，工程中心23家，全国科技兴海示范基地4个，可持续发展实验区6家。攻克一批社会发展急需的关键技术，社会发展科技水平取得较大提高：获得省级科技进步奖励的成果534项，获国家科技进步奖励的成果70项。依靠科技创新，社会发展相关产业得到快速发展：2000年全省医药工业总产值达250亿元，占全国13.6%；环保产业产值已达176亿元；海洋经济总产值达1450亿元，占全国33.4%。

会上，提出“十五”期间广东省社会发展科技工作的重点任务：

一是加强自主知识产权创新药物的研制；

二是推动医学创新技术的开发和应用，提高重大疾病的诊治水平；

三是促进控源治污技术的开发和生态环境的恢复，促进环保产业的发展；

四是以控制人口数量和提高人口素质为重点，推动生殖健康技术的发展，建立人口发展新机制；

五是开发节能和后续能源技术，提高能源利用效率，推动新能源产业的发展；

六是开发海洋高新技术，推动海洋产业的结构调整；

七是发展建筑适用技术，加快城市化建设的进程；

八是重视减灾及劳动安全技术的研究，提高驾驭自然灾害和安全保障的能力；

九是以信息技术和生物技术的应用为重点，加强刑事侦破和安全防范技术的研究；

十是以岭南文化、考古及文物保护技术为重点，推动文化事业的发展；

十一是研究体育运动新产品和新技术，促进体育运动事业健康快速发展；

十二是加快GIS、GPS、RS和数字化技术的应用，推动社会发展信息化进程；

十三是建立一批高水平的创新示范基地，提高广东省科技促进可持续发展的实施能力。

三、生物种质资源库建设

镜头画面：广州中医药大学中药种质资源圃

2002年，广东省和广州市联合支持广州中医药大学在原有基础上，建设广东中药种质资源圃（库）和华南中药种质资源库。目前，在广州大学城新校区的3个山体新建立近80000平方米的“中药种质资源迁地保护园”及种质库，使之成为种质资源保存、繁殖与生物多样性保护的中心。

生物种质资源保护对于工农业生产、生态安全、生命健康和经济社会可持续发展具有基础性意义。广东省是国内开展生物种质资源库建设时间最早、规模最大、涉及生物门类最多的省份，目前已建成华南地区规模最大、最为系统的活体种质资源及标本库。

从2002年开始，广东省科技厅和广州市科技局分别成立广东生物种质资源管理机构，并投入3329万元专项建设经费，采取联动方式建设水稻、蔬菜、旱地作物、果树、茶树、蚕桑、名优花卉、树木、真菌、昆虫、淡水鱼、Beagle犬等12个生物种质资源库。

该项目重点改造和建设一批生物资源库基础设施，建立南亚热带名优水果种质资源圃、花卉种质资源保存环控温室，广东树木种质资源库引种苗圃、昆虫、微生物种质资源收集、鉴定、保存和繁育实验室等。另一项重点内容是开展生物种质资源鉴定、评价和筛选工作。在广泛收集保存的基础上，对引进收集的资源进行鉴定评价，共鉴定评价种质资源8400多份，鉴定评价树木资源860份，获得了一批有效基础数据，筛选出一批优异的种质资源。

通过该项目，生物种质资源的创新和利用取得突破。在资源库圃建设过程中，截至2005年底止，已累计创新出700多份新资源，创造中间育种材料1200多份，选育出新品种（系）108个，通过审定的品种有89个。这些新品种、新品系在生产上示范推广累计达到586666.7公顷，促进了广东省高产、优质、抗病新品种的选种、推广和应用，经济效益和社会效益显著。首次在中国开展南洋楹种源/家系试验，筛选出一批速生、干形优良的种源和家系；利

用 Beagle 犬检疫行为学的研究成果，成功培训出用于进出境口岸动植物检验检疫的 Beagle 检疫犬；筛选昆虫病原线虫，用于防治草地害虫，使用面积累计 866.7 公顷。

该项目鼓励以信息化带动生物种质资源的共享。在生物种质资源库的建设过程中，切实贯彻“整合、共享、完善、提高”的方针，充分运用信息和网络等现代技术，建立生物种质资源信息数据的共享平台，对各科研、教学机构的种质资源进行战略重组和系统优化，促进信息共享和综合利用，完成了华南亚热带生物种质资源数据管理与分析系统的开发，省、市属 20 多个单位建设了 40 多个统一、规范的数据库，录入数据库数据 36 万个。建成开通广东生物种质资源信息网，向全社会开放，初步实现生物种质资源信息共享。

据省科技主管部门统计，通过该项目的实施，全省主要科研院所保存的生物种质资源比建库之前增加了 10000 多份，创新出一批新材料、新品种（系）并在选育种和生产中得到应用，实现了部分资源的数据信息网上共享。截至 2005 年止，国家农作物种质资源库保存农作物种质资源 37 万份，广东省保存 43600 多份，占全国总数的 15%，特别是野生稻资源为世界之最。建有 6 个国家资源圃和分圃，农作物种质资源保存数量居全国各省前列。在林业方面，广东省有维管束植物 280 科 1654 属，分别占全国总数的 76.9%、51.6%，其中华南植物园保存各种植物资源 9000 多种，标本 150 万号，是中国收集珍稀濒危植物种类最多的植物园；在国内首次系统地建设了华南特色中药种质资源库，保存中药资源 1200 多种。在动物方面，收集和保存水产动物种质资源活体种类规模居全国前列；保存蚕品种 190 份，其中多化性蚕品种资源在全国独有，天敌昆虫的保存与利用居全国领先水平；保存脊椎动物标本 1.6 万号，其中陆生脊椎动物标本中有约 50% 的物种为现今珍稀濒危物种，少数种类甚至是野外灭绝或接近野外灭绝物种。在微生物方面，保存微生物菌种 5500 株、标本 4 万号，数量居华南各省区之首。

在生物种质资源库的建设过程中，切实贯彻“整合、共享、完善、提高”的方针，充分运用信息和网络等现代技术，建立生物种质资源信息数据的共享平台，对各科研、教学机构的种质资源进行战略重组和系统优化，促进了信息共享和综合利用。完成了华南亚热带生物种质资源数据管理与分析系统的开发，省、市属20多个单位建设了40多个统一、规范的数据库，录入数据库数据36万个，还建成开通广东生物种质资源信息网，向全社会开放，初步实现生物种质资源信息共享。

• 省农业科学院果树研究所资源圃

广东省农业科学院果树研究所是以应用研究和开发研究为主，适当开展应用基础研究的公益类型科研机构，下设荔枝、龙眼、柑橘、香蕉、果品保鲜加工等研究室和广东省果蔬新技术研究重点实验室（果树）、果树化学调控研究开发中心、果树良种脱毒中心。所内建有“国家果树种质广东香蕉、荔枝圃”和省级“南亚热带果树种质资源库”，共收集保存种质668份。

1980年，依托广东省农业科学院果树研究所，中国家果树种质广州荔枝圃，开始建设，1988年建成，1990年通过国家验收，是我国品种保存最多的荔枝种质圃。该圃为山坡地，占地面积20000平方米，共分5个区，每个小区配套了相应的输电、输水管，及微喷灌和滴灌设施。现保存有广东、广西、福建、海南、云南、四川等省区的野生、半野生、栽培品种和优异单株共150份，其中栽培品种和优异单株141份，野生、半野生种质9份，现有专职管理人员2人，研究人员5人。

国家果树种质广州香蕉圃，面积约18亩，设有田间保存圃、大棚保存圃、隔离观察圃、离体保存库。现收集保存国内外香蕉种质215份，包括香蕉、大蕉、龙牙蕉、粉蕉、野生蕉等。每份香蕉种质田间保存3～5株。有科研人员及技术工人10人，该圃的任务是收集国内外香蕉种质并加以保存，对田间保存圃植株进行性状鉴定评价，并按有关规定进行国内外种质交换。

南亚热带果树种质资源库收集国内外柑橘、龙眼、番石榴、木瓜、芒果、西番莲、杨桃、菠萝、树菠萝、枇杷、黄皮等优良果树种质资源，其中柑橘种质资源共有30份，龙眼50份、枇杷32份，芒果46份，菠萝29个品种（品系），橄榄31份，板栗18份，柿18份，其他49份，共23个树种，303

份种质资源。种质引进后，进行引种观察，观察其生物学特性等，并进行形态学性状评价，选育出适于我国栽培的优良品种。

2002年，广东省科技厅、广州市科技局于联合资助广东省农业科学院果树研究所在原来基础上，建设国家果树种质——香蕉、荔枝圃。十几年来一直承担着农业部委托的我国荔枝、香蕉资源的收集、保存、评价和利用研究任务，圃内资源丰富，研究数据较为齐全；南亚热带果树种质资源库内收集、引进了国内外大量优良果树种质资源，引进种质在圃内生长表现良好。拥有了丰富的种质资源，为广东优良果树种质的选育和开发利用提供了较充分的资源保障，从而促进全省果树结构的优化改良。

• 广州中医药大学中药种质资源圃

依托广州中医药大学建设的中药种质资源圃，是华南地区较大的中药标本园圃，也是全国中医药院校最早建立的中药标本园之一。在立足南药、广药和海洋类药的引种研究，南药和广药的种质资源研究在全国同行业中居领先地位。

2002年，广东省和广州市联合支持广州中医药大学在原有基础上，建设广东中药种质资源圃（库）和华南中药种质资源库。目前，已建立中药种质资源信息数据库（网上中草药公园），并在广州大学城新校区的3个山体新建立近80000m^{2}的“中药种质资源迁地保护园”及种质库。分别建立药用植物种质资源系统进化分类区、南药种质资源保护区、中药功效区和中药典型方剂区，使之成为种质资源保存、繁殖与生物多样性保护的中心。

在中药种质资源保护利用方面，广州中医药大学除校内建设种质圃外，还在全省各地先后建立原生境（就地保护）和非原生境（迁地种植保存）中药种质资源保护区、种质园圃及中药材GAP种植基地约30个，共引种、收集、保存药用植物3000余种（238科，1362属），广州市白云区三元里校区内的广州中医药大学药圃就栽培保存有1000多种中草药。在成功引种保存泰国白豆蔻、越南肉桂等几十种南药的同时，还利用指纹图谱等技术对阳春砂、巴戟天、广藿香等中药材开展了品种整理和规范化质量标准研究，不少科研成果已被应用于生产和中药材质量标准检测部门。

此外，该种质园尚按药用植物的生长状态分别建立水生药用植物、湿生药用植物、阴生药用植物、阳生与半阴生药用植物种植区；在栽培方式上分盆栽与落地栽植，使两种种植方法互相补充、相互交替、互得益彰，从而充分利用圃地空间与光能。同时在种质园内建立华南地区最大的中草药优良种子种苗繁育中心，为国内外提供珍稀名贵中药种质资源。

广东中药种质资源圃，现已成为品种多、分类齐全、设置合理、独具华南医药特色的大型中药种质资源圃。该中药园除栽培活体药用植物标本外，还配套建设有腊叶中药标本馆和中药博物馆。中药标本馆展区面积约750平方米，共陈列中药标本2400多种、1万多瓶（份）；种质圃占地面积约120000平方米，共计引种3000余种、13500多株药用植物。

第十二章
路漫漫其修远兮
——广东自主创新之路及前瞻

短短30年间，广东科技发展经历了一场前所未有的深刻变革，在时代变迁中跨越了一座座高峰，实现了一次次自我突破。广东科技发展所经历的破冰、转变、改革、创新四个时期，是与波澜壮阔的经济发展、大刀阔斧的改革开放步履一致的。广东改革开放30年历程如同一部科技与经济的联袂主演的电影，科技伴随着经济的发展不断改革与创新，成为广东经济发展的强大推动力。

人类社会正是经历了数千年技术创新的洗礼，才逐渐走到了今天。回首30年，位处北半球太平洋南海之滨的广东，自主创新之路越来越清晰。放眼未来，广东梦更是一个与时俱进的、具有世界气度的理想。广东梦在经历了生产要素驱动、投资驱动阶段后，通过创新驱动阶段，必将进入财富驱动阶段。在广东梦的征程中，科技有理由发挥更好地支撑作用：广东科技创新需要一个生态化机制，需要更加关注人类的发展和对世界的贡献，营造出世界级大师和学术思想，营造一种由世界级一流人才支撑起来的人文氛围，让世界上各个角落的重大问题都在广东以各种方式从不同角度进行着讨论。

一、自主创新之路

镜头画面：邓小平视察珠海——“每天都有新东西”

> 经历适应市场那份艰难磨砺的广东人深切理解：自主创新不是为了“创新”而创新，而是自己当家做主的创新，需要打破一切庸腐的陈规，冲破一切不合时宜、不符合市场经济规律、不切合市场实际的桎梏。自主创新决不是一味排外的“自己创新”，而是在与世界对话的动态过程中达成。

1978年，改革开放的号角刚刚吹响时，广东科技体制实行的依然是前苏联搬过来的那一套科研和生产相脱节的体制。科技体系结构不合理、科研机构条块分割、资源配置不合理等问题，导致广东的科技创新水平始终力不从心，这主要表现为科技对经济增长的贡献率较低——广东科技进步在国民经济增长中的贡献份额只有20%，低得令人汗颜。20世纪90年代终于突破了40%，目前上升至60%。尽管步步高登，但与国际前沿水平相比，仍不能掉以轻心：美国这一比例在20世纪90年代高达90%，日本早在70年代就超过82%。除此之外，同全国一样，广东传统的科技体制改革主要着眼于科技界内部考虑，对要素新组合涉足较少；从改进科技供给角度考虑较多，从促进对科技需求、衔接供需角度考虑较少。这些，都成为阻碍广东迈开双腿继续前进的巨大阻力。唯有自主创新，才能带领广东克服阻力，走出一条科技开路、经济排头的康庄大道！

广东科技发展的30年，是自主创新不断推进的30年。30年每一朵路过广东天空的白云，无不清清楚楚地见证了广东经历适应市场的那份艰难的磨砺。因为走过，所以懂得——广东人深深明白：自主创新不是为了创新而创新，而是自己当家做主的创新。自己当家做主首先追求的是自身效用的最大化。在商品社会里，创新

的目的是把创新成果拿到市场进行交换，实现效益的最大化。经济学理论深刻地揭示了人类行为的奥秘，提出著名的经济人行为假定：经济人行为的出发点是实现个人效用最大化；企业行为假定：企业追求利润最大化；政府行为假定：政府希望实现公共产品和社会效应最大化。所以，自主创新需要打破一切庸腐的陈规，冲破一切不合时宜、不符合市场经济规律、不切合市场实际的桎梏。

很明显，自主创新的精神实质是以“我”为基本出发点。然而，“自主”并不意味着“自大”，自主创新决不是一味排外的“自己创新”，而是一种开放式的创新，它必须在自我与自我对话、自我与省际对话、自我与世界对话的动态过程中达成。它的实现形式可以是原始创新，也可以是引进消化创新、集成创新。无论原始创新，还是借助别国创新成果的消化创新、集成创新，都需要站在人类文明的肩膀上才能实现。在改革开放初期“三来一补”阶段，广东在满足市场需求的前提下，旗帜鲜明地高举“引进消化创新”的大旗，完成初始积累，至今，消化创新仍然在广东自主创新实践中占有重要的地位。“引进消化创新”带领着广东从1985年起实现了全国经济总量第一。随着经济科技的发展，广东的原始创新力越来越雄厚，是时候大步迈走出去，痛痛快快地探索自主创新！

第一，自主创新不仅仅指技术水平本身，更是在生产体系建立一种从来没有过的基于生产要素的新组合，包括对已经存在的各种技术和经济要素进行新组合。以往广东在微观和宏观层次上围绕有助于“新目标”有效组合生产要素的体制，针对阻碍创新要素（信息、思想、物质、人员）的思想观念和管理体制，探索出了许多新的创新体制。在此基础上，还需进一步将创新视为一个系统，所有与技术相关的要素重新组合都是自主创新的突破。这种新组合包括引进新产品、引用新技术、开辟新市场、控制原材料的新供应源、实现工业的新组织等。产品的开发、设计、生产、流通、销售、使用和回收的全过程都是创新开发研究的范畴。技术创新的衡量标准是资源配置效率的提高。在自主创新体系中，技术创新是核心载体。

第二，自主创新必须重视中小企业的创新能力和创新环境。广东业已较好地区分了中小企业、大型企业和簇群企业等不同情况下技术创新的呈现形式和实际效果。让中小企业成为技术创新的主体，让大型企业更好地进行资本运营、做大做强，让簇群企业发挥形成一种势场，这符合国际的惯例，更是市场经济使然。一家注册资金只有2万元，员工10多人从事交换机代理业务的小作坊式公司，得益于这种创新机制，在历经20年风雨后，公司员工达到61000名，年销售收入650多亿，截至2006年底止，累计申请专利超过19000件，产品卖到全球100多个国家，服务全球超过10亿用户，申请专利连续数年居全国之首，成为名副其实的跨国企业和世界名牌。这家公司名字叫华为，便是深圳自主创新机制培育和发展起来的高新技术企业的典型代表。环视广东，无论是华为、美的、格力、丽珠集团，还是南方人才市场，也许目前它们都已通过运营资本、整合资源越过门槛过渡到大型企业阶段，但它们都是由中小企业发展而来的。重视中小企业及其极富活力的多样性创新是广东一贯的做法。目前广东省共有76万多户中小企业，数量、产值居全国之首，均占全国的约10%，其中私营企业44.91万户，占中小企业总数的59%。中小企业是广东省国民经济的重要力量，无论在创造GDP、解决新增就业，还是其他各个方面都举足轻重，2005年民营中小企业产值占全省GDP的39.64%，达到8602.49亿元。

一则新闻报道足以反映广东对中小企业重要性的认识。在“用新一轮思想大解放推动新一轮大发展”调研活动中，新任广东省委书记汪洋和省长黄华华在2008年春节刚过，亲自率团到长三角“取经”。这个阵容强大的代表团，除省委书记和省长之外，各地级市委书记、市长，以及省委、省政府有关方面负责人70多人。广东省政府网站称：“代表团规格之高、规模之大，为近年来广东省赴兄弟省市学习考察之最。”

在上海考察期间，广东代表团从上海市委书记俞正声口中获悉，阿里巴巴一开始是在上海，后来回到了杭州，“我为失去这样

一个由小企业发展而成的巨型企业感到相当遗憾”。聪明的广东人当即改变行程，亲自赶到杭州约见马云。“我特地来看看，马云到底是怎样的一个人，阿里巴巴到底是一个什么样的公司。”2008 年 2 月 20 日上午，由中共中央政治局委员、广东省委书记汪洋带队的广东省党政代表团一行抵达杭州华星路的阿里巴巴总部大楼，在这里停留了 50 分钟。一到杭州阿里巴巴总部，省委书记汪洋就开门见山地对阿里巴巴创始人马云说：“阿里巴巴的发展路径与广东省中小企业的发展思路非常契合。”的确，马云创办的阿里巴巴在当时是非常典型的小企业，他的成长经历与广东许多中小企业有类似的地方。1995 年 4 月创办“中国黄页”网站，创造性地建立了第一家网上中文商业信息站点，在国内最早形成面向企业服务的互联网商业模式。1997 年年底，马云和他的团队在北京开发了外经贸部官方站点、网上中国商品交易市场等一系列国家级站点。1999 年初，马云回到杭州以 50 万元人民币创业，开发阿里巴巴网站（www. alibaba. com）。2001 年，阿里巴巴及时根据市场的需求创新发展，自主推出“中国供应商”服务，向全球推荐中国优秀的出口企业和商品，同时推出“阿里巴巴推荐采购商”服务，与国际采购集团沃尔玛、通用电气、Markant 和 Sobond 等结盟，共同在网上进行跨国采购，为中国企业实现“入世”，更好地开拓国际市场的目标。阿里巴巴目前已是全球著名的企业间（B2B）电子商务服务公司，管理运营着全球最大的网上贸易市场和商人社区——阿里巴巴网站，为来自 220 多个国家和地区的 1200 多万企业和商人提供网上商务服务，是全球首家拥有百万商人的商务网站。在全球网站浏览量排名中，稳居国际商务及贸易类网站第一。由于他的创新，2001 年 9 月，美国权威财经杂志《福布斯》再次将阿里巴巴选为全球最佳 B2B 站点之一，是中国唯一入选网站。2000 年 10 月，美国亚洲商业协会评选马云为本年度“商业领袖”，以表彰他在创新商业模式及帮助外国企业进入国际市场实现全球化方面所作出的贡献。阿里巴巴的自主创新主要体现在，通过一体化的电子商务服务，帮助众多的中国中小企业同时开拓出口市场和内需市场，

特别是在出口形势不乐观的情况下，帮助中小企业转型升级，首次在中国实现互联网商务技术在商业领域的应用。阿里巴巴的例子有力地说明了一点，自主创新必须让中小企业成为技术创新的主体，让出资人和市场成为技术创新的判断主体，而不是以简单的“专家评审”和“政府决策”决定企业的创新方向。

第三，自主创新必须坚持以市场经济规律为导向。经过30年的改革，广东科研机构面向市场的活力大为增加，科技成果商品化、产业化取得了重大进展，自主创新能力得到大幅度提高。广东自主创新之路昭示了，科技进步的核心和实质就是自主创新能力的提高。而遵循市场经济规律是关键。广东把自主创新与产业发展紧密结合，与当代世界自主创新基本走向是一致的。美国关键技术报告指出：“技术本身并不能保证经济繁荣和国家安全，只有在我们学会将其更有效地应用于研制新型、高质量、成本有竞争能力的产品时才能如此。尽管美国持续保持着强大的科学基础，但它还必须更加侧重对其知识基础的富于想象力的开发利用。”欧盟的关键技术选择也充分体现了这个特征，自主创新技术的选择应着眼于技术与经济结合点上，强调研究、开发、应用的一体化，强调技术必须在一定时期内依靠本国的技术能力或产业基础实现商品化、产业化，产生经济效益和社会效益。

第四，只有体制创新才能为自主创新提供不竭动力。回首30年，广东自主创新之路是广东科技发展的主旋律，与波澜壮阔的经济发展和改革开放进程密切关联。广东开放改革的历史，就是体制和制度不断创新的历史，是市场经济不断完善、适应的历史。体制和制度的创新，极大地解放了生产力，促进了经济的发展，带来了改革的巨大成功。经济全球化是以市场经济作为体制基础的。建立与完善市场经济体制，使广东经济逐步融入世界经济主流。不断开放，建立和发展开放型的经济框架，增强了自身经济实力和国际竞争力，建立了有效利用外资、强化国际合作的机制，进而更好地学习和吸收世界上最好的创业成果。在广东经济发展进入新一轮结构调整、产业升级的时期，通过体制创新进一步解放和发展了生产

力。依靠创新扩大了市场需求，扩展经济增长的空间。依靠创新促进了产业结构的调整和升级，健全对过剩生产力的淘汰机制，建立适应高新技术发展的资源配置机制，以及各种有利于产业升级、经济结构优化的创新体制。

搞好科技和体制两个创新，是推动经济发展和结构调整再上新台阶的关键。一方面，体制创新为科技创新创造良好的社会环境。经济体制属于上层建筑的范畴。体制创新作为生产关系的变革，是制约科学技术发展的一个重要条件。广东人大胆探索，深化改革，突破影响生产力发展的体制性障碍，建立和完善市场经济体制，加快了实现企业体制创新、市场体系创新，加快了政府职能转变和社会保障制度建设，创造了一个有利于科技创新的社会环境。另一方面，科技创新的深入要求体制创新。旧有体制往往制约着科技向现实生产力转化的能力。在过去相当一段时间，广东经常有科技成果产生，但相当一批技术水平高、市场前景好的高科技项目难以实现商品化、产业化，这反映科技与经济的脱节。通过紧紧抓住一些涉及科技的体制，诸如风险投资、产权界定、技术入股、吸引人才政策、产学研一体化、科研院所的转制等，通过深化改革，建立起高新技术和风险投资人才的培养与引进、高新技术产业发展、风险投资、资本市场四位一体的市场运作体制，有力地促进了科技成果转化的体制与机制的建立和完善。

第五，实现创新型社会需要政府的直接参与。30 年来，广东积极调整科研开发政策，纷纷采取发展创新企业和鼓励企业创新的政策。这些政策给科技创新以持久动力，增强了经济发展的后劲，促进了经济的长远发展。政府培育市场方面的努力，政府在教育、科研和医疗卫生方面投入的大量财力支持，这些工作都非常有意义。政府调动资源的最优做法是出台政策，通过市场的方式鼓励企业、个人做出努力。政府应首先成为中国知识产权保护方面的代表；在“引凤回巢”方面不妨借鉴韩国政府的“海归”创业税收及商业优惠政策；而作为重要的消费商品与服务的客户，可以通过政府采购来鼓励自主创新。此外，正如柯达公司首席执行官兼总裁彭安东所说："企业创新需要掌握适当技能的人才的供给，而这些人才并不能脱离区域人力资源环境而孤立存在。人力资本既需要企业投资，也需要政府的投入。如果政府在公共教育和培训领域增加投入，由此产生的对于区域经济的投资回报将非常显著。"最后，在培育技术创新能力，政府应该引导加速科技成果成功转化的新机制，积极发展新兴产业和高新技术产业的新机制，支持企业加快技术改造，鼓励其努力开发适应市场需求的新工艺、新产品的新机制等等。

广东开放改革表明，科学技术作为第一生产力，在很大程度上是科技与经济结合的过程，是科学技术转化为现实生产力的过程，是科学技术推动经济发展和社会进步的过程。短短30年间，广东科技发展经历了一场前所未有的深刻变革，在时代变迁中进入了一个突飞猛进的发展新时期。在推进科技创新战略过程中，信息技术、生物工程、新材料、新能源等高新技术产业已成为广东经济增长的主导产业。

• 行动纪实

广东用自己的实际行动证实了一种创新观：创新是一个从新思想的产生，到产品设计、试制、生产、营销和市场化的一系列活动，既包括技术创新，又包括管理创新、组织创新和服务领域里的创新，它是知识的创造、转换和运用的过程，其实质是新技术的产生和商业应用。

对自主创新能力有着先一步领悟的广东人建立了以企业为主体的产学研的创新体系，以获取长足的创新发展力。以创新型城市深圳为例，90年代末开始，全市521家研发单位有477家在企业，占91.7%，90%的研究开发人员集中在企业，全市依托重点企业建立12个国家、省市级工程技术开发中心。有的企业甚至把研究开发机构建在境外，华为在美国硅谷建立自己的研究开发机构，创维则把研究开发机构设在香港，从而使企业真正地成为创新主体。近年来，深圳全市申请专利中绝大部分来自企业，这使深圳成为全国第一个专利申报以企业专利为主的城市。

广东人博采众长，创造技术优势，以层出不穷的新产品赢取市场竞争。以生产容声冰箱起家的顺德科龙集团创办时，只是仅有9万资产的作坊式乡

镇企业。当时全国冰箱厂已有100多家，年产量近千万台。冰箱不是什么高技术产品，技术上很成熟。科龙深知，冰箱市场竞争的关键在质量，而质量很大程度上取决于设备、磨具、检测等硬件的先进性和稳定性。于是，科龙在引进设备时博采众长，美、日、欧不拘一家，不成套引进任何一部分设备、任何一套模具、任何一套检测仪器，谁家先进则引进谁家。博采众长创造的技术优势，加上严格管理，确保了容声冰箱的优等品率在99.8%以上，到2000年，产品产量稳居全国第一。同时，科龙还在企业内建立省级电气工程研究开发中心，拥有150多人的研究开发队伍，还在日本神户建立研究开发机构，以加快产品更新换代步伐。

广东人善于选准市场切入点，借巢下蛋，搞活机制。惠州TCL集团是一个以通讯为主的企业。1992年，进入彩电市场时，大屏幕彩电是外资的天下，大屏幕彩电就成为TCL崛起的市场切入点。当时，TCL用的是“借巢下蛋”的方法，租用香港上市公司长城在惠州的生产线，生产TCL王牌设计的产品。其主要抓住了两个环节：抓大屏幕彩电的总体设计和软件、硬件到国外制定，保证产品的技术水平和质量；花大力气搞市场推广和售后服务，全公司3500人中，700多人搞营销（销售、维修、财务管理），全部营销人员的文化水平都在中专以上，在全国建立40多个分公司，形成营销服务网络。在用人制度上，实行全员聘用制，包括总经理在内，不搞铁饭碗；分配采用结构工资制，拉开档次，同效益紧紧挂钩。这为TCL创造了传奇的崛起“神话”。

广东人以研究开发保证技术领先，以设备更新稳定产品质量。顺德新力集团就采取了这样的创新措施。新力集团是1993年组建的高新技术企业集团，包括电力设备、通讯器材和机电一体化产品，几年来一直保持着强劲的发展势头。新力的创新之路在于：1）集团围绕三个主导产品，建立了三个工程技术开发中心，以创新主导产品应对市场。2）逐年加大更新设备投入，保证高新技术渗透到生产过程中。领先的技术产品，先进的设备，保证了新力集团产品的市场占有率。无独有偶，2007年9月15日，东莞首个中标“粤港关键领域重点突破项目”的新产品——“聚合物动态流变测试与表征系统”顺利通过专家鉴定。该项目研制历时3年，这也是东莞首个通过鉴定并且正式投入市场的重点突破项目。该项技术将提升国内高分子材料的研发水平，打破我国多年来高分子及其复合材料测试设备依赖进口的局面。

广东人不满足于单纯的产品创新，他们意识到，管理创新也是成功的基石之一。位于顺德北滘镇的美的集团就是一例，它首先搞组织创新，在集团内部成立产品事业部，统一领导空调器的开发、生产、成本、采购、销售，用市场模拟办法，责任到人。这一管理创新使美的集团空调机的销量在1998年就已进入全国前三名。

广东人的创新思考有着令人起敬的惊人魄力，他们敢于以弹丸之地的本土身份觊觎甚至鲸吞全球范围内的市场份额。对家用电器稍稍留心一下，人们就会发现，改革开放以来相当长时间里，从电冰箱到洗衣机，从电视机到微波炉，几乎所有的家电产品都是让外国人赚够了钱之后，中国人才开始“拿来”国产化。但VCD和DVD打破了这一定式。当进口VCD还是几千元一台时，中国消费者还在这件产品前犹豫徘徊时，堪称“民族英雄”的科技专家、广州市一家民营科技企业的总经理鲍继怀，完成了VCD技术的一次革命性飞跃，一夜之间把几千元的产品价格狂降到几百元。原准备到中国大赚一把的外国产品全部积压。《科技日报》记者左朝胜放言：“货到地头死，中国商家大忌教训了毫无准备的洋货。”从此，VCD重整河山，不仅中国消费者几乎无人不用国货，甚至全世界VCD、DVD的市场，95%以上都被“中国制造”横扫了。当年鲍继怀发动VCD市场保卫战时才三十出头。企业在市场经济中，应该成为科技创新的主体。鲍继怀的企业从研发到生产，从实验室到市场，没有用过国家一分钱。他说，广东的创新环境是千金难买的。同样一个鲍继怀，后来又使用自主创新技术，将刚刚打进国内市场的GPS汽车导航系统价格狂降到洋货的1/10。唯有如此创新技术、有如此民族气节、有如此竞争能力、有如此企业定位，才能真正拥有科技强省的建设者。用自主创新技术，御洋货于国门之外，是科技强省时代的企业职责。

二、特区模式

镜头画面：广东国际科技合作项目示范基地

广东开放的第一步，就是迈进国际产业链条，遇到问题就到国际上寻找经验。它强调科技创新要符合和满足当地产业、经济和社会发展的实际需求，充分利用市场机制，明确政府、科研机构、企业等不同利益主体的角色，重点营造“鼓励创新”的投资环境，“宜于创业”的人才环境，最大限度地利用全球创新资源。

广东区域科技进步与区域科技创新总体上是一种先行观念、务实观念、市场观念下的特区模式，具有强烈的国际视野特征。广东开放的第一步，就是迈进国际产业链条，遇到问题就到国际上寻找经验。这条经验就是，突出“先进、适用”的基础上进行重点领域的消化和自主创新，强调科技创新要符合和满足当地产业、经济和社会发展的实际需求，要按照市场经济规律办事，不求政府“全能”。

充分利用全球创新资源是广东自主创新体系的重要特色。广东在一定程度借鉴了亚洲“四小龙”从后发变先进的发展模式，一贯强调坚持原始性创新、集成创新、引进消化吸收创新相结合，以集成创新和引进消化吸收创新为主，其实质就是最大限度地利用全球创新资源。特别是进入21世纪以来，广东加大力度支持有条件的地区建立国际科技合作项目示范基地，鼓励企业与外商开展合作创新，鼓励和支持本省龙头骨干企业与国内外同行业企业进行专利技术、核心技术、技术标准的交叉授权许可，组建平等的技术战略联盟。吸引跨国公司特别是世界500强企业和有实力的外资企业在粤设立研究开发机构，鼓励省内大学、科研机构、企业与其联合创建实验室等技术创新机构。

充分利用市场机制，明确政府、科研机构、企业等不同利益主体的角色，营造有利的科技创新环境是广东自主创新体系的另一重要特色。

营造创新环境是区域创新体系的最重要环节。创新环境包括聚集、整合、有效配置创新资源的市场环境；构建和完善创新链条，促进产业发展的产业环境；保护创新成果、维护创新秩序的法制环境；组织生产公共产品，提供支撑创新的公共平台和公共服务的基础设施环境；崇尚竞争、勇于探索、敢为天下先、求新求变求异的创新文化和开放、宽容、兼收并蓄的创新氛围。30年来，广东重点营造了四大创新环境：“鼓励创新”的投资环境，“宜于创业”的人才环境，“尊重创新”的社会环境，“保护创新”的法制环境。

广东区域创新体系涉及了政府、大学和科研院所、企业等不同利益主体。明确各自的角色是营造科技创新环境的前提。在区域科技进步与创新体系构建中，政府的主要角色是，倡导科技是第一生产力的理念，制定市场规则，加强宏观调控与管理，制定和经济社会发展的战略目标规划，制定产业政策，制定分配制度和吸引、培养、使用人才政策。在30年的开放改革实践中，广东省政府正确行使职能，遵循创新规律，处理好政府与市场的关系、政府与企业的关系，政府与社会的关系，明确以市场为主导，充分发挥市场机制对科技资源的配置作用。广东从“三来一补”转向高新技术，从以依赖外资转向自主创新，从产业发展战略转向城市发展战略，每一重大战略转型，政府的引导意识是非常清晰的。由于在分配制度和人才政策上实现突破，广东吸引了大批高素质的创新人才。《中共广东省委、广东省人民政府关于依靠科技进步推动产业结构优化升级的决定》极大地推动了研究机构体制的改革，促进了科技与经济的结合。20世纪90年代，颁布了系列政策，有力推进高新技术产业发展。深圳市《关于完善区域创新体系推动高新技术产业持续快速发展的决定》率先提出了建立和完善区域创新体系，实现了从产业发展战略向城市发展战略转变。广东省省长黄华华在2008年政府工作报告中明确指出，建设创新型广东，要建立健全以企业为主体、市场为导向、产学研相结合的技术创新体系，坚持原始创新、集成创新和引进消化吸收再创新相结合，积极推进技术创新、品牌创新、管理创新和组织创新，着力突破制约经济发展的核心技术和关键共性技术，加强创新型人才队伍建设，加快形成以科技进步与创新为基础的竞争优势，推动广东由制造大省向创造大省转变。

高技术产业在广东具有鲜明的特性。鉴于高技术产业具有高投入、高回报、高风险的特性，广东省政府在认真总结国内外发展高新技术产业经验后，及时制定政策、营造环境、统一规划、确定重点来发展。首先，通过实施一系列的税收、财务、金融、财政、进出口贸易、人才等优惠政策后，广东高新技术发展得到了前所未有“生存、发芽、发展”空间，通过为高新技术产业“量身裁衣”，给予高新技术企业和产业最大力度的支持，为高新技术产业发展创

造了良好的环境。同时，加大高新技术产业发展资金投入，建立科技发展基金。1992 年，为支持高新技术产业发展，经省政府批准，省科委与有关金融部门联合成立了省科技创业投资公司。其次，广辟资金来源。扶持高新技术企业通过融资渠道获取资金帮助。多年来，随着高新技术企业实行股份制改造，如肇庆风华、珠海丽珠、汕头超声、深圳中兴、中山火炬、惠州 TCL 等多家高新技术企业通过股票上市，获得不断发展的资金补充。“政策优惠”的“节流”与政府开辟不同资金通道的“开源”，共同为高新技术成长创造了优越的环境。此外，针对高新技术作为先导产业的特点，广东省委、省政府为其打造了优良的管理体制和运行机制，包括建立知识产权保护制度、创建高新技术产业孵化基地、工程技术研究开发中心、技术交易市场、生产力促进中心等；以高新技术产业开发区为综合改革试点，深化高新技术企业改革，实施以自主经营为中心，深化产权关系，管理体制、分配体制的改革，推进股份的经营形式和集团化的组织形式。同时解放思想，实行多元化的企业所有制形式。目前看来，民营科技企业已成为广东内源型高新技术产业发展的主力军，形成国营、集体、民营、“三资”及联合经济等多种经济成分并存、共同推动高新技术产业发展的新格局。

先行观念、务实观念、市场观念下的具有国际视野特征的区域科技创新模式，使广东建立了自己的区域自主创新体系：目前已初步建成了广州、深圳自主创新的基地，发展了一批创新型企业和产业集群，走出了一条以市场为导向、以企业为主体、以人才为根本、以产业技术为重点、以环境为基础、以体制为保障的自主创新新路子，广东省成为国家重要的高新技术研究开发基地和成果转化基地。在广东区域自主创新体系中，强化企业成为科技投入、研究开发、风险承担、应用受益主体的技术创新体系；建设一批高水平开放式的公共实验室和一批区域性行业性的产业集群创新平台，加快完善科技和产业服务支撑体系。诚然，面向自主创新，特别是原始创新，广东的面前还有许多路要走。但以充分利用全球创新资源和适应市场体制为特征的区域科技创新模式给广东带来了持久稳定的繁荣。

三、折射岭南文化与现代广东人精神

镜头画面：首届经济发展国际咨询会议（1999）

> 对于“先行一步”，广东人有一种天生的勇气与执著。广东无论在改革开放的初期，还是在贯彻落实科学发展观、构建社会主义和谐社会、建设创新型国家的新实践中，始终坚决贯彻中央精神，善于在积极领会中央精神中寻找发展的空间，善于在创造性落实中央要求中开辟道路。

开放与改革先行一步，是广东30年发展的主旋律。广东科技发展30年，也是岭南文化和现代广东人精神大放异彩的30年。岭南文化和现代广东人精神一直是改革开放以来科技进步的重要导航者，并形成了独具特色的广东科技创新文化。英国19世纪人类学家泰勒给文化下的广义概念最为流行：“文化或文明，就其广泛的民族学意义上来说，乃是包括知识、信仰、艺术、道德、法律、习俗和任何人作为一名社会成员而获得到能力和习惯在内的复合整体。”广东人以进取为核心的务实精神与商品意识浓厚的社会心理和群体观念，构成独特的市民文化，千百年来支撑着岭南文化的支脉香火不绝向前延伸。在新时期的经济建设中，这种埋头实干、务实进取的文化更是为创新型现代广东的建设扫平了大道。

岭南文化，源远流长，一直以“开风气之先，乐天务实、自强不息、念祖爱乡、灵活变通、海纳百川”而著称。岭南文化在近现代中国现代化民主化的历史进程中发挥了巨大的作用。改革开放以来，岭南文化以一种崭新的姿态出现在世人面前。我国改革开放的许多理论和经验就出在广东，在改革开放和现代化建设中起了重大作用。现代广东人继承了岭南文化的传统，同时更深深植根于社会主义现代化实践中。岭南文化与改革开放实践，共同铸造了新

时期鲜明的广东人精神：敢为人先、求实进取、开放兼容。

1. 敢为人先。

谈起全国的发展，人们总是说：东部率先，广东争先。而在广东，当地人更爱提两句话：广东是改革开放的先行地；广东是中国改革开放的缩影。对于“先行一步”，广东人有一种天生的勇气与执著。他们不仅敢为天下先，也乐为天下先。

改革开放以来，经过30年的强劲发展，陆地面积只占全国1.85%的广东，贡献了占全国1/9的经济总量、1/7的财税收入、1/4的外资总额、1/3的对外贸易总额。更重要的是，广东作为改革开放最前沿，更是首创性地贡献了深圳速度、珠江模式、市场机制，贡献了改革开放的意识和经验。

最引人瞩目的，莫过于政策上的“敢为天下先”。正如本书开头所述，改革开放初期，众说纷纭的“星期六工程师”应运而生。中共广东省委、广东省人民政府及时颁布了《关于当前科技体制改革若干政策的暂行规定》，支持广州地区的“星期六工程师”活动，使广东成为我国人才市场机制发育最早的地区之一。20世纪80年代的“星期六工程师”，用人才柔性引进的方式，铸造了珠三角无数乡镇企业的发展奇迹。

在技术市场发育的初期，1986年广东省人大常委会全国率先颁布《广东省技术市场管理规定》，为技术作为商品，开展技术贸易，加强技术市场管理，提供成长土壤。2000年，广东省人大常委会对此《管理规定》进行了重新修改，通过了《广东省技术市场条例》，有力地推动了技术市场的发育。针对改革开放科技人员下海，创办以实行自愿组合、自筹资金、自主经营、自负盈亏的科研生产经营经济实体，为保护和规范其合法权益，广东通过了全国第一个有关民营科技企业的地方性法规——《广东省民营科技企业管理条例》。这保护了科技体制改革的成果。

广东省市场经济较活跃，科技人员流动性大，在流动过程中产生的技术秘密保护问题迫切需要加以规范，以保护科技人员和单位的合法权益。1998年12月，广东省人大常委会在通过了《广东省技术秘密保护条例》。深圳市、珠海市人大常委会也先后通过了技术秘密保护方面的法规。为了在科技企业中建立一种新型的分配机制和激励机制，调动科技人员的积极性，1999年珠海市通过了全国第一个技术入股和技术提成方面的法规——《珠海市企业技术入股与技术提成条例》。广州、深圳、珠海、汕头市也从实际出发，研究、制定体现地方特色的地方性法规。作为专利大省，广东多年来的专利申请量和专利授权量都为全国第一，为加强专利保护的力度，进一步强化了专利行政执法的手段和力度，提高全省的专利执法行政水平，广东通过了在全国具有较大影响的第一部专利保护方面的法规——《广东省专利保护条例》。

其次，广东在机制方面的敢为人先也令世人刮目相看。在政府主导和市场力量运作下，广东敢为人先，在中国首创了“中国留学人员广州科技交流会”、“中国国际高新技术成果交易会（深圳）”、“广东省科技进步月”活动、“泛珠三角区域科技合作”，率先开展了粤港关键领域重点突破项目、NSFC－广东联合基金、广东教育部科技部产学研合作、“非典”科技攻关大型科研计划的实践。

有“敢为人先”的精神绝非易事。因为“先”则意味着“风险”。“敢”字揭示的是一种意识和勇气，这是非常宝贵的。然而，仅有勇气还不够，必须从敢为人先到善为人先，以及长为人先。只有这样，才能永葆创新事业的常青。

2．务实进取。

广东从来不标榜自己的阳春白雪。说广东人务实进取才是实至名归，这种务实进取精神源远流长。据粤北南华寺介绍，六祖慧能出生、成长在广东新兴县，不识字，年轻时是个打柴的樵夫。他创立禅宗，是把印度佛教中国化、大众化的第一人。他主张顿悟成佛，佛性人人皆有，恶人弃恶从善也能立地成佛。慧能的人间佛教思想强调佛在人间，在现实生活中，修行拜佛不一定要到寺庙打坐参拜，平时走路闲聊、在家做活都可以修行。这样使原来烦琐、苦行的佛教简易化、实用化，极大地促进了佛教在中国的传播。同时

也改变了自秦以来，岭南一直处于中国传统文化圈的边缘，是中原文化受体的局面，慧能创立的顿教法门，由岭南传至中原，最后占据了中国佛教的主流地位。另一则故事同样鲜明反映广东人的务实精神。粤籍康有为是维新派代表人物。1898 年，他在受光绪皇帝的召见时陈言："今日之患，在吾民智不开，故虽多而不可用。而民智不开之故，皆以八股试士为之。学八股者，不读秦汉以后之书，更不考地球各国之事，然可通籍，累至大官。"康有为感慨："西人皆为有用之学，而吾民皆为无用之学，故致此。"康有为建议废除科举考试。光绪皇帝应允并下诏废除科举。可惜 103 天后，慈禧太后发动政变，资产阶级的改良运动便失败了。

在改革开放初期，广东人并没有一味追求"高、精、尖"，而是要在突出"先进、适用"的基础上进行重点领域的自主创新，强调科技创新要符合和满足当地产业、经济和社会发展的实际需求，要能够转化为现实生产力和产生实在的经济社会效益。这引得许多国人的议论。但广东人没有受其左右，而是在更加注重创新的基础上，坚持自己的实效做法，正确判断全省科技创新需求。正因为如此，广东创造了独领全国风骚的奇迹，"喝珠江水，吃广东粮，穿岭南衣，用粤家电"，形成了食品饮料、纺织服装、建材三大传统产业，电子通讯、电气机械、石油化工三大新兴支柱产业，森工造纸、医药、汽车三大有潜力的产业，九大产业均具有较强的竞争力。

谈到实实在在的经济利益，广东人是不折不扣的热衷者。以经济建设为中心，以自主创新为方向，不是广东人的口号，而是他们与生俱来的自我要求和行为准则。

"借助别国技术的创新也属于自主创新。自主创新主要实现形式的阶段性选择事关重大。广东应以集成创新和消化创新为主"，广东省委常委、统战部部长周镇宏在"广东省统一战线解放思想论坛"演讲中慷慨激昂。这位理学博士出身，拥有教授和中国作家协会会员头衔，还是国务院政府特殊津贴专家，曾在高校基层教研室工作，在高校领导和省科协领导岗位任职，尔后到地方政府任市长、书记，在2008年春广东省委“思想大解放、推动大发展”调研活动中，分工领衔负责广东省自主创新专题调研活动。他多岗位、多角色的丰富经历，使他对广东和科技有不一般的深刻见地。他所阐述的正是广东人的务实精神。

• 坚决贯彻中央精神不打折扣，坚决从广东实际出发不图虚名

2006年7月，中国社会科学院和广东省共同组织了“科学发展观与构建和谐社会在广东”调研活动。调研组在深入广东实地的调研时指出，“广东从实际出发，紧紧抓住广东经济社会发展的阶段性特征，在中央精神与广东实际之间找到结合的桥梁”，“坚决贯彻中央精神不打折扣，坚决从广东实际出发不图虚名，这是广东的一贯做法”。中国社科院研究员辛向阳向《南方日报》记者恳谈他的深刻感受。这就是鲜明的广东人，这就是岭南文化的新时代弘扬和发展。

改革开放30年来，广东能取得今日之辉煌，得益于两大法宝：中央的指导、支持和鼓励，以及新时期广东精神激发出来的广大干部群众的激情、胆识和奋进。正是这两大法宝开创了一个个新的思路，一套套新的模式。的确，广东无论在改革开放的初期，还是在贯彻落实科学发展观、构建社会主义和谐社会、建设创新型国家的新实践中，始终坚决贯彻中央精神，善于在积极领会中央精神中寻找发展的空间，善于在创造性落实中央要求中开辟道路。最难得的是，广东领导层和广大干部群众充分认识到自己肩负的历史使命和艰巨任务——排头兵作用，“先闯、先试、先行、先干”的历史责任和使命。

广东科技30年创新既有其鲜明时代特色，又具有典型性。一方面，它紧跟国家科技发展新理念、新部署，矢志不移地将科技进步、科技创新战略有机地融入到全省现代化建设的全方位、全过程中；另一方面，它从实际出发，找准创新结合点，营造创新环境，建立健全创新机制，走出了一条适应社会主义市场经济，顺应全球经济一体化和现代科技发展趋势，充满改革开放和创新精神，符合全省发展要求的区域科技创新路子。

• 以“世俗”为主要价值取向，以“春华秋实”为主要特征的学术精神

“世俗”的积极“入世”姿态千百年来造福着岭南这片永远充满活力的土地，在这片热土上，每一个广东人都与生俱来地拒绝缥缈、拒绝虚谈、拒绝华而不实的空中楼阁。这在学术和科技创新上，则体现为先挥汗耕耘、适时播种，

而后收获丰收喜悦的“春华秋实”精神。“世俗”的创新姿态直接地指向了面向市场的经济成果。温氏食品集团有限公司在这方面就是一个典型的例子，它作为第一主持单位完成了“农业龙头企业产学研科技创新模式与示范项目成果”，最早在国内创立并发展完善了“公司+基地+农户”的农业产业化经营模式和“公司+基地+高校（研究所)”紧密型农业产业化产学研科技创新体系，形成了优质肉鸡、优质肉猪、优质水产品和动物保健品四大产业化关键技术体系，解决了畜禽业和水产养殖业产业化经营的关键技术问题，获得了一批具有自主知识产权的先进技术，这符合当前农村生产力发展水平要求，对发展农村经济、促进农业产业结构调整、带动农民脱贫致富、推进农业产业化进程均有重大影响。该成果获2005年度广东省科技进步奖特等奖。

广东省科技进步奖特等奖授予温氏食品集团，正反映了务实进取的广东人以“世俗”为主要价值取向，以“春华秋实”为主要特征的学术精神，将“见微知著”视为广东学术的世俗支撑，将“直指民情”、“见物见人”称为广东学术的世俗锋芒，将“独辟蹊径”理解为广东学术的世俗价值，而把“勇立潮头”当作广东学术的世俗走向。

3. 开放兼容。

广东人的开放精神自古以来有目共睹。清朝的闭关将东方雄狮困得近乎窒息，唯有广州等个别港口尚得以获得一丝开放的空气。开放给广东带来“海纳百川”的包容气质，使广东在许多关键时期能一马当先，而位处中国面向世界的南大门也给了广东天时地利的条件。在近代，广东人最早向国人介绍西方民主政治，最早宣传科学社会主义，也最早形成了对外开放理论。在当代，广东人则先行一步地制定了开放举措，形成了开放格局，更取得了举世瞩目的开放成就。

改革开放以来，广东紧紧围绕“科技是第一生产力”这一核心目标，从更广阔的区域经济和社会发展视角中，表现其与众不同的科技特色和优势。它成功打造了以广州、深圳两个中心城市为龙头的珠三角高新技术产业带是我国当前高新技术产业规模最大、发展速度最快、产品出口额所占比重最高的高新技术产业发展区域。珠三角高新技术产业带以高新技术产业开发区为结点，沿珠江两岸，把中心城市、其他城市、乡镇、高新区和高新技术企业沟通起来，形成点线相连、互相交织的网络。这个网络的综合体性优势不是内地某个区域的单一力量所能比拟的。

在政府主导和市场力量运作下，涌现了如“中国留学人员广州科技交流会”、“中国国际高新技术成果交易会”、“广东省科技进步月”活动、“泛珠三角区域科技合作”等科技活动品牌。通过粤港关键领域重点突破项目、NSFC－广东联合基金、广东教育部科技部产学研合作、“非典”科技攻关大型科研计划的实践，通过专业镇、生物医药与健康研究院等知识创新平台建设，通过广东科学中心等大型项目的建设，通过钟南山等领军科技人物的宣传，通过对“孔雀东南飞”、“深圳速度”的宣传，有效树立和提升广东的区域科技形象，形成良好的科技形象名牌效应。区域科技形象的建立将广东科技进步与创新的精神理念、成就、优势和发展潜力，准确、有效地传递给区域内外社会公众，使公众产生一致的良好评价和心理认同，为科技发展营造有利的条件，又进一步推动科技进步与创新工作更好、更快地发展。

• 省长的洋顾问们

恨不得将一切最新理念“拿来”发展自己的广东人将一群来自全球各地的商业精英请到了自己的家里。2007年11月15日至16日，一场主题为“建设创新型广东与经济增长方式转变”的会议在广州举行，来自世界知名企业、科研机构的17位省长顾问和5位观察员参加了会议并提交了咨询报告。会议分三个议题：“创新的激励机制”、“创新与国际合作”和“创新的资本条件”，来自美国国际集团、忠利集团、德太投资公司、凯捷集团等世界500强的省长顾问们就“创新”话题掀起了一场“头脑风暴”，咨询报告字字千金，份份都指向一个主题——“逼”广东创新。洋顾问们是一群特殊的智囊，他们带来了当前全球最先进的新思维，这些影响世界经济发展的重量级人物的思维成为推动广东创新的一股重要力量。

广东省政府于1999年首次举办由省长洋顾问参加的“广东经济发展国际咨询会”会议。第一届国际咨询会从1999年至2001年连续三年举行了顾问全体会议。会议根据世界经济发展趋势、广东经济社会发展现状和未来规划，选择了具有导向性、前瞻性的问题作为会议的主题。例如“世界科技进步与

广东产业结构调整”、“广东实现现代化途径的探索”、“经济全球化与广东”。第二届国际咨询会顾问的任期改为四年，隔年召开会议，分别于2003年和2005年举行全体顾问会议。咨询会已成为广东对外交往、整合国际高层次智囊资源的一个重要平台。通过省长洋顾问，加强了广东与国际跨国公司和世界著名教育、科研机构的联系与合作，促进了跨国公司和世界著名教育、科研机构在广东的发展，展示广东改革开放形象和良好的投资环境。往届咨询会提出的变“广东制造”为“广东设计”的创新理念已日益深入人心。国际咨询会这一机制已汇入创新广东的浩荡大流。

• 广交会

广交会［中国出口商品交易会（广州）］是广东省、广州市最重要的开放标志，是广东、广州经济国际化的助推器。

改革开放前，每年一次的“广交会”是全球企业与整个中国做生意的唯一窗口。来自世界各地的客商云集广州，互通商情，增进友谊。2006年10月30日，第100届中国出口商品交易会一如既往地在广州落幕。2006年秋季广交会由50个交易团组成，有数千家资信良好、实力雄厚的外贸公司、生产企业、科研院所、外商投资/独资企业、私营企业参展。国际共有212个国家和地区，192691名采购商参会，累计成交额达340亿美元。广交会贸易方式灵活多样，除传统的看样成交外，还举办网上交易会。广交会以出口贸易为主，也做进口生意，还可以开展多种形式的经济技术合作与交流，以及商检、保险、运输、广告、咨询等业务活动。2006年秋季广交会共受理知识产权投诉573宗，被投诉企业848家，认定涉嫌侵权企业509家。

国务院总理温家宝出席了第100届广交会开幕式，并发表讲话。他指出，广交会迄今已举办100届，中间从未间断，成为中国历史最长、规模最大、商品种类最全、到会客商最多、成交效果最好的综合性国际贸易盛会。广交会是中国对外开放的窗口，广交会是中国对外开放的缩影，广交会是中国对外开放的标志。在讲话中，温家宝总理宣布中国政府决定：从第101届开始，广交会更名为中国进出口商品交易会。这对金属进出口、技术设备引进和创新资源的整合发挥着更重要的作用。

4. 灵活变通。

有人说，广东人是天生的市场经济适应者。的确，广东人历来很会做生意，“灵活变通”可谓其商业精神气质。改革开放以来各

领域的进步，无不体现广东人“灵活变通”这种精神气质。在广东，有两点是任何地方都认同的：允许改革者大胆试，大胆闯；创新的主体是全民。先闯、先试、先行、先干，需要激情、奋进，更需要胆识和灵活变通。

2007年10月，中国社会科学院专家在结束对广东的调研后，高度评价了广东思维变通的发展模式。社科院专家向媒体总结说：“他们（广东）清醒地认识到，转变发展方式是一项长期艰苦的任务，经济社会发展开始转入科学发展轨道并不等于全面转入科学发展轨道，要进一步全面转入科学发展轨道，还要付出更大的努力，任务更为艰巨。”专家们认为，总结广东经验具有全国意义。

• 发展模式的自主创新

在广东，“自主创新”是一个不断被提及的流行语，被视作广东经济发展方式由粗放型向集约型转变的核心竞争力。但当我们近距离观察时，深深体会到，“自主创新”还有另一个更深的含义：发展模式的自主创新。

改革无定规，创新无定式。结合实际，灵活变通尤为重要。同样是机制创新，深圳着力于改革科技管理体制和科技资源配置方式，加快区域公共服务平台建设；广州则已建成了大批特色“孵化器”，引进各种科技中介服务机构，组建风险投资机构。同样是民营经济两大重镇，比邻而居的南海与顺德，却走出了迥异的版本。前者以8大专业镇的中小民营企业为特色，后者则以大企业、大产业而著称。同样是企业自主创新，华为正确处理了技术与市场的关系，确立了客户需求导向战略；而美的则通过合资控股，一举掌握了外资方的核心技术。

法无定法，求新没有定律，30年前改革初始广东人就已明白了这一点，30年后在更加变幻莫测的全球化竞争风云里，他们仍然相信这一点。

四、广东之梦

镜头画面：“广东进一步解放思想，争当实践科学发展观排头兵”大会会场

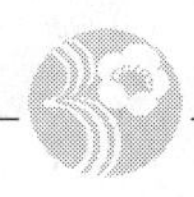

"争当实践科学发展观排头兵"，"努力建设成为提升我国国际竞争力的主力省，发展中国特色社会主义的先行地"，这与"广东梦"是一脉相承的，是新形势下"广东梦"的发展。建设宜居城乡，全面提升民生质量，着力塑造新时期广东人文精神，提升文化软实力，是新时期"广东梦"的应有内涵。

改革开放30年来，广东经济社会领域发生翻天覆地的变化，科技领域也同样是飞速发展。在这中间，有诸多理论认识，但更多是实践的智慧，甚至是自发的、缺乏融洽的。人们期望，站在30年积累的新基础上，广东有更加健康、持久的发展。也许，我们可以通过讨论广东的集体梦想受到启发。诚然，这种讨论应该放在国际视野下来检讨，这也是"进一步解放思想"大讨论的基本要求。

梦想表达出人们最想要的美好生活。每个人都有自己的生活梦想，每个国家和地区还有自己的关于经济社会的集体梦想。梦想是一种强大现实的力量，它引导和改变着人们的行为。广东籍哲学家赵汀阳指出，在这个全球化的时代，社会理想之争不仅没有像一些人以为的那样终结了，相反，似乎又开始了新一轮的构思和比较。各种梦想似乎都变得圆熟了，不像那些在启蒙时期开始萌芽而在浪漫时期生长的梦想那样充满激情（例如催动物质疯狂生长的自由资本主义和试图达到全人类解放的共产主义），而是在全球化背景下不断进行着梦想与现实关系的调整。

1. 美国梦。

"美国梦"在很大程度上是全世界共同的梦，它创造了前所未有的巨大财富，带来了无可比拟的物质进步。它代表着最大化的个人自由、最先进的物质进步和最丰富的成功机会。现今仍然是最有影响力的梦。对于一般人而言，"最大自由去挣最多的钱"、"贫穷不是要解决的问题，而是你要打败的敌人"，"不断地进步、成功和胜利"，就是美国梦的写照。

过去的"美国梦"曾经确实是一个史无前例的辉煌奇迹，它有着绝无仅有的能够使梦想成真的运气，真正的天时地利人和条件。在美国开拓和发展初期，无边的土地，无尽的资源，无数的机会。二次大战的机遇又使美国得到史无前例的成功机会。

“美国梦”的主导原则是现代性，并且贯彻得非常彻底。《欧洲梦》作者J. 里夫金一针见血地指出，所谓“美国梦”主要是指每一个人都拥有不受限制的机遇来追求财富、积累财富，个人聚敛巨大财富的成功被当作唯一的或主要的成功标准。财富愈多，愈是与众不同，愈有社会地位，就愈安全。在这个梦的笼罩下，人们不惜一切代价追求自主，过度消费，纵容每种欲望，浪费地球的资源。社会鼓励不受限制的经济增长，强者受奖赏，弱者被边缘化。没有一个人，尤其是没有一个美国人，能够否认美国人是全世界最贪婪的消费者。

现在“美国梦”遭到了越来越多人的质疑。很多人都意识到了，美国式的现代化道路是世界资源以及世界人民所无法承担的，是世界消费不起的。目前，美国人口只占世界人口总数的不到5%，但消费了多达1/3的世界能源，还有数额惊人的其他地球资源。J. 里夫金指出，美国之梦之所以不可取，是因为它对世界不利。美国之梦它不仅不能创造真正的好生活，而且只能带来昂贵的坏生活。全球化的过程同时也是个多中心化的过程，虽然很可能没有谁能够彻底动摇美国的领导地位，但全球化正在形成全球性的利益“共轭”现象，单边的利益最大化变得不切实际，除了引起反抗和冲突，没有更多的积极意义。它预言，美国之梦是“过时了”——尽管它一度是世界所羡慕的理想，如今却因过度关注个人的物质获取而无法适应一个日益风险化、多样化和互相依靠的世界。

2. 欧洲梦。

2004年，Rifkin出版《欧洲梦》（*The European Dream*）。他在批判美国梦的基础上断言，欧洲梦是一个与时俱进的新梦，“欧洲梦在后现代性走到头的地方接着前行……它是个带领我们走出现代性以及后现代性而进入全球时代的梦想”。

《欧洲梦》一书提出了许多富于前瞻性的深刻问题。Rifkin 认为贯穿在今天的两大精神潮流：一是在一个日益物质化的世界里，寻找某种更高的个人使命的渴望；二是在一个逐渐疏离、冷淡的社会里，寻找某种共同体意识的需求。在他看来，文化的差异受到欢迎，每个人都在地球可维持的范围内享受着高质量的生活（不是奢侈生活），而人类能够生活在安定与和谐之中。为了共存于一个日益联系紧密的世界，人类需要不断开发新的理念。

欧洲之梦更加关注可持续发展、生活质量和相互依赖。欧洲梦所追求的生活，是一种具有“生活质量”的生活，是一种普遍富裕、拥有社会安全而有品味的生活，与美国粗犷或者粗俗的新西方生活方式成鲜明的反差。它是建立在高水平的物质生产基础上的福利社会，有充分的自由、时间和条件去追求各种丰富的精神生活。欧洲之梦要用新的“精神主义”（idealism）去打倒“物质主义”以及无限制的进步论和绝对化了的个人主义，纠正整个现代性的各种错误，特别是反对最充分表现了现代性的美国文化这一以拼命消费为特征的“寻死文化”（death culture）。

欧洲之梦基于保存原有文化身份、在多元文化的世界上生存。在 Rifkin 看来，“欧洲梦”既能够将个人从西方意识形态的旧轭下解放出来，同时又能够将人类与一个新的共享的故事相连。这是一个带领我们超越现代性和后现代性、进入全球时代的梦想。欧洲梦展示，欧洲人同样想要与全球联系，但不丧失他们的文化身份和乡土感。他们在关联而非自主中发现了自由。他们寻求在此时此地拥有良好的生活质量，这对他们来说也意味着和地球建立起可持续的关系，保护后来者的利益。跟美国人相比，物质生活同样丰富的欧洲人更注重对自然环境的保护，更注重与自然的和谐。

“欧洲梦”是当前纷扰世界中的一道光芒。它呼唤我们进入包容性、多样性、生活质量、深度游戏、可持续性、普遍人权、自然权利和全球和平的新纪元。美国人过去常说，“美国梦”，我们值得为它而死。现在，Rifkin 说，新的“欧洲梦”则值得为它而生。“欧洲梦”的提出，对痴迷于“美国梦”的人们来说，简直是当头一棒。

总的来说，欧洲之梦强调生活质量、可持续性、安定与和谐，提倡文化多元主义和全球生态意识，将人性从物质主义的牢笼中解放出来，成就新的人性。

3. 广东梦。

所谓的“广东梦”在很大程度上是“中国梦”的缩影。

这“中国梦”就是百年来的“现代化”物质梦想。“落后就要挨打”是中国现代化梦想的最重要理由。强大的精神需要强大的物质基础。只有一个现代化的中国才能够反抗和摆脱西方的霸权支配。因此中国现代化梦想的第一要求就是要变成在物质上强大的中国，这一基本要求一直到今天仍然是首要的要求。现代化梦想又是百年来几乎全部中国人的共同梦想，按照中国的“民心所向”原则，中国人人喜欢的就是中国的梦想。

“发展是硬道理。”30年前，为了解决贫穷问题，邓小平把中国现代化梦想重新调整回到物质现代化的方向上。30年的改革开放实践取得巨大的成就。中国的经济总量已超过G8的半数成员国，让世界不敢小看。

“广东要率先实现现代化”，光荣的中国梦想首先落在了广东人身上，因而成了“广东梦”。广东不辱使命，成为全国经济第一大省，其富足超过3/4的亚洲“四小龙”。

正如一些学者所言，这30年不断被强化的“广东梦”，从价值观而言，在相当大程度是以追求财富为核心的旧版“美国梦”——经济增长万能，尽管让广东获得了新的生机。然而，“广东梦”在实现的征程上，遇到的危险似越来越多——污染严重、土地高强度开发、知识产权意识薄弱、遭遇反倾销、贫富分化等等。并且聪明的广东人意识到，广东这30年的成绩主要不是靠在竞争中不择手段打垮对手的获益，而是与辛勤劳动成正比的正当收获。

面向未来，“广东梦”何去何从？这是“进一步解放思想”大讨论要解决的核心问题。它要求回答，在30年改革开放成就的基

础上，“广东”到底要给自己一个什么样的定位？什么样的思想/知识体系能够有效地思考世界的根本问题？什么样的生活方式能够使人觉得生活永远有意义？

许多喜欢思考的人在琢磨同样的问题。赵汀阳认为，人类正面临着前所未有的时空巨变。新一代人在一定程度上脱离了继往开来的代际传承，他们在网络的交互影响中自我成长，不懂得我们的下一代，也就不能完全知道我们的未来。J. 里夫金分析作为两个阶段经济基础的市场经济和网络经济的不同。他认为在市场经济的范围内，共同利益的提高是通过每一个人追求自身利益的结果来实现；网络经济则是通过每一个人为他人作出贡献、实现更广泛的共同体的利益最大化，从而也提高个人的福利，这就是现在经常提到的“互利、双赢”。今天是全球化的网络时代，竞争是多元性的，更多围绕着保存文化身份以及在彼此依靠的世界里获得权利而展开；文化身份建立起将个人从外部世界区分开来的边界，同时又能够用以维护个人进入周边全球洪流的权利，获得自由就意味着更深地陷入与他人之间彼此依赖的关系网之中，这种关系越包容、越深入，一个人就越有可能实现自己的雄心。要想被包容进关系网就需要找到路径，有越多的路径，就越能进入到更多的关系之中，从而也体验着越多的自由。

“欧洲之梦”不是一个霸道的梦想，可它是世界气度的梦想。也许我们可以从中借鉴一些东西。

当然，“广东梦”不完全等同，也有理由不等同于中国梦。广东地处中国结构的边缘——南岭之地，人口大省，面朝海洋，与西方制度区域毗邻。它从不奢望与北京，甚至上海比肩。但从全球的角度看，它那1亿的人口，已相当于一个人口大国。按照世界银行最新提供的数据，广东经济总量在全球经济体中已从1978年的61位上升到2006年的24位。作为华侨最多的省份，毗邻港澳，它跟世界有千丝万缕的联系。正因为如此，它有着独特的文化品质：开风气之先，乐天务实、自强不息、灵活变通、海纳百川。孙中山一生有两大宏愿：一是建设共和国，二是建经济强国（省）。这也许

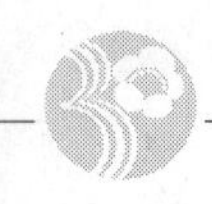

最能代表广东人的精神梦想。建共和国已超出本书讨论的范围，建经济强国（省）从没有在广东被放弃过。所以说，“广东要率先实现现代化”，不只是中央对广东的要求，更是广东人的共识，广东人奋力争取的结果。

在新时期，以汪洋为首的广东省委旗帜鲜明地提出要“争当实践科学发展观排头兵”，“努力建设成为提升我国国际竞争力的主力省，探索科学发展模式的试验区，发展中国特色社会主义的先行地”，这与“广东梦”是一脉相承的，是新形势下广东发展的梦想。建设宜居城乡，全面提升民生质量，弘扬中华优秀传统文化和岭南特色文化，提升文化软实力，着力塑造新时期广东人文精神，是新时期“广东梦”的应有内涵。

实现广东之梦，有赖于科技发挥更好地支撑作用：以世界创新型国家和地区为标杆，大幅改善自主创新环境，建立多元化、社会化的自主创新投入新机制，推动粤港澳创新资源共建共享，构建国际化合作创新网络平台，发展非赢利（战略）研究机构，在区域竞争背景中建立共赢合作框架，加强民生科技攻关和低碳技术攻关，更加关注人类的发展和对世界的贡献，营造出世界级大师和学术思想，增强区域创新能力，全面协调推进创新型广东建设，实现广东健康、持久的发展，为世界一些地区的发展做出榜样。

建设具有世界先进水平的名牌大学，让名牌大学演绎它的独特风采，也许是广东梦的最重要支撑之一。名牌大学通常要有良好的学习环境。它的精彩之处不仅在于有一套严格的培养制度，使学生受到现代科学的严格训练，打下扎实的基本功，以后不再会在什么基本概念上犯错误，而且在于提供了一种由世界级一流学者们支撑起来的科学气氛，使学生很早就接触前沿的问题，熟悉争论中的各种理论、观点和方法，自己站到前沿去，使学生不再在别人已经解决的问题上从头干起白费工夫，不再把别人嚼过的馍叫做“创新”，不再因为无知而狂妄，同时也学会怎样才能把现代的理论和方法应运和解决面临沉重的特殊问题。

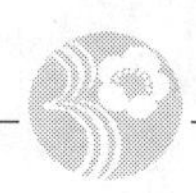

如果做到了上述这些，广东之梦就是一个与时俱进的梦想，一个有世界气度的梦想。

五、科技领域广东梦的未来征程

镜头画面：广东省高校人大代表政协委员“解放思想建言献策”座谈会会场

> 经费循环是科技生态系统内的最重要的物质交换，而学术交流和科学关怀则是科技生态系统内的最重要的能量流动。用生态系统的理念重新审视科技创新系统是可持续发展的要求，它给人们许多启示，使人们清楚地看到广东科技体系还存在一些问题，甚至是严重的问题和风险，亟待进一步努力。

今天，自主创新已成为广东科技领域的主流共识——科技领域的“广东梦”。广东有理由对现在乐观，但这不是漠视未来的理由。广东比任何时候都更清楚用一个与时俱进的理念去设计未来科技制度、去指导未来科技实践的价值。

1．科研机构是一个生命体。

科研机构是一个生命体？这比喻似乎有些夸张，但的确如此，并且人们能从中得到许多深刻的启示。

科技发展实质是一个生态系统的演化。在科技生态系统中，存在生命系统和环境系统两大部分，并且系统内部的生命体与生命体之间，生命体与环境之间不断地进行着复杂而有规律的物质交换和能量流动。作为一个生态系统，科技生态系统具有非常完整的生态学特征。首先，科技系统的发展和演进经历了从简单到复杂、从低级到高级的过程。其次，科技系统的结构秩序也是从竞争中形成的，竞争的最主要特征是优胜劣汰。此外，正如自然生态系统一样，科技系统也是在一定的政治、经济、文化、法制环境下形成的，同样具有鲜明的环境选择特征。最后，科技系统同样是一个具有自我调节功能的整体，并且这种自我调节的能力也是有一定限度。

在这个科技生态系统中，科技发展主体是生命体而非一般经济体。它既包括科技经费供给者，又包括科研人员、科技成果的需求者和科技中介以及服务机构。具体包括科研机构、企业、科研工作者以及政府。科技主体具有许多显而易见的生命体特征：它们都有出生及死亡的生命周期现象；都是从竞争中形成的，最主要特征是优胜劣汰；都与环境相互作用和相互影响。作为生命体，它们的最终目标不是追求利润最大化，而是追求自身可持续生存和发展。科技主体是一个追求自身可持续生存和发展的生命体，而不是简单追求利润最大化的经济体，这是从生态系统的视角来审视科技发展系统的必然结果。

经费循环是科技生态系统内的最重要的物质交换，而学术交流和科学关怀则是科技生态系统内的最重要的能量流动。经费本身就是一种物质，在科技生态系统中的所有活动都是通过经费循环来进行的，其作用和功能等同于自然生态系统中的物质交换。自然生态系统就是生命系统和环境系统在特定空间的组合，其特征是系统内部之间以及系统与外部环境之间存在着能量的流动和由此推动的物质循环。科技主体作为一个具有生命力特征的生物体，科技生态系统也就是科技生命系统和其生存与发展的内外环境系统在特定空间的组合。这种组合是通过科技系统内部之间以及系统与内外环境之间的学术交流、科学关怀和经费循环来实现的。

在自然生态系统里，推动生物圈和各级生态系统物质循环的动力，是能量在食物链中的传递，即能量流。与物质的循环运动不同的是，能量流往往是单向的，它从植物吸收太阳能开始，通过食物链逐级传递，直至食物链的最后一环。在科技生态系统里，学术交流和科学关怀在系统中的作用和功能等同于自然生态系统中的能量流动。它们是与科技主体之间相互作用、相互影响是推动科技生态系统物质循环的主动力。

政府在科技生态中的地位和作用非常类似人在自然生态系统中

的地位和作用。现代生态学展示：人是生态系统中的重要组成要素，是生态系统中最高级的消费者。但人不同于其他生物体之处在于，人在生态系统中起主导和支配地位，他可以能动地改造外部环境。人类活动的加剧导致生物多样性的迅速变化，于是就出现了对资源的过度开采，对环境的肆意破坏以及对生态系统的保护。在科技生态系统中，政府既是制度的供给者，决定和塑造着科技生态环境，又是科技的需求者，广泛的参与到科技的各个领域。也就是说，政府既是“运动员”，又是“裁判员”。因此，它是科技生态系统的重要组成要素，同时，政府对科技的过度管制和干预不仅会影响科技生态内外环境，而且会改变科技生态环境，最终可能导致科技生态恶化。我国是一个行政主导型国家，政府的行为选择直接决定了科技生态的状况和发展的方向，政府的价值偏好奠定了我国科技生态图景比较独特的基本格局。

建设自主创新之路，加重了人们对科技体系的关注。把科技系统看作生态系统，可以给人们许多启示，使我们清楚地看到广东科技体系还存在一些问题，甚至是严重的问题和风险，亟待进一步努力。

2. 科技创新系统的生态化策略。

科技创新系统的生态化策略要求用生态系统的理念重新审视科技创新系统。这是可持续发展的要求。

明确政府在科技创新体系中的作用。政府在科技生态系统中居于最高地位，它既是制度的供给者，决定和塑造着科技生态环境，又是科技的最高需求者。它与科研机构、企业、科研工作者等属于不同利益主体。在自主创新体系构建中，政府的主要角色应该是，倡导科技是第一生产力的理念，制定市场规则，加强宏观调控与管理，制定经济社会发展的战略目标规划，制定产业政策，制定分配制度和吸引、培养、使用人才政策。配置资源的市场环境、鼓励创新的投资环境、宜于创业的人才环境、尊重创新的社会环境、保护创新的法制环境，是营造创新环境的重要环节，同样需要政府的主导式参与。政府调动自主创新资源的最优做法是出台政策，通过市场的方式鼓励企业、科研机构和个人做出努力。

正确把握科研机构和政府的最终目标。在科技生态体系中，科研机构和政府的最终目标是追求自身可持续生存和发展，而不是立足在追求利润最大化上。这在制定政策和规划时，具有重要的参考价值。

平衡长远利益与近期利益，不走极端，维持生态系统的整体性和持续性。在改革开放初期“三来一补”阶段，广东旗帜鲜明地高举消化创新的大旗，完成初始积累。消化创新带领着广东从1985年起实现了全国经济总量第一。随着经济科技的发展，广东的原始创新力越来越雄厚，是探索自主创新大步迈出去的时候了。但决不能走到另一极端，反而应该有清醒的估计：立足现实的消化创新和集成创新无论目前，还是将来仍然在广东自主创新实践中占有重要的地位，立论的基点在于，消化创新和集成创新同样是站在人类文明的肩膀上的。

确保经费循环系统健康、持续运行。在科技生态系统中，经费循环的作用和功能等同于生态系统中的物质交换。在经费循环中，特别要重视生命群体之间以及生命群体内部各生命体得到应有利益的照顾。健康的科技生态系统，第一标志就是有活力，科技经费循环渠道通畅，学术交流、科学关怀所代表的能量输入活跃。其次是系统内有足够的多样性或组织复杂性。系统不仅需要大树，同样需要共生的各种规格、种类的小树、小草。目前科技资源向大机构集中的政策，无形中牺牲了特定生命群体或个体的经费物质循环的做法，也许需要检讨。

最大限度地发挥博士后、博士生、硕士生的生力军作用。这是提高科技生态系统的生产力的重要方面。人才培养在科技生态系统里，相当于呵护幼苗的成长。根据美国的经验，高校是科技创新的重要力量。斯坦福大学那些富有创造力的博士后、博士生、硕士生是硅谷聚集的大量高素质人才中的生力军，甚至是主力军团。在中国现行体制下，博士后、博士生、硕士生名额是重要的国家控制资源。广东需要发挥务实进取、敢为人先、灵活变通的传统，以地处

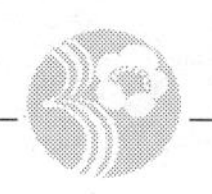

改革开放前沿的锐气，突破制约，多发“广东粮票”——由省大幅度增加博士后、博士生、硕士生名额，并通过多种途径、多种方式给予足够的经费支持，形成更加有活力和成效的科技创新生态系统。

优化资源配置方式。这实际上就是对科技生态系统进行适当的人为修剪（干扰）。合理的人为修剪与森林生态系统中建设防护林带具有类似作用。市场制度是优化资源配置的有效方式之一。它可以催生许多令人难以置信的创新发明，进而服务和改善社会的方方面面，企业和个人因此得到合理的回报，从而成为激励它们进一步创新的动力。合适的激励方式，如利润和被社会认可，企业家可以把他们和社会改善生活的想法转化为人们可以购买得起的产品和服务，这是科技创新的源泉。此外，可以通过调整和完善相关政策，达到优化资源配置目的。比如在税收政策上，鼓励企业增加研究开发的投入，加大对企业研究开发投入的税收抵扣，以强化激励机制和示范效应。

同样，知识产权制度也是资源配置的一种重要方式。知识产权是智慧财产权，是产权者对其智力劳动成果所依法享有的专有权利，是脑力劳动者建立诚信秩序，获得物质回报和精神成就的重要保证。产权是一种垄断权，使私人利益最大化，因而是比科技成果奖励、奖金更大的收益，更能激励人才做创造性贡献。产权所有者可以出卖自己的产权，也可以自己利用形成实业。爱迪生是发明大王，更是知识产权的拥有大户和受益者。贝尔发明了电话，并成立世界驰名的贝尔电话公司，所获极其丰厚。诺贝尔依靠他的专利所获建立了不朽的诺贝尔奖。邓国顺在深圳成立朗科科技有限公司，并成功研制出了闪存盘，2002 年在中国获得闪存盘发明专利，2004 年在美国获得权利范围相同的发明专利，2006 年把美国存储市场排名第二的 PNY 公司告上美国法庭并胜诉。知识产权不仅是保护的问题，更是值得开发的优质创新资源，是利用国际创新资源的重要组成部分。强化知识产权战略，可以提高公众的创新水平（专利申请项目在审查时要求发明者公开技术秘密），还可以激发

知识产权拥有者持续投入（发明人发明核心专利后，别人可以在他的基础上发明外围专利，包围核心专利）。因为核心专利和外围专利的相互制约出现的交叉许可，对行业技术的发展是十分有利的。

及时恢复、修复退化生态系统。在人为干扰和其他因素的影响下，可能有大量的生态系统处于不良状态，承载着超负荷的负担。脆弱、低效和衰退是这一类生态系统的明显特征。这方面尤其需要防止生命体与环境关系的失调。

提高薪酬福利，大面积吸引高素质人才。在科技创新系统里，提高薪酬福利，无异于增肥施料，它会提高生态系统的生物量。“孔雀东南飞”是广东人才资源开发的宝贵财富。它出现的重要前提，除了广东和特区企业对人才的大量需求外，更是因为对外来科技人员给予可观经济回报和发展机会。经济上“领先一步”，是广东当时引进人才的重要本钱。珠海重奖科技人才进一步把广东引进人才的工作推向历史性的高潮。目前广东对人才的相对吸引力已削弱，人才困境隐约呈现，严重制约广东的自主创新能力。重续优厚的薪酬福利，是广东大面积吸引高素质人才的重要举措。

营造一种由世界级一流人才支撑起来的人文氛围。一流人才相当于自然生态系统的大树，有一流人才支撑起来的氛围是生态系统演化的高级形式，此时的生态系统服务功能也最强，具有“消解有毒化学物质、净化、减少水土流失”等功能。广东 GDP 占到全国的近 1/8，全国经济第一的地位暂时无人撼动。此时的广东，迫切需要更大的气魄，完善有效载体，营造一种由世界级一流人才支撑起来的人文氛围，让广东人足不出省，一年下来，就可以领略到国内外众多一流学者的风采，外加比例不等的各国总统、总理、部长、大使、名记者、名律师、大经理、大富翁、艺术家、小说家、影星、歌星等，让世界上各个角落的重大问题都在广东以各种方式、从不同角度进行着讨论。这一设想如能实现，将是广东未来最为精彩之处，自主创新自然是水到渠成了。诚然维持科技生态系统的服务功能需要胆识。

3. 从策划性效应到持久性品牌。

在30年的发展历程中，广东成功策划、实施了许多科技活动，如“广东省科技进步月”活动、“泛珠三角区域科技合作”、“中国留学人员广州科技交流会”、“中国国际高新技术成果交易会”等等。通过“非典”科技攻关大型科研计划、NSFC－广东联合基金、广东教育部科技部产学研合作、粤港关键领域重点突破项目的实践，通过钟南山等领军科技人物的宣传，通过对“三来一补”、“星期六工程师”、“孔雀东南飞”、“深圳速度”等标志性事件、现象的宣传，通过专业镇、生物医药与健康研究院等知识创新平台建设，通过广东科学中心等大型项目的建设，形成良好的策划性效应。它们对树立和提升广东的区域科技形象，打造科技形象品牌，起了非常重要的作用。

把这些策划性的效应变成更多文化特质的持久性品牌，形成了丰厚的沉淀，经得起历史的检验，是未来广东发展的重要财富。这需要将广东科技进步与创新的精神理念、成就、优势和发展潜力，准确、有效地传递给区域内外社会公众，甚至让世界给予关注，使公众产生一致的良好评价和心理认同，进而推进广东科技进步。

在广东省高校人大代表政协委员“解放思想建言献策”座谈会上，笔者甚至建议广东省政府财政拿出3亿元做三件事情，服务于广东学术氛围和高地的打造、多极世界话语权的争取和基本资源腹地、市场腹地的捍卫。

第一个亿元，用来支持国内学术会议到广东来开。只要是真正的国内学术会议，不论其“理由”、领域，均支持它们在广东举行。如果以每个会议支持10万元计算，每年可以支持1000个国内会议在广东开。坚持几年下来，此举的影响力一定不凡。更何况，支持的1个亿，几乎不会离开广东，相反还会引来外地与会者在广东的消费。

第二个亿元，用来支持东南亚学生到广东来留学。只要他们愿来，不问它们的目的、层次和专业。坚持几年下来，将会有越来越多的自费留学生来广东学习。同样，这1个亿元，也基本上是花在

广东境内，没有流出去。最重要的是，留学生回国后，多数自然会亲近广东。这在多极世界中，非常有意义，它会帮助广东在多极世界中，建立自己的地位——东南亚的重要盟主。到时，一些人说的“中国的中心在北京，但世界华人的中心在广东”，就不是一句空话了。

第三个亿元，用来支持泛珠江三角洲地区的高校教师、研究机构的研究人员做“泛珠”的研究、开珠江文化的课，到广东来做访问学者。坚持此举，广东作为“泛珠”的核心地位将更加巩固，进而捍卫了广东未来发展的最基本资源腹地和市场腹地。这个地区处于濒临南中国海的腹心地带，必将与东盟—中国自由贸易区的核心区域，对广东而言，其地位不言而喻。

作者赞同赵汀阳的说法，“把当下看成历史”是历史学的一种有用的眼光。这种历史眼光与20世纪以来的社会—文化事实的存在性质是吻合的。20世纪的一个根本特点就是许多事情“迅速成为历史”。当然并非所有事情，有些事情只是失去原来的价值地位。这意味着社会客观的价值系统（从物质的到精神的）不断在变形，不是微小的演变，而是明显的变化。从技术、市场、生产方式、社会结构等等大事情到生活细节，都是如此。无论是一种电脑技术还是一种时装都很难领先3个月。纯粹的科学和思想仍然有着明显的历史更替节奏。尽管在年轮上各种事情与现在的距离不等距，但是在精神意义或者感觉上同样远——286电脑和马车一样遥远。客观存在和客观价值不断更新换代，但是由于变化太快、时间太短。能恒久下来者，自然需经得起历史的检验。

法国历史学年鉴学派代表性人物布罗代尔认为，人类社会存在着三种不同的时间量度：短时段、中时段和长时段。短时段的历史只是“事件”的历史。中时段可称为社会时间，“供我们选择的时间可以是10多年，25年，甚至是康德拉捷夫的50年的周期”。要研究总体的历史，就不能仅仅停留在政治军事外交等层面的短时段，而要重视经济社会文明等层面的中时段。中时段的历史也就是“局势”的历史。长时段可称为地理时间，是“一种缓慢流逝、有

时接近于静止的时间”。在这个层次（不是别的）上，脱离严格的历史时间，以新的眼光和带着新的问题从历史时间的大门出入便成为合理合法的了。长时段是社会科学在整个时间长河中从事观察和思考的最为有用的渠道，也是各门社会科学可能使用的共同语言之一。

广东改革开放走过的风风雨雨以及它取得的成就，不只是一个个独立的事件，应该放在社会发展系统中来审视。回首过去30年的发展历程和形成的格局，广东的改革开放是一场大规模的社会实验和制度变迁过程。战略管理学家M. E. 波特在《国家竞争优势》一书中提出，经济发展可以分为四个阶段：生产要素驱动阶段、投资驱动阶段、创新驱动阶段和财富驱动阶段。广东走过了生产要素驱动阶段和投资驱动阶段，现在不仅要重视进入创新驱动阶段，还要提前做好准备，随时进入财富驱动阶段。本书期望，广东改革开放走过的路，能够经受历史时间的考验，并通过记录、讨论的形式，变成智慧，启迪未来的发展。

参考文献

M. E. 波特:《国家竞争优势》，华夏出版社2002年出版。

陈鸿宇:《1840年以前广东区域经济差异的形成与发展》，《岭南学刊》2000年第1期。

陈萍、郑少智:《广东在“泛珠三角”中如何发展》，《特区经济》2005年第3期。

程工、陈暄、徐永诚:《论技术创新的制度决定》，《上海经济研究》2000年第7期。

丁娟:《技术跨越：基于技术进步与制度变迁的分析》，复旦大学学位论文（2004）。

方民生:《波特的簇群理论与浙江产业组织》，《浙江经济》2001年第7期。

冯林:《21世纪中国大预测》，改革出版社1996年版。

冯勤等:《工业技术创新管理》，中国水利水电出版社2005年版。

冯小静、王晓云:《张广宁驳广州“无文化论”》，《羊城晚报》2008年2月22日A8版。

傅高义:《先行一步——改革中的广东》（中译本），广东人民出版社1991年版。

傅家骥:《技术创新学》，清华大学出版社1998年版。

高尚全:《30年——四次解放思想》，《南风窗》2008年第3期。

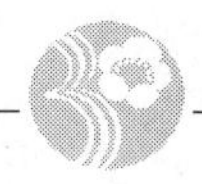

广东省地方史志办公室：《广东省志》（科学技术），http://www. gd - info. gov. cn.

广东省环境保护局：《广东环境保护公报》（历年）。

广东省环境保护局：《广东省环境保护第十一个五年规划》，（2005）。

广东省科技厅：《广东科技年鉴》（历年）。

广东省科技厅：《广东科技统计年鉴》（历年），广东科技出版社出版。

广东省科技厅：《广东省科技发展第十一个五年规划》，2005。

广东省科技厅：《广东省专业镇技术创新》，2001 年 6 月。

广东省科技厅：《自主创新之路——广东“十五”科技发展回眸》，广东人民出版社 2008 年版。

广东省科技厅高新技术发展及产业化处：《广东高新技术产业开发区发展报告》（未发表）。

广东省人民政府：《广东年鉴》（历年），广东年鉴出版社出版。

广东省人民政府：《广东省国民经济和社会发展统计公报》（历年）。

广东省人民政府：《广东政府工作报告》（历年）。

广东省社科院竞争力评估中心、广东省省情调查研究中心：《广东省区的综合竞争力评估分析报告》，（2004）。

广东省统计局：《广东统计年鉴》（历年），中国统计出版社出版。

广东省委统战部：《我为广东自主创新献一策》（未出版）。

广东省知识产权局：《广东知识产权年鉴》（历年）。

广东自主创新能力调研组：《广东自主创新能力研究》，广东省地图出版社 2005 年版。

国家统计局：《中国统计年鉴》（历年），中国统计出版社出版。

黄海潮、郑方辉、丁安华等：《梦想成真——广东走向市场经济》，华南理工大学出版社1993年版。

黄浩、易振球：《改革之星——广东改革开放十年实践100例》，广东人民出版社1988年版。

黄华华：《广东省“十五”工作回顾和“十一五”工作规划》，《南方日报》2006年3月2日。

杰里米·里夫金著，杨治宜译：《欧洲梦——21世纪人类发展的梦想》，重庆出版社2006年版。

景体华、陈孟平主编：《中国区域发展蓝皮书（2006—2007）：中国区域经济发展报告》，社会科学文献出版社2007年版。

隽纯龙、何善秀：《广东利用外资实践的总结与借鉴》，《商业时代》2005年第32期。

柯象中、朱安明：《广东光荣与矛盾》，《中国财经报》2000年8月4日。

乐黛云：《美国梦？欧洲梦？中国梦》，《社会科学》2007年第9期。

李建平等：《科技进步与经济增长》，中国经济出版社2005年版。

李廉水：《新型工业化道路与科技创新》，《中国科技成果》2003年11期。

梁桂全、庄容开：《广东经济可持续发展》，广东人民出版社1998版。

廖惠霞、欧阳汀：《广州改革开放20年大事纪实》，《探求》1999年第2期。

林树森：《广州：发展中的华南经济中心序》，广东人民出版社年1999版。

林毅夫、蔡昉、李周：《中国的奇迹：发展战略与经济改革》，上海三联书店、上海人民出版社1994版。

凌志军：《中国的新革命》，新华出版社2007年版。

刘焱鸿、谢少聪：《在探索和实践中发展——试论改革开放前沿地广州》，中国评论学术出版社2007年版。

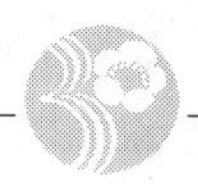

卢荻、关山：《任仲夷口述广东改革开放历程》，《南方都市报》2008 年 1 月 25 日。

陆路、李景强：《工业企业的改革与发展——广州改革开放十年》，海南人民出版社 1988 版。

陆学艺：《当代中国社会阶层研究报告》，社会科学文献出版社 2002 年版。

路平：《广东的“簇群”（专业镇）经济》（2000—2002），《广东科技》2003 年第 2 ~ 3 期。

罗平汉：《“文革”前夜的中国》，人民出版社 2007 年版。

秦朔：《广州：15 年开放纵横谈》，《南风窗》1994 年第 9 期。

邱捷：《近代广东商人与广东的早期现代化》，《广东社会科学》2002 年第 2 期。

史世鹏：《论经济增长中的科技驱动》，《中共中央党校学报》，1998 年第 3 期。

苏东斌：《中国经济特区略史》，广东经济出版社 2001 年版。

汪丁丁：《社会选择、公共选择与新政治经济学》，《学术月刊》2007 年第 8 期。

王光振、张炳申：《珠江三角洲经济》，广东人民出版社 2001 年版。

王缉慈：《区域创新环境及其网络理论》，《中国高新技术产业导报》1996 年 10 月 24 日。

王珺：《论簇群经济的阶段性演进》，《专业镇与簇群经济专题研究》，2002 年。

王树功、周永章：《2006 年：泛珠三角区域生态环境建设与区域合作》，《泛珠江三角蓝皮书 2006：泛珠江三角洲区域合作发展研究报告》。

王硕：《深圳经济特区的建立（1979—1986）》，《中国经济史研究》2006 年第 3 期。

王颖：《中国民工潮》，长征出版社 2005 年版。

王永平：《广州改革开放 20 年回眸》，《开放时代》2000 年第

2期。

王永钦、张晏、章元、陈钊、陆铭：《中国的大国发展之道》，世纪出版集团、上海人民出版社2006版。

王志坚：《企业技术创新中政府作用的理论与实证研究》，浙江大学学位论文（2002）。

魏达志：《深圳经济特区创建头十年的重大改革》，《特区实践与理论》2006年第4期。

魏后凯，吴利学：《中国地区工业竞争力评价》，《中国工业经济》2002年第11期。

吴舜泽、王金南、邹首民：《珠江三角洲环境保护规划》，中国环境科学出版社2006版。

吴晓波：《激荡三十年》，中信出版社2007年版。

谢鹏飞主编：《广东经济蓝皮书》（历年），广东人民出版社出版。

徐康宁、王剑：《要素禀赋、地理因素与新国际分工》，《中国社会科学》2007年第5期。

徐现祥、陈小飞：《经济特区：中国渐进改革开放的起点》，《世界经济文汇》2008年第1期。

许学强、刘琦、曾祥章等：《珠江三角洲的发展与城市化》，中山大学出版社1988年版。

杨亚平，李相银：《关于广东企业创新的几点思考》，《科技管理研究》2001年第6期。

曾牧野：《体制创新：深圳特区成功之路》，《广东社会科学》1990年第4期。

张墨琴，凌慧珊：《打造内涵丰富的专业镇技术创新平台——访广东省科技厅副厅长马宪民》，《广东科技》2003年第2~3期。

张宇、卢荻：《当代中国经济》，中国人民大学出版社2007年版。

张智林：《改革开放以来广州市中心城市地位的变迁研究》，《西北师范大学学报》（自然科学版）2006年第4期。

赵国鸿:《论中国新型工业化道路》，人民出版社 2005 年版。

赵汀阳:《论可能生活：一种关于幸福和公正的理论》，中国人民大学出版社 2004 年版。

郑鼎文:《推动粤港澳合作实现共赢》，《南方日报》2008 年 3 月 4 日。

中共广州市委宣传部课题组:《广州发展社会主义市场经济的实践和探索》，《学术研究》1998 年第 12 期。

中国科技发展战略研究小组：《中国区域创新能力报告》(2001—2007)。

中国社会科学院工业经济研究所:《2006 年中国工业发展报告》，经济管理出版社 2006 年版。

周大鸣、秦红增：《中国文化精神》，广东人民出版社 2007 年版。

周永章、邓国军、王树功:《东莞松山湖科技产业园区可持续发展理念的实证分析——兼论珠江三角洲发展模式的突破以及松山湖可持续发展模式》，《中国人口、资源与环境》2004 年第 5 期。

周永章、杨志军：《东莞石龙镇现代化建设科技创新示范工程》(未出版)。

周永章:《广东科技发展 30 年回顾》，《广东省情内参》2008 年第 39 期。

周兆晴:《新粤商》，北京大学出版社 2007 年版。

左正：《广州：发展中的华南经济中心》，广东人民出版社 2003 年版。

跋

参与《广东改革开放30年研究丛书》的撰写是一件非常有意义而又有挑战性的事情。

作者有幸，在中国改革开放元年1978年，来到广州中山大学求学，尽管入学时还只是懵懵懂懂的15岁少年。后来又有整整十年光阴生活在广东省外和国外。回国后，先后在中国科学院和高校两个系统工作。这为比较广东内外、高校内外的变化提供了方便。总体上，自己见证了这个波澜壮阔的开放改革历程。回首30年科技经济社会之进步，心潮难平。

近几年来参加广东省委统战部、广东省政协、九三学社广东省委员会、广东省发改委、广东省科技厅、广东省教育厅、广东省环保厅、广东省经贸厅组织的专题调研活动，以及中共广东省委政策研究室、广东省政府发展研究中心组织的广东省情讨论会，为本书的写作提供了非常有意义的背景材料和启发。特别是最近广东省委统战部组织的“我为自主创新献一策报告会”、广东省政协组织的“关于培养、吸引优秀人才，增强广东核心竞争力的调研活动”、九三学社广东省委与广东省社科院组织的“忧患意识文化研讨会”、广东省高校工委、教育厅组织的“广东高校人大代表政协委员解放思想建言献策座谈会”、广东省科技厅和教育厅向民主党派的情况通报会，对本书的成稿起了重要的催化作用。

本书不是政府部门的官方总结或年鉴，不需对人物和事件进行“摆平”。作者主要从身边熟悉的事和人切入、剖析，为广东科技

发展30年的实践讨个“说法”，希望再现那曾经推动广东经济社会勇往直前的科技创新的滚滚巨浪的身影，点评“创新”和广东人特有的“敢为天下先”的文化气质在这一历史运程中所起到的拨千斤之力，同时希望对读者具有一定的可读性。

写“科技”不能仅仅停留于“科技”，而必须有一个明确的落脚点或清晰的视角。对于本书来说，这个视角就是“科技面向经济社会，适应市场经济体制改革”，其实质是制度变迁过程。

回顾30年，广东科技发展有太多可圈可点，突出体现在“星期六工程师”、“孔雀东南飞”、“珠海重奖科技工程”、“留交会”、“高交会”等一系列标志性事件以及各个阶段的“执政”理念中，并形成了丰厚的沉淀。写作越是深入，越使作者更坚定这种认识。

广东科技发展的30年，是自主创新不断推进的30年。30年清楚地见证了广东经历适应市场的那份艰难的磨砺。经历适应市场那份艰难磨砺的广东人深切理解：自主创新不是为了“创新”而创新，而是自己当家作主的创新，需要打破一切庸腐陈规，冲破一切不合时宜、不符合市场经济规律、不切合市场实际的桎梏；自主创新决不是一味排外的“自己创新”，而是在与世界对话的动态过程中达成。

广东区域科技进步与区域科技创新总体上是一种先行观念、务实观念、市场观念下的特区模式，具有强烈的国际视野特征。广东开放的第一步，就是迈进国际产业链条，遇到问题就到国际上寻找经验。它强调科技创新要符合和满足当地产业、经济和社会发展的实际需求，充分利用市场机制，明确政府、科研机构、企业等不同利益主体的角色，重点营造鼓励创新的投资环境，宜于创业的人才环境，最大限度地利用全球创新资源。

对于先行一步，广东人有一种天生的勇气与执著。广东无论在改革开放的初期，还是在贯彻落实科学发展观、构建社会主义和谐社会、建设创新型国家的新实践中，始终坚决贯彻中央精神，善于在积极领会中央精神中寻找发展的空间，善于在创造性落实中央要求中开辟道路。

现代化梦想是近代以来几乎全部中国人的共同梦想。“发展是硬道理”是这个梦想的最好表达。改革开放使光荣的“中国梦”想落在了广东人身上——“广东要率先实现现代化”——因而成了“广东梦”。广东不辱使命，成为全国经济第一大省，其富足超过3/4的亚洲“四小龙”。

面向未来，“广东梦”何去何从？这是“进一步解放思想”大讨论要解决的核心问题。在新时期，广东旗帜鲜明地提出要“争当实践科学发展观排头兵”、“努力建设成为提升我国国际竞争力的主力省，探索科学发展模式的试验区，发展中国特色社会主义的先行地”，这与“广东梦”是一脉相承的，是新形势下广东梦的发展。

作为经历或了解改革开放背景的读者，一定会发现本书中一些有倍感亲切的场景。

值此成书之际，作者要感谢广东科技30年发展史的缔造者、见证者、记录者和研究者们。感谢许多曾经或正在奋斗于广东科技事业第一线的掌舵人——科学家如钟南山院士、傅家谟院士、林浩然院士、苏锵院士、曾益新院士及中山大学的领导等等；战略决策思想家如任仲夷、林若、谢非、李长春、张德江、汪洋等等；还有无数的企业家。作者深知，这致谢单挂一漏万，在此，特向无数名创造了广东科技30年史绩的人们，致以由衷的敬意和谢意。

书中的数据，除特别说明外，主要引自历年《中国统计年鉴》、《广东年鉴》、《广东科技年鉴》和广东省政府发布的官方统计数据。此外，在写作中还引用了许多其他参考素材，作者尽量鸣谢，但由于篇幅等诸多因素所限，无法一一确注，在此特向所有原作者谨表衷心感谢。初稿出来后，广东省政协副主席、九三学社广东省委员会主委姚志彬，审阅了书稿，并提出改进意见。此前，九三学社广东省委会组织专门的“广东科技发展30年写作座谈会”，温洋、黄惊雷、何江华、郭若萍、张俊尤等参加了该座谈会。原本计划在更大范围内征求各路专家，特别是亲自参与历史创造者的意见的，但因时间关系，未能充分如愿。这成了作者的一大遗憾。

此书的写作得益于相关单位的支持和许多有识之士的赐教。广东省科技厅有关部门、广东省统计局、广东省年鉴社、广东省科技情报研究所对一些关键资料的收集、查证给予了大力支持。郭喜泉、谢鹏飞、马宪民、杨正根、吴茂芹、黄庆勇、杨晓、李超、陆平、黄源生、左朝胜、卢进、邓雷鸣、陶炼敏、李晓燕、陈为民、曾乐民、曾祥效、方秀文、黄社滋、万洪富、盛南方、谢岳铭、陈勇、黄宁生、匡耀球、黄镰、李烈军、刘祖勉、陈肩等从不同方面提供咨询意见。与作者的同事及指导的博士生、硕士生讨论一直是本书的写作灵感的重要来源，郑卓、邹和平、王建华、丘志力、吴重庆、徐现祥、张澄博、杨志军、杨小强、王祖伟、宋书巧、陈庆秋、杨海生、张正栋、龚兆先、张争胜、张林英、杨国华、付善明、付伟、沈文杰、甘华阳、翁毅、钟声宏、窦磊、何俊国、丁健、钟莉莉、徐燕君、赵行旺、罗星亮、楼振华、王俊舜、左世昌、甘多卉、程春艳、何涛、廖承平、郑任和、王志红、杨慧、罗珩、罗春科、周文娟、张余、苏育炜、李飏、刘利、龚建文、邹春洋、杜家元、温春阳、吴良林、周志红、吴清华、周晓芳、周云霞、谢晓华、马瑾、蔡立梅、张莉、郭清宏、杜敏、李勇、范瑞、陈飞香、廖继武、卢强、邓国军、邬永强、陈建敏、李秀娟、郭卫华、陈海亮、崔洁、古志宏、李红中、安燕飞、吕文超、黄兰椿、于丽芳、凌宏康、刘大伟、张丁仁、杨慧等都曾直接或间接对本书的进展有贡献。杨权教授及其夫人唐娓娓女士，中文系研究生苏丹洁，广东人民出版社卢雪华、柏峰对文字编辑提供了实质性的帮助。范静、吕文超做了许多事务性的助理工作。《现代人报》原常务副社长陈忠干、记者陈建华对一些关键历史片断给予有启发的点评。

本书是《广东改革开放30年研究丛书》之一。整套丛书从策划到完成，得到广东省委常委、宣传部部长林雄的大力支持。林雄部长对丛书提出了指导性意见，并多次过问丛书的进展情况。省委宣传部副部长蒋斌、理论处处长杜新山等对丛书的写作给予了具体指导。

中山大学对这套丛书的编写高度重视。学校成立了专门研究课题组，由党委书记郑德涛教授牵头，党委副书记梁庆寅教授具体负责，蔡禾教授、社科处李仲飞处长、刘运国副处长具体组织实施。期间，郑德涛书记和梁庆寅副书记亲自主持分工，做动员讲话，指导写作，课题组先后召开了四次讨论会。丛书完成初稿之后，学校组织了校内外专家匿名审稿和会议审稿。中山大学主管科技副校长徐安龙、校长助理兼科技处长夏亮辉、科技处调研员李子和，审阅了书稿，特别是与中山大学相关部分。社会科学处朱跃、徐理军、袁旭阳、杨君老师提供了许多方便和指导。

本书是广东省哲学社会科学“十一五”规划2007年度规划特别委托项目和广东省科技厅软科学立项项目的成果。此外，还得到教育部哲学社会科学研究重大课题攻关项目、中山大学985工程产业与区域发展研究哲学社会科学创新基地、地球环境与地球资源研究中心、华南农村研究中心的大力支持。

在此，特向前面提到的单位和个人一并表示衷心感谢。

中山大学教授、博士生导师

2008年夏于广州康乐园